1495

ET QUE SONNENT
LES CLOCHES DU TEMPS

PHILLIP ROCK

ET
QUE SONNENT
LES CLOCHES
DU TEMPS

Traduit de l'anglais par Guy Casaril

PIERRE BELFOND
3 bis, passage de la Petite-Boucherie
Paris 6e

Ce livre a été publié sous le titre original
THE PASSING BELLS
par Hodder & Stoughton, Londres.

Si vous souhaitez recevoir notre catalogue
et être tenu régulièrement au courant de nos publications,
envoyez-nous vos nom et adresse en citant ce livre.
Éditions Pierre Belfond
3 bis, passage de la Petite-Boucherie
75006 Paris

ISBN 2-7144-1267. X

A Bettye Cooper Rock
de Kingston-upon-Thames,
avec tout mon amour.

REMERCIEMENTS

Nous tenons à remercier les éditeurs qui nous ont autorisé à publier les éléments ci-dessous :

Extrait de « I have a Rendez-vous With Death », d'Alan Seeger, tiré de *I have a Rendez-vous with Death*, d'Alan Seeger, avec l'autorisation de Charles Scribner's Sons, © 1916, Charles Scribner's Sons.

Cinq lignes de « Sons of the Widow », de Rudyard Kipling, tirées de *Barrack Room Ballads* avec l'autorisation d'Eyre Methuen Ltd. Londres, et du National Trust.

Extrait de la dernière strophe de « The Send-off », tiré de *The Collected Poems of Wilfred Owen*, édités par C. Day Lewis, © 1946, 1963, Chatto and Windus Ltd. Reproduit avec l'autorisation du Wilfred Owen Estate et de Chatto and Windus Ltd.

Extrait de « The Dead » et de « Peace » de Rupert Brooke, tirés de *The Collected Poems of Rupert Brooke*, © 1915.

Et que sonnent les cloches du temps,
L'appel des vivants et le deuil des morts...

NOTE DE L'AUTEUR

Tous les personnages de ce livre, à l'exception évidente des personnages historiques, sont purement imaginaires. Les Royal Windsor Fusiliers ne figurent sur aucune liste de régiments de l'armée britannique, passée ou présente, mais tous les autres régiments sont réels et ont participé aux actions dans les lieux cités.

J'ai essayé de décrire les événements de façon très fidèle, mais ce livre n'est pas un ouvrage d'histoire, et je demande aux historiens de bien vouloir me pardonner les erreurs que j'ai pu faire et les libertés que j'ai cru devoir prendre.

Aucun roman se déroulant dans le cadre de la Grande Guerre ne saurait être écrit sans l'aide des œuvres d'autres écrivains. Je suis particulièrement redevable aux ouvrages suivants : *Gallipoli* de John Masefield (The Macmillan Company, 1918) pour les détails concernant le débarquement du *River Clyde* et les bataillons impliqués ; *The Age of Illusion* de Ronald Blythe (Hamish Hamilton, 1963) pour son chapitre sur le Soldat inconnu ; *The Great War and Modern Memory* de Paul Fussell (Oxford University Press, 1975) pour d'innombrables détails ; *Memoirs of a Fox-hunting Man* et *Memoirs of an Infantry Officer* de Siegfried Sassoon (Faber and Faber, 1928 et 1930) ; *Goodbye to All That* de Robert Graves (Cassel, 1957), un vieil ouvrage en loques, acheté il y a bien longtemps, le premier qui m'ait donné envie d'écrire ce livre ; et enfin *First Day on the Somme* de Martin Middlebrook de Boston (Lincolnshire), qui témoigne d'un talent historique hors pair (Allen Lane, 1971).

Et une dette de cœur très particulière à l'égard de tous les poètes tombés dans la fleur de l'âge...

LIVRE PREMIER

Sonnez, clairons, sonnez ! On a offert à notre dénuement
  Sainteté, si longtemps absente, Amour et puis Souffrance.
Honneur est retourné, comme un roi, sur la Terre,
  A ses sujets il paie de nobles gages ;
Et Vertu marche de nouveau sur nos routes.
  Voici, nous avons recueilli notre héritage.

Rupert Brooke, 1914.

1

Eté 1914

L'aurore survint tôt, et teinta le ciel sans nuages d'une ombre verte très pâle. Les coqs avaient chanté avant les premières lueurs, claironnant ce jour de juin d'un bout à l'autre du comté. A Burgate Hill, les bûcherons prirent un instant de repos après le raidillon de la crête, allumèrent leurs pipes et regardèrent le soleil se lever. Ce serait encore une journée claire et sèche, et les hommes pouvaient voir le Sussex et les South Downs au loin, par-delà le Weald. A leurs pieds, le Vallon d'Abington était encore peuplé d'ombres, mais le temps de finir leur pipe — et de faire tomber les cendres avec soin sur un coin de sol nu — et déjà le soleil caressait la flèche de l'église d'Abington et les cheminées de brique de la vaste demeure d'Abington Pryory, à cinq kilomètres à l'ouest. La maison elle-même était ensevelie dans les frondaisons abondantes des bois de chênes et de bouleaux. Au-delà du vallon, les hommes aperçurent de minces volutes de fumée qui s'élevaient des vagues douces de la lande : le « cinq heures dix » de Tipley's Green emmenait les riches récoltes de Surrey vers les marchés de Londres.

Anthony Greville, neuvième comte de Stanmore, entendit le sifflement lointain du train à la hauteur du passage à niveau du Leith Common. Tout en somnolant dans son lit, il suivait en esprit le trajet du train de marchandises qui serpentait au milieu du comté avant de rejoindre la grande ligne, à Godalming. Enfant, il avait connu le même train, mais celui-ci était, bien entendu, plus grand et plus moderne — et puis, à l'époque, il ne franchissait pas la lande : il venait de Tipley's Green par Bigham en traversant sur huit kilomètres les terres de son père. A quelle époque était-ce ? se demanda-t-il. En 1870 ? En 1872 ? Oui, c'était à peu près ça. Au début des années 70, parce que les terres avaient été vendues un peu plus tard dans cette décennie, et divisées en fermes. La nouvelle voie ferrée contournait complètement Abington, et il se souvenait que les fermiers l'avaient jugée beaucoup plus efficace. Mais l'ancien train, avec sa haute cheminée bulbeuse et ses cuivres étincelants, lui avait manqué.

Il tourna la tête sur l'oreiller et regarda sa pendulette de chevet : un chronomètre de marine monté sur un boîtier de bois de rose. Cinq heures vingt-trois. La grande demeure prenait vie ; il étira sous la couverture son long corps finement musclé et il écouta les bruits

15

assourdis : le murmure des tuyaux lorsque les filles de cuisine tiraient de l'eau pour les cuisinières, le tintement lointain des pelles qui emplissaient les seaux à charbon, le sifflotement très affaibli d'un garçon d'écurie faisant sa toilette sous la pompe de la cour. Bientôt ce serait la galopade dans les couloirs : les femmes de chambre apporteraient aux lève-tôt la théière et l'eau chaude du rasage. La maisonnée se composait de quarante serviteurs en comptant les valets d'écurie et les jardiniers, et lorsqu'ils commençaient leur journée ils pouvaient faire un sacré tintamarre. Mais c'était une musique que le comte de Stanmore trouvait aussi réconfortante que le souvenir.

Il se rasa lui-même, debout en chaussettes devant le miroir, tandis que son valet de chambre, à ses côtés, lui tendait les serviettes et une bouteille d'eau-de-laurier. Ce valet s'appelait Fisher et il était à son service depuis plus de dix ans.

— Et qu'est-ce que Votre Seigneurie a prévu pour aujourd'hui ?

Il examina son visage dans la glace.

— Qu'en penses-tu, Fisher ? Cette moustache ne fait-elle pas un peu trop militaire ?

— Elle est assez féroce, si je puis me permettre.

— Et vieillissante ?

— Je n'irai pas jusque-là, milord. Martiale, oui.

— Nous l'arrangerons plus tard, Fisher. Coupe les pointes.

— Très bien, milord. Et que dois-je sortir ?

Le comte donna une dernière caresse à son menton et posa le rasoir dans le plat à barbe.

— Un costume du matin pour mon retour du cheval... et il y aura des invités à dîner. Tenue de soirée.

— Très bien, milord.

La promenade matinale à cheval était pour le comte un rite infaillible, dans la chaleur de l'été comme par les aurores sombres et glacées de l'hiver. Il enfilait une vieille culotte de grosse toile et une veste de Norfolk, avec un chandail par-dessous quand l'air était trop frais. Il y avait trente paires de bottes de cheval dans la garde-robe de son cabinet de toilette, mais pour la promenade du matin son choix était invariable : une paire de bottes de chasse irlandaises dont le cuir marron était craquelé de fines rides comme le visage d'un vieillard basané. Elles étaient aussi souples que des gants et elles collaient à ses longues jambes comme une seconde peau. Il était en train de les enfiler avec l'aide de Fisher lorsqu'un coup discret fut frappé à la porte. Coatsworth entra dans la chambre, suivi par une des servantes portant un grand plateau d'argent où se trouvaient une théière, une verseuse d'eau chaude, du lait, du sucre, une corbeille de galettes au lait, un pot de confiture et un beurrier. Le vieux maître d'hôtel s'avança lentement. Ses pantalons noirs cachaient presque les pantoufles qu'il avait aux pieds.

— Bonne journée, milord.

— Bonne journée à vous, Coatsworth. Comment va la goutte ce matin ?

— Mieux, je crois. Je me suis fait un bain de pieds avec du vinaigre chaud hier soir, comme me l'avait suggéré M. Banks.

— Du vinaigre chaud, vraiment ?

— Ça fait des merveilles, à ce que dit M. Banks.

— Bougrement efficace pour les chevaux, en tout cas.

M. Coatsworth débarrassa une table proche de la chaise où son maître s'était assis, et fit signe à la servante de déposer le plateau. C'était une jeune fille mince, aux cheveux bruns, avec des pommettes hautes et un petit nez retroussé. Une très jolie fille, songea le comte en lui adressant un sourire.

— Merci, Mary.

— Ivy, milord, murmura la servante.

— Bien sûr, Ivy.

Une des nouvelles. Mary était la grosse fille aux cheveux filasses avec les dents en avant.

— Dois-je verser, milord ? demanda le maître d'hôtel.

— Oui, je vous prie.

— Tu peux t'en aller, petite, murmura Coatsworth.

Elle s'attardait, ses yeux erraient dans la pièce... Il fallait un certain temps pour les former correctement. Celle-ci semblait plus intelligente que la plupart. Elle fit une révérence convenablement avant de se retirer. Coatsworth versa le thé dans la tasse et ajouta une cuillère de sucre et quelques gouttes de lait. Puis il rompit une galette chaude et la beurra.

— Je crois que vous trouverez les galettes tout à fait délicieuses ce matin, milord. La cuisinière a changé de recette. La proportion de farine de seigle est plus forte que d'habitude.

— Pas possible.

— Ross dit qu'elles lui rappellent les galettes que faisait sa mère à Aberdeen quand il était jeune.

— Il a beaucoup circulé, on dirait ? Il m'a dit qu'il était de Perth.

Le maître d'hôtel réprima un petit rire tout en étalant la confiture.

— Je crois que Glasgow ou l'East End de Londres doivent être plus près de la vérité.

— Peut-être. Mais il s'y entend en voitures.

— C'est vous qui jugez, milord, répondit Coatsworth, les lèvres pincées, en se retournant pour sortir.

C'était de la rancune, et le comte le savait. Jamie Ross était certainement un jeune homme insolent et d'origine géographique indéterminée, mais c'était aussi un chauffeur et un mécanicien de premier ordre. On ne pouvait vraiment plus se passer de lui depuis que le nombre des automobiles de la famille était passé de une à quatre. Le chauffeur précédent, de l'âge de Coatsworth, était un ancien cocher dont les connaissances en matière de voitures se limitaient à passer la première vitesse et à diriger le véhicule à peu près en ligne droite. Mais le maître d'hôtel et lui étaient très liés, et ils passaient leurs heures de liberté ensemble au *Crown and Anchor* d'Abington, où le jeu de fléchettes faisait office de rite sacré. Le jeune Ross, en revanche, préférait la compagnie féminine aux fléchettes, et passait ses demi-journées de congé à sillonner la campagne sur sa motocyclette, ce qui faisait beaucoup d'effet sur les servantes et les vendeuses, depuis Guildford jusqu'à Crawley.

Greville ne s'attarda pas à son premier petit déjeuner de la journée ; il but son thé et avala ses galettes comme un homme pressé d'être ailleurs. Il sentait l'appel des champs et des bois, des haies et des fourrés. D'un bout à l'autre du Vallon, tout, jusqu'au moindre recoin, était pour un cavalier l'occasion de joies sans nombre et d'obstacles à surmonter. Chevaucher à toute bride à travers ce paysage béni était vraiment la meilleure façon au monde de commencer une journée. Son seul regret en cet instant, c'était d'être obligé de partir seul par cette belle matinée radieuse. William ne rentrerait d'Eton que dans un jour ou deux, et Charles avait perdu la passion du cheval. A la pensée de son fils aîné, son humeur se voila pendant quelques minutes : il ne parvenait pas à comprendre le jeune homme. Depuis son retour de Cambridge, Charles n'avait fait que bayer aux corneilles, indifférent et apathique. Pourtant, pour Greville, la voie que devait prendre le garçon était assez claire : après tout il était l'aîné, c'est-à-dire l'héritier présomptif du titre. Il devait s'attacher au plus tôt à comprendre la structure complexe des biens de la famille, non seulement Abington Pryory avec sa vingtaine de fermes louées, mais les domaines du Wiltshire, du Kent, du Northumberland et de West Riding, ainsi que les diverses propriétés commerciales de Londres. Un travail suffisant pour n'importe quel homme. Bien entendu, si Charles avait exprimé le désir de demeurer à l'université et de retourner à Cambridge, il ne s'y serait pas opposé, mais *toute* tentative de conversation sur son avenir n'avait provoqué chez le jeune homme que de l'*ennui* * — un ennui de plus en plus oppressant, de plus en plus exaspérant, de plus en plus insupportable... Il vida sa tasse jusqu'à la dernière goutte comme si elle avait contenu du whisky.

— Je suis parti, dit-il en se levant soudain.

Le valet de chambre surgit du cabinet de toilette avec sa veste, sa casquette de tweed et un stick à poignée de bambou poli. Impeccable dans sa tenue, le comte traversa la chambre à grands pas vers la porte qui reliait ses appartements à ceux de son épouse. C'était pour lui une source de satisfaction intérieure de songer qu'en vingt-cinq années de mariage cette porte n'avait jamais été fermée à clé, symbole d'amour s'inscrivant en faux contre les sombres prédictions de ses amis, qui avaient tous affirmé que ce mariage ne saurait durer, *les Américaines*

---

* Les mots marqués d'un astérisque sont en français dans le texte.

étant ce qu'elles sont. Il ne comprenait pas davantage le sens de cette remarque maintenant qu'autrefois.

Le contraste entre les deux décors symbolisait bien les idées que se faisait le comte sur la différence entre les hommes et les femmes. Ses appartements étaient lambrissés de chêne foncé, meublés avec une austérité toute spartiate et dénués de tout ornement frivole. Une grande bibliothèque en désordre contenait des ouvrages sur la vie des champs et la chasse, un ou deux romans de Hardy, le théâtre de Shakespeare en cinq volumes, et une Bible, cadeau que lui avait fait le vicaire de la paroisse le jour où il avait quitté la maison, pour entrer à l'école de Winchester. Entre les maigres piles de livres se trouvaient les coupes et les trophées que lui avaient valus ses talents de chasseur et de cavalier. L'épée que son grand-père avait portée — sans s'en servir d'ailleurs — à la bataille de Waterloo trônait dans son baudrier au-dessus de la cheminée, et un grand télescope, présent d'un oncle amiral, était monté sur un trépied devant l'une des fenêtres à meneaux. Le bureau, la chambre et le cabinet de toilette avaient survécu intacts à la transition de la jeunesse à l'âge mûr.

Les appartements d'Hanna Rilke Greville, comtesse de Stanmore, avaient été décorés par un homme sous le charme de la *Belle Epoque* * : tapis de haute laine, papiers peints en relief aux ombres citron et vert opalin, tableaux dans des cadres dorés, miroirs et meubles rococo. Des rideaux de soie tamisaient la lumière et les pièces baignaient dans une douce pénombre féminine. C'étaient les appartements d'une femme émotive et sensuelle. Jamais, au cours de toutes les années où ils avaient eu des relations charnelles, ce n'était elle qui s'était rendue dans les appartements de son époux — mais toujours l'inverse.

Elle était encore endormie et ses longs cheveux blonds attachés en deux rouleaux épais glissaient sur l'oreiller comme deux gerbes de fils d'or. Le comte ne troubla pas le sommeil de son épouse. Cela faisait partie de son rituel de rester simplement un instant au bout de la vaste chambre et de la regarder. Ensuite, il referma la porte sans bruit et regagna ses appartements. Il fit claquer son stick sur le haut de sa botte et se dirigea d'un pas vif vers le corridor.

— Bonjour, milord.

Quatre filles d'étage, debout sur le palier, murmurèrent leur salut à l'unisson, tout en faisant la révérence. Leurs uniformes raides d'amidon crissèrent agréablement.

— Bonjour, bonjour, répondit Lord Stanmore sans les regarder.

Et il s'engagea dans le grand escalier.

Il quitta la maison par le jardin d'hiver au dôme de verre, au milieu des palmiers en pots et des fougères suspendues, puis il traversa la terrasse ouest, encore dans l'ombre, où deux aides-jardiniers, armés de balais de brandes, nettoyaient les dalles de pierre. Ils interrompirent leur travail le temps de porter respectueusement la main à leur casquette, et il répondit à leur geste par un léger hochement de tête. Des

19

marches de granit usées par le temps descendaient en formant une courbe vers le jardin italien, où quatre hommes s'affairaient autour des arbres taillés. Un portail de fer ouvragé, acheté des années plus tôt dans la propriété du duc de Fiori à Urbino, conduisait à la roseraie et à sa fontaine centrale en marbre de Carrare, où l'eau verte glissait sur les formes sculptées de Neptune et d'Europe. Au-delà du mur de brique qui clôturait la roseraie, plusieurs serres, longues et basses, marquaient la limite des vastes jardins potagers avec leurs rangs de légumes bien droits, et leur terre bien travaillée. Un sentier de gravier bordé d'arbres continuait au-delà des maisons des jardiniers, des fosses à compost et des hangars, jusqu'aux abords des écuries, séparées du domaine des jardiniers par un grand mur de pierre. Il y avait, enfoncées dans les fentes entre les blocs de pierre, toute une série de balles de mousquet et de pistolet, souvenirs d'un combat acharné entre les Cavaliers du prince Rupert et une compagnie de Têtes-Rondes en 1642. Dans son enfance, le comte avait essayé de creuser avec un canif, mais il n'avait récupéré que des éclats de fer rouillé et de minces débris de plomb. Le mur était percé d'une porte de bois massive, peinte en vert foncé, qui débouchait sur la pelouse et les écuries...

Là, il était dans son monde, et il en ressentait une fierté intense. Les nouveaux bâtiments de bois aux toits d'ardoise étaient peints à ses couleurs, chamois avec des nuances orangé. C'étaient les plus belles écuries d'Angleterre, et les vingt-cinq chevaux de chasse et d'obstacles qu'elles logeaient étaient les meilleurs que l'on puisse acheter, troquer ou mendier. Son préféré, un hongre alezan brûlé de sept ans, arrivait sur la pelouse, conduit par un valet d'écurie. Non loin, un homme trapu, aux jambes arquées, portant culottes de tweed et guêtres de cuir brun, surveillait le cheval d'un œil critique et compétent.

— Bonjour, Banks, lui dit Lord Stanmore d'un ton joyeux. Vous l'avez sellé, je vois.

George Banks, entraîneur et vétérinaire, que l'on appelait par plaisanterie le Maître de la cavalerie du comte, ôta d'entre ses dents une pipe de bruyère noueuse et en fit tomber la cendre à petits coups contre le dos de sa main.

— Il se porte comme un charme, milord, et il tire sur la bride, comme vous pouvez le voir. Je jurerais que ce vieux Jupiter est vraiment remis à neuf.

Le comte fixa attentivement la patte avant gauche du cheval que le valet faisait avancer vers lui.

— Il ne ménage plus du pied.

— Du tout, milord, répondit Banks. Les emplâtres chauds ont fait du bon travail, et sans traîner.

— Espérons qu'il ne sera pas devenu timide devant l'obstacle.

— Ça, milord, pour le savoir, il faut le mettre devant une haie. Mais il avait déjà pris d'autres coups.

— Certainement, Banks, mais pas aussi rudes.

Il caressa affectueusement l'encolure du cheval, puis il fit courir sa main le long de son garrot soigneusement étrillé.

— Bien, Jupiter, mon garçon, bien...

— Il est plein de feu, hein ?

— C'est certain.

— Il a vu que Tinker sortait, et ils sont vraiment copains tous les deux. Je suis sûr qu'il est impatient de le rattraper.

— Tinker est sorti ? Qui a bien pu...

— Mais... le capitaine, milord, répondit Banks en prenant sa blague à tabac de toile cirée jaune pour bourrer sa pipe. Le capitaine Wood-Lacy. Il est descendu de Londres hier soir. Il est arrivé un peu tard et il n'a voulu déranger personne au manoir, alors il est venu passer la nuit chez moi. Il était debout avec l'alouette, et impatient de monter.

Le comte sauta en selle.

— Bon dieu ! Si j'avais su... Vers où est-il parti ?

— Burgate et Swan Copse, répondit le valet d'écurie. Mais il n'éperonnait pas, milord. Juste au petit galop.

— Merci, Smithy. Peut-être pourrai-je le rattraper.

Il donna au grand hongre un léger coup de talon. Le cheval impatient réagit aussitôt et s'élança au galop de chasse sur le chemin de sable tassé. Au coin des écuries et des granges à foin, il dut le retenir pour qu'il ne se lance pas au plein galop. Le chemin tournait à droite vers la route d'Abington et il était bordé sur la gauche par une clôture d'un mètre cinquante.

— Allez, Jupiter, saute !

Il tira soudain sur la rêne de gauche et le cheval quitta aussitôt le chemin et bondit par-dessus la clôture. Avec cinquante centimètres de réserve ! Il entendit Banks et le palefrenier lancer un cri joyeux, mais il ne se retourna pas.

Le capitaine Fenton Wood-Lacy, des Coldstream Guards, chevauchait avec lenteur et morosité à travers les ombres tachetées de lumière d'un bois de hêtres. C'était un homme grand, aux épaules carrées, âgé de vingt-cinq ans, avec des yeux sombres profondément enfoncés, un nez busqué proéminent et des lèvres minces : un visage qui exprimait une certaine arrogance étudiée et un soupçon de cruauté, comme la tête d'un faucon ; un visage qui, dans le feu de la colère, pouvait faire trembler de terreur des subordonnés incompétents... Mais ce n'était là que son visage de parade, acquis en même temps que ses galons d'officier. Avec ses amis, avec les femmes, les jeunes enfants, les faibles et les humbles de la Terre, ce visage subissait une transformation magique. La ligne dure de la bouche s'adoucissait et le regard perdait sa froideur de verre : une générosité joyeuse le réchauffait. Pour l'instant, ses yeux étaient de plomb et son visage perplexe. Un inconnu qui aurait vu en passant cet homme monté sur un cheval bai magnifique et vêtu d'une belle tenue coupée à Londres l'aurait pris pour un riche hobereau. En réalité, il avait dans sa poche une lettre de la Cox's Bank l'informant, sur un ton respectueux mais ferme, que son compte était gravement à découvert, et la veille, le secrétaire du Marlborough Club avait attiré son attention sur les dernières notes impayées : « *Je n'éprouverais aucun plaisir à faire part de cette affaire à votre colonel, mais vos arriérés sont si élevés qu'à moins de...* ».

— Au diable ! murmura-t-il sans passion.

Un faisan à col doré sortit du couvert et s'élança vers les champs au-delà du bois. Fenton leva le bras et suivit avec le bout de sa cravache le vol erratique de l'oiseau, jusqu'à la distance où son coup de fusil lui aurait assuré un gibier proprement tué.

— Dommage ! murmura-t-il.

Le faisan se posa au sol et il abaissa sa cravache, dont il frappa distraitement sa botte. La beauté de cette matinée, le soleil qui filtrait à travers les feuillages des hêtres et la brume dorée qui s'attardait sur les champs bordés de haies, tout semblait se moquer de sa mauvaise humeur. Il fallait faire quelque chose, mais quoi ? Sur sa vie, il ne parvenait pas à le déterminer. Cent livres sterling régleraient ses dettes actuelles — et il lui serait probablement assez facile d'emprunter cette somme à Lord Stanmore comme il l'avait déjà fait autrefois ; mais ces cent billets ne résoudraient pas ses problèmes : ils ne feraient que retarder l'inévitable de quelques mois. Sa part de l'héritage de son père s'élevait à six cents livres sterling par an, et n'était pas extensible. A cela venait s'ajouter sa solde de capitaine, mais ce n'était pas suffisant pour lui permettre de demeurer dans les Coldstreams — un régiment qui tirait vanité (comme les autres régiments d'infanterie des Gardes) de la classe de ses officiers. Tous les officiers des Gardes se devaient d'appartenir au Guards Club, mais, en tant que capitaine, il était presque exclu qu'il n'entre pas également au Marlborough. Un officier célibataire appartenant à un régiment d'un niveau social moins élevé aurait pu vivre dans ses quartiers à la caserne ; mais on attendait d'un officier des Gardes qu'il occupe, évidemment à ses frais, un logement convenable à Knightsbridge ou à Belgravia — plus le grade était élevé, et meilleure devait être l'adresse. Sa promotion au rang de capitaine n'avait fait que précipiter sa ruine. Et en plus de toutes ses dépenses, il y avait le problème du costume. En dehors du service, on ne pouvait porter que des vêtements civils (sauf pour certaines cérémonies) et il fallait qu'ils soient magnifiquement coupés, à la dernière mode et très cher. La note de son tailleur avait été scandaleuse, et seul un coup de chance aux cartes lui avait permis de la payer. Hélas, cette chance n'avait pas duré assez longtemps pour qu'il pût régler ses comptes avec la Cox's Bank et le Marlborough Club.

— Qu'ils aillent au diable ! murmura-t-il à l'intention des arbres.

Il donna une petite tape amicale à sa monture. L'animal gracieux s'élança aussitôt au trot, se faufila entre les arbres et déboucha sur une prairie jonchée de bleuets et de boutons d'or. Fenton ramena son cheval au pas, se rassit paisiblement sur sa selle et regarda au loin : par-delà les prairies vallonnées, dissimulée en partie par les saules de Swan Copse, se dressait la façade gothique de Burgate House. Il y avait là-bas une solution permanente à ses problèmes financiers, mais à un prix que, jusqu'ici, il ne s'était pas résolu à payer. Il était toujours aussi réticent, mais de toute évidence, il n'avait guère le choix. A Burgate House demeuraient Archie Foxe et sa fille Lydia. Archie Foxe, avec sa bonne franquette et son accent des bas quartiers de Londres. Le Foxe des « Conserves de Luxe Foxe » et des omniprésents « Salons de thé White Manor ». Et cela faisait longtemps qu'Archie lui avait offert de bon cœur une place dans son affaire. Mille livres par an pour débuter. Ce n'était pas une somme à dédaigner. Il fit glisser de sa veste son étui à cigarettes d'argent et prit une Abdullah à bout de liège. Il lui faudrait renoncer à son grade, mais de toute façon il n'y avait guère d'avenir dans l'armée. Sa promotion au rang de capitaine à vingt-cinq ans avait été une chance aveugle, due à une restructuration du bataillon comme il ne s'en produit qu'une fois par siècle. Il lui faudrait attendre encore dix ou quinze ans avant d'être nommé major.

Il souffla une bouffée de fumée dans le vent et regarda la demeure lointaine en plissant les yeux, comme un éclaireur surveillant les mouvements de l'ennemi. C'était un bâtiment affreux, construit par un duc à l'époque de la reine Anne. Son fils unique avait été tué, et le duc avait ordonné à ses architectes de modifier les plans du manoir pour en faire un monument à la mémoire du jeune homme. Ils s'étaient surpassés en édifiant une bâtisse qui ressemblait davantage à une cathédrale qu'à une maison. Personne n'avait jamais été heureux d'y vivre, hormis Archie qui adorait l'endroit : « C'est comme vivre à l'abbaye de Westminster », disait-il.

— Et zut ! soupira le capitaine.

Son Rubicon personnel s'étendait devant lui. Mille billets par an. Et Lydia ? Cette petite question éludait toute réponse comme un feu follet échappe à toute étreinte. Ce serait Lydia Foxe qui déciderait. Elle était belle, âgée de vingt et un ans et fille du père le plus indulgent du monde. Elle n'était soumise à aucune contrainte. Elle pouvait filer un mois à Paris ou faire un saut à Londres pour le week-end sans craindre les foudres d'Archie. C'était elle qui, la première, avait suggéré qu'il plaque l'armée pour entrer dans la « boutique à papa » — comme elle appelait, non sans humour, la société Foxe Ltd. Elle lui avait soufflé cette idée en l'aidant à choisir les meubles qui convenaient à son appartement de Lower Belgrave Street : les goûts de la jeune fille dépassaient de loin le budget du capitaine.

— Un homme comme vous devrait vivre au milieu des belles choses, avait-elle dit. C'est un gâchis de rester dans l'armée.

Il aurait pu le lui dire lui-même, mais Archie n'envisageait-il pas son rôle dans les affaires comme une sorte de fonction militaire ? Le vaillant ex-capitaine des Gardes, adjudant d'Archie, passant en revue les bataillons de filles nubiles aux joues de pêche des Salons de Thé White Manor, dans leurs uniformes bleu ciel rehaussés de tabliers blancs et de coiffes effrontées ? C'était évident.

— Fenton, lui avait-il dit un jour, mon petit Fenton, Lydia m'assure que vous devriez plaquer l'armée. Que le diable m'emporte si je ne peux pas utiliser un type comme vous. Mille billets par an, quel effet ça vous fait ?

— Mais... c'est très bien, merci beaucoup.

Et pourtant... Pourtant...

— Oh, zut, répéta-t-il, furieux, en lançant sa cigarette dans un fossé de drain envahi par les herbes.

Ce n'était pas aussi simple que ça. Six années sous les drapeaux. Capitaine de la compagnie D du premier bataillon. Le régiment auquel appartient un homme devient un peu sacré, que l'on ait envie ou non de se laisser séduire par la tradition. C'est comme un mariage... Pour le meilleur ou pour le pire... Jusqu'à ce que la mort vous sépare. Il y avait des moments où il n'éprouvait que mépris pour l'inutilité de sa profession à une époque où la guerre était virtuellement impossible. Et pourtant, quand l'orchestre du régiment entonnait la marche de *Figaro* et que la longue colonne vêtue d'écarlate et de bleu s'élançait sur Birdcage Walk depuis la caserne Wellington, quand les couleurs du Roi claquaient dans le vent et que les fifres sonnaient à tout rompre, il ressentait un sentiment de fierté presque impossible à décrire. Ce n'était qu'enfantillage et il le savait. Des échos de son enfance, du temps où il écoutait, subjugué, l'oncle Julian de retour au pays après avoir combattu les Pathans aux Indes, sur la frontière du Nord-Ouest, ou bien les derviches cruels du Soudan... Oncle Julian du 24ᵉ d'infanterie, les Warwickshires, avec sa Victoria Cross épinglée sur sa tunique, et qui égrenait ses récits de bravoure, de combats, et d'hommes plus grands que nature.

Les fifres, les tambours et les couleurs dans le vent. La Garde qui défile, épaule contre épaule, sur les montagnes glacées de la Corogne, et Sir John Moore qui les regarde avec des larmes dans les yeux, et qui sait à la seule vue de ces rangs, en ordre impeccable que Napoléon est vaincu. Des rêves d'enfant. Les récits de l'oncle Julian, l'*Histoire de l'armée britannique* de Fortescue, mêlés inextricablement avec les aspects sociaux du jeu — car c'était bien un jeu : il jouait aux soldats dans la ville de Londres. St. James, Buckingham Palace, la Tour... Officier des Coldstreams Guards, la mince ligne rouge qui indique le service du Roi... Un *officier de la Garde*, donc appartenant à une classe à part, bien distincte et très exclusive. Abandonner cela, pour être un simple *Monsieur* Fenton Wood-Lacy, de Foxe Ltd, fournisseur de pâtés en croûtes et de thés à six sous, d'aliments bon marché en boîte, et de salons de thé stratégiquement situés dans les quartiers animés des grandes villes du pays — Brighton, Plymouth, Margate, Manchester, Leeds, Birmingham, Liverpool et la région du Grand Londres —, c'était se rabaisser au niveau de la masse vulgaire. Et si c'était du snobisme, eh bien, ma foi, tant pis !

Il se pencha sur le côté et, d'un coup de cravache, sabra un chardon laiteux — un coup de revers hargneux qui réduisit la plante haute et mince à un trognon minuscule. En se redressant sur sa selle il entendit un appel au loin. Il regarda aussitôt par-dessus son épaule gauche : à plusieurs champs de distance, Lord Stanmore arrivait au galop. Le cheval alezan glissait sur la bruyère et les buissons d'airelles avec la grâce d'une hirondelle.

« Le comte de Stanmore dans son véritable élément », songea Fenton. Lancés comme le vent, cheval et cavalier se complétaient aussi parfaitement que les rouages d'une montre. C'était le même souvenir qu'il gardait de cet homme lors de sa première visite à Abington Pryory, à l'âge de neuf ans. Et l'image lui faisait une aussi forte impression maintenant que par le passé. Il devait monter, lui aussi, avec la même élégance. En tout cas il aurait dû, puisque c'était Lord Stanmore qui lui avait enseigné la façon juste de se tenir sur un cheval et de prendre un obstacle sans broncher. C'était au cours de l'été 1898, songea-t-il, l'année où son père avait soumis ses plans pour la restauration de la vieille demeure. Abington Pryory était devenu un second foyer pour la famille Wood-Lacy au cours des années de travaux, et c'était à ce moment-là qu'avait débuté son éducation de cavalier et de chasseur. Un lien s'était créé entre lui et le comte au cours de cet été lointain, un lien d'amitié et de respect qui s'était renforcé avec le temps. Il regarda l'homme qui galopait vers lui et son humeur s'éclaircit ; la mélancolie qui n'avait cessé de l'accabler commença à se dissiper.

— Du diable, Fenton, vous auriez pu m'attendre ! s'écria le comte en parvenant à ses côtés.

Les deux chevaux hennirent et se frottèrent le cou.

— Je le regrette. Je ne pensais pas vous voir debout si tôt.

— Pas debout, moi ? Que voulez-vous dire par *pas debout* ? Vous connaissez mes habitudes mieux que personne.

Le capitaine sourit et lui tendit son étui à cigarettes ouvert. Le comte prit une cigarette.

— Mes excuses, dit Fenton.

— Acceptées.

Il se pencha vers Fenton pour avoir du feu.

— Enfin, dit-il, je vous ai rattrapé. Vous avez vu comment il a pris cette dernière haie ?

— Oui... comme un champion.

— On ne croirait jamais que ce bon vieux Jupiter vient d'être immobilisé pendant deux semaines, n'est-ce pas ? Je l'emmène à

Colchester le mois prochain pour la course au clocher. A propos, Hargreaves vous a parlé de la chasse de Tetbury ?

— Nous en avons discuté en déjeunant au Savoy. Il m'a invité.

— Vous avez dit oui, bien sûr...

— Certes.

— Parfait. Vous ne le regretterez pas. Vous pouvez choisir votre monture... Excepté Jupiter, bien entendu.

— C'est très aimable à vous.

— Bagatelle, cher ami, bagatelle.

Il flatta l'encolure de son cheval de la main, comme on caresse un chien favori.

— Laissons-le reprendre son souffle, ajouta-t-il, et je vous mets au défi d'arriver à Hadwell Green avant moi. Nous nous arrêterons au café du Cygne pour prendre une bière et une tranche de fromage.

Il tira sur sa cigarette, mais sans avaler la fumée.

— Bon dieu, quelle belle matinée ! Tous ces gens à la maison ne savent pas ce qu'ils perdent en traînant au lit si tard. Enfin, vous êtes là. Combien de temps restez-vous ?

— Un long week-end. Je suis de garde au Palais mercredi.

— Vous savez sûrement que votre frère est ici ?

— Je m'en doutais. Roger m'a écrit que Charles et lui avaient des projets communs cet été — pour fêter leurs succès à l'université.

— Du diable si je comprends ces garçons. De mon temps, les jeunes quittaient Cambridge avec un sens des responsabilités et une idée précise de ce qu'ils allaient faire dans la vie. Ni Roger ni mon cher fils n'en ont le plus vague sentiment.

— Ils traversent simplement une crise, répondit Fenton sans conviction.

— Du diable si je peux voir pourquoi votre mère a fait tant de sacrifices pour que Roger reste là-bas. Vous savez ce qui s'est passé pendant la partie de billard hier soir ? Roger et Charles s'étaient lancés dans une espèce de discussion sur la prosodie, et Roger disait qu'à son avis les « Géorgiens » étaient sur la bonne voie. Alors j'ai tendu l'oreille après avoir blousé la bleue, d'un coup parfait d'ailleurs, bande avant, et j'ai dit qu'effectivement *Childe Harold* était encore un sacré morceau de belle poésie, même si son auteur n'était qu'un pédéraste notoire. Oh ! m'a répondu Roger, pas ces Géorgiens-là, les néo-Géorgiens, Rupert Brooke et consorts. Rupert Brooke ! Avez-vous entendu pareille idiotie dans toute votre vie ? Un type qui se balade avec les cheveux sur les épaules et pas de chaussures aux pieds. Eh bien, un peu plus tard, après un ou deux verres de bon vin, j'ai demandé à Roger ce qu'il avait l'intention de faire, et il m'a dit : Oh ! éditer une revue poétique à Londres, à partir de septembre. Editeur, j'ai dit, c'est très bien. Combien va-t-on vous payer ? Et il a répondu : Payer ? Mais il n'est pas question d'être payé, on ne peut pas gagner d'argent avec la poésie... Je vous demande un peu !

Sa voix exprimait une exaspération sincère. Quatre corneilles s'envolèrent du haut d'un chêne isolé et se dirigèrent en croassant joyeusement vers les tours de granit de Burgate House.

— Enfin, n'en parlons plus. Allons-y...

— Pouvez-vous me prêter de nouveau cent livres ? dit Fenton en regardant devant lui.

Lord Stanmore tira sur sa moustache.

— Puis-je quoi ?

— Me prêter cent livres. Je sais que je vous dois déjà...

— Des bêtises. N'en parlons pas, mon cher ami. Je vous les prêterai, bien sûr, si vous en avez vraiment besoin.

Fenton esquissa un sourire.

— Je crois que j'en aurai toujours vraiment besoin. Je suis dans une situation assez incommode.

— Je le comprends parfaitement. Vous êtes dans le pire régiment qui soit étant donné vos moyens. J'aimerais vous faire une suggestion, Fenton, et j'espère que vous ne vous en offenserez point.

— Je vous le promets.

— Eh bien, donc... (Il tira une dernière fois sur sa cigarette puis l'écrasa sur le manche de sa cravache.) C'est très simple, vraiment. Si simple que je suis plutôt surpris que vous ne l'ayez pas fait déjà. La saison va bientôt commencer. Londres regorge de filles riches en quête d'un époux, vous le savez aussi bien que moi.

— Epouser de l'argent, répondit Fenton d'une voix neutre.

— Oui, quel mal y a-t-il à cela ? Pardieu, vous avez de l'allure, et quand vous portez votre redingote rouge à l'un de ces bals de Mayfair, j'ajouterai que vous êtes vraiment splendide. Soyons honnête, mon cher, est-ce un tel crime d'épargner à la fille d'un minotier de Manchester le mariage avec un avocat au visage de papier mâché ?

Pour la première fois depuis des semaines, le capitaine éclata de rire.

— Evidemment non, quand on présente les choses sous cet angle.

— C'est la seule manière de les envisager, mon garçon. Comme pourrait le dire Archie Foxe, vous êtes un produit tout à fait vendable.

— Comme du bœuf en boîte.

— Exactement. Tenez, nous ouvrons la maison de Park Lane la semaine prochaine et Hanna a prévu une demi-douzaine de soirées et de bals pour lancer Alexandra. Nous pourrions faire d'une pierre deux coups. Trouver à ma fille le mari qui lui convient, et à vous la femme qu'il vous faut. Aurons-nous votre coopération sans réserve ?

— Je n'ai guère le choix.

— Sacré nom, mon ami, mais vous pourriez bien y prendre plaisir. Dieu seul sait quels beaux papillons nous allons prendre dans nos filets.

Il tendit son stick vers Burgate House. Les corneilles tournoyaient en croassant au-dessus des flèches des tours.

27

— Par le diable, ajouta-t-il, il y en a un beau dans cette baraque, que j'aimerais bien voir retiré du marché... Pour des raisons que je ne développerai pas mais que vous comprenez sans doute.

— Je crois, oui, répondit Fenton doucement.

Le neuvième comte de Stanmore fronça les sourcils et détourna les yeux de l'énorme bâtisse monstrueuse qu'à son avis seul un Cockney millionnaire sans le moindre bon goût pouvait tenir pour sublime.

— Bon dieu, Fenton, j'ai été trop accommodant pendant toutes ces années. J'ai passé à Charles son adoration de toutou pour cette fille lorsqu'il avait seize ans, mais, sacré nom, il en a maintenant vingt-trois, et il est grand temps qu'il surmonte cette faiblesse et qu'il regarde la réalité en face. Elle devrait bien comprendre toute seule la vanité de tout ça et le... Quel est ce mot d'argot qu'on emploie maintenant ?

— Le plaquer ?

— C'est ça, le plaquer... Et choisir une fréquentation assortie. Le plus tôt serait le mieux.

Il enfonça ses talons dans les flancs de son cheval.

— Allons-y !

Mieux assortie à *lui*, songea Fenton en poussant sa monture au galop à la suite de l'alezan. Ce qui signifiait que le fils aîné d'un comte de Stanmore n'épousait pas la fille d'un épicier de Shadwell, même si cet épicier était plus riche que la plupart des pairs d'Angleterre. La fille d'Archie Foxe, malgré ses toilettes de Paris et sa torpédo Benz, restait toujours la fille d'Archie Foxe. Une amie de la famille depuis son enfance, bien entendu, mais dans l'optique de Lord Stanmore, rien de plus — jamais. Les canons auxquels adhérait le comte comprenaient une séparation très stricte entre les classes. Il considérait que la classe de Lydia Foxe la destinait à épouser quelqu'un de son rang. Pas le fils d'un épicier, les millions d'Archie s'y opposaient, mais à coup sûr quelqu'un de moins noble qu'un Greville. Peut-être un soldat, fils d'un architecte ? se demanda Fenton. Aucune mésalliance dans cette union-là ! L'argent était l'aristocratie de l'Amérique : des barons de la bière, des barons de l'acier, des barons du charbon, des barons forbans de Wall Street et, pour faire bonne mesure, de temps en temps, un prince de l'industrie. Et même si quiconque avait osé ricaner à l'idée qu'un Greville, comte de Stanmore, ait épousé la fille d'un brasseur, on pouvait faire observer que les Rilke de Milwaukee, Chicago et Saint Louis, étaient une branche des von Rilke de Mecklenburg-Schwerin, et qu'Hanna Rilke avait rencontré le comte célibataire à une garden-party londonienne donnée en l'honneur de la cousine au quatrième degré de la jeune Américaine, la princesse Mary de Teck. Oui, on pouvait comprendre sans peine toute la différence existant entre les Rilke et les Foxe, même si cette hypocrisie vous faisait rire sous cape.

— Allons ! Allons ! cria le comte par-dessus son épaule. Rattrapez-moi donc, si vous le pouvez !

— Je fais mon possible ! répondit Fenton en pressant son cheval, mais non sans conserver un retard politique d'une demi-longueur.

2

— M. Coatsworth m'a dit qu'il était satisfait de la façon dont vous vous êtes conduite ce matin, Ivy. Mais il faut vous souvenir de ce que je vous ai appris : ne pas vous attarder et ne pas regarder partout.

— Oui, madame Broome, murmura Ivy Thaxton.

— Allez prendre votre petit déjeuner maintenant. Et ensuite vous donnerez un coup de main à Mme Dalrymple pour le linge.

— Oui, madame Broome. Merci, madame Broome.

Mme Broome, malgré sa taille imposante et son port royal, n'était ni désagréable ni trop exigeante. Elle se flattait de savoir former les servantes de façon que les réprimandes soient rares. Certaines gouvernantes sont des ogres, de véritables gardes-chiourme qui ne cessent de houspiller et de punir le personnel. Elle n'éprouvait que mépris pour ces créatures. Elle lança un regard approbateur à la mince jeune fille aux cheveux bruns, puis elle leva la main et lui effleura gentiment les lèvres.

— Faites-nous voir un petit sourire de temps en temps, Ivy... Vous vous habituerez vite à la maison, allez.

— J'en suis certaine, madame Broome.

— A la bonne heure, mon petit. Maintenant, courez vite prendre votre petit déjeuner.

— Merci, madame Broome, répondit Ivy en faisant une révérence respectueuse avant de suivre d'un pas vif le couloir conduisant à la salle de service.

Ivy Thaxton avait dix-sept ans, et c'était la première semaine qu'elle passait loin de chez elle, sa première semaine de service ; elle trouvait tout cela très déroutant, mais pas du tout désagréable. Elle n'était pas malheureuse comme le croyait la gouvernante. Elle ne pleurait pas tout le temps, comme cette Mary Grogan de Belfast. L'énorme demeure pleine de recoins la fascinait. Il y avait tant de corridors et de passages, tant d'escaliers et de pièces que parfois elle se perdait lorsqu'on lui demandait de se rendre au « salon de Blenheim dans l'aile est », ou à la « suite bleue du passage sud ». Elle avait été élevée dans une maison confortable mais trop petite, près de Norwich. Elle était l'aînée de deux garçons et de deux filles et il y avait un autre enfant en route. C'était le bébé dans le ventre de sa mère qui l'avait contrainte à quitter la maison. Les oiseaux qui peuvent battre de l'aile doivent laisser le nid aux plus petits, avait dit son père.

Il y avait une bonne douzaine de domestiques en train de prendre leur petit déjeuner à la longue table, mais Ivy n'en vit aucun de sa connaissance. C'étaient surtout des valets de chambre, des valets de pied et des filles de cuisine. Les cuisines étaient juste de l'autre côté de la salle des domestiques, et elle y entra pour se faire servir : une assiette pleine de tranches de bacon rissolé, des œufs et un gros morceau de pain doré, craquant, frit dans le gras du bacon. Il y avait des fontaines à thé et des pots de confiture et de gelée sur la table. La quantité et la qualité de la nourriture qu'on leur donnait la surprenaient à chaque repas. Chez elle, il y avait toujours eu assez à manger, sa mère y veillait (Dieu seul savait comment), mais c'étaient des plats simples et lourds, haricots et carottes bouillis, soupe épaissie aux flocons d'avoine et enrichie de quelques morceaux de viande. Elle trouva une place au bout de la table et prit son petit déjeuner avec une application têtue qui frisait la gloutonnerie. Lorsqu'elle eut terminé et bien essuyé la dernière trace de jaune d'œuf avec une bouchée de pain frit, elle prit conscience d'un regard posé sur elle depuis l'autre côté de la table. Elle leva les yeux vers le visage ironique, couvert de taches de rousseur, d'un jeune homme aux cheveux blonds comme les blés, qui tenait au creux de la main une grande tasse de thé. Il avait une cigarette aux lèvres. Elle remarqua qu'il portait une sorte de livrée : une veste noire serrée, à boutons gris perle — elle était déboutonnée, révélant un faux plastron empesé.

— Bon dieu, dit le jeune homme, mais vous ne laissez rien perdre. Et où mettez-vous donc tout ça ? Vous ne devez pas peser moitié plus qu'un chat écorché.

— C'est malpoli de regarder les gens, dit-elle en baissant les yeux vers son assiette vide.

Son visage était en feu.

— Désolé, ma belle, mais je n'ai pas pu m'en empêcher. Je veux dire que je suis assis ici et que vous êtes assise là, pas vrai ? Il fallait soit que je vous regarde, soit que je regarde une de ces vilaines tasses sur la table. Et comme ça, de bon matin, j'aime autant grimer une mignonne. Je m'appelle Jamie Ross, et vous ?

— Ivy, dit-elle d'une voix presque inaudible. Ivy Thaxton.

Elle se leva, mais le jeune homme tendit le bras par-dessus la table et lui saisit le poignet.

— Ne partez pas tout de suite. Vous n'avez pas fini votre thé. Si c'est moi qui vous fais fuir, je suis désolé. Je suis le genre de gars qui dit ce qu'il pense. Ça me vaut parfois quelques ennuis, autant que vous le sachiez.

Elle se rassit. Il lâcha son poignet et lui adressa un sourire aimable. C'était un sourire contagieux, et elle le lui rendit.

31

— A la bonne heure, dit-il. Vous n'êtes là que depuis une semaine, pas vrai ?

— Oui, c'est ça. Une semaine depuis jeudi.

— Vous venez de Londres ?

— De Norwich. Vous êtes de Londres ?

Il pencha la tête en arrière et envoya vers le haut plafond voûté un rond de fumée parfait.

— Je suis de partout, si vous voulez savoir la vérité. Glasgow, Liverpool, Bradford, Leeds, Londres aussi. J'ai pas mal circulé, dans mon genre, c'est un fait. J'ai toujours la bougeotte. C'est pour ça que je me suis mis chauffeur.

— Vous êtes chauffeur ?

Il lui jeta un regard incrédule.

— Vous ne le saviez pas ? Vous n'avez pas vu l'uniforme que je porte ? Et comment, je suis chauffeur ! Je suis le chauffeur de Leurs Seigneuries. Les pauvres chers ne pourraient aller nulle part sans moi.

L'un des valets, un grand type large d'épaules assis à l'autre bout de la table, se tourna vers lui.

— Ferme-la un peu, Ross, tu veux bien ?

Le chauffeur laissa tomber sa cigarette dans le fond de son thé, se pencha au-dessus de la table et parla en chuchotant d'un ton forcé, comme un acteur qui veut être entendu du dernier balcon.

— Ils sont tous jaloux de moi, vous savez. Parce que j'ai un vrai métier et qu'ils ne savent rien faire de leurs dix doigts sauf astiquer une fichue paire de godasses.

— Je te trouve tout à fait impossible, dit le valet d'un ton de dépit. Il faudra que je change l'heure de mes repas.

Ross ignora sa remarque.

— Je peux faire n'importe quoi avec un moteur, poursuivit-il. Je peux le mettre en morceaux, mélanger les pièces, puis le remonter avec un bandeau sur les yeux.

— J'aimerais bien voir ça ! dit le valet méprisant.

— Mets un billet sur la table et je te donnerai ce plaisir, jappa Ross.

— Vous pourriez vraiment le faire ? s'émerveilla Ivy.

— Et comment ! Et le faire marcher mieux qu'avant. Je suis comme qui dirait un inventeur, vous comprenez ? Je trouve dans ma tête toutes sortes de choses.

— Trouve donc un bouchon pour ton clapet, répondit le valet.

Autour de la table tout le monde ricana, et le valet parut content de lui.

— Ha ! Ha ! Ha ! singea Ross. Très drôle, Johnson, mais c'est pourtant la vérité. Je te parie que j'ai bien cent inventions dans le crâne.

Il se frappa le front du bout de l'index.

— Il faut vraiment que je me sauve, dit Ivy. Je dois aider pour le linge.

— Emmène-le avec toi, petite, lança un des laquais. Il n'a rien d'autre à fiche qu'aller et venir entre ici et le village comme un omnibus.

— Ah, vraiment ? dit Ross, en se levant pour reboutonner sa veste. Demain matin, je conduis Monsieur Charles et son ami jusqu'à Southampton. Un parent de Madame la comtesse arrive d'Amérique sur le *Laconia*. Vous croyez que vous pourriez, vous, conduire une voiture jusqu'à Southampton ? C'est bougrement peu probable.

Le silence se fit soudain dans la pièce et tout le monde lui jeta des regards de curiosité.

— Un parent de Madame ? C'est bien la première fois que j'en entends parler, dit l'une des assistantes de la gouvernante. Je suis sûre que Mme Broome se serait confiée à *moi*.

Ross lui adressa un sourire suffisant.

— Chaque chose en son temps, très chère. On viendra vous le dire, ne vous bilez pas.

— Oh, vraiment ! s'écria la femme. Vous avez un de ces fronts !

— Quel genre de parent ? demanda le valet. Homme ou femme ?

— Un neveu, c'est bien ta veine. Cela fera une paire de bottes en plus à astiquer.

Nul ne sembla regretter le départ du chauffeur. Il roulait des épaules en marchant, et Ivy pensa qu'il était magnifique avec ses culottes noires et ses guêtres de cuir noir cirées à miroir. Tout à fait comme un hussard. Il la précéda dans le couloir qui conduisait à la lingerie.

— Cette bande n'est qu'un troupeau de laquais, dit-il. Ils ne m'aiment pas parce que je suis indépendant, vous pigez ? Je peux aller partout où j'en ai envie. Un homme qui s'y connaît en voiture peut vivre comme ça lui chante.

— Vous vous plaisez ici ?

— Oh ! c'est pas si mal. Sa Seigneurie est très bien et les voitures sont de vraies beautés, surtout la Lanchester et la Rolls-Royce. J'ai un peu fouiné dans la Rolls et j'ai trouvé dix trucs différents qu'on pourrait faire pour qu'elle marche mieux. Je pourrais écrire à l'usine pour leur en parler. Oui, c'est bien ce que je vais faire un de ces quatre.

Ils étaient arrivés devant la lingerie et Ivy lui tendit la main.

— C'était vraiment très agréable de parler avec vous, monsieur Ross.

— Jamie, répondit-il en prenant la main et en la serrant. Quand c'est, votre après-midi ?

— Mercredi prochain.

— Eh bien, si je ne suis pas de service, je vous emmène à Guilford avec ma moto, et je vous offre le ciné. Vous aimez William S. Hart ? C'est mon acteur préféré.

— Je ne suis jamais allée au cinéma.

— Quoi ? Jamais ? Bon dieu, vous ne savez pas ce que vous avez manqué. Allez, et soignez-vous bien.

Il lui serra la main une dernière fois, puis s'éloigna en sifflant, désinvolte.

— C'est vous qui avez sifflé dans le couloir ? demanda la lingère lorsque Ivy entra dans la vaste pièce ensoleillée.

— Non, madame Dalrymple. C'était M. Ross, le chauffeur.

Mme Dalrymple fit une grimace.

— Je sais qui est *Monsieur* Ross. Ne vous frottez pas à lui, si vous avez un grain de bon sens, et ne prenez pas pour argent comptant toutes les inepties qu'il raconte. Il a ruiné la réputation de plus d'une pauvre fille, c'est moi qui vous le dis.

Elle prit une pile de draps et de taies d'oreiller sur l'une des étagères alignées tout autour de la pièce et la posa sur la longue table qui servait à plier le linge.

— Emportez ça dans la chambre d'angle de l'aile ouest. Et faites le lit comme il faut, hein ! Pas de coins qui pendouillent.

— Oui, madame Dalrymple.

— Essayez de ne pas vous perdre pour une fois. C'est la chambre au fond du couloir, à gauche des appartements de Lady Alexandra. Et revenez aussi vite que vous le pourrez. Je manque de bras ce matin. Doris est au lit avec des crampes.

Roger Wood-Lacy longeait lentement le corridor qui conduisait à la salle du petit déjeuner. Il semblait perdu dans ses pensées brumeuses. Eveillé dès l'aube, il s'était assis sur l'appui de la fenêtre de sa chambre pour voir le lever du soleil. Ces brefs instants entre les ténèbres et l'aurore avaient toujours été précieux pour lui, un moment parfait de créativité. La cinquième strophe du poème qu'il écrivait sur la légende de Pyrame et Thisbé commençait à prendre forme dans sa tête.

— Or, prends la frêle robe des nuits en risée.. déclama-t-il à mi-voix, sans prendre garde aux portraits des Greville des XVIIᵉ et XVIIIᵉ siècles qui lui lançaient des regards fixes depuis leurs cadres dorés... Et raille le manteau clair et précieux du jour.

Pas mal, se dit-il, pas mal du tout. Il entendit des voix assourdies de l'autre côté de la porte de la salle à manger et il s'arrêta devant un miroir au cadre torturé pour jeter un coup d'œil à sa personne. Son image lui plut : grand, d'une minceur impériale, la pâleur de son visage accentuée par ses cheveux noirs en bataille. Il portait un pantalon de flanelle grise bien usé et le blazer de son collège, une chemise à rayures bleues ouverte sur le cou et des sandales de tennis informes, sans chaussettes. L'image d'un poète s'il en fut jamais, se dit-il. Un poète géorgien... *néo-géorgien,* s'il vous plaît. Le souvenir de la bourde de Lord Stanmore le fit sourire.

— Bonjour, tout le monde, dit-il pour faire une entrée.

Il s'attendait à trouver Alexandra ainsi que la marquise de Dexford et Lady Winifred Sutton, mais seuls Lord Stanmore et — Dieu me pardonne ! — Fenton étaient à table.

— Bonjour, Roger, répondit Fenton.

Le comte (Roger ne put réprimer un sursaut de honte en le remarquant) était en train d'enfoncer un chéquier dans la poche de sa veste, et Fenton glissait un chèque plié dans la sienne.

— Bonjour, Fenton, dit Roger d'une voix tendue. Bonjour, monsieur.

— Ah ! Bonjour, Roger, répondit Lord Stanmore.

Il prit une dernière gorgée de café et se leva.

— Il faut que je sorte. Je dois toucher deux mots à cet énergumène de Horley avant qu'il ne tende d'autres fichus barbelés en travers de ses champs. Les fermiers connaissent la règle, mais ils continuent de n'en tenir aucun compte. Je me demande s'ils s'arrêteront avant qu'un bon cheval et son cavalier ne soient décapités. Bon déjeuner, Roger. Savez-vous si Charles est debout ?

— J'ai frappé à sa porte, monsieur. Il a répondu qu'il ne se sentait pas très bien et qu'il prendrait son petit déjeuner dans sa chambre.

Le comte se borna à pousser un grognement et quitta la pièce d'un air maussade.

— Eh bien, Roger, dit Fenton en sortant son étui à cigarettes, comment vas-tu ?

— Bien. Quand es-tu arrivé ?

— Hier soir.

— Tu restes longtemps ?

— Quelques jours.

Il alluma sa cigarette et regarda son jeune frère d'un œil critique.

— Tu as besoin d'une coupe de cheveux.

Roger lui tourna le dos et marcha d'un pas raide vers la desserte où se trouvaient une demi-douzaine de plats en argent dont le contenu était tenu au chaud par les flammes bleues de petites lampes à alcool, au-dessous des supports.

— Puisque tu crées une atmosphère de critique, Fenton, permets-moi de te dire que ce que tu viens de faire est effroyablement gênant pour moi.

— Oh ! Et quoi donc?

— Tu as encore tapé Sa Seigneurie.

— C'était un prêt, et d'ailleurs, ça ne te regarde en rien. Je n'ai jamais fait la moindre observation sur la façon dont tu tapes Charles, n'est-ce pas ? Réponds.

Roger rougit.

— Ce que tu dis est abominable.

— Peut-être, mais c'est la vérité. Non pas que Charles y voie un inconvénient, d'ailleurs. J'en suis même certain. C'est simplement une question de principe, la paille et la poutre, la poêle qui se moque de la casserole, et toutes ces bêtises. A propos de poêle, goûte donc les rognons. Ils sont diablement bons.

La colère de Roger, étouffée par sa faim, commença à se dissiper. Il se servit une assiette de rognons, des œufs brouillés et une tranche de jambon fumé.

— Passons à des sujets plus agréables, dit Fenton. Mon petit frère s'est couvert de gloire au King's College. Mention bien. Je suis diablement fier de toi.

— Merci, murmura Roger en s'installant à table.

Il était impossible de garder longtemps rancune à Fenton. C'était comme se battre contre des plumes.

— Comment va mère ?

— Très bien la dernière fois que je l'ai vue. Tu devrais vraiment essayer d'aller la voir une fois de temps en temps.

— Le régiment m'accapare, mais je dois avoir une permission en septembre et j'irai passer quelques jours avec elle. Et ici, il y a des gens que je connais ?

— La maison est plutôt vide, pour une fois. Seulement cette commère de Dexford et sa fille. Tu sais, Winifred.

— Toujours aussi dodue ?

— Bien en chair, comme on dit poliment. Et puis, voyons, un cousin de Charles arrive demain de Chicago, ou de je ne sais quel endroit impossible. Nous allons l'accueillir à Southampton.

— Et c'est tout ?

— Oui. Les activités sociales vont évidemment reprendre la semaine prochaine quand ils partiront à Londres. Charles et moi comptons bien passer au travers : nous projetons de faire un voyage à pied en Grèce.

Fenton ne put retenir un sourire ironique.

— La jeune Winifred a intérêt à mener les choses rondement.

Roger acquiesça tout en finissant sa bouchée.

— Il y a de l'orage dans l'air, si tu veux mon avis. Leurs Seigneuries seraient aux anges si les Greville pouvaient s'unir aux Sutton. Ils ne cessent de pousser le pauvre Charles et Winifred dans la roseraie tous les soirs pour une promenade sous la lune. C'est comme vouloir mettre un couple de chiots à la porte. Résultat nul. Charles n'arrive pas à trouver un mot à lui dire. Et de toute façon il est... enfin... il a autre chose en tête. C'est plutôt sans espoir. *Omnia amor vincit...* sauf quand on est fils de comte. Ce voyage en Grèce sera peut-être exactement ce qu'il lui faut. On trouve ses ennuis personnels atrocement mesquins dans l'ombre du Parthénon.

La porte s'ouvrit et deux servantes entrèrent dans la pièce avec d'autres plateaux. La marquise de Dexford et sa fille, Lady Winifred Sutton, les suivaient. Lady Dexford parlait rapidement en phrases hachées et ses mains scandaient le rythme de ses paroles. C'était une

36

grande femme osseuse avec une tête pointue d'oiseau. Sa fille restait à la traîne dans un silence résigné.

— Ah ! s'écria Lady Dexford. Les deux frères Wood-Lacy ! Comme c'est gentil ! Fenton, séduisant coquin ! J'en ai entendu de belles ! Mon neveu Albert Fitzroy est dans la Garde, vous savez. Les Grena-diers ! Impossible que ce soit vrai, n'est-ce pas ? Oh ! très cher, non ! Enfin vous êtes là et je vais tirer la chose au clair, pas de doute. Dis bonjour à Fenton, Winifred.

— Bonjour, Fenton, dit Winifred presque dans un murmure, je suis enchantée de vous revoir.

Ses doux yeux malheureux rencontrèrent le regard de Fenton, puis elle baissa très vite son visage et le rouge monta à ses bonnes grosses joues.

« Mignonne, songea Fenton. Un peu généreuse de poitrine et rebondie sur les hanches, mais elle s'affinera quand elle perdra sa graisse de bébé. » Elle devait avoir l'âge d'Alexandra, dix-huit ans passés. Mûre pour le billot du mariage.

Il lui adressa un sourire charmeur.

— Je suis ravi que vous vous souveniez de moi, Winifred.

— Comment pourrait-elle jamais oublier ! croassa sa mère. Vous avez donné à cette enfant son premier baiser ! Ah ! la douceur des seize ans ! C'était très galant de votre part, Fenton. Très noble !

Il se souvenait à peine de l'incident. Un petit baiser sur la joue, le jour de son anniversaire. Il avait été invité par le frère aîné, Andrew, un bon copain de Sandhurst. Et maintenant, c'était une femme, et il fallait lui trouver un époux. Il la prit en pitié. Les promenades avec Charles dans la roseraie au clair de lune devaient être un supplice pour elle. Une jeune femme désirant ardemment être aimée, et Charles, silencieux et chagrin, rêvant de se trouver dans la roseraie de Burgate House, aux côtés de Lydia Foxe.

— Vous avez une robe ravissante, Winifred, lui dit-il. C'est très seyant.

— M... Merci, balbutia-t-elle.

Roger faillit s'étouffer avec sa bouchée de rognon grillé et se mit à tousser dans sa serviette.

— Excusez-moi...

Lady Dexford balaya ses excuses d'un geste large de sa main rapace.

— Des sottises, jeune homme ! J'ai toujours dit qu'il valait mieux tousser que s'étouffer.

Ce serait un bon parti pour Charles, se dit Fenton, et il comprenait très bien que Lord Stanmore s'y accroche. Le marquis de Dexford n'était pas seulement un homme riche avec un titre ancien, mais aussi un premier ministre éventuel si les conservateurs reprenaient un jour le pouvoir. Quant à Winifred, c'était son unique fille et la plus jeune de ses enfants. Il avait quatre fils. Pas de problème à sa mort pour le titre. Il serait sûrement ravi de voir Winifred mariée à un homme de bonne famille et de profession honorable. Andrew était capitaine dans la cavalerie de la Garde, et le marquis lui-même avait servi quelque temps dans l'armée pendant la guerre des Zoulous — ce dont il tirait d'ailleurs une gloire fort exagérée. Tout cela donnait à penser. Il se tourna vers Winifred avec un sourire encourageant, et elle lui rendit un sourire timide. Un fruit facile à cueillir, mais, bien entendu, il ne pouvait rien faire de positif dans ce sens tant que Charles n'aurait pas informé ses parents qu'il ne se fiancerait jamais avec cette fille, malgré toutes les pressions exercées sur lui. Or, c'était inévitable...

Fenton se leva et salua d'une légère inclination de tête.

— Je vous laisse à votre petit déjeuner. Peut-être pourrons-nous former des équipes tout à l'heure pour jouer au croquet ?

— Ce serait merveilleux ! Nous serions ravies, n'est-ce pas, Winifred ?

— Oui, maman, répondit Winifred.

— Tu es d'accord, Roger ? Tu pourrais faire équipe avec Lady Dexford et nous montrer ton grand talent.

Roger lui lança un coup d'œil sarcastique.

— Très bien. Mais je dois avouer, Fenton, que je trouve tes propres talents absolument renversants.

Les bras chargés de linge, Ivy grimpa en toute hâte l'escalier de derrière. Les marches étaient étroites et raides, et lorsqu'elle atteignit le couloir du second étage de l'aile ouest, la pile de draps et de taies lui sembla peser une tonne. Elle ouvrit la porte lentement et jeta un coup d'œil hésitant de l'autre côté. Le long corridor était vide. Les règles de la maison étaient très strictes ; autant que possible, jamais une servante ne devait faire remarquer sa présence. Si des membres de la famille ou des hôtes se trouvaient dans les couloirs, les servantes devaient se retirer discrètement jusqu'à ce que la voie soit libre. Mais il y avait tellement de règles qu'à force d'essayer de s'en souvenir Ivy en avait le vertige.

Elle regarda à gauche et à droite. Le large couloir en face d'elle portait le nom de galerie de l'aile ouest. Il y avait d'un côté de hautes fenêtres à meneaux dont elle se souvenait : la veille même, elle était venue là pour aider Doris à faire le lit de Lady Alexandra. La chambre qu'elle cherchait devait être à sa gauche, après les appartements de Lady Alexandra, au bout d'un petit couloir perpendiculaire à la galerie. Elle sortit de la cage de l'escalier d'un pas résolu, ferma la porte étroite derrière elle et se hâta vers sa destination. Lorsqu'elle passa à la hauteur de la chambre de Lady Alexandra, la porte s'ouvrit à la volée et la fille du comte passa la tête.

— Velda ?

— Non, milady.

— Je m'en aperçois ! s'écria la jeune fille d'une voix courroucée. J'ai entendu des pas. Où est Velda ?

— Je ne sais pas, milady.

C'était la première fois qu'elle entendait prononcer le nom de Velda.

Lady Alexandra Greville fit un pas dans le corridor et regarda à gauche et à droite.

— Oh, flûte !

Emerveillée et craintive, Ivy leva les yeux vers elle. Jusque-là, elle ne l'avait vue que de loin. Si jolie ! Comme les portraits des boîtes de chocolats. Un mince visage ovale, des yeux bleus, des cheveux blonds épais retombant en anglaises. Et elle sentait bon. Une odeur de savon à la lavande et d'eau de Cologne. Sa robe était ouverte jusqu'en bas du dos, révélant de la lingerie de soie bordée de dentelle légère.

— Il faut que vous m'aidiez, dit Alexandra aussitôt. Dépêchez-vous, sinon je vais être en retard.

— Comment ? balbutia Ivy, tout empotée devant cette fille plus belle qu'une princesse de conte de fées.

— Ne restez pas plantée là. Aidez-moi à me préparer. Je vais être...

La trompe d'une automobile lui coupa la parole et elle se précipita vers les fenêtres du corridor.

— Zut ! Elle est déjà là ! Maudite Velda !

Elle bondit dans un tourbillon de fureur vers la porte ouverte.

— Vite ! Vite !

Ivy n'avait pas la moindre idée de ce qu'on attendait d'elle. Elle était paralysée, les bras toujours chargés de linge. Alexandra disparut pendant une seconde puis réapparut dans l'embrasure de la porte, les mains sur les hanches.

— Je ne vous le dirai pas deux fois ! Venez m'aider, *s'il vous plaît*. Posez ce que vous avez dans les mains et venez *ici*.

— Oui, milady, bégaya Ivy.

Ses bras s'écartèrent comme par enchantement et les draps et les taies propres tombèrent sur le plancher avec un bruit mou. Elle se précipita dans la chambre : Alexandra, plus impatiente que jamais, se tenait debout devant son miroir.

— Les boutons. Boutonnez-moi, vite ! Et sans en sauter.

— Oui, milady.

Il lui sembla qu'il y en avait des dizaines, minuscules disques d'ivoire courant de la taille jusqu'au col de la robe. Elle commença à les boutonner. Ses doigts tremblaient.

— Il y en a tellement ! murmura-t-elle.

Alexandra essaya de regarder par-dessus son épaule.

— Ne commencez pas de travers, sinon il vous faudra tout refaire.

— Je... non... milady.

Le tissu était un jersey de laine beige si fin qu'au toucher on eût dit de la soie.

— Oh ! milady, jamais je n'ai vu une robe aussi adorable.

— Vous croyez ? demanda Alexandra d'un ton plein de doute.

— Oh oui ! Tellement jolie.

Alexandra prit un air maussade et fit glisser ses mains sur la robe pour tendre le tissu sur ses hanches.

— J'étais assez inquiète. Je vais à Londres et j'ai vraiment envie d'être en beauté. Vous êtes certaine qu'elle vous plaît ?

— Mon dieu, oui, milady.

— Je n'étais pas sûre de la nuance.

— Elle va tellement bien avec votre teint, milady. Comme... comme une brume brune très pâle.

La jeune femme se retourna et sourit.

— Hé ! c'est une image adorable. Tout à fait poétique. Une brume brune très pâle. Ah ! je me sens vraiment mieux à présent !

Elle se remit de dos pour qu'Ivy continue de la boutonner.

— J'ai un chapeau qui va avec. Très mignon, un canotier beige avec des rubans de velours marron foncé. Vous êtes nouvelle, n'est-ce pas ?

— Oui, milady.

— Comment vous appelez-vous ?

— Ivy, milady, Ivy Thaxton.

— Eh bien Ivy... commença Alexandra.

Mais elle s'arrêta en apercevant une femme de chambre entre deux âges qui entrait précipitamment dans la pièce.

— Ah ! Velda ! C'est bien le moment. Où aviez-vous donc disparu ?

— Je regrette beaucoup, milady. Je...

En voyant Ivy, elle hésita et la colère se peignit sur ses traits anguleux.

— Peu importe, répondit Alexandra en haussant les épaules. Je suis enfin boutonnée. Mais dépêchez-vous de m'apporter mon chapeau. Je suis terriblement pressée.

— Oui, milady.

Velda lança à Ivy un dernier regard acerbe et se précipita dans la pièce voisine.

Alexandra se pencha vivement vers le miroir et pinça très fort ses joues pour leur donner des couleurs.

— Je vais vous demander une dernière faveur, Ivy. Il faut que j'aille embrasser maman. Descendez au rez-de-chaussée à toute vitesse et dites à la jeune dame qui vient d'arriver, Miss Foxe, que je serai en bas dans trois minutes, et que si nous ne filons pas comme le vent nous manquerons notre train.

Elle recula d'un pas et fit une pirouette devant le miroir.

Ivy partit à reculons vers la porte. La tête lui tournait.

— Je... Miss Foxe ?

— Oui, oui. Vite, vite !

Ivy sortit en trombe de la chambre et s'élança dans le couloir. Elle ne songea même pas à prendre l'escalier de service. Elle était envoyée en mission — une mission dont l'importance dépassait son entendement, mais une mission tout de même. Elle courut à toutes jambes, la main gauche posée sur sa petite coiffe pour l'empêcher de s'envoler, tout du long de la galerie en L de l'aile ouest jusqu'au corridor central du bâtiment principal. C'était vraiment très drôle de courir sur des tapis aussi larges. Elle eut envie d'éclater de rire. C'était comme descendre la Grand'Rue les jambes à son cou, tôt le matin, quand toutes les boutiques sont encore fermées, pour faire la course avec Cissy, Ned et Tom jusqu'à l'école. Elle faillit heurter de plein fouet un valet de pied debout sur le palier au-dessus du grand vestibule.

— Pardon ! cria-t-elle en dévalant le grand escalier quatre à quatre.

Décontenancé, l'homme la suivit des yeux, muet de stupeur.

Sa stupeur fut bientôt partagée par M. Coatsworth et deux autres laquais debout dans le vestibule. Bouche bée, ils regardèrent la jeune servante descendre vers eux à toute allure, et ils n'auraient pas été plus scandalisés si elle s'était laissée glisser sur la rampe.

— Pourquoi diable... balbutia M. Coatsworth. Pourquoi diable...

Ivy faillit déraper sur le parquet ciré, rétablit son équilibre à la dernière seconde et s'arrêta un instant devant le maître d'hôtel.

— Je... Il faut que je trouve une Miss Foxe. Vous ne l'avez pas vue ?

M. Coatsworth se tourna instinctivement vers l'extérieur. Les portes de la façade étaient grandes ouvertes et Ivy aperçut une automobile bleue, resplendissante, garée dans l'allée. Une jeune femme aux cheveux roux était au volant, et un homme brun en tenue de cheval bavardait avec elle, debout près de la voiture.

— Merci, dit Ivy en prenant son élan vers la porte.

— Une minute... bégaya le maître d'hôtel. Ecoutez-moi...

Ivy ralentit sa course échevelée en sortant de la maison. Sur l'allée de gravier tassé, elle redressa sa coiffe de travers, puis remonta la bretelle de son tablier qui était tombée de son épaule. Elle s'avança vers l'automobile avec le maintien plein de modestie que la gouvernante lui avait recommandé.

— Etes-vous Miss Foxe ? demanda-t-elle avec respect.

Lydia Foxe regarda par-dessus la haute silhouette svelte de Fenton Wood-Lacy.

— Mais oui, c'est moi.

— J'ai un message pour vous, miss... de la part de Lady Alexandra, miss... elle m'a dit de vous dire qu'elle serait là dans une minute parce qu'il lui fallait embrasser sa mère et que... et que vous seriez obligée de conduire... comme le vent pour ne pas manquer le train.

— Oh ! Elle a dit ça ! s'écria Lady Foxe avec un rire de gorge. Chère Alex, ajouta-t-elle à l'adresse de Fenton, en oubliant aussitôt la présence de la servante. Franchement, elle oublierait sa tête si elle n'était pas bien accrochée à son cou. Je lui ai dit que nous monterions à Londres en voiture. Je déteste l'odeur des trains.

— En voiture, eh bien ! répondit Fenton. Ce sera pour vous une rude épreuve, non ?

— Pas du tout. La route est très convenable dès que l'on a dépassé Dorking.

— Vous allez faire des emplettes ?

— Alex a des essayages, et je dois voir papa. Et puis il faut que je fasse jeter un coup d'œil à la voiture : il y a une espèce de craquement dans le différentiel.

— Le comte a un garçon très bien. C'est un vrai sorcier en mécanique.

— J'ai parlé à ce Ross l'autre jour au village. Il ne connaît que les marques anglaises. Et puis il y a le problème de l'outillage. Les Allemands utilisent des boulons de taille différente ou quelque chose comme ça. Il y a un garage Benz et Opel au coin d'Edgware Road.

— Vous ne risquez pas de tomber en panne sur la route ?

— Non. Ce n'est qu'un petit bruit. Plus agaçant qu'autre chose.

Ivy était complètement perdue. Que devait-elle faire ? Rester là à écouter la conversation jusqu'à ce qu'on la renvoie ou bien se retourner tout simplement et s'éloigner ? Elle n'était nullement pressée de partir. La femme dans l'automobile d'un bleu étincelant la fascinait. Elle n'avait jamais vu un être aussi séduisant ; elle n'était pas aussi jolie et aussi douce que Lady Alexandra, non, c'était une beauté d'une espèce différente. Cette femme possédait un charme fascinant, sensuel, et Ivy avait l'impression d'assister à un spectacle. Oui, cette femme ressemblait à une actrice, elle en était certaine bien qu'elle n'en ait jamais vu, sauf dans les pages illustrées du *Mirror*. Ses cheveux étaient roux, mais d'un roux sombre presque châtain. Elle les avait rassemblés sur le haut de la tête et un ruban de velours vert les retenait. Son visage était plutôt allongé, avec de hautes pommettes et un nez légèrement retroussé. Sa peau était si fine qu'elle semblait presque transparente. Sa bouche était grande, avec des lèvres pleines — légèrement humides, semblait-il, ce qui leur conférait un soupçon d'impudeur. Du rouge à lèvres ? se demanda Ivy. Les yeux de la jeune femme étaient d'un vert lumineux et à chaque mouvement de son visage ils semblaient lancer des étincelles. Bouche bée, sous le charme, Ivy la regarda, puis elle sortit de son état de transe momentané.

— Est-ce que... Est-ce qu'il y a un message pour Lady Alexandra, miss ?

Un rire de gorge.

— Oh ! Dieu du ciel, non...

— Oui, miss... Très bien, miss.

— Quelle étrange petite créature ! s'écria Lydia en regardant la servante s'éloigner lentement vers la maison. Vous avez vu comme elle me regardait fixement ?

— Non, mais comme je vous regardais fixement moi aussi, je ne saurais lui en faire reproche. Vous êtes une femme diablement belle, Lydia.

Elle se détourna, ses doigts se mirent à pianoter sur le gros volant de bois, et le reflet du soleil sur le capot étincelant de la voiture lui fit plisser les yeux.

— Je vous en prie, Fenton, nous avons promis de ne parler que de banalités.

Il posa la main sur l'épaule de la jeune femme et sentit sa chair tiède à travers la blouse de voiture et la robe de soie.

— Je m'aperçois que c'est franchement impossible.

Elle regarda le reflet du manoir sur la peinture de la voiture : briques douces et pierre de taille, la façade sans défaut d'Abington Pryory, demeure des Greville et des comtes de Stanmore depuis dix générations.

— Je regrette, Fenton. Je vous en prie, ne me rendez pas les choses plus difficiles. Vous savez à quel point je vous apprécie. Vous avez été pour moi comme un frère depuis l'âge de neuf ans et...

Ses doigts se crispèrent sur son épaule.

— Vous ne pourriez pas me dire cela en me regardant dans les yeux, Lydia. Mais je ne vous presserai pas. Je sais ce que vous espérez obtenir et je vous souhaite bonne chance. Vous en aurez besoin.

Ivy remonta lentement jusqu'au second étage de l'aile droite, par l'escalier de derrière. Le tableau de l'allée continuait à hanter ses pensées — la belle femme, l'automobile magnifique, l'homme grand aux cheveux bruns. Quels événements merveilleux, passionnants, étaient donc réservés à ces gens en cette matinée ensoleillée de juin ? Aller à Londres en voiture, avait dit la femme. Ivy ne pouvait même pas imaginer ce que cela supposait, ni ce que Miss Foxe et Lady Alexandra allaient trouver à leur arrivée. Elle n'était jamais allée à Londres, bien qu'elle ait déjà vu des photographies représentant certains endroits de la capitale : Buckingham Palace, la cathédrale St. Paul, le Parlement et la Tour. Un endroit sublime, cette ville de Londres, plein de pompe et d'apparat : les gardes avec leurs bonnets de peau d'ours, les hallebardiers, le Lord-Maire avec une grande chaîne d'or autour du cou. Et il devait y avoir bien d'autres choses encore. Un endroit prosaïque aussi, c'était certain. A peu près comme Norwich ou le Grand Yarmouth, mais beaucoup plus grand et plus peuplé. Des gens qui faisaient des choses ordinaires. Et même des types qui réparaient des automobiles. Tout cela était si curieux. Si lointain. Comme ce serait amusant de partir avec elles, assise dans la voiture qui filerait comme le vent à travers la campagne, traversant en trombe les petits villages qu'elle avait vus par le train en venant du Norfolk. S'arrêterait-on pour déjeuner en route ? Des pâtés de viande et du cidre dans une petite auberge.

Ou bien dînerait-on à l'arrivée à Londres, dans un de ces hôtels ultra-chics, parmi une nuée de garçons en livrée ? Ce serait plus amusant. Madame désire-t-elle goûter les côtelettes ? Madame aimerait-elle une coupe de champagne pétillant ? Elle sourit à cette pensée, et elle souriait encore lorsqu'elle quitta l'escalier de service pour s'engager dans le couloir. On était en train de lui servir un vin fin pétillant, rafraîchi dans un seau à glace d'argent, quand elle aperçut un petit groupe qui s'était rassemblé dans le couloir en face de la chambre de Lady Alexandra. M. Coatsworth était là, avec l'un des valets de pied et la femme de chambre, Velda — et puis Mme Broome. Ils étaient tous tournés vers elle et ils ne souriaient pas. Pas du tout, du tout.

— La voilà, cette petite effrontée, s'écria Velda en ravalant ses larmes. Si ça ne tenait qu'à moi je lui flanquerais une de ces raclées.

M. Coatsworth et le valet de pied acquiescèrent. Leurs visages étaient de pierre. Mais Mme Broome se borna à pousser un soupir accablé.

— Cela suffira, Velda. Retournez faire votre travail.

— Oui, madame Broome.

Et avant de rentrer dans la chambre, elle lança à Ivy un regard plein de haine.

— Si vous avez besoin d'aide, madame Broome, dit le maître d'hôtel d'une voix grave, je serai très heureux de vous rendre service.

— Non, monsieur Coatsworth, je vous remercie.

— Comme vous voudrez, madame Broome. Venez, Peterson.

Le maître d'hôtel et le valet s'éloignèrent d'un pas raide et Ivy demeura seule avec la gouvernante qui montra du doigt le tas de linge abandonné sur le parquet.

— Ramassez-le, Ivy.

— Oui, madame Broome, murmura Ivy.

Elle l'avait complètement oublié. Elle se baissa aussitôt pour le reprendre dans ses bras.

— Dans cette maison, Ivy, on ne jette pas les draps et les taies d'oreiller par terre.

— Je... Je suis désolée, madame Broome... C'est seulement que... que...

Les choses s'étaient passées si vite qu'elle avait du mal à mettre de l'ordre dans ses pensées. Laisser tomber les draps avait été la seule chose à faire sur le moment, mais comment l'expliquer clairement à Mme Broome ?

— Mme Dalrymple vous a envoyée faire un lit. C'est exact, Ivy ?

— Oui, madame Broome.

— Très bien, mon enfant. Allez le faire.

— Oui, madame Broome... Tout de suite, madame Broome.

— Et j'ai l'intention de vous observer. Je tiens à m'assurer que vous n'avez pas oublié *tout* ce que l'on vous a appris.

— Oui, madame Broome.

44

Elle avait le visage en feu, et elle ressentait au creux de l'estomac une impression atroce de chute verticale. Elle continua dans le couloir, suivie par la gouvernante qui ne desserra pas les lèvres. Quand les draps furent posés, tendus et bordés de façon impeccable, Ivy prit des couvertures et un couvre-lit dans un coffre de bois au pied du lit. Elle les étala par-dessus, borda les couvertures, tendit les angles du couvre-lit et arrangea les plis jusqu'à ce qu'ils retombent de façon bien régulière. Puis elle fit trois pas en arrière et attendit les observations que pourrait faire la gouvernante.

— C'est très bien, Ivy.

— Merci, madame Broome.

— Vous avez été engagée comme fille d'étage, Ivy. Je croyais vous l'avoir clairement fait comprendre. Vous n'avez pas été engagée comme femme de chambre, ni comme messagère.

Ivy ouvrit la bouche comme pour répondre, mais Mme Broome leva la main en signe d'avertissement.

— Cela me ferait beaucoup de peine de vous donner vos huit jours. Votre vicaire nous a recommandé de nombreuses jeunes filles depuis des années, aussi bien pour Abington Pryory que pour le 57, Park Lane. Le révérend M. Clunes a toujours été un juge éclairé des caractères, et aucune des filles qu'il nous a envoyées ne m'a jamais déçue. Les filles du Norfolk ont toujours eu la tête sur les épaules, elles sont intelligentes, d'une propreté scrupuleuse et honnêtes jusqu'à la moelle des os. Je n'ai jamais eu le moindre ennui avec elles, mais toutes ces années de perfection ne sauraient compenser vos manquements au cours de la dernière demi-heure.

— Je suis désolée, madame Broome, mais vous comprenez...

— Ne m'interrompez pas, je vous prie, répondit Mme Broome d'un ton cassant. Il y a apparemment une chose dont vous n'avez pas encore pris conscience : *votre* place. Chacun a sa place dans la vie, Ivy. Votre place, en tout cas pour le moment, c'est celle d'une fille d'étage à Abington Pryory. La place de Velda Jessup est celle d'une femme de chambre. La place de M. Coatsworth est celle d'un maître d'hôtel, et la mienne consiste à diriger le personnel domestique. Que croyez-vous qu'il se produirait si aucun de nous ne demeurait à sa place ? Le chaos, Ivy. Un monde à l'envers, sens dessus dessous. Vous imaginez M. Coatsworth en train de faire les lits ou d'astiquer des bottes ? Vous imaginez que l'on puisse me dire, à moi, de vider les pots de chambre, et que je me soumette à une requête de ce genre ? Vous imaginez la cuisinière et ses aides en train de décrotter les écuries ? L'esprit se rebelle à de telles pensées, et pourtant c'est ce que vous avez fait, Ivy. Vous avez négligé... non, vous avez *ignoré* votre place, et pris celle de Velda. Ensuite vous avez pris celle de Dieu sait qui et vous vous êtes mise à traverser la maison en courant comme un Indien sauvage. M. Coatsworth a failli avoir une attaque quand il vous a vue sauter dans le grand escalier. Il a cru que vous aviez une crise, et que vous perdiez l'esprit.

— Mais... Lady Alexandra... bégaya Ivy.

Mme Broome se raidit.

— Lady Alexandra est très jeune. Elle a tendance à tout dramatiser. Il appartient au personnel de prendre en considération ses sautes d'humeur actuelles — passagères j'en suis certaine — et de l'empêcher de bousculer l'ordre et la méthode de cette maison. Lady Alexandra n'aurait pas dû vous demander de l'aider, c'est entendu. Ensuite, elle n'aurait pas dû vous demander de courir au rez-de-chaussée avec un message pour Miss Foxe. Elle aurait dû attendre le retour de Velda, ou bien me sonner pour que je lui envoie quelqu'un d'autre. Et elle aurait dû envoyer un laquais pour que son message soit transmis de façon convenable. Je ne peux pas réprimander Lady Alexandra, mais je peux — et je dois — vous réprimander, vous, pour que vous ne refassiez jamais une chose pareille. A l'avenir, si l'on vous demande *quoi que ce soit* qui ne fasse pas normalement partie de votre travail, vous devez refuser — sur un ton poli et respectueux, cela va sans dire — et transmettre aussitôt la requête à l'un de vos supérieurs, à un valet, à une femme de chambre, à un laquais, à une serveuse de la salle à manger, ou bien, dans le cas improbable où vous ne rencontreriez personne occupant ces fonctions, à M. Coatsworth ou à moi-même. Avez-vous bien compris, Ivy ?

Ivy ne put que baisser humblement la tête. Mme Broome tendit alors la main et caressa la joue de la jeune fille tremblante.

— Je ne vous donnerai pas vos huit jours, Ivy, n'ayez crainte. Vous avez une étincelle, une vivacité dans les yeux, que je trouve très avenante. S'il ne se produit aucun autre oubli malencontreux, je commencerai à vous former pour la salle à manger dans les six mois qui viennent. Ce sera un travail plus agréable, et un peu plus d'argent à envoyer à la maison — ce qui sera apprécié, j'en suis certaine.

— Oui, madame Broome.

Ses paroles étaient presque inaudibles.

— Et maintenant, continuez de ranger ici. Vérifiez les serviettes de toilette dans la commode, ouvrez les fenêtres et aérez la pièce. Le neveu de Mme la comtesse arrive d'Amérique demain, c'est lui qui occupera cette pièce. Nous voulons qu'elle soit agréable et gaie. Quand vous aurez terminé, vous descendrez voir Mme Dalrymple qui vous donnera d'autres instructions.

Et, majestueuse, elle quitta la chambre, haute silhouette tout de noir vêtue, aux cheveux blancs, qui avait droit de vie et de mort sur quiconque dans la maisonnée, à l'exception de M. Coatsworth et du personnel de l'extérieur. Ivy retint son souffle jusqu'à ce que la femme fût hors de vue et ne pût plus l'entendre. Puis elle s'effondra sur la banquette de la fenêtre et enfouit son visage dans ses mains. Elle avait été si près de perdre sa place ! Et que serait-elle devenue ?

Elle ne pouvait pas rentrer à la maison, pas avec le bébé que l'on attendait d'une minute à l'autre, et avec papa qui avait déjà bien assez de mal à gagner de quoi mettre sur la table, payer le loyer, et faire en sorte que ses frères et sœurs aient des vêtements décents et des chaussures solides pour aller à l'école. Oh ! doux Jésus, ne permets pas qu'on me flanque à la porte, supplia-t-elle, *jamais*. Elle avait envie d'éclater en sanglots mais les larmes ne voulaient pas sortir. Elle posa son visage soudain enfiévré contre la vitre fraîche de la fenêtre : elle vit le jardin latéral, un vieux mur de brique couvert de clématites et une partie de la grande allée. La voiture bleue apparut soudain, lancée à toute vitesse. Miss Foxe tenait le volant d'une main ferme et ses cheveux roux brillaient dans le soleil. Lady Alexandra, tournée vers l'arrière, faisait de grands signes d'une main, l'autre main crispée sur le haut du petit canotier de paille. Les longs rubans de velours marron voletaient dans le vent.

— Au revoir, criait-elle joyeusement à quelqu'un. Au revoir... Au revoir...

Elles étaient à *leur* place, songea Ivy avec un pincement violent de regret. Quand on y songeait, c'était tout de même un monde bien singulier.

3

Hanna Greville, comtesse de Stanmore, était assise devant le secrétaire, près de la vaste baie de son salon. La fenêtre donnait sur un petit jardin tiré au cordeau, où des rangées régulières de buis et de rosiers formaient, vues d'en haut, des dessins géométriques précis. La comtesse portait un peignoir de soie vert, avec autour du col et des poignets, ainsi que le long de l'ourlet du bas, une garniture douillette de plumes de marabout. Ses longs cheveux blonds, dénoués et brossés, formaient de douces vagues brillantes qui tombaient en cascade sur ses épaules puis glissaient jusqu'en bas de son dos. Elle avait quarante-cinq ans, cinq ans de moins que son mari, et hormis un léger épaississement des hanches et l'amorce d'un double menton, elle avait conservé l'allure radieuse de sa jeunesse. Le fait qu'elle fût la mère d'Alexandra ne faisait aucun doute : elle était l'image même de sa fille, mais en pleine maturité.

Hanna écouta le vrombissement hésitant d'un moteur d'automobile qui descendait la grande allée vers la route d'Abington, à deux kilomètres de là. Ce devaient être Lydia et Alexandra en route pour Londres, songea-t-elle avec raison, tout en remplissant sa tasse à café avec la verseuse d'argent. Elle n'approuvait pas entièrement le fait que les femmes conduisent les automobiles, bien que désormais elles fussent de plus en plus nombreuses à le faire. Dans les meilleurs magazines, on pouvait voir des réclames montrant des jeunes femmes vêtues avec classe, assises gaiement au volant de Vauxhall, de Benz ou d'autres marques sportives. Alexandra avait supplié qu'on lui permette de prendre des leçons de conduite, mais la comtesse s'y était fermement opposée. Charles avait son auto personnelle, et c'était déjà bien assez effrayant. Il y avait tant d'accidents. Les journaux en signalaient tous les jours.

Elle termina son café, remonta ses manches sur ses avant-bras blancs, et se mit au travail. Le dessus du bureau ovale disparaissait presque entièrement sous les piles de feuilles couvertes de son écriture, très nette mais presque microscopique. Elle avait presque achevé une tâche gigantesque : le calendrier et les listes d'invités des nombreux bals, fêtes, soirées et galas qu'elle avait prévus pour le reste de l'été — la « saison » de Londres. Ils passeraient les deux dernières semaines de juin et tout le mois de juillet à Stanmore House, l'hôtel particulier des Greville, 57 Park Lane. Le comte ne s'en réjouissait guère, bien entendu : il aurait préféré, comme toujours, rester à la campagne. Au cours des années précédentes, il avait réussi à esquiver ce séjour à Londres et ces six semaines de vie sociale tourbillonnante, mais Alexandra ne faisait pas son entrée dans le monde, et Hanna ne s'était donc pas formalisée de son absence. Cette année, il n'en allait pas de même. Elle avait exigé qu'il assiste à toutes les soirées et qu'il rencontre tous les invités, sans exception, car l'avenir de sa fille se trouvait quelque part au milieu des papiers qu'elle avait sous les yeux.

Quelque part. Elle classa lentement les feuilles, relisant chaque nom écrit de sa main, pour chaque réunion prévue. Et la liste des noms était longue. Deux cents pour le bal du vendredi 19 juillet, trois cent cinquante pour le gala du 4 juillet — l'anniversaire de l'Indépendance des Etats-Unis — avec le drapeau rouge, blanc et bleu partout, et l'ambassadeur américain comme invité d'honneur. Liste après liste : trente pour le dîner du 12 juillet, vingt-cinq pour un pique-nique à Henley, quarante fauteuils réservés au théâtre de Drury Lane pour voir Chaliapine dans *Ivan le Terrible.* Et ainsi de suite. Si quelqu'un était vraiment quelqu'un, il avait à coup sûr sa place assignée sur les listes d'Hanna, et il serait ravi de s'y trouver. Stanmore House avait toujours été l'un des carrefours les plus brillants de la saison londonienne. Et c'était un piège bien tendu, car au milieu des noms de Lord et Lady Ceci, du vicomte et de la vicomtesse de Cela, se trouvaient épars les noms d'une vingtaine de jeunes hommes, tous célibataires : les meilleurs partis... Et l'un d'eux — oh ! comme elle aurait aimé pouvoir le connaître déjà ! — serait bientôt le fiancé d'Alexandra.

— Qui ? demanda-t-elle dans un murmure tandis que son doigt glissait lentement le long des listes comme si elle lisait du braille. Qui ? Albert Dawson Giles, esquire ; l'honorable Percy Holmes ; M. Paget Lockwood ; Thomas Duff-Wilson.

Elle s'arrêta sur ce nom. Un avocat, membre de l'Inner Temple. Vingt-cinq ans. Riche par héritage, bon chasseur — cela plairait à Anthony —, neveu de Lady Adélaïde Cooper (l'une des dames d'honneur de la reine), certain d'être fait chevalier dans un an ou deux. Le nom de cet homme semblait bondir vers elle. Oui, il tranchait nettement sur tous les autres, et elle vérifia les listes pour s'assurer qu'il était bien sur toutes.

— Terriblement occupée, chère amie ?

Elle ne put retenir un sursaut de surprise. Elle se retourna : le comte était debout derrière elle.

— Oh ! vous m'avez fait peur, Tony. Je ne vous ai pas entendu entrer.

Il se pencha et l'embrassa doucement sur la nuque.

— C'est bien normal. Je suis très habile pour me faufiler dans les boudoirs.

— Ce n'est pas le genre de talent dont un *gentleman* puisse se vanter.

Il l'embrassa de nouveau à travers le fleuve de ses cheveux.

— Je ne suis pas toujours un gentleman, Hanna.

— Non, répondit-elle en riant. Il vous arrive parfois d'être vraiment fripon.

Elle chercha la main de son mari, la serra doucement dans la sienne puis se retourna vers son travail.

— Approchez ce fauteuil, Tony, et venez parcourir ces listes d'invitations avec moi.

— Dieu m'en préserve. C'est votre domaine, Hanna. Invitez qui il vous plaira. Vous n'avez encore jamais fait d'erreur.

— C'est un peu plus important cette année, et vous le savez. Vous rendez-vous compte que ces feuilles de papier contiennent probablement le nom de notre futur gendre ? C'est une pensée qui incite à la prudence, Tony, et j'aimerais parler avec vous de plusieurs de ces jeunes gens.

Le comte fronça les sourcils et s'avança lentement vers la fenêtre. Il croisa les mains derrière son dos et regarda le jardin.

— Je ne suis pas inquiet au sujet d'Alexandra. Je suis sûr que vous cueillerez dans le tas exactement le garçon qu'il lui faut. Et qu'elle sera heureuse de ce choix. J'ai toute la confiance du monde en vos capacités à cet égard. Non, je n'ai aucun souci pour Alex. C'est Charles qui me préoccupe.

Hanna prit son portemine d'or et se mit à pianoter légèrement contre le bord du bureau.

— Il traverse simplement une crise, Tony.

Lord Stanmore esquissa un sourire résigné.

— C'est ce que Fenton m'a dit à propos de Roger... Il traverse une crise.

— Fenton ? Il est ici ?

— Oui. Depuis hier soir. Il reste quelques jours. J'ai été diablement content de le voir. Pourquoi donc puis-je parler à Fenton et non à mon propre fils ? Il y a un tel mur entre nous, Hanna...

— Mais vous bavardiez ensemble hier soir au dîner.

— Oui, nous *parlions* : nous ouvrions nos bouches et des mots en sortaient, mais le mur est là et nous le savons tous les deux. Et nous savons ce qu'est ce mur, ou plutôt *qui* il est.

Hanna posa le portemine contre ses lèvres closes, puis se leva et rejoignit son mari.

— Comme le jardin est beau, dit-elle d'une voix douce. Tout y est ordre et netteté, c'est magnifique. Quel dommage que les vies ne puissent être aménagées de la même manière... Mais c'est impossible et vous le savez. Nous pouvons uniquement guider les gens, les former, et je crois que nous avons très bien formé Charles. Jamais il ne fera une chose qui ne soit pas juste et convenable. Il s'est entiché de Lydia — depuis toujours — mais je sais au fond de moi qu'au moment de prendre la décision définitive il fera le bon choix, celui qui nous plaît, à vous et à moi.

— Peut-être, bougonna le comte sans quitter des yeux les plantations géométriques au-dessous de lui.

— Mais nous ne devons pas le pousser... en tout cas, *vous* ne devez pas le pousser à construire ce mur dont vous parlez. C'était une erreur d'inviter Mary et Winifred. Je vous l'avais dit.

— Le père de Winifred est...

— Un homme parfait et honorable, coupa-t-elle. Oui, je sais tout cela, et si Charles tombait amoureux de la jeune fille et l'épousait, ce serait magnifique. Mais permettez-moi de faire appel à un peu de bon sens yankee, si vous n'y voyez pas d'inconvénient. On peut conduire un cheval à l'eau, mais on ne peut pas l'obliger à boire. Charles ne ressent rien pour Winifred. Rien du tout. En réalité, à l'heure actuelle, il déteste probablement la pauvre fille. Et si c'est le cas, c'est de notre faute. J'ai pris ma décision hier soir en voyant l'expression de Charles quand vous avez *suggéré* qu'il emmène Winifred voir la nouvelle tonnelle. Je verrai tranquillement Mary et nous parlerons à cœur ouvert. Il faut arrêter cette sottise au plus tôt.

— Vous ne pouvez pas dire à cette dame de partir et d'emmener sa fille avec elle. Ce ne serait pas bien.

— Je ne lui dirai pas de partir. Je lui expliquerai les faits carrément. Elle est peut-être un peu évaporée, mais elle a quatre fils, qui ont sûrement leurs caractères. Elle comprendra les sentiments de Charles et elle ne s'en formalisera pas le moins du monde. Mary est une vieille amie très chère et nous avons toujours été sincères l'une avec.l'autre.

— Soit, très bien, dit-il d'un ton chagrin. Peut-être faites-vous ce qu'il faut.

— Je fais la *seule* chose à faire.

Elle posa une main, très doucement, sur l'épaule de son mari.

— Je suis une mère *et* une femme. Je comprends Charles, à cette période de sa vie, beaucoup mieux que vous-même. Et, ce qui est encore plus important, je comprends Lydia.

— Oh ! c'est vraiment épatant ! cria Alexandra en rebondissant comme un diable sur la banquette de l'automobile.

— Assieds-toi et ne bouge plus, répondit Lydia à tue-tête. Tu vas tomber.

Alexandra s'installa au fond du siège de cuir, la main toujours vissée sur la coiffe de son chapeau. Lydia, les sourcils légèrement froncés, se concentra pour corriger l'avance à l'allumage jusqu'à ce que le moteur cesse ses pétarades et ronronne harmonieusement. Elles avaient dépassé le village d'Abington et elles filaient sur une route étroite qui serpentait paresseusement en traversant d'épaisses forêts vénérables et les grands espaces ensoleillés des champs bordés de haies.

— Fantastiquement heureuse ! cria Alexandra dans les remous du vent qui lui fouettait le visage. Oh ! Lydia, tu te rends compte que l'an prochain à cette époque j'aurai peut-être un bébé ! Enfin, si les fiançailles sont assez courtes. Je ne crois pas aux fiançailles qui s'éternisent, et toi ? Tu ne penses pas que ça fait horriblement vieux jeu ?

— Oh ! mais reste donc tranquille, Alex, répondit Lydia agacée. Tu ferais se damner un saint. Sincèrement, tu es insupportable.

La jeune fille se rapprocha de Lydia pour éviter de crier par-dessus le bruit du moteur.

— Hier soir après dîner, je suis allée dans le boudoir de maman et j'ai jeté un coup d'œil sur les listes. Oh ! Lydia, elle invite les plus irrésistiblement beaux jeunes hommes à marier de Londres.

— Comment sais-tu qu'ils sont irrésistiblement beaux ?

— Je le sais, c'est tout. Pas un seul ne mesure moins de un mètre quatre-vingts, tous sont promis à la gloire — et l'un d'eux m'enlèvera de terre dans ses puissants bras ravisseurs.

Lydia leva les yeux au ciel.

— A quel roman de pacotille as-tu volé cette réplique ?

— Jane Bakehurst — tu ne la connais pas, c'était ma *grande* amie au collège cette année —, enfin, c'est elle qui a acheté ce livre d'Elinor Glynn. Une classe folle.

— Alex, tu es impossible. Il faut vraiment que tu te maries, et le plus tôt sera le mieux.

— Je suis on ne peut plus d'accord avec toi, figure-toi. Je ne peux pas attendre plus longtemps, il me faut des bébés. Des douzaines — enfin, au moins cinq. De petites choses potelées, roses et gazouillantes, et chaque soir je me rendrai à pas lents dans la nursery au bras de mon jeune mari irrésistiblement beau, et la nounou les fera défiler devant nous.

— Tu prévois de les avoir tous les cinq d'un coup ?

— Mais non, sotte, un à la fois, et avec un intervalle convenable entre eux. Mais, sérieusement, je crois que le mariage et les bébés sont une bénédiction. Je le crois vraiment.

La campagne céda la place aux banlieues. Epsom, Cheam, — Merton et South Wimbledon, des rangées et des rangées de petites maisons de brique et de villas jumelles dans le style faux-Tudor. La circulation devint plus dense lorsqu'elles atteignirent Fulham et Putney : des automobiles, des camions, des autobus et de lourds chariots tirés par des chevaux. Elles traversèrent le fleuve au pont de Putney et continuèrent jusqu'à Mayfair. La Boutique Ferris, haute couture, occupait un élégant édifice géorgien, sur Hanover Square. Lydia s'arrêta devant et un portier portant une livrée de cocher de l'époque victorienne se précipita pour ouvrir les portières de la voiture.

— Bonjour, milady... Miss Foxe, dit-il en effleurant le bord de son chapeau. Dois-je demander à un garçon de garer votre automobile, Miss Foxe ?

— Pas aujourd'hui, merci. Je ne reste pas.

Alexandra bondit de la voiture comme un chat persan tout ébouriffé.

— Ne t'avise pas de venir me reprendre avant trois heures. Je ne veux pas que tu voies mes robes pleines de faufils. C'est promis ?

— C'est promis, répondit Lydia d'une voix neutre.

Le portier referma la portière, elle passa sa vitesse et la Benz démarra en grondant dans la direction d'Oxford Street.

L'immeuble Foxe était l'un des plus vastes et des plus modernes immeubles de bureaux d'Angleterre. Les plans avaient été réalisés par un architecte américain, et la construction s'était achevée au printemps de 1912 au milieu d'une tempête de controverses. Le *Times* avait été inondé de lettres protestant contre l'érection d'une pareille bâtisse à quelques pas des façades classiques de Nash dans Regent Street. Mais, au bout de quelques mois, les Londoniens avaient commencé à s'habituer. En fait ils adoraient maintenant ce bâtiment rectangulaire de plusieurs étages, à la façade de travertin, tout proche d'Oxford Circus. Archie Foxe rêvait depuis longtemps de regrouper sous un seul toit tous les services de sa vaste entreprise, dispersés jusque-là d'un bout à l'autre de la capitale. Et depuis deux ans que son immeuble était terminé et occupé, il avait abondamment démontré l'efficacité de ce qu'il appelait « la méthode yankee ». Plusieurs grandes compagnies anglaises construisaient à leur tour des immenses immeubles de bureaux. Le profil que Londres découpait sur le ciel commençait de changer, et Archie Foxe en était ravi.

Lydia s'engagea dans le garage souterrain, où un jeune homme vêtu d'un bel uniforme bleu s'occupa de sa voiture. Elle ôta la blouse de toile qu'elle portait toujours pour conduire et l'abandonna sur le siège, puis elle se dirigea vers l'ascenseur qui l'entraîna dans les étages. L'ascenseur s'arrêta plusieurs fois, et des gens entrèrent et sortirent : des secrétaires, des employés aux écritures, des correspondanciers, des hommes et des femmes de la division Foxe-Fantaisie, ou des services juridiques et immobiliers. La plupart d'entre eux reconnaissaient aussitôt Lydia et lui souhaitaient poliment une bonne journée, mais elle n'en reconnut qu'un seul : un homme grand, au visage rougeaud, du nom de Swinton — le chef du service de la publicité. Il était entré au premier étage, avec un grand carton à dessins sous le bras, et la pipe vissée entre les dents.

— Bonjour, Lydia, lui dit Swinton sur un ton enjoué. Vous venez inviter le président à déjeuner ?

C'était une de leurs plaisanteries favorites. Tout le monde savait qu'Archie Foxe ne déjeunait jamais. Une fois, il y avait bien longtemps, Lydia avait insisté pour qu'il déjeune avec elle au grill du Savoy, mais Archie avait envoyé Swinton à sa place.

— Non, répondit-elle en souriant. Je viens simplement lui présenter mes respects.

— Il est aussi occupé qu'un castor. Nous ouvrons le nouveau salon de Charing Cross la semaine prochaine. Vous voulez jeter un coup d'œil ?

Il ouvrit le carton à dessins et lui montra une demi-douzaine d'aquarelles, esquisses d'affiches publicitaires.

— Elles sont excellentes.

— Merci, dit-il. Nous commençons à intéresser des artistes de premier ordre. L'Institut Slade a enfin renoncé à faire la grimace sur ce que nous faisons, et nous avons pu engager quelques types drôlement brillants sortis de là-bas, et aussi des femmes. Un projet vous frappe plus que les autres ?

— Cette scène de nuit accroche vraiment le regard.

Swinton la retira du carton et la lui tendit. C'était une rue de Londres par un soir de pluie, de grandes taches de couleurs vives scintillaient en reflets sur le trottoir mouillé. Des gens, courbés contre l'averse et le vent, dessinaient des ombres furtives. Sur l'obscurité se détachait un immeuble d'un étage brillamment éclairé, avec les mots « White Manor » en lettres de lumière sur la façade. En bas de l'esquisse — qui serait beaucoup plus efficace une fois peinte à l'huile — on lisait le slogan, inscrit à l'encre noire : ECHANGEZ LA PLUIE CONTRE UN WHITE MANOR.

— Oui, dit Lydia. J'aime beaucoup.

— Moi aussi. C'est pour la campagne d'hiver. Eh bien, à plus tard.

Il sortit au quatrième étage et Lydia continua de monter jusqu'au bureau de son père.

Archie Foxe avait un bureau personnel parfaitement équipé, avec notamment une table de travail ayant appartenu au duc de Wellington lorsqu'il était premier ministre. Mais il n'y passait que très peu de temps. C'était un « vadrouilleur », un marcheur invétéré qui allait de bureau en bureau depuis le rez-de-chaussée jusqu'au dernier étage, pour surveiller, superviser, suggérer, exiger, critiquer et louer (selon le cas) tous ses employés jusqu'au dernier, depuis le plus modeste garçon aux écritures jusqu'aux membres du conseil d'administration. Un de ses secrétaires, toujours harcelé (il n'employait que des hommes ayant de bonnes jambes), le suivait partout, le bloc sténo à la main et le crayon sur le qui-vive. Un bloc entièrement garni ne représentait qu'une journée très calme...

Le destin d'Archie Foxe était de gagner de l'argent, et jamais il n'en avait ressenti la moindre surprise. Jamais il n'avait remercié Dieu de sa bonne fortune, et il proclamait volontiers que la chance et le Tout-Puissant n'avaient absolument rien à voir avec sa réussite.

« Un travail acharné et une fichue bonne idée », telle était l'unique philosophie des affaires pour Archie Foxe. Il avait soixante ans et il était né dans un taudis de Shadwell, dans l'East End de Londres, le jour du Nouvel An 1854. Il n'avait jamais parlé de son enfance à quiconque, pas même à sa fille ou à la femme qu'il avait épousée, assez tard dans sa vie, et qui était morte alors que Lydia était encore enfant. C'était une femme de la bonne société du Cumberland, et (comme il le lui avait dit) elle n'aurait pas du tout compris ses histoires, ou elle aurait cru qu'il romançait la vérité dans le style de Dickens. Sa jeunesse, c'étaient des taudis et des ateliers puants, un père à la dérive, désespéré, condamné à la folie par le gin, et une mère qui se mourait de consomption dans une mansarde glacée. Il pouvait voir le décor de son enfance depuis les fenêtres du dernier étage de l'immeuble Foxe : les grands méandres de la Tamise en aval du pont de Blackfriars. Mais ce n'était pas une distance mesurable en kilomètres.

A l'âge de neuf ans, Archie Foxe avait quitté la prison pour enfants de Bethnal Green pour entrer comme apprenti dans une boucherie de Smithfield Market. Le frère du boucher était marchand de pâtés et le travail d'Archie consistait à hacher des morceaux de bœuf et de veau à moitié pourris que son patron transformait en pâtés gélatineux. Le caractère ignoble de ces pâtés inspira à Archie l'idée d'en faire de meilleurs, et c'est ce qu'il entreprit, à dix-sept ans, à la fin de son apprentissage. Il s'associa avec une veuve d'un certain âge qui tenait une petite boulangerie près de Covent Garden. Ils confectionnaient les pâtés tous les deux au cours de la nuit, et pendant la journée, Archie faisait le tour de divers restaurants et cafés pour les vendre. Bientôt, ils ne furent plus en mesure de satisfaire la demande, et l'année suivante ils louèrent un entrepôt et prirent à leur service dix hacheurs de viande et cuisiniers.

— Il suffisait de mettre une brique sur l'autre, devait déclarer Archie à un journaliste bien des années plus tard.

Comme l'affaire se développait, il lui fallut acheter des chevaux et des chariots de livraison, diversifier la production : pâtés de bœuf et veau, pâtés de bifteck et rognons, pâtés de porc à la groseille et chaussons aux pommes.

— Et puis mettre ces pâtés dans les boîtes et les envoyer en Inde, en Australie, tout autour de cette foutue planète.

La veuve avait vendu ses parts de l'affaire à Archie en 1880, pour passer le restant de ses jours dans une maison de campagne confortable avec quatre servantes.

— C'est le fait d'être mon maître qui a vraiment tout changé. Je me suis senti libre et j'ai fait tout ce dont j'avais bougrement envie.

Et ce dont il avait envie, c'était de quelques magasins situés dans des endroits stratégiques à l'angle de grandes avenues fréquentées, des salons propres et bien éclairés, où n'importe qui pourrait prendre une tasse de thé ou de café avec quelque chose de bon, et manger un morceau en se faisant servir par une jolie fille en uniforme bleu, tablier blanc amidonné et coiffe blanche, le tout pour un prix raisonnable. Et il avait envie que tous ces magasins soient exactement pareils, pour que les gens les reconnaissent au premier coup d'œil. Il eut donc l'idée de peindre l'extérieur en blanc brillant et le premier des centaines de Salons de Thé White Manor qui allaient ouvrir leurs portes par la suite fut inauguré le 3 juin 1883 à l'angle nord-ouest de Ludgate Circus. Les salons de Holborn et de Gray's Inn Road seraient lancés deux semaines plus tard.

— Les hommes sont obligés de manger, vous comprenez, c'est dans leur nature. Un homme peut marcher des années avec la même paire de bottes, une femme peut porter la même robe du 1er janvier au 31 décembre ou avoir les mêmes meubles dans sa maison toute sa vie, mais ils ne peuvent éviter de manger trois fois par jour, pas moins, et de prendre une boisson chaude toutes les trois ou quatre heures. C'est la nature, et c'est pour ça qu'on est forcé de se faire un peu d'argent dans ce genre de pratique, simplement en pourvoyant à ce besoin naturel, vous voyez. C'est forcé. Et le seul truc, c'est de donner simplement à ces gens comme tout le monde une nourriture raisonnable à un prix honnête, parce que c'est à ces gens-là que vous désirez vendre, aux gens qui doivent regarder à leurs sous, vous voyez, parce que ces gens-là sont beaucoup plus nombreux que les riches qui se fichent de combien ils payent leur dîner. Que les riches viennent dans les White Manor ou non, je m'en moque. C'est le cadet de mes soucis... Ce n'est même pas un souci du tout. Non, quand j'ai monté les White Manor, ce que j'avais dans la tête, c'était le type qui travaille dans un bureau et la petite vendeuse. Oui. Seulement bien sûr, c'est allé un peu plus loin, vous voyez. C'est devenu un peu plus select, je dirais. Oui. Il y a des White Manor où un terrassier peut faire un saut pour prendre son thé avec deux tranches de saucisson, et il y a des White Manor avec orchestre de six musiciens de classe où un duc ne trouverait rien à redire aux filets de sole au beurre blanc. Mais le prix reste honnête, vous voyez... Tout ne tient qu'à ça : le prix reste honnête.

— Mon père est là ? demanda Lydia à la réceptionniste jeune et jolie.

— Il est descendu, Miss Foxe, répondit-elle. Mais je peux téléphoner au standard, je suis sûre que nous le trouverons.

— Non, c'est très bien. Je vais l'attendre dans son bureau. Mais s'il vous appelle, dites-lui que je suis là et que je n'attendrai pas jusqu'à la fin des temps !

— Bien sûr, Miss Foxe. Puis-je vous complimenter pour votre robe ? Elle est ravissante.

— Merci.

— Très seyant. Sûrement pas anglaise.

— Non. Elle vient de Paris.

— Ah, oui ! Ça se remarque, n'est-ce pas ?

Lydia pouvait lire l'envie dans les yeux de la jeune fille. Elle était mignonne, mais fagotée comme un as de pique. Une fille qui travaillait dans un bureau et qui vivait — avec d'autres filles employées dans d'autres bureaux — dans quelque immeuble surpeuplé de Holborn. C'était assez pitoyable.

Elle aimait beaucoup le bureau de son père. C'était ainsi qu'elle imaginait le cabinet d'un juge, ou le bureau d'un doyen d'université à Oxford. Murs lambrissés de chêne et parquet (de chêne également) aux reflets satinés, avec un beau tapis d'Orient ancien pour donner la touche de couleur et de chaleur qui, sans cela, aurait manqué à la pièce. Fauteuils confortables de cuir. Le magnifique bureau ancien de Wellington. Quelques tableaux sur les murs. Un paysage de Constable. Deux vues de Londres modernes, signées Walter Sickert. Puis des photographies dans des cadres d'argent, sur les murs et sur le bureau, des portraits d'elle-même, de sa mère, de George Robey (un comique de music-hall que son père appréciait particulièrement), de Herbert Asquith et de David Lloyd George. (Le compte en banque presque intarissable d'Archie Foxe avait été d'un grand secours pour le parti libéral au moment des élections générales de 1906, et le Premier ministre et son chancelier de l'Echiquier ne l'oubliaient pas.)

Les photographies dûment encadrées du Premier ministre et de Lloyd George, ornées de dédicaces enthousiastes, firent sourire Lydia. Elle se demanda ce que Lord Stanmore ferait s'il était à sa place, seul avec les portraits de *ces gens-là* en face de lui. Il les lancerait probablement par la fenêtre, ou bien, dans sa rage vertueuse de Conservateur, il les cinglerait de coups de cravache.

Il y avait des magazines sur une table et elle s'assit dans un fauteuil près de la fenêtre pour feuilleter un numéro de l'*Illustrated London News*. Des photographies du Roi et de la Reine à Cowes. Le Roi avait belle allure dans son uniforme d'amiral, et la Reine était belle et terriblement austère avec son chapeau de plumes d'autruche. Trois pages de photographies sur la reconstruction d'un *cottage* dans le Derbyshire, un article de M. Hilaire Belloc sur la Révolution française — la première d'une série de cinq chroniques — abondamment illustré par de vieilles gravures d'époque, et plusieurs pages sur les grandes manœuvres de l'armée allemande en Prusse orientale : des colonnes d'hommes en uniforme gris, avec des casques à pointe *Picklehaube*, défilant dans les champs ; des escadrons de uhlans et de hussards aux uniformes magnifiques, passés en revue par le kaiser et le kronprinz. Comme ils semblaient tous déguisés ! De vrais figurants d'opéra. Elle se demanda lequel des deux bras du kaiser était atrophié. C'était impossible à dire. Elle tourna la page. Une réclame en similigravure montrait le White Manor de Charing Cross qui venait d'être terminé : trois restaurants séparés pour les plaisirs de la table, deux orchestres, thés-tangos, bar-salon…

— Eh bien, ça c'est une bonne surprise.

Elle leva les yeux. Son père entrait dans la pièce, à toute vapeur comme de coutume, presque au pas de course, avec sur ses talons un jeune homme au teint rose et aux yeux cernés.

— Bonjour, papa, dit-elle.

— Vous pouvez disposer, Thomas, ordonna Archie Foxe par-dessus son épaule. Que les directives pour Manchester soient postées avant cinq heures, c'est la seule chose qui compte. Donnez le reste aux dactylos.

Le visage du jeune homme s'éclaira.

— Oui, monsieur. Je le fais tout de suite.

— Eh bien, eh bien...

Archie Foxe se balança d'avant en arrière sur ses talons et admira sa fille avec un plaisir manifeste. C'était un homme trapu qui ne paraissait pas son âge. Ses cheveux roux étaient soigneusement coiffés de façon à dissimuler au mieux un rond de calvitie, semblable à la tonsure d'un moine. L'East End était gravé sur ses traits malicieux, il avait le visage d'un gamin de la rue qui a pris des années — et beaucoup de sagesse.

— Eh bien, eh bien, qu'est-ce qui t'amène de la campagne ? L'argent, je suppose.

Elle plissa les yeux. Son regard était très critique.

— Tu m'avais promis de ne pas porter des costumes à carreaux. Tu as l'air d'un bookmaker.

Il posa ses grosses mains courtes sur sa veste au tissu criard.

— J'aime les carreaux... Et les bookmakers. Le type le plus élégant que j'aie rencontré dans ma vie était un book de Newmarket.

— Oh, papa ! soupira-t-elle. Tu es vraiment impossible.

Elle se leva, s'approcha de lui et l'embrassa sur la joue.

— Tu m'as manqué. Tu ne peux pas venir pendant quelques jours ?

— Il y a trop de choses à faire, mais j'essaierai de me débrouiller. Tu t'occupes, n'est-ce pas ?

— Oh oui ! à une chose ou une autre. J'ai conduit Alexandra à Londres pour un essayage.

— Comment va-t-elle ?

— Elle est tout excitée. Elle compte se marier d'une minute à l'autre.

— Oh ? Qui est l'heureux élu ?

— Elle ne l'a pas encore rencontré, mais j'imagine que n'importe qui fera l'affaire pourvu qu'il soit grand, beau et qu'il marche sur l'eau.

— Moi, je crois que marcher sur l'eau, c'est plutôt toi qui en fais une condition.

Il prit dans sa poche intérieure un étui de cuir et en sortit un long cigare de Cuba.

— Ça, et puis guérir la lèpre et ressusciter les morts, ajouta-t-il.

Elle se détourna et s'avança d'un pas raide vers les fenêtres. Londres n'avait jamais été aussi belle, c'était presque comme une carte postale en couleurs : un ciel trop bleu, l'auréole parfaitement dessinée d'un nuage blanc floconneux encadrant le dôme de St. Paul. Comme ce serait merveilleux de pouvoir voler au-dessus de la ville — pas dans un aéroplane, elle l'avait déjà fait, et c'était beaucoup trop bruyant pour qu'on y prenne vraiment plaisir — mais comme un oiseau, sur des ailes de silence.

— Je trouve ton impatience à mon égard très déprimante, papa.

— Ah ! vraiment ? grogna-t-il en mordant le bout de son cigare et en envoyant le morceau dans un crachoir de cuivre étincelant. Eh bien, ma fille, il est normal qu'un homme ait envie de gosses, de gosses à lui ou de petits-enfants. C'est naturel, ça, tu peux le demander à n'importe qui.

— J'aurais aimé être un garçon, soupira-t-elle. Tout aurait été beaucoup plus facile.

Il s'avança derrière elle et fit glisser le bord de sa main le long du cou de sa fille.

— Oui, Foxe et fils, depuis le début. Seulement, tu vois, il m'aurait ressemblé au lieu de ressembler à sa mère. J'aurais eu un petit lutin affreux, court sur pattes et aux cheveux rouges, au lieu d'une ravissante princesse, fraîche comme une fleur.

Elle se tourna avec un sourire, passa les bras autour de son cou et se serra très fort contre lui. Elle sentit son parfum de belle laine et de bon tabac.

— Tu es un amour. Je te donnerai des tas de petits lutins, papa. Je te le promets.

— Je n'en ai jamais douté, mais j'aimerais bien que tu t'y mettes sans tarder.

— J'ai mes plans, dit-elle calmement. Des plans vraiment merveilleux.

Tandis qu'une femme de chambre brossait et peignait ses cheveux, Hanna songeait à son neveu.

— Sa Seigneurie désire-t-elle que je les relève ce matin ? demanda la femme de chambre. Avec quelques boucles sur les côtés ?

— Je crois, Rose, oui. Comme vous aviez fait l'autre jour.

— Très bien, Votre Seigneurie. Je vais faire chauffer le fer.

Le télégramme envoyé de New York était au centre de son secrétaire : *Arriverai S.S. Laconia, Cunard Line... Accosterai Southampton vendredi 12 juin... Ai hâte de vous revoir. Mes sentiments à tous... Martin Rilke.*

Le texte même du télégramme la fit sourire. C'était tellement américain. Tellement plein d'impatience et de cordialité sans contrainte : une claque dans le dos et un joyeux salut, à la manière de Chicago. *Mes sentiments à tous.* Il fallait être du Middlewest pour envoyer ainsi

59

ses sentiments à des gens qu'on n'avait jamais rencontrés, simplement parce qu'ils faisaient partie de la *famille*. Elle pouvait comprendre cette attitude : elle avait quitté Chicago à dix-neuf ans et n'y avait fait depuis qu'un seul bref séjour, mais elle n'avait jamais perdu son sens des attitudes américaines. Il avait trouvé tout naturel et normal d'envoyer ce télégramme — *mes sentiments à tous* — à l'oncle Tony et aux cousins Charles, Alexandra et William. En réalité, s'il ne l'avait pas fait il se serait senti fautif. Le malheur, c'était que, si elle avait transmis ces *sentiments* à son mari et à ses enfants, ils en seraient restés bouche bée. Après avoir reçu le télégramme, elle leur avait simplement dit : « Mon neveu arrive le douze. Il envisage avec plaisir la perspective de faire votre connaissance. » Cela, bien entendu, c'était compréhensible. Et eux aussi, avec la modération britannique, envisageaient avec plaisir la perspective de le rencontrer. (William, absent de la maison et n'étant pas au courant, était évidemment exclu.) Deux mois plus tôt, elle leur avait dit que Martin resterait une semaine ou deux en Angleterre avant de visiter la France, l'Allemagne, l'Autriche et l'Italie, aussi l'annonce du moment et de l'endroit précis de son arrivée ne les avait-elle pas surpris.

— Il arrive maintenant ? avait demandé son mari. Si tôt ? Bien, il faudra envoyer Ross le prendre à son arrivée au port... et un des laquais pour l'aider à porter les bagages.

— Je crois que ce serait plus gentil que Charles aille également à sa rencontre.

— Oui, tout à fait, chère amie. Parfaitement.

Charles avait manqué d'enthousiasme.

— Ce n'est pas comme si je connaissais ce garçon, mère...

Mais la volonté de sa mère avait triomphé.

— J'espère seulement qu'il ne sera pas comme cet autre Rilke qui nous est tombé dessus l'an dernier !

— Mais non, mon chéri, avait-elle répondu. Je suis certaine du contraire. C'est le fils de mon frère William. Je vous en ai parlé, vous vous en souvenez ?

Charles avait acquiescé, mais elle était persuadée qu'il ne se souvenait guère de tout ce qu'elle avait pu leur raconter, au cours des années, à une occasion ou une autre, sur ses frères William et Paul, et sur la distance immense qui les séparait — la réussite et la richesse de Paul, l'échec et la pauvreté de William... puis sa mort tragique. C'était Karl, le fils de Paul, qui leur avait rendu une brève visite l'été précédent avant de se rendre à Paris et à Berlin : un jeune homme prétentieux jusqu'à l'insolence, qui avait fait précéder presque toutes ses phrases des mots : « Nous, à Yale... ». Lorsqu'il était parti, les opinions de Yale sur chaque question commençaient à agacer tout le monde. Et voilà qu'un autre Rilke arrivait d'outre-Atlantique, et elle ne pouvait pas garantir qu'il serait différent du précédent. Pourtant elle avait senti que ce n'était pas le même homme, au seul ton de la lettre qu'il lui avait écrite en mars pour l'informer de ses projets de voyage en Europe. Le fils de Willie. Elle l'avait déjà rencontré une fois à Chicago, lorsqu'elle s'était rendue aux funérailles de tante Ermgard, pendant l'été 1903. Il avait alors douze ans, un mois de moins que Charles. C'était un enfant calme et poli qui l'avait sincèrement étonnée en citant un passage de Goethe dans un allemand exempt de tout accent du Nouveau Monde. Mais pourquoi en avait-elle été surprise ? C'était le fils de Willie après tout... Il lui était impossible de songer à son frère décédé sans ressentir un pincement de cœur.

— Ne bougez pas, milady, l'avertit la femme de chambre. Le fer est très chaud.

Lorsque sa coiffure fut apprêtée à son goût, la femme de chambre l'aida à mettre une robe du matin en linon blanc, et elle quitta la pièce. En descendant prendre son petit déjeuner, elle passa devant la chambre de son fils. La porte était fermée. Elle hésita un instant puis frappa doucement. Elle l'entendit distinctement crier : « Fichez le camp ! », mais elle n'en tint aucun compte et ouvrit la porte.

— Bonjour, Charles, dit-elle d'une voix enjouée.

Il était allongé sur les couvertures, tout habillé, le dos appuyé à la tête du lit. Un plateau de petit déjeuner, à peine touché, se trouvait sur la table de chevet. Il baissa le livre qu'il était en train de lire et s'excusa d'un sourire.

— Désolé, mère. Je ne savais pas que c'était vous.

— Je descends prendre mon petit déjeuner. Vous avez mangé ?

— On m'a apporté un plateau, mais je n'ai pas faim.

— Vous êtes souffrant ? Vous avez l'air un peu pâle.

— Je vais très bien.

— Vous êtes sûr ?

— Oui, mère, sûr et certain.

« Comme il est amaigri », songea-t-elle. Il avait le visage d'un homme torturé. Elle lut de la douleur dans ses yeux, et cela lui fit mal. C'était son aîné, et il y avait toujours eu entre eux quelque chose de spécial, une véritable intimité.

— Pourrions-nous bavarder un peu, Charles ?

Il détourna les yeux et lança son livre sur le bord du lit.

— De quoi ?

— De Winifred Sutton, entre autres choses.

— Ah ! dit-il avec un sourire pincé. Winifred...

— Ce matin, j'ai convaincu votre père que cette jeune fille n'avait absolument aucune chance de vous plaire, et que tous les rêves qu'il avait pu faire à votre sujet étaient... étaient simplement ses rêves à lui, non les vôtres. J'ai l'intention d'être très franche avec la mère de Winifred à ce sujet.

— Eh bien, je dois dire que c'est un pas dans la bonne direction.

Il s'assit sur le bord du lit et posa ses mains sur ses genoux — une attitude qui lui rappelait toujours son mari. Ils étaient tellement semblables, d'allure et de gestes, les mêmes traits purs, et pourtant des caractères si opposés ! La chambre de Charles était à l'image de ses goûts, exactement comme les appartements de son mari reflétaient les siens. Des livres partout, en rangs, en piles, certains ouverts, d'autres fermés avec des bouts de papier dépassant des reliures. Elle n'avait aucune idée du but qu'il poursuivait en lisant tout cela. Il avait fait allusion en passant à l'intérêt qu'il portait à la guerre de Sept Ans et à l'expansion de l'Empire britannique. Avait-il l'intention d'écrire un livre ? Cela lui semblait une manière très bizarre de passer son temps.

— Vous avez l'air tout à coup beaucoup mieux, dit-elle.

— Oui, sincèrement, c'est vrai.

Il lui sourit.

— Et je suis certain que Winnie se sentira mieux elle aussi. Je lui fais peur. Vous le saviez ? C'est la vérité. Elle me l'a avoué hier soir sous la tonnelle. Elle m'a dit que j'étais morose et excessif. Il y a une âme simple et passionnée derrière toutes ces rondeurs. Je ne suis pas l'homme capable de la révéler, et elle le sait.

— C'est dommage, à certains égards.

Il acquiesça énergiquement.

— La communion dynastique de deux grands noms vénérables. Un mariage de couronnes. Je me sens un peu propre à rien de décevoir ainsi tout le monde — sauf Winnie, bien sûr. Mais je crois qu'il vaudrait mieux ne rien dire à sa mère. J'emmènerai Winnie faire une promenade en voiture du côté de Guilford, je lui offrirai une tasse de chocolat et un éclair au salon de thé, et je lui annoncerai la terrible nouvelle. C'est la façon la plus noble d'agir, n'est-ce pas ?

— Oui, je crois.

— Ensuite, elle dira à sa mère tout ce qu'elle aura envie de lui raconter, qu'elle est tombée amoureuse du prince de Galles ou qu'elle a découvert à point nommé la présence d'une folie galopante dans le sang des Greville. Dans un jour ou deux, elles partiront toutes deux à la recherche d'un gibier plus réceptif. Je suis sûr que Lady Dexford a une liste qui fait honte à celle que vous avez dressée pour Alex.

— Charles ! Vous dites des choses horribles !

Son indignation était si manifestement artificielle qu'ils éclatèrent de rire en même temps.

— Très bien, conclut-elle, vous vous occupez de toute l'affaire, mais ne tardez pas trop.

— En début d'après-midi, sans faute.

Elle fit un pas de plus dans la chambre et regarda autour d'elle sans dissimuler une certaine nostalgie.

— Vous teniez cette chambre si nette autrefois... Toujours tout à sa place. Maintenant, vous devez faire le désespoir des servantes.

— Je ne laisse jamais pénétrer une servante ici. Elles ont la maladie du rangement.

— Je crois que cette chambre est le reflet de votre état d'esprit, Charles. La confusion, le désarroi.

Leurs yeux se rencontrèrent et il se détourna.

— Je sens que c'est là le préambule d'un sermon maternel. Je crois que je peux deviner le sujet qui va être traité, et j'aimerais autant que vous ne commenciez pas. Pas maintenant.

— Si ce n'est pas maintenant, quand ?

Il reprit le livre qu'il avait repoussé et se mit à feuilleter nerveusement les pages.

— Bientôt. Quand... quand j'aurai mis au net dans ma tête ce que j'ai l'intention de répondre.

Le visage d'Hanna parut soudain très las. Elle regarda son fils avec compassion.

— Je sais ce que vous vous proposez de dire, Charles. Je peux en entendre chaque mot, et je peux entendre aussi la réponse de votre père. C'est un homme fier et inflexible. Je ne vous apprends rien. Oui, Charles, je peux entendre sa réponse et prévoir ce qu'il fera. J'aimerais vous quitter sur une simple pensée, une seule, et je voudrais que vous ne l'esquiviez pas et que vous y réfléchissiez en toute honnêteté. Voulez-vous me le promettre ?

— Bien sûr, répondit-il, les sourcils froncés, sans lever les yeux de son livre.

— J'espère que vous ne m'accuserez pas de cruauté.

— Mais non.

— Je connais Lydia depuis son enfance et je l'aime beaucoup. Sa mère était une femme charmante et sa mort fut une grande tragédie. Lydia était si jeune... Je crois que si sa mère avait vécu, elle aurait été élevée comme doit l'être une femme : plus... enfin plus proche de la *tradition*.

Le vent agitait doucement la branche d'un orme sous l'une des fenêtres. Quand il était enfant, Charles passait souvent par cette fenêtre et descendait dans l'arbre jusqu'au jardin au-dessous.

— La question que je pose est la suivante : Si vous épousez Lydia sans la bénédiction de votre père, il risque de vous désapprouver publiquement. Les implications sociales d'un tel acte seraient catastrophiques. Je vous demande en toute honnêteté, Charles : si Lydia savait avec certitude que votre père refuserait de la considérer comme sa belle-fille de façon aussi rigoureuse, aurait-elle pour vous la même affection qu'en ce moment ?

Le crépuscule se prolongea jusqu'à neuf heures passées : une douce lueur bleue dans le ciel, avec des ombres de cobalt qui s'allongeaient à travers les champs. A Burgate Hill la branche la plus haute du plus haut des arbres saisit le dernier rayon du soleil d'Occident : un arc d'or virant lentement au noir.

Lord Stanmore se pencha en arrière sur sa chaise et attendit que Coatsworth fasse passer les cigares autour de la table. Les dames étaient parties au salon, les jeunes filles dans la salle de musique, de l'autre côté du jardin d'hiver, où l'on donnait parfois des récitals et où Alexandra avait mis son Victrola. Il pouvait entendre au loin le murmure rythmé, ininterrompu, de la musique. Il se sentait satisfait, malgré un soupçon de regret. Satisfait du dîner, un aloyau de bœuf de qualité exceptionnelle, et satisfait des convives — tous de vieux amis intimes —, mais avec un peu de regret pour la façon dont les choses s'étaient passées entre Charles et Winifred Sutton. Il avait laissé Hanna agir à sa guise et la situation avait été réglée, cela ne faisait aucun doute. Charles s'était montré un peu moins morose (mais c'était peut-être parce que Lydia assistait au dîner) et Winifred donnait l'impression que l'on avait ôté un grand poids de ses épaules : elle s'était mise à bavarder avec Alexandra et Roger Wood-Lacy comme une pie bien dodue. Les jeunes savent ce qu'ils veulent et ce qu'ils ne veulent pas, songea-t-il. Mais c'était vraiment dommage. Ils auraient été diablement bien assortis tous les deux.

Coatsworth avait décanté un nouveau fût de porto, le premier de l'envoi de MM. Lockwood et Grier, de Lisbonne, et il attendait derrière la chaise du comte que celui-ci goûte le premier verre versé.

— Jolie couleur, Coatsworth, dit-il en tendant le verre vers la lumière.

— Oui, milord, jolie couleur.

Il huma le bord du verre.

— Et de l'arôme...

Il goûta, gardant le vin dans sa bouche pendant un instant avant de l'avaler.

— Ah !

Coatsworth prit ce soupir pour un signe d'approbation et posa le carafon de cristal sur la table, à la gauche du comte où se tenait M. Cavendish, hobereau des environs et l'un des plus vieux amis de Sa Seigneurie. Cavendish emplit son verre et fit passer le carafon à Fenton qui, après s'être servi à son tour, le tendit à un homme au visage rubicond : le député conservateur de Caterham. Et le porto fit le tour de la table et des dix convives. Roger Wood-Lacy, qui ne supportait pas physiquement l'alcool sous quelque forme que ce soit, fut le seul à refuser.

— Eh bien, Fenton, s'écria à l'autre bout de la longue table de chêne un général en retraite qui était aussi l'un des meilleurs éleveurs de chevaux du pays. Eh bien, quelles nouvelles d'Irlande ? Vous ne bougez pas encore au Curragh ?

Fenton trempa le bout de son cigare dans son porto.

— On ne sait jamais, tout peut changer du jour au lendemain. Mais je crois qu'il y a dans tout cela plus de bruit que de fureur, comme dans toute la politique irlandaise en général.

Il y eut un chœur assourdi de « Ecoutez, écoutez ».

— Tout ça, c'est du journalisme, si vous voulez mon avis, dit un homme chauve de grande taille. On peut toujours faire confiance à Northcliffe ou à Lord Trewe pour jeter de l'huile sur le feu. Je suis évidemment contre ce sacré Home Rule, vous le savez tous, mais laisser entendre que l'armée britannique est au bord de la mutinerie à cause de cette affaire, c'est du journalisme irresponsable, voilà ce que je pense.

— Uniquement la garnison irlandaise, fit observer quelqu'un pour mettre les choses au point.

— Bien entendu. Mais vous voyez ce que je veux dire.

Fenton alluma son cigare et souffla une bouffée satisfaite vers les poutres du plafond.

— Oh ! quelques officiers vont sûrement démissionner plutôt que de commander des détachements contre les volontaires de l'Ulster, mais je dirai que la prétendue mutinerie s'arrêtera là. Et si la pression s'accroît, vous verrez tous ces orangistes d'Irlande du Nord faire marche arrière. Il faut régler cette affaire de Home Rule autour d'une table, pas à coup de pots de chambre dans les latrines.

Lord Stanmore secoua la tête.

— C'est accorder aux Irlandais beaucoup plus de bon sens qu'ils n'en ont, Fenton. Je suis certain qu'on pourrait parvenir à un compromis si l'on avait vraiment très envie d'en trouver un, mais tout le monde s'est buté dans des positions bien ancrées.

— De l'huile et de l'eau, Tony, dit le général. Deux choses qui, tout simplement, ne se mélangeront jamais. Toute cette idée du Home Rule pour l'Irlande est aussi stupide que d'essayer de s'opposer aux voies du Seigneur.

— Tout ça, ce sont les libéraux, dit M. Cavendish. Ils se croient au-dessus des lois de Dieu et de la physique. Prenez Llyod George et son Home Rule pour l'Irlande... Le Home Rule pour le Pays de Galles... Le Home Rule pour l'Ecosse. Et après, il voudra le Home Rule pour les Indes !

— J'ai rencontré Parkhurst au Carlton Club la semaine dernière, dit le général de brigade, le rire aux lèvres. Il prétend que le meilleur moyen de se débarrasser de ce Gallois importun, c'est de lui offrir un titre de comte dans le Glamorganshire et la moitié d'une mine de charbon. Il décamperait sans demander son reste !

— Il y a peut-être quelque chose de vrai, dit Charles d'un ton sérieux, et je ne doute pas que ce soit un homme ambitieux. Mais je crois qu'il s'estime pour le moment au-dessus du profit matériel et des honneurs.

— Un guide du peuple, dit Roger. Une sorte de Napoléon celte, ou bien un tyran bienveillant à la manière grecque.

— L'ami de l'homme de la rue, railla quelqu'un. C'est très facile de se faire des amis quand on est en mesure d'envoyer cinq balles par semaine à tous les vieux bons à rien du pays. Mais les gens qui remercient Llyod George et Asquith pour l'argent de leur pension de vieillesse devraient en réalité me remercier, moi, et nous tous autour de cette table. Parce que l'argent vient de *nos* poches.

— Aucun homme politique n'a jamais perdu ses appuis en imposant les riches, fit remarquer sèchement M. Cavendish.

Fenton détourna son attention. Le phonographe jouait un fox-trot rapide, mais on entendait à peine la musique syncopée. Il était bon danseur : c'était une nécessité impérieuse pour un officier en garnison à Londres. Le major du régiment insistait pour que tous les nouveaux subalternes suivent les cours de danse que donnait trois soirs par semaine le caporal Booth de la compagnie C, danseur de music-hall professionnel avant de s'engager dans l'armée. Un danseur maladroit aurait porté un préjudice social au régiment. C'était le caporal Booth qui avait appris à Fenton le *castle-walk,* le *turkey-trot* et le *Texas-tommy*, et qui le tenait au courant de tous les derniers pas venus d'Amérique. Son pied droit commença à battre la mesure sans bruit sur le tapis.

— Je leur aurais laissé doubler mes impôts avec plaisir, déclara le général d'une voix énergique, si cela avait dû servir à construire un ou deux cuirassés de plus.

— Cela n'a pas de sens, répondit le député de Caterham. Laissez donc l'Allemagne gaspiller des millions à faire le matamore. La guerre, c'est maintenant qu'elle se livre, aujourd'hui, et nous la gagnons haut la main. La marine marchande britannique est la plus puissante de la terre, et elle devient plus puissante à chaque minute. Pardieu, hier encore, le *Lusitania* et le *Mauretania* de la Cunard Line étaient considérés comme les bateaux les plus fabuleux qu'on ait lancés à la mer. Et maintenant, ils lancent l'*Aquitania* qui les surclasse complètement. Jamais la Nord-Deutschland et la Hamburg-Amerika ne seront capables de construire et de faire marcher des bâtiments comparables.

Un vieux chirurgien de Guilford, chasseur de talent, s'éclaircit la gorge.

— Peut-être, mais la marine marchande n'est pas tout, n'est-ce pas ? Ce qui compte, c'est la production. Les Fritz ont peut-être du mal à imiter meilleur qu'eux, lorsqu'ils se risquent sur les mers, mais l'Allemagne nous a dépassés sur le plan de l'acier et des productions chimiques. C'est un fait indiscutable.

— Sur le plan de la *transformation* des produits chimiques, dit le député sur un ton sentencieux, comme s'il prenait la parole aux Communes. Ils sont obligés d'importer jusqu'au dernier gramme le nitrate et les autres matières premières. Vous en savez long à ce sujet, n'est-ce pas, Tony ?

— Oui, certainement, répondit le comte. Ma femme a des parents à Mecklembourg et Waldeck, les Von Rilke. Très impliqués dans l'industrie chimique. Ils importent beaucoup de nitrates — d'Amérique du Sud, je crois. Pourtant, c'est plutôt stupéfiant de voir tout ce qu'ils savent faire, en Allemagne, avec du goudron de houille. Un cousin de ma femme, le baron Heinrich von Rilke, vous l'avez rencontré l'an dernier, Percy, vous savez, ce savant...

— Oui, bien sûr, répliqua le chirurgien de Guilford.

— Eh bien, il m'a parlé de plusieurs choses vraiment remarquables que faisait son laboratoire de Coblence. Tout à fait étonnant. Il ne faut pas sous-estimer les Allemands.

Le député de Caterham lança un jet de fumée de cigare à travers le chandelier, et la fumée s'enroula autour des flammes des bougies.

— C'est exactement ce que je veux dire ! Nous devons répondre à leur défi, non pas avec davantage de vaisseaux de guerre, mais en accroissant notre productivité et en améliorant nos techniques... avec des bicyclettes, des automobiles et des machines agricoles. Les combattre sur le marché avec des produits meilleurs, et *moins cher*.

Fenton réprima un bâillement. Pendant combien de centaines d'heures avait-il subi ces éternelles conversations d'après-dîner ? Ce n'était pas si mal au Club des Gardes, où l'on pouvait parler boutique et sport — mais non sexe — ou au mess du bataillon où l'on pouvait parler sexe et sport — mais non boutique. Tous ses collègues officiers se souciaient de l'Allemagne ou des affaires sociales, politiques ou économiques de l'Angleterre comme d'une guigne. Des produits meilleur marché, vraiment. C'était le domaine de l'Amérique, n'est-ce pas ? Les voitures Ford, et les vêtements que l'on achète par correspondance d'après l'illustration d'un catalogue.

— A propos, dit-il au comte en espérant faire dévier la conversation loin de l'industrialisation (ou du manque d'industrialisation) de l'Angleterre, Roger me dit qu'un parent de Lady Stanmore arrive d'Amérique demain.

— C'est exact, répondit Lord Stanmore sans enthousiasme. De Chicago. Une sorte d'employé dans un journal. Je ne l'ai jamais rencontré.

Il se leva, très noble dans sa tenue de soirée.

— Messieurs, allons rejoindre ces dames.

Roger, Fenton et Charles s'attardèrent dans la salle à manger jusqu'à ce que les hommes plus âgés soient sortis, entraînant un nuage de fumée de cigare le long du corridor jusqu'au salon. Charles tira de son gilet une montre en argent.

— Pas mal, diablement plus court que d'habitude. Un coup de maître, Fenton. Sinon, nous étions épinglés ici pour un bon quart d'heure de plus.

Fenton parut surpris.

— De quoi parlez-vous ?

— De mon cousin de Chicago. Père a voulu éviter toute question importune de ses amis sur ce type.

— Et pourquoi donc ? Est-ce une sorte de desperado comme Jesse James ?

Charles éclata de rire.

— Je l'espère. Mais pour rester sérieux, non. C'est simplement un garçon qui travaille dans un journal. Mais il y a un squelette dans le placard de mère : le père du type, son frère William. J'ai oublié l'histoire. Tout ce dont je suis sûr, c'est qu'il est mort il y a plusieurs années... de boisson... ou alors il s'est suicidé. Quelque chose d'assez déplaisant. C'était à cause de lui que mère avait choisi le nom de William pour mon frère.

Fenton esquissa une grimace et fit tomber la cendre de son cigare dans une assiette.

— Je suis sûr que le jeune Will doit apprécier *ça* !

— Pouvait-on changer son nom ? Sûrement pas. C'est arrivé longtemps après sa naissance. Et le pauvre garçon n'y peut rien. Ils sont partis, Roger ?

Roger était en train de jeter un coup d'œil dans le corridor.

— Oui, ils ont dépassé l'angle. Décampons avant que quelqu'un ne revienne nous chercher pour compléter une table de bridge.

Ils quittèrent la salle à manger par les portes-fenêtres donnant sur la terrasse. Le phonographe parut plus proche dès qu'ils dépassèrent le dôme de verre du jardin d'hiver que Sir Harold Wood-Lacy avait conçu comme une réplique à échelle réduite du Palais de Cristal. Au-delà de la balustrade de pierre sculptée de la terrasse s'étendaient les jardins à l'italienne, très clairs sous la lune, et les éléphants et les girafes inclinaient dans le vent tiède leurs têtes d'ifs taillés.

Alexandra et Lydia dansaient ensemble au rythme d'un Texas-tommy — trombone, bugle et caisse claire. Winifred, près du Victrola, avait une main sur la manivelle et ses hanches se déplaçaient légèrement, en cadence avec la musique syncopée.

— C'est charmant ! s'écria Fenton à voix haute en regardant les jeunes filles caracoler dans la pièce.

Les miroirs des murs, installés quand Alexandra, à douze ans, s'était passionnée pour la danse classique, réfléchissaient de toute part leur image.

— C'est même très tentant ! ajouta-t-il.

Roger entra dans la pièce, les bras levés.

— Salut à vous, antiques prêtresses de Bacchus, chastes et pures.

— Oh ! Cessez de faire l'âne, Roger ! s'écria Alexandra par-dessus son épaule. Dansez avec Winnie.

Winifred parut effrayée.

— Oh non ! Je ne sais pas.

— Mais *bien sûr*, tu sais, répliqua Alexandra hors d'haleine. Ne fais pas la mijaurée.

La musique frénétique s'acheva et les deux jeunes filles se séparèrent en riant, le rouge aux joues.

— Oh, j'aime tellement ! dit Alexandra. Je pourrais danser le Texas-tommy toute la nuit.

— Je préfère la valse, dit Roger.

— C'est parce que vous êtes lourd et gauche.

Roger se raidit, indigné.

— Sûrement pas.

— Si, vous l'êtes.

— Très bien, jouez donc un tango et je vous montrerai si je suis lourd et gauche. Je danse le tango avec beaucoup de *sensualité*.

Fenton aida Winifred à trouver un tango parmi les disques du casier de Victrola. Il remarqua que les mains de la jeune fille tremblaient légèrement.

— Vous ne savez vraiment pas danser ?

— Non, murmura-t-elle. Je n'ai jamais appris. En tout cas, pas suffisamment. L'ennui, c'est que je n'ai pas d'oreille pour la musique. Je ne respecte pas la mesure.

— Je suis sûr que je pourrai vous l'enseigner en quelques minutes. C'est vraiment très simple. Et il n'y a absolument aucun truc.

— Quel tango avez-vous choisi ? demanda Alexandra.

Fenton regarda l'étiquette.

— Le Sans Souci.

— Très bien. Je l'adore.

Elle écarta les bras.

— Venez, Roger. Et essayez d'épargner mes pieds.

Charles s'inclina devant Lydia avec une solennité exagérée.

— Miss Foxe, aurais-je le plaisir ?

Elle fit la révérence.

— Certainement, Lord Amberley.

Il passa le bras autour de sa taille et elle se rapprocha de lui. Lorsqu'il prit la main droite de la jeune fille dans sa main gauche, elle sentit qu'il avait la paume moite.

— Calme-toi, dit-elle doucement.

— Il faut que nous parlions, Lydia.

Elle sourit avec coquetterie, tout près du visage blême et tendu du jeune homme.

— Mais de quoi, Lord Amberley ?

La musique commença : le rythme latin palpitant tenait toute l'Europe sous son charme envoûtant. Charles trébucha légèrement comme si sa tension intérieure avait bloqué ses genoux, et Lydia dut conduire la danse pendant un instant, le temps qu'il parvienne à coordonner son corps en cadence avec la musique.

Fenton prit Winifred par la main.

— Nous nous lançons ?

Le sourire de la jeune fille était pitoyable.

— Je... je crois que je ne peux pas.

— Sottises ! Je vous ai vue marquer les temps du Texas-tommy quand je suis entré dans la pièce. Vous étiez parfaitement dans le rythme.

— Oh ! Je sais danser toute seule. C'est seulement que... si je...

— Je comprends très bien.

Il la prit par la taille et posa fermement sa main droite au creux de ses reins.

— C'est uniquement une question de pratique et de confiance en soi, ajouta-t-il. Je suis sûr que je pourrais vous apprendre le tango en très peu de temps.

— Cela ne vous ennuie pas ?

— Mais... absolument pas, Winifred. Ce serait un plaisir.

Elle était vraiment très mignonne, songea-t-il en lui souriant. Elle lui rendit son sourire, timidement, et le rose lui monta aussitôt aux joues et à la gorge. Elle lui avait lancé des regards furtifs durant toute la journée. Une toquade soudaine de jeune fille, un béguin. Il n'avait rien fait pour l'encourager. Toujours l'officier cérémonieux, comme il se doit, et parfait *gentleman*. L'ami de son frère Andrew. Il la guida avec habileté à travers les pas et les mouvements sensuels de la danse.

— C'est très bien, lui dit-il. Laissez-vous aller, c'est tout et ne regardez pas vos pieds.

Elle manquait de grâce mais ce devait être la nervosité. La main qu'elle avait placée dans la sienne était crispée et celle qui se trouvait sur son épaule ne cessait de glisser vers le bas comme si elle ne savait pas où se poser. Il remarqua qu'elle avait des yeux noisette. Ses cheveux étaient bruns, mais de la nuance la plus claire. Oui, c'était une très jolie fille, et si elle perdait quelques kilos, elle aurait un visage tout à fait séduisant. Lady Winifred Sutton, la seule fille du marquis et de la marquise de Dexford. Un revenu annuel conséquent lorsqu'elle atteindrait sa majorité. Une dot de... dix mille livres ?

— Vous irez à Londres pour la saison, Winifred ?

— Oh oui ! balbutia-t-elle en regardant ses pieds. Maman ouvre la maison la semaine prochaine. 24, Cadogan Square.

Elle leva les yeux vers lui et son regard exprima un vague désir.

— Ce n'est pas très loin des casernes de la Garde, je crois ?

— Non, répondit-il. Et c'est à deux pas de mon appartement de Lower Belgrave Street.

Il remarqua que soudain elle respirait plus vite. L'animation de la danse ? Peu probable : c'était à peine si ses pieds effleuraient le parquet. Une fine ligne de transpiration s'était formée sur sa lèvre supérieure.

— Peut-être... dit-elle d'une voix hésitante, peut-être pourriez-vous venir à l'une de nos... réceptions. C'est-à-dire... si... si vos soirées ne sont pas toutes prises.

— Elles ne le sont sûrement pas. Je suis très libre cette saison. Vraiment très libre.

La main de Winifred se posa sur son bras.

— Mon bal d'entrée dans le monde a lieu le 22 du mois prochain. Il y aura Alexandra, bien sûr, et aussi Charles... Et je sais que maman serait ravie que vous puissiez venir également. Vous pensez pouvoir ?

Il parut réfléchir.

— Je crois, oui. Vous pouvez dire à votre mère que je serai honoré de recevoir une invitation.

Son sourire s'épanouit et sa façon de danser s'améliora à un degré étonnant.

Il flirte avec elle ! se dit Lydia. Le charme de Fenton... Mais elle se demanda aussitôt si c'était simplement à son intention à elle, Lydia, ou bien si Fenton avait en tête un objectif plus sérieux. Winifred Sutton était riche, et Fenton ne l'ignorait pas. Riche et sans élégance. Pas mal de kilos et pas un gramme de chic. Nul ne le savait mieux que sa mère et son père. Un bel homme plein de panache comme le capitaine Fenton Wood-Lacy, fils de feu Sir Harold, neveu du général de brigade Sir Julian Wood-Lacy, ne serait sûrement pas repoussé s'il demandait la permission de faire la cour à leur fille. Le ferait-il ? Il souriait à Winifred et Winifred lui rendait son sourire. Elle se détourna.

Charles se pencha tout près d'elle.

— Sortons danser sur la terrasse.

— Oh ! dit-elle, en reportant son attention sur lui. Si tu veux.

Ils s'arrêtèrent de danser à la sortie de la salle de musique. Prenant Lydia par le bras, Charles lui fit traverser la terrasse et la conduisit, par l'escalier de pierre, jusqu'au jardin à l'italienne.

— Tu n'as pas fait attention à moi de toute la soirée, lui dit-il en serrant son bras nu.

Il s'arrêta près d'un banc de pierre et l'attira près de lui.

— Tu es si belle ce soir, Lydia. Cette robe, tes cheveux, tout en toi est comme une musique... Un poème. Tu savais que je voulais te parler avant le dîner, mais tu as fait exprès de rester au milieu d'un *groupe* !

— Je ne pouvais m'isoler sans être impolie.

— Il s'est passé tant de choses aujourd'hui, dit-il avec animation tout en faisant glisser sa main dans la chevelure de la jeune fille. J'ai dit à Winnie, de façon très gentille, que je ne pouvais... enfin que je ne pourrais jamais être lié à elle sur le plan *affectif*. Elle l'a très bien pris.

— C'est ce que j'ai remarqué, dit-elle d'un ton froid.

— Mais cela ne résout vraiment rien, chérie. J'ai bien peur que père ne soit plus intraitable que jamais en ce qui nous concerne.

Elle tendit sa robe sur ses genoux. C'était une robe du soir de soie vert pâle, brodée de semence de perles, et dont le décolleté était discrètement plongeant.

— Charles, je crois que le moment est venu d'être sincères entre nous. Je t'aime et je *crois* que tu m'aimes.

71

Il la regarda, bouche bée :

— Tu *crois* ? Grands dieux ! Tu envahis mes pensées jour et nuit. Je me réveille avec des sueurs froides dix fois toutes les nuits parce que j'ai des cauchemars de peur de te perdre. Il n'existe aucune femme au monde sur laquelle je me soucie de poser les yeux, et tu *crois* que je t'aime !

Il la prit dans ses bras et la serra contre lui. Le parfum de la jeune fille lui fit tourner la tête.

— Oh ! Lydia, comment peux-tu douter de mes sentiments ?

Elle recula légèrement et posa une main frêle et fraîche sur le visage du jeune homme. Il avait une beauté sévère, un visage noble et intelligent qui lui rappela, sans qu'elle sache pourquoi, le portrait de Shakespeare que l'on trouve sur la plupart des éditions. Beaucoup plus jeune, mais le même front haut, bombé et les mêmes yeux doux. Un homme de l'époque élisabéthaine, courtois et galant — romanesque.

— Tu as parlé à Winifred et je suis sûre que tu as été plein de tact et d'égards.

— Et direct, ajouta-t-il.

— Oui, direct. Mais dis-moi, Charles, as-tu jamais été aussi direct avec ton père en ce qui nous concerne ?

Il se détourna et regarda la maison. Elle se détachait sur le ciel où jouaient les rayons de la lune. La plupart des chambres étaient éclairées et des carrés de lumière jaune tombaient sur les pelouses sombres.

— Je... j'ai l'intention d'avoir une longue conversation avec lui.

— Tu devrais commencer par lui rappeler que nous vivons au XXe siècle.

Il sourit, non sans amertume.

— Le XXe siècle ? Sur le plan social, père ne l'a pas reconnu.

— Peut-être, mais la plupart des gens commencent à en prendre conscience. Je ne crois pas qu'il serait ostracisé à la Chambre des Lords si je rentrais dans sa famille. Après tout, personne ne pourrait dire que j'ai *acheté* mon entrée dans l'aristocratie. Si j'épousais Lord Peter Manderson ou le comte de Darnil, ce serait très différent, n'est-ce pas ? Il y a une infinité de pairs d'Angleterre ruinés dans le pays, Charles. Tu serais extrêmement étonné de la facilité avec laquelle je pourrais épouser l'un d'eux, si c'était tout ce que je désirais, comme ton père paraît le croire.

Il la fixait, plein de doutes et de craintes.

— Lydia, tu... tu n'épouserais jamais un bon à rien comme Darnil. Mon dieu, je...

— Evidemment non.

Elle passa ses bras blancs, si fragiles, autour du cou du jeune homme et elle l'attira doucement contre elle. De ses lèvres mutines, elle taquina le visage de Charles.

— Tu es mon chéri, mon doux chéri à moi, et je t'aime, je t'aime... Je veux cesser d'être *Miss* Foxe et commencer à être *Lady*

Amberley. Je veux connaître toutes les joies du mariage, et je veux les connaître avec toi, et personne d'autre.

Il la serra très fort, embrassa ses lèvres, son cou, le creux si doux de sa gorge. Il pouvait sentir ses seins fermes contre sa poitrine.

— Lydia... Lydia.... murmura-t-il.

Elle lui caressa la joue et elle fit glisser son index contre le lobe de son oreille. Ce n'était vraiment qu'un gamin, déchiré entre le devoir et le désir, et aussi soumis que son père aux codes de conduite de l'époque victorienne, songea-t-elle tandis que Charles Greville, Lord Amberley, futur comte de Stanmore, couvrait sa peau de baisers tremblants.

— J'ai songé à une façon de convaincre ton père, Charles, dit-elle d'une voix douce sans cesser de lui caresser les cheveux. Cela nécessitera de ta part une attitude très ferme, mon chéri. Il faudra que tu affrontes le lion dans son antre, mais j'y ai beaucoup réfléchi.

— Tout ce que tu voudras, Lydia, murmura-t-il, les lèvres pressées contre l'échancrure étroite de la robe, près de la vallée profonde séparant ses seins.

— Mais il faut d'abord que nous réglions tout en détail. Passe la journée avec moi demain. Papa est encore à Londres. Nous pouvons être seuls, avoir toute la journée à nous, peut-être déjeuner sur l'herbe dans les bois de Leith et parler, parler, parler.

— Magnifique, murmura-t-il, magnifique...

Mais il se raidit soudain et s'éloigna d'elle. Son visage était encore plus blême que de coutume.

— Oh ! mon dieu ! Je ne peux pas. Je... je dois aller à Southampton demain matin accueillir un cousin d'Amérique. Oh zut ! Je suis désolée, chérie, mais...

Elle sourit, énigmatique.

— Je comprends, Charles. Inutile de m'expliquer. Je comprends très bien.

4

Martin Rilke refit le tour de sa minuscule cabine pour s'assurer qu'il n'avait rien oublié. Il avait fait ses bagages à la hâte après avoir passé toute la matinée sur le pont à contempler les côtes anglaises tandis que le S.S. *Laconia* remontait la Manche vers Southampton.

— Vous ne verrez pas une aussi belle journée de sitôt, lui avait dit l'un des stewards du bateau. Nous avons du brouillard la plupart du temps, monsieur.

Mais ce matin-là, pas la moindre brume. Martin était monté sur le pont après le petit déjeuner et il avait partagé une paire de jumelles avec un autre passager, un certain Dr Horner de Cincinnati qui se rendait à Londres pour un séminaire de neurochirurgie devant durer un mois. Les deux hommes avaient été séduits par les verts et les blancs très tranchés de la côte, et par le bleu scintillant de la mer. La traversée avait été gâchée par un orage d'été le second jour après le départ de New York, et des mers grises sous la pluie battante les avaient escortés jusqu'à la côte de l'Irlande. De l'Ile d'Emeraude, ils n'avaient aperçu que de grands bancs de nuages, mais les brumes s'étaient dissipées à leur entrée dans la Manche et il ne restait pas le moindre voile atmosphérique pour ternir le paysage.

« Ce trône majestueux des rois, cette île couronnée... » avait déclamé non sans grandiloquence le Dr Horner penché sur le bastingage, les mains crispées sur les jumelles, Shakespeare, *Richard III*.

— Deux, avait corrigé Martin, *Richard II*. « Cette pierre précieuse sertie dans une mer d'argent. » Elle ressemble vraiment à une pierre précieuse, n'est-ce pas ?

— Une opale de feu, Martin. Bon dieu, comme j'aurais aimé que mon Agnès ait pu faire ce voyage. Elle qui disait que la *Nouvelle-Angleterre* était belle, quand elle est revenue des Berkshires l'été dernier. Elle n'arrive pas à la cheville de la *Vieille*.

Il lui avait tendu les jumelles.

— Jetez donc un coup d'œil à ce petit village au-dessous de ces falaises. C'est vraiment le détail qui donne toute sa valeur à l'ensemble, ou je n'y entends rien.

Le paysage leur avait offert ensuite des décors moins champêtres, ce qui leur avait rappelé que l'Angleterre n'était pas faite uniquement de vallons à perte de vue et de villages pittoresques. A midi, ils remontaient le Solent et pénétraient dans la rade animée de Southampton : le front de mer était hérissé de grues de fer, de docks, d'entrepôts et de magasins.

— C'était un plaisir de faire le voyage avec vous, Martin, lui avait dit le Dr Horner avant de descendre dans sa cabine. Pourquoi ne pas déjeuner ensemble à Londres ? Je serai au Guy's Hospital, dans le service de Sir William Osler.

Martin espéra que le bon docteur s'était mieux organisé que lui-même. Un matelot impatient attendait avec un chariot à l'extérieur de sa cabine.

— O.K., lui dit Martin. Vous pouvez prendre la malle et la valise, mais vous laisserez la serviette de cuir.

— Oui, monsieur, grogna le marin en faisant avancer son chariot.

Martin jeta un dernier coup d'œil à la ronde : sous la couchette, dans les tiroirs de la commode et dans le placard. Il lui arrivait parfois d'être distrait, et il n'aurait pas été surpris outre mesure de tomber sur un tiroir plein de chaussettes et de sous-vêtements. Mais tout avait été rangé. Il avait dû se précipiter mais il en était venu à bout. Il ne restait rien dans la cabine hormis sa serviette, une veste marron et un appareil Kodak à soufflet dans son étui de cuir. Il enfila sa veste et vérifia son allure dans le miroir. Il n'était pas enchanté de la façon dont la veste tombait. Il l'avait achetée en confection à Marshall Field et elle le serrait un peu à la poitrine. Il résolut le problème en la laissant déboutonnée.

« Eh bien, se dit-il en prenant le Kodak en bandoulière, tu es l'image même du voyageur à la découverte du monde. Jusqu'au bout des ongles. » Oui, il était vraiment, incontestablement, très loin de Chicago.

Jamie Ross trouva une place assez grande pour garer l'énorme Lanchester de grand tourisme, mais ils étaient assez loin des docks de la Cunard.

— Vous ne pourriez pas vous rapprocher un peu, Ross ? demanda Charles.

— Je crains que non, milord. Nous avons déjà perdu une heure à nous frayer un passage à travers ce fouillis.

Le fouillis auquel il faisait allusion était une file ininterrompue ou presque de camions, de taxis et d'énormes chariots tirés par des chevaux qui embouteillaient les accès étroits aux quais de la Cunard et de la White Star Line.

— On dirait que trois gros bateaux arrivent en même temps cet après-midi, milord, dit Ross en enlevant ses grosses lunettes de chauffeur.

— On dirait, répondit Charles, en réprimant une envie de jurer à tous les diables.

Il prit son canotier sur le siège et le posa bien droit sur sa tête.

Roger Wood-Lacy l'imita. Les rubans de soie autour de la coiffe des deux chapeaux étaient aux couleurs de Cambridge.

— Rien à faire, mon vieux, sinon avancer d'un pas résolu...

— J'espère que nous pourrons dénicher un porteur, Ross.

— J'en suis certain, milord, répondit le chauffeur en descendant de voiture pour ouvrir les portières des passagers.

— J'y songe soudain, dit Roger tandis qu'ils s'éloignaient de la voiture (avec Ross les suivant respectueusement à six pas, pimpant dans son uniforme). Comment allons-nous reconnaître ce garçon ? As-tu la moindre idée de l'air qu'il peut bien avoir ?

— Pas la moindre idée. Mon âge, un peu germanique, je pense. Nous serons sûrement obligés de le faire appeler.

Charles regardait devant lui sans rien voir, l'air lugubre. La rue était étroite, crasseuse, bordée de petites boutiques et de boîtes à casse-croûte. Les vapeurs d'échappement des véhicules entassés empoisonnaient l'atmosphère. Il était d'humeur amère, et la pensée de ce qu'il aurait pu être en train de faire en ce moment l'exaspérait. N'était l'arrivée malencontreuse de Martin Rilke, il serait adossé à un grand chêne dans une clairière fraîche des bois de Leith tandis que Lydia, le corps décorseté sous une robe légère, lui servirait des sandwichs au jambon et au cresson qu'elle retirerait d'un grand panier d'osier. Zut!

L'enchevêtrement des énormes bâtiments de bois le long de l'appontement ne manqua pas de surprendre les deux jeunes gens. Au-delà des toits des hangars, ils aperçurent les hautes cheminées du *Laconia*, qui laissaient encore échapper quelques volutes de fumée. Ross s'approcha d'eux et leur suggéra de se diriger vers une immense bâtisse, ouverte d'un côté, qui portait une pancarte où l'on pouvait lire : REMISE DES BAGAGES — CUNARD LINE. A l'intérieur, des centaines de gens se pressaient au-dessous de vingt-six grandes plaques de métal suspendues aux poutres du toit, portant chacune une lettre de l'alphabet. Une armée de dockers en combinaisons bleues poussaient des chariots garnis de bagages en provenance du bateau.

— Bonne idée, Ross, dit Charles. Le gars viendra forcément, tôt ou tard, sous la lettre R.

Il y avait beaucoup de monde sous la lettre R, errant parmi les remparts de valises et de malles. Plusieurs hommes à l'aspect affairé, qui représentaient diverses agences de tourisme, allaient et venaient pour supplier leurs voyageurs de ne pas se disperser.

— Le groupe Raymond Whitcomb par ici, s'il vous plaît.

— Tous les passagers du circuit Cook numéro 7 sont priés de se rendre au guichet des douanes. Tous les passagers...

— Crois-tu que c'est lui ? demanda Roger en montrant discrètement le bout d'une des rangées de bagages.

Charles examina la personne que Roger lui désignait, en quête d'un air de famille. Il vit un jeune homme d'un peu plus de vingt ans, de taille moyenne, solidement bâti, aux cheveux blonds et à la mâchoire carrée. Son nez était long et busqué, ses yeux bleus et rieurs. Une version très masculine du visage de sa mère. Et il avait à coup sûr la bouche des Rilke, large, aux lèvres pleines, prompte à sourire — et elle souriait justement dans sa direction : un sourire plein de chaleur, penchant un peu trop d'un côté.

— Hé ! dit l'homme. Ne seriez-vous pas Lord Charles Amberley ?

— Oui, c'est moi, répondit Charles un peu déconcerté.

Il ne s'attendait pas à le trouver aussi vite. Déjà Martin s'avançait vers lui, la main droite tendue.

— Ne me demandez pas comment je l'ai su, dit-il tandis que son sourire s'élargissait. Je crois que vous ressemblez exactement à l'idée que je me faisais de vous.

Il saisit la main de son cousin et se mit à la secouer avec vigueur.

— Bon dieu, c'est aimable à vous d'être venu. Tante Hanna est avec vous ?

— Non, répondit Charles en esquissant à grand-peine un sourire. (Il avait l'impression que sa main était prise dans un étau.) Je suis venu avec un de mes amis.

Il se tourna vers Roger.

— Martin... Roger Wood-Lacy. Roger... Mon cousin d'Amérique Martin Rilke.

Roger s'avança vers lui.

— Comment allez-vous ?

— Très bien, merci, dit Martin. Un voyage épatant. Un peu rude les premiers jours, mais tous les passagers étaient des chics types. J'ai vraiment pris du bon temps.

— Ravi de l'apprendre, dit Roger.

Une personnalité agréable, songea-t-il, mais avec un certain côté tapageur — comme la plupart des Américains. Pas un des Rilke millionnaires, et il se souvint de la remarque de Charles. Une espèce de parent pauvre.

— Bienvenue dans la joyeuse Angleterre, ajouta-t-il.

— Merci !

Martin lâcha enfin la main de Charles et resta bras croisés devant eux, en souriant comme un simple d'esprit.

— Je n'arrive pas à croire que je suis *ici,* que je suis réellement de l'autre côté de l'Atlantique. Voyager est vraiment fantastique, quand on y songe. Il y a une semaine, j'étais à Chicago et me voici dans l'Ancien Monde.

— L'*Ancien* monde ? répéta Roger sans comprendre.

— Il faut quelque temps pour s'y habituer, continua Martin allégrement. Mais me voilà, Martin Rilke en chair et en os, ou sur ses pattes comme on dit dans le Sud. Dites-moi, les gars, ça ne vous ferait rien de m'aider à trouver ma cantine ? Elle est en cuir marron foncé, un peu éraflée et il y a mon nom peint sur le côté.

Les deux habitants de l'Ancien Monde échangèrent des regards glacés et aidèrent Martin dans ses recherches. La malle-cabine et la valise furent très vite repérées et Charles demanda à Ross de mettre la main sur un porteur. Il donna à ce dernier une demi-couronne de pourboire et bientôt les bagages furent solidement amarrés à l'arrière de la Lanchester.

Martin s'assit entre Roger et Charles sur le siège arrière, sa serviette de cuir entre les jambes et l'appareil photographique sur les genoux.

— Le paysage est magnifique, dit Martin lorsqu'ils roulèrent en pleine campagne, après les faubourgs de Southampton. J'espère que vous ne verrez pas d'objection à ce que je demande à votre chauffeur de s'arrêter de temps en temps. J'aimerais beaucoup prendre quelques clichés.

Oh ! mon dieu ! grogna Charles en silence. Il ne pouvait pas regarder Roger.

— Vous savez, c'est un trajet assez long et nous voudrions arriver avant la nuit. Mais nous nous arrêterons bientôt pour déjeuner à Taverhurst. Une auberge très ancienne, Aux Trois Talbards, et vous pourrez prendre toutes les photographies qu'il vous plaira.

— C'est parfait. Merci beaucoup. Où sommes-nous en ce moment ? Je veux dire, dans quel comté ?

— Le Hampshire, dit Roger.

— Le Hampshire ? Près du pays de Thomas Hardy... si je me repère bien ?

— Pas très loin, en effet, dit Charles. C'est plutôt dans le Dorset que dans le Hampshire, bien sûr.

Roger haussa les sourcils.

— Je suppose qu'on est obligé de lire les romans de Hardy partout. *Tess d'Urberville* et *Jude l'Obscur*.

Martin acquiesça.

— C'est exact, mais pour être franc, jamais je n'ai pu arriver au bout des romans. Je préfère de beaucoup Hardy le poète.

— Ah ! je vois ! s'écria Roger plein d'enthousiasme soudain. Un bon point pour vous. J'ai la même réaction à son sujet. Avez-vous lu *Channel Firing* ?

— Oui, juste avant de partir. J'ai beaucoup aimé la dernière strophe où il parle de Camelot et de Stonehenge.

Il jeta un regard d'envie vers les collines vertes des South Downs.

— J'aimerais vraiment voir ces coins-là.

— Mais vous les verrez, mon vieux, s'écria Roger. Nous y veillerons, n'est-ce pas Charles ? Oh ! c'est absolument merveilleux. Songe donc : les poèmes du vieux Hardy sont lus à *Chicago* !

Leur ton et leur maniérisme commençaient à lui taper sur les nerfs. Ils avaient l'air tellement affectés, comme certains acteurs de théâtre qu'il avait rencontrés. Mais à la différence des comédiens, Charles et Roger n'essayaient pas de paraître quelque chose qu'ils n'étaient pas. Ils étaient, en argot de métier, des « articles authentiques ». Il en savait assez sur l'Angleterre pour le reconnaître, aussi n'eut-il aucune envie de ricaner sous cape de leur façon de parler, de leurs attitudes et de leur pose. Tout ce qu'ils faisaient et disaient était calculé, consciemment ou inconsciemment, pour les mettre « à part ». C'était une chose qu'ils pratiquaient de naissance, une façon d'être soigneusement cultivée par leurs parents, assidûment développée à Winchester, puis affinée jusqu'à la perfection à Cambridge. Par le moindre de leurs gestes et la moindre nuance de leur voix, ils étaient des *gentlemen* anglais. C'était un fait : même s'ils se retrouvaient en haillons au milieu des déserts d'Arabie, le dernier des Bédouins les reconnaîtrait comme tels, exactement comme le chauffeur, le porteur des docks et les jeunes femmes qui les servaient à l'auberge des Trois-Talbards du village de Taverhurst. Chauffeur, porteur et serveuses traitaient ces deux jeunes gens sans la moindre trace de servilité, mais avec une déférence naturelle. Il savait qu'il s'agissait là de ce que les Anglais appelaient les *classes* : la basse classe reconnaissait et acceptait sans rancœur la suprématie de la classe supérieure. Ce n'était pas un produit exportable, comme les lainages anglais, bien que de nombreux Américains fortunés aient essayé de l'importer. Il songea à son oncle Paul et à sa tante Jessica Rilke de Chicago, à l'énorme palais qui leur servait de maison — que les jeunes architectes de Chicago avaient baptisé l'Horreur du Quartier Nord — plein de valets de pied en hauts-de-chausses, de maîtres d'hôtel et de laquais. Une *façade* de splendeur aristocratique, mais rien de plus. Les domestiques avaient besoin de l'argent qu'on leur versait, mais ils n'avaient aucun respect spontané pour leur maître et leur maîtresse. Pas le moindre. Ils se sentaient dégradés par leurs costumes, et ils concevaient la différence entre eux-mêmes et les Rilke non en termes de *classes* mais en termes d'*argent*. Paul Rilke était propriétaire de brasseries, d'un cabinet de courtage, d'immeubles sur le Loop, de fonderies d'acier à Gary, Indiana, Toledo et Cleveland, et d'une demi-part d'une équipe de baseball de l'American League. Cela faisait de lui un homme riche, et même puissant, mais cela ne lui assurait pas, par droit d'héritage ou par droit coutumier, qu'un porteur ôterait sa casquette devant lui et l'appellerait « *sir* ».

— Voici, *sirs*, dit la serveuse en s'avançant vers leur table avec un plateau surchargé. Tout chaud.

— Et très bon, on dirait, dit Roger en se frottant les mains. Je vais vous dire, Rilke, c'est le *steak and kidneys,* le bifteck aux rognons, sous forme de pudding ou de pâté, qui constitue le véritable secret de la force d'âme britannique.

— S'est-on occupé de mon chauffeur ? demanda Charles.

— Oh, oui ! monsieur, répondit la serveuse. Il est dans la salle de derrière, monsieur.

Elle posa sur la table le *steak and kidneys* fumant, ainsi que des chopes de bière brune, puis elle fit la révérence et s'en fut.

— Si j'ai bien compris, vous travaillez pour un journal, Rilke ? demanda Roger après quelques bouchées prises dans un silence religieux.

— C'est exact, *L'Express* de Chicago. Je suis entré au journal à ma sortie d'université en juin dernier.

— Où étiez-vous ? demanda Charles. A Yale sans doute ?

— Non, à l'université de Chicago.

— Dieu soit loué. Nous avons fait notre plein de Yale avec cousin Karl.

Martin éclata de rire.

— Ouais. Je vois ce que vous voulez dire. Chez nous, aux Etats-Unis, il y a un dicton : « On sait au premier coup d'œil qu'un homme est sorti de Yale, mais c'est lui qui sait tout le reste. »

— Oh ! parfait ! gloussa Roger. C'est très bon. Il faudra que je m'en souvienne.

— De toute façon, dit Martin, si je suis entré au journal, c'était dans l'espoir de devenir reporter : les faits divers, les affaires de police. Vous comprenez, j'aimerais devenir romancier et j'ai pensé que passer un an ou deux à regarder le côté le plus sordide de la vie m'aiderait beaucoup. C'est comme ça que Theodore Dreiser a débuté, ainsi que Frank Norris et... ma foi, des tas de bons écrivains. Mais on m'a collé dans un petit bureau et on m'a fait écrire des critiques de livres et de théâtre. J'en ai jusque-là et, à mon retour, si l'on ne me donne pas un boulot plus excitant, je plaque tout.

— Vous ferez diablement bien, dit Charles. Rien n'est plus horrible que d'être collé à quelque chose qu'on n'aime pas.

— C'est-à-dire... Au début, ça me plaisait assez, mais je ne vais pas apprendre grand-chose de la vie en faisant la critique des romans de Gene Stratton-Porter ou d'Harold Bell Wright.

Il se demanda s'il devait leur parler de son roman en cours. Il avait emmené avec lui les soixante premières pages : une saga de Chicago, le combat d'hommes généreux pour briser la puissance des barons des tramways. Le manuscrit était dans sa serviette, mais il décida de se taire. Il redoutait un peu la direction que prenait le livre : il n'éprouvait aucun plaisir à l'avouer, mais son texte ressemblait trop à certains romans de « lutte des classes » déjà publiés par d'autres. Et d'ailleurs, lorsqu'il regardait les deux hommes impeccablement vêtus en face de lui, il doutait qu'ils puissent éprouver la moindre sympathie pour les problèmes des misérables traminots de Chicago.

— Quels sont vos projets, Martin ? demanda Charles.

— Eh bien, voyons... Dix jours ici en Angleterre, puis Paris,

Berlin, Zurich, Milan, Rome, et retour au bercail avec le *Majestic* de la White Star Line, au départ de Naples. Six semaines en tout. Ce n'est pas exactement le grand tour, mais c'est tout ce que je pouvais me permettre.

— Il se peut que nous allions en Grèce en juillet, dit Roger. Dommage que vous ne puissiez pas y faire un saut et rester une ou deux semaines avec nous. Mais vous devez au moins pousser une pointe jusqu'à Pérouse et dans les Abruzzes. C'est la véritable Italie, Rilke, l'Italie authentique.

Ils arrivèrent à Abington Pryory à l'heure du thé que l'on servait sur la terrasse. Ce fut un moment difficile, aussi bien pour Martin que pour Hanna : il tenta de se souvenir des noms de toutes les personnes à qui on le présentait, et elle essaya de le recevoir d'une manière parfaitement « avunculaire » sans pour autant négliger ses invitées. Deux d'entre elles partaient pour Londres — une Lady-Ceci-ou-Cela, avec sa fille, une Winifred Quelque-chose — et leur départ ne faisait qu'ajouter à la confusion.

— Nous parlerons longuement plus tard, Martin, lui murmura Hanna en lui serrant le bras pendant un instant. Je suis sûre que vous aimerez avoir un peu de temps à vous avant le dîner. Je vais vous faire conduire à votre chambre par l'un des domestiques. Et c'est vraiment *votre* chambre, Martin, pour aussi longtemps que vous le désirerez.

Il balbutia des remerciements et s'excusa auprès de la douzaine de personnes que sa tante avait invitées pour le thé.

— Mes amies du Garden Club d'Abington, avait expliqué Hanna à son neveu avant de le présenter.

Des personnes à l'air assez aimable, mais elles l'avaient examiné avec une curiosité imperturbable, comme s'il était une espèce de plante exotique rare, entièrement nouvelle à leurs yeux. L'arrivée du valet de pied le soulagea d'un grand poids, et il le suivit dans la maison.

Sa malle et sa valise étaient déjà dans sa chambre. Elles avaient l'air minable au milieu des meubles anciens, mais il n'eut d'yeux que pour le lit — sur lequel il se laissa tomber, épuisé. Il se demanda à quelle heure le dîner serait servi et s'il aurait le temps de faire un petit somme, pendant une heure ou deux. Il venait de fermer les yeux lorsque quelqu'un toussa pour attirer son attention. Un homme d'âge moyen, portant une veste de toile noire et un pantalon gris à rayures, était debout sur le pas de la porte, une main sur le loquet.

— Oui ? dit Martin en se dressant sur ses coudes.

— Je vous demande pardon, monsieur, répondit l'homme. Je suis Eagles, votre valet de chambre. Si je puis avoir les clés de la malle, monsieur, je m'occuperai de vos effets et les rangerai.

Il eut envie de répondre à l'homme de ne pas se casser la tête, mais sa tante avait manifestement ordonné au valet de monter, et elle ris-quait de se sentir offensée s'il le congédiait. Il se leva et chercha dans ses poches les petites clés plates.

— Voici, dit-il en les lui tendant.

— Merci, monsieur. Cela ne prendra qu'un instant. Les voyages sont terriblement éprouvants pour les vêtements, monsieur.

— Oui, dit-il sans conviction. J'en suis persuadé.

— Terriblement éprouvants, surtout les voyages par mer. L'air salé durcit les faux plis.

Martin était très gêné de voir l'homme fouiller dans ses bagages. C'était comme regarder un inconnu trier son linge sale, article par article — et ce que contenaient les bagages de Martin n'était en majeure partie que du linge sale : des chemises, des sous-vêtements, des pyjamas et des chaussettes déjà portés. Le valet de chambre ne fit pas réellement claquer sa langue, mais ses lèvres restèrent pincées tout le temps qu'il passa à trier les vêtements sales et à sortir de la malle-cabine les complets et les vestes froissés. Il était manifeste, même pour Martin, que tout avait besoin d'un bon coup de fer, mais le valet isola un seul article pour lui accorder des soins d'urgence : un smoking par-ticulièrement fripé.

— Je vais donner à ceci un coup d'éponge et un coup de fer sans tarder, monsieur. Le dîner est toujours en noir. Au moins.

Cet *au moins* était de mauvais présage. Martin n'avait pas d'habit à queue. Ce smoking était sa seule tenue de cérémonie, et il avait pres-que deux ans. Il l'avait acheté pour un dîner de promotion au cours de sa dernière année d'université et il ne l'avait pas porté depuis. Il serait sûrement trop juste, mais peut-être un coup d'éponge et un bon repassage lui donneraient-ils un peu plus d'ampleur.

— Merci... Eagles ?

— Eagles, oui, monsieur. Je vais m'en occuper tout de suite, mon-sieur. Je rapporterai le reste de votre garde-robe demain matin.

Lorsque le valet de chambre eut disparu, Martin s'assit sur le bord du lit et se demanda s'il valait mieux se rallonger et essayer de dormir, ou bien prendre une bonne douche chaude. La douche paraissait séduisante, mais il était manifeste que la chambre n'avait pas de salle de bains. Il était encore plongé dans son dilemme lorsqu'on frappa doucement à la porte.

— Entrez ! cria-t-il.

La porte s'ouvrit et une jeune fille brune très mince, en uniforme de servante, entra dans la pièce en portant un gros bouquet de fleurs dans un vase de verre. Elle semblait se faire toute petite, comme une biche effarouchée.

— Salut ! lui dit Martin d'un ton joyeux. Qui a envoyé ces fleurs ?

La fille balbutia quelques mots inaudibles et posa le vase sur une table près des fenêtres. C'est à peine si elle leva les yeux vers Martin avant de se retourner pour sortir.

Martin sauta du lit et lui bloqua le passage.

— Attendez une minute. Vous pouvez peut-être m'aider.

— Vous aider, monsieur ? murmura la fille avec un mouvement de recul.

— Oui, j'aimerais prendre une douche. Où est la salle d'eau ?

— Le bain, monsieur, ou bien le W.C. ?

Le *water closet* ! Il se souvenait de toutes les histoires qu'on lui avait racontées sur le caractère primitif des installations sanitaires britanniques. Un manoir anglais pouvait avoir trente chambres à coucher mais seulement deux salles de bains et quelques water-closets, comme si c'était de trop. Il devait y avoir — il en était certain sans prendre la peine de vérifier parce qu'il préférerait être pendu plutôt que de s'en servir — un pot de chambre sous le lit.

— Eh bien, dit-il, les deux, de préférence.

— Oui, monsieur, dit la fille en regardant la porte, par-delà son épaule. Le W.C., c'est la dernière porte au bout du couloir, monsieur, et le bain, la troisième porte à votre gauche... non... à votre *droite* en sortant de la chambre, monsieur.

Cette fille est vraiment fraîche comme une fleur, songea Martin. Dix-sept ou dix-huit ans, une peau de rose et de lys comme on dit, et les yeux couleur violette ou presque, avec les cils les plus fournis et les plus longs qu'il ait jamais vus.

— Je m'appelle Martin, dit-il sans réfléchir. Martin Rilke. Et vous ?

— Ivy, monsieur.

— Ivy comment ?

— Thaxton, monsieur.

— Thaxton, répéta-t-il lentement, comme pour savourer ce nom. *Thaxton*. C'est vraiment un nom bien *anglais*, n'est-ce pas ?

Elle le regarda droit dans les yeux pour la première fois et un sourire sembla se dessiner, juste au-dessous de la surface de son visage.

— Oui, monsieur, je crois.

— C'est peut-être parce qu'il rime avec *Saxon*.

— Oui, sûrement.

Le sourire apparut enfin, très faible, curieux.

— Vous venez d'Amérique, n'est-ce pas ?

— C'est exact. De Chicago.

Elle hocha la tête.

— Chicago, Etat d'Illinois, situé sur le lac Michigan, chemins de fer, abattoirs...

— Hé, dit-il, vous avez drôlement bûché, on dirait.

— J'ai fait quoi ?

— Appris vos leçons. Vous avez l'air d'en savoir long sur Chicago.

— J'étais très bonne en géographie, monsieur. A l'école. C'était... ma matière préférée... Ça et l'arithmétique.

83

— L'arithmétique ? Vous êtes bien la première jolie fille aimant l'arithmétique que j'ai rencontrée.

Ses joues devinrent soudain écarlates. Elle baissa les yeux et fit un pas de côté pour gagner la porte.

— Si vous avez besoin de quoi que ce soit, monsieur, veuillez simplement sonner. La poignée est sur le mur, monsieur.

— Eh ! Attendez une seconde...

Mais elle avait disparu. Il entendit ses pas s'éloigner rapidement dans le couloir.

La salle de bains était vaste ; les murs et le sol recouverts de petits carreaux blancs. Il n'y avait rien dans la pièce, hormis une baignoire géante en fonte émaillée et un placard de chêne contenant du savon et des serviettes supplémentaires. Pas de douche. L'eau chaude arrivait en crachotant, les tuyaux vibraient, et de temps à autre des bouffées de vapeur surgissaient. Mais l'eau montait tout de même dans la baignoire et Martin s'enfonça dans sa tiédeur avec délices. Bizarre, songea-t-il en se savonnant et en faisant mousser ses cheveux. La pièce était absolument hors de proportion avec l'usage qu'on en faisait. On aurait pu y installer dix baignoires et une demi-douzaine de cabines de douche. En revanche, le W.C. n'était pas plus grand qu'une armoire, ce n'était qu'un méchant petit coin sombre d'où l'on sortait aussi vite que la nature le permettait. La salle de bains avait, d'un côté, quatre larges fenêtres donnant sur des arbres et des collines au loin. Le W.C. n'avait qu'une lucarne minuscule, près du plafond, qui ne laissait pénétrer qu'un maigre rayon de lumière — une fenêtre de cul-de-basse-fosse, hors de portée du prisonnier. Bizarre. Oui, les Anglais étaient une race bizarre. A n'en pas douter. Tout le monde, au journal, l'avait prévenu de ce à quoi il devait s'attendre — bien que seul Comstock Harrington Briggs, le rédacteur en chef, fût jamais allé en Angleterre (et c'était d'ailleurs pendant la guerre des Boers). Un monde primitif. Tel était l'adjectif le plus fréquemment assené. Une race cultivée mais primitive. Mais il avait eu beaucoup de mal à faire préciser à chacun ce qu'il entendait au juste par le mot *primitif*. Pour Briggs, primitif signifiait de la bière tiède et de la viande bouillie. Pour d'autres, c'était le culte du Roi, le système des classes, et la préférence obstinée pour le cricket alors que toute personne ayant un grain de bon sens pouvait constater que le base-ball était un sport beaucoup plus passionnant. Jusqu'ici, le seul domaine qu'il avait trouvé critiquable était leurs installations sanitaires.

Le smoking était revenu. Il pendait à une patère sur la porte de la garde-robe. Son aspect avait été amélioré, mais pas de beaucoup. Martin l'examina, plein de doutes, priant le ciel de pouvoir l'endosser sans faire sauter la moitié des boutons. Il s'habilla avec précaution et, Dieu merci, le costume tomba à peu près bien. Il était en train de se battre avec une cravate noire lorsqu'on frappa à la porte. C'était l'un des valets de pied en livrée, venu lui annoncer que le whisky serait servi dans la bibliothèque à six heures trente...

Lord Stanmore posa son verre de *whisky and soda* et s'avança vers la porte lorsque Martin pénétra dans la pièce.

— Mon cher ami, dit-il, la main tendue. Je suis enchanté de faire votre connaissance. Dommage que nous ne nous soyons pas rencontrés plus tôt, mais votre tante me parle souvent de vous.

Martin supposa que cet homme grand, au visage rougeaud sous une couronne de cheveux gris acier, devait être son oncle. Jamais il n'avait vu de photographie de lui. Comment fallait-il le saluer ? Oncle Tony serait trop familier. Votre Seigneurie trop cérémonieux.

— Comment allez-vous, monsieur ? dit-il en serrant la main de l'homme.

Sa poigne était forte et cordiale.

— Venez, répondit le comte en passant le bras autour des épaules de Martin. Vous connaissez mon fils et son ami Roger... Permettez-moi de vous présenter les autres.

Il entraîna son neveu vers un petit groupe d'hommes debout au fond de la pièce, un verre à la main. Charles et Roger en faisaient partie. Martin remarqua non sans envie que leurs vestes d'habits étaient sans défaut — comme celles de tous les autres hommes présents dans la pièce.

— Messieurs, mon neveu d'Amérique, Martin Rilke. Martin, puis-je vous présenter M. John Blakewell, maître d'équipage de la Chasse de Doncaster... Le major Tim Lockwood, à la retraite — une grande perte, j'en ai peur, pour le Roi et pour le pays... Sir Percy Smythe, avocat éminent, et le meilleur cavalier du comté... Et le capitaine Fenton Wood-Lacy.

Martin serra les mains qui se tendaient et l'on échangea des politesses. Puis Charles lui donna un verre et il se retrouva abandonné à lui-même. Le comte avait repris sa conversation interrompue avec Blakewell, le major Lockwood et l'avocat : il s'agissait de chevaux.

— Eh bien, Martin, lui demanda Charles, Eagles s'est-il convenablement occupé de vous ?

— Oui, merci.

— C'est de très loin le meilleur valet de chambre que j'aie jamais eu. Suivez son avis en matière de costume et vous ne commettrez jamais d'impair.

— Je m'en souviendrai, dit-il en songeant à son tas de linge sale.

Roger prit une gorgée de soda au gingembre et montra d'un geste les étagères de livres qui tapissaient deux des murs de la pièce jusqu'au plafond.

— En tant qu'écrivain en puissance, je suis sûr que vous trouverez ceci assez intéressant.

Il se rapprocha.

— Mais je suis également sûr que les neuf dixièmes n'ont jamais été ouverts. Charles est le seul membre de la famille qui lise, et il ne mélange pas ses livres avec les autres. Vous ne trouverez dans cette pièce à peu près rien d'écrit après 1880.

Charles éclata de rire. Ce devait être une plaisanterie réservée à eux seuls, songea Martin.

— Vous arrivez donc d'Amérique, dit Fenton.

— C'est exact. De Chicago.

— Ah ! Chicago. Et jusqu'ici, comment avez-vous trouvé l'Angleterre ?

— J'aime beaucoup. Un beau pays.

— Et c'est de loin le meilleur moment de l'année pour le visiter. Vous avez prévu un itinéraire assez complet ?

— Oui, je pense.

— Il faut que vous voyiez la région des lacs, Stratford bien sûr, Bath, les Chiltren Hills.

— Je suis sûr qu'il sait où aller, Fenton, dit Roger.

— Je ne voulais que me rendre utile. Si vous avez envie d'assister à la relève de la Garde, je pourrai vous mettre aux premières loges.

— Etes-vous capitaine dans l'armée ?

— Oui. Les Coldstream Guards.

— Ce doit être passionnant.

Fenton prit une longue gorgée de whisky avant de répondre.

— Si vous voulez savoir toute la vérité, la plupart du temps c'est d'un ennui mortel. Les seules choses passionnantes se passent en dehors du service. Londres n'est pas sans périls.

— Les femmes et les cartes, dit Roger.

— Oui, reprit Fenton. Tout à fait. Elles ont fauché en pleine jeunesse plus d'un homme au brillant avenir.

Martin devina l'étincelle d'humour dans les yeux de cet homme grand, au visage d'oiseau de proie. Ils sourirent tous deux.

— Nous avons le même genre de périls à Chicago. Mais revenons à l'armée : avez-vous beaucoup servi aux Indes ?

— Je n'ai pas eu cette chance. Les Gardes ne quittent pas le pays sans la permission du Roi. Nous sommes les troupes de son service personnel et il ne veut pas nous exposer sur la frontière du Nord-Ouest, face à de simples sauvages comme ces diables d'Afghans.

— Il vous réserve pour quelque chose de vraiment grand, dit Roger.

Fenton acquiesça.

— Tu as parfaitement raison. Pour la prochaine guerre de Cent Ans.

Après le dîner, Martin joua une partie de billard à trous avec Fenton, puis s'excusa et monta dans sa chambre. On avait fait la couverture de son lit, et les draps étaient entrouverts en un pli bien net. Son dernier pyjama propre avait été rangé sur une chaise, avec sa robe de chambre et ses pantoufles. L'efficacité silencieuse de cette maison était impressionnante. Tous les domestiques intervenaient sans que personne, en tout cas apparemment, ne leur dise quoi faire. Il avait vu un certain nombre de servantes au cours de la soirée, mais la jolie Ivy Thaxton n'était pas du nombre. Etait-ce elle qui avait fait sa couverture ? Il le souhaita sans comprendre pourquoi cette idée lui plaisait.

La lampe de chevet était bonne. Il s'assit dans le lit, posa sa serviette de cuir près de lui, l'ouvrit et chercha l'un des carnets de notes neufs qu'il avait emportés avec lui. La première partie de son « roman en cours » gisait au fond de la serviette — comme un cadavre plat dans un cercueil plat, songea-t-il tristement. *La Ville des larges épaules*. Même le titre ne lui plaisait plus.

« Ecrivez vos expériences de vie personnelles... ». C'était Théodore Dreiser qui le lui avait dit... A lui et à tous les autres membres du club de littérature de l'université. C'était pendant le trimestre d'automne, en 1912, et Dreiser avait été invité à faire une conférence. Il parlait lentement, et son visage était mélancolique. Il avait évoqué les difficultés qu'il avait rencontrées pour publier *Sister Carrie* et *Jennie Gerhardt*. Puis il avait traité de l'exigence de vérité en littérature, de l'honnêteté et du réalisme. Ensuite, ils avaient bavardé ensemble en allemand — l'héritage germano-américain qu'ils avaient en commun avait créé entre eux un lien instantané, bien qu'ils fussent aux antipodes l'un de l'autre par leur enfance et leur éducation. C'était Dreiser qui lui avait conseillé de travailler dans un journal pour voir la vie comme elle était en réalité — le côté brut, dur, souvent affreux de la condition humaine. Et c'était Dreiser qui lui avait dit de noter chaque jour ses pensées et ses observations, et de les conserver comme référence pour plus tard : une sorte de carnet d'esquisses spontané, écrit en sténographie Pitman. Il prit un stylographe et l'un des carnets, puis plaça sa serviette sur ses genoux en guise d'écritoire. Il ouvrit le carnet à la première page et se mit à écrire :

Observations et réflexions. Vendredi soir, 12 juin 1914. Me voici installé, comme un cousin de la campagne venu rendre visite à des riches parents... La fable du rat des champs et du rat des villes. Le paradoxe, c'est que j'arrive de Chicago — qui est une aussi grande ville que toute autre au monde — et que les cousins sont d'Abington, Surrey, un vrai trou, à peu près aussi péquenot que nulle part ailleurs. Mais, Seigneur ! l'apprêt suinte de partout ! Des muscadins... Un mot très utilisé pendant ma dernière année d'études. Tous les types qui fumaient des Murads étaient des muscadins... Ou ceux qui portaient une montre-bracelet, ou qui emmenaient une fille sur le Loop en taxi.

Et pourtant nous n'avions jamais bien compris le sens de ce mot. Pour savoir ce que muscadin veut dire, il faudrait que les copains de la promo puissent observer le capitaine Fenton Wood-Lacy pendant dix minutes. Ils iraient se blottir dans un trou de souris et ils inscriraient sur leurs fronts : BARBARE.

Je me sens déprimé — par mes vêtements. Je me suis aperçu que mon oncle... Non, clarifions d'abord mes pensées à ce sujet. Le comte de Stanmore n'est pas mon oncle. C'est l'homme que ma tante a épousé. Un oncle devrait avoir au moins quelque chose en commun à partager avec son neveu. Oncle Paul et moi n'avons presque rien en commun, mais nous pouvons au moins nous disputer à grands cris sur les mérites respectifs des Cubs et des White Sox, sur les talents d'entraîneur de Connie Mack par rapport à McGraw, et comparer de mille façons les deux fédérations de base-ball. Si j'avais été un adorateur de l'American League, cela aurait sûrement amélioré ma situation financière, mais oncle Paul me respecte, je crois, pour être resté fidèle à mes opinions... Ce qui est probablement la raison pour laquelle il m'a amené à tous les championnats depuis qu'à douze ans j'ai laissé Karl à la traîne. Son excuse pour tante Jessie, c'est qu'il ne voulait pas faire manquer à Karl une seule heure de cours. Pourquoi Karl déteste-t-il le base-ball, je me le demande ? Le Dr Sigmund Freud fournirait probablement une bonne réponse. Moi, je ne peux en voir qu'une seule. Revenons au problème du costume... Je me suis aperçu que le comte a fixé ma veste de smoking d'un regard nettement désapprobateur au moins cinq fois au cours de la soirée. Même observation de la part de mon cousin Charles et du capitaine Wood-Lacy. Roger Wood-Lacy ne semble pas partager la même idée fixe que les autres à propos du costume. Il a l'air un peu fripé lui aussi, mais pas de la même manière : il donne l'impression de se déguiser pour « faire poète ». Lu aucun de ses vers, mais à en juger par le nombre de phrases grecques et latines qu'il laisse tomber dans la conversation comme des perles, je pense que ce n'est ni un Carl Sandbug ni un Vachel Lindsay en herbe.

Impressions brèves. Maison magnifique, mélange de styles architecturaux — Tudor, Reine Anne, époques géorgienne et victorienne. Mais il y a une cohésion qui unifie tout, la façade ayant été entièrement rebâtie, ou restaurée, par le père des Wood-Lacy, architecte éminent aujourd'hui défunt. Charles m'a raconté l'histoire de la demeure. Les Normands avaient construit un prieuré à cet endroit au XIIe siècle, et il avait été inscrit sur le Grand Livre cadastral comme un *pryory* avec un « y » à la place du « i ». Le bâtiment fut abattu au XIVe siècle et le duc d'Abington construisit à la place un manoir qui conserva le même nom, faute d'orthographe comprise. Les ducs d'Abington, une famille portant le nom de De Lys, s'étaient éteints pendant le guerre des Deux Roses, le domaine fut acheté par le premier Greville sous le règne d'Henry VII. Les Greville soutinrent énergiquement la cause des Tudor : on les anoblit et leur donna des terres, mais le titre de comte ne leur fut attribué qu'en 1660 lors de la restauration de la monarchie — ils avaient été durement éprouvés par les remous politiques de la lutte entre le roi et le parlement. Le premier comte fut un Greville qui avait accroché sa bonne étoile à celle du roi, et qui était parti en exil avec le futur Charles II. C'était une famille de propriétaires terriens ayant toujours eu la chance d'avoir des garçons. Des hobereaux campagnards. Un comte a combattu avec le duc de Marlborough, et perdu un bras à la bataille de Blenheim, mais, à ce que j'ai pu glaner, l'art militaire n'a jamais été une tradition de famille, comme dans certaines grandes lignées anglaises.

Impressions brèves. Le comte est conservateur en politique, mais sans outrance. Il a dit plusieurs choses sensées sur le Premier ministre, M. Asquith, mais sa *bête noire* est Lloyd George, un Gallois, ancien avocat devenu ministre des Finances — pardon, chancelier de l'Echiquier. Le comte lui reproche d'avoir augmenté les impôts et de faire pression sur le Premier ministre pour que le gouvernement demeure inflexible sur le problème du Home Rule pour l'Irlande. La question de l'indépendance irlandaise n'a pas été soulevée pendant le dîner — on n'a pas parlé politique tant que les dames n'ont pas quitté la pièce — mais dès que l'on a servi le porto et les cigares, après le départ des dames, elle a couru en filigrane dans la conversation générale. Je dis « en filigrane » car la politique est vite passée au second plan, pour laisser l'avant-scène à la prochaine saison de chasse et à l'art du cheval sous toutes ses faces : courses de clochers, concours hippiques, dressage. On m'a demandé si je montais et j'ai dit oui... Ce qui n'est pas à proprement parler un mensonge car il m'est arrivé plusieurs fois de me trouver sur le dos d'un cheval, sans d'ailleurs y prendre plus de plaisir que le pauvre animal au-dessous de moi.

Impressions brèves. Hanna a trois enfants. William — prénom choisi d'après celui de mon père — a seize ans et rentrera d'Eton d'un jour à l'autre pour les vacances d'été. Charles a mon âge. Il a l'air d'un très gentil garçon mais un peu indécis en toutes choses. Je n'ai aucune idée de ce qu'il veut faire dans la vie, mais j'imagine que ce ne doit pas être extrêmement important pour lui. Ni pour ses parents. Personne ne s'attend à ce qu'un jeune homme de sa classe sociale — il héritera un jour du titre — fasse autre chose que monter à cheval et surveiller ses terres et ses fermiers. Un ami de Charles à Cambridge, le fils de Lord Je-ne-sais-qui, a choqué ses amis en « se lançant dans les affaires ». Il a pris un emploi dans une société qui fabrique des moteurs d'automobile. A la façon dont ils parlaient de lui, j'aurais pu croire qu'il avait commis un impardonnable péché contre la Noblesse. Les pairs d'Angleterre, ou les fils de pairs, peuvent participer aux conseils d'administration de grandes sociétés d'affaires, mais ils ne se mêlent pas des détails terre à terre que nécessitent la fabrication ou la vente d'un produit. Cette structure des classes est mystérieuse, mais je la percerai mieux avec le temps. Mille et un tabous. Alexandra a dix-huit ans, et c'est la plus jolie fille que j'aie vue de ma vie. Blonde comme le miel. Yeux bleus. Visage angélique. Pas grand-chose derrière, j'en ai peur. Le genre de fille qui n'a de place dans la tête que pour les garçons, les toilettes, les soirées et des rêves rose bonbon de bonheur perpétuel.

Impressions brèves. Tante Hanna. Elle m'a pris à part, après le dîner, et nous nous sommes promenés sur la terrasse pendant un quart d'heure. Elle a parlé de mon père, son Willie adoré, et elle m'a dit que je le lui rappelais beaucoup. Peut-être était-il comme moi la dernière fois qu'elle l'a vu. Il a quitté la maison à vingt ans. Elle devait en avoir dix-sept. Elle ne l'a jamais revu depuis. En d'autres termes, l'image qu'elle conserve de lui est très différente de celle qu'il m'a laissée. Pour elle (dans son français d'écolière américaine) il est *le beau bohème*. Comme si l'acte de quitter la maison et de se faire déshériter était particulièrement romantique. Elle aurait dû venir le voir à Paris, vers la fin, drogué d'absinthe, notre appartement plein de tableaux déments qui ne se vendraient jamais. Dieu me pardonne, mais sa mort a été une bénédiction. Tante Hanna éprouve un certain sentiment de culpabilité pour n'être pas venue à Paris à la mort de père. Elle était malade à l'époque, dit-elle. Peut-être. Ou peut-être n'a-t-elle pas eu assez de cran pour aller voir son Willie adoré dans la lumière horrible de la vérité. Toujours est-il qu'elle a laissé oncle Paul ramasser les morceaux — ce qui, avec le recul du temps, était tout aussi bien. J'imagine mal le comte de Stanmore transporté de joie en accueillant dans sa demeure ancestrale la fille catholique d'un boutiquier parisien et son fils de huit ans. En toute équité, tante Jessie n'a pas dû bondir de joie elle non plus, ni oncle Paul. Mais il a acheté à mère la maison de Roscoe Street. Il a payé toutes les factures, donné une pension généreuse et... Mais pourquoi mes pensées s'égarent-elles ainsi ce soir ?

Impressions brèves. Le capitaine Fenton Wood-Lacy. Les officiers de l'armée britannique sortent en vêtements civils, sauf lorsqu'ils sont de service dans leurs casernes. Le capitaine Wood-Lacy appartient aux Coldstream Guards. A son air supérieur, j'imagine que c'est l'un des meilleurs régiments où puisse servir un officier. Ils sont stationnés à Londres pour garder le Roi. Contre qui ? Trois ou quatre régiments d'infanterie, deux de cavalerie, et pourtant, à entendre Fenton W.-L., la seule protection réelle dont dispose le Roi contre les anarchistes lanceurs de bombes, ce sont quelques *bobbies* flegmatiques de Londres qui arpentent les rues à l'arrière-plan, rejetés dans l'ombre par les Gardes aux tuniques écarlates — à qui l'on ne donne pas de balles pour charger leurs fusils. Du grand spectacle. La tradition en pleine action. Fenton semble mécontent, las de tout. En jouant au billard à trous, je lui ai demandé s'il se plaisait dans l'armée. Il a simplement haussé les épaules en murmurant quelque chose dans le genre « ce n'est pas une vie désagréable ». Il est sous l'uniforme depuis six ans, mais il a pris plusieurs permissions prolongées. Il a passé trois mois en Somalie et en Abyssinie l'an dernier, à chasser le gros gibier, et il a l'intention d'organiser avec quelques autres officiers une grande expédition d'alpinisme au Népal en 1916. Un homme qui bouge, mais qui n'est pas heureux. Ce n'est pas non plus un joueur de billard particulièrement brillant. Sûrement pas du niveau de mon club, mais j'étais à ce moment-là le meilleur joueur de billard de Chicago — sans exception.

Ses yeux se troublèrent, il revissa le capuchon de son stylo et referma son carnet de notes. Il avait une paire de lunettes dans sa serviette, mais il était fatigué d'écrire. Le cœur n'y était pas. Il songeait à la maison de Roscoe Street, à seulement cinq rues du siège des Cubs (toujours victorieux), au palais de Frank Chance, au domaine de Frank Schulte, et cela ranimait trop de souvenirs. Ils se précipitaient sur lui, et il leur claqua la porte au nez. Le roman que Dreiser lui avait conseillé d'écrire était dans ce Chicago-là, pas dans le Chicago des ouvriers des abattoirs et des conducteurs de tramways en grève. S'il voulait sérieusement devenir romancier, il devait essayer de tisser les fils embrouillés de son enfance en une trame cohérente. Les malheurs de la classe ouvrière pauvre de Chicago n'était pas son élément. Ni l'Europe d'ailleurs.

Il éteignit la lampe et se mit à observer, dans le noir, les rideaux qui flottaient doucement sous la brise du soir. Le silence était presque effrayant. Il n'en avait pas l'habitude. C'était un grand enfant de la ville, né à Paris, élevé à Chicago jusqu'à l'âge adulte. Le grondement assourdi de la circulation lui manquait, et le tonnerre lointain des trains. Il ressentit soudain comme une bouffée de mal du pays, l'appel du *saloon* Pastor de Clark Street, la sciure de bois par terre et les coups de rye accompagnés de bière, le billard américain et les tables de poker, et puis la conversation sèche et rude des hommes du journal.

Il se leva pour poser sa serviette sur une table, puis il s'avança vers les fenêtres ouvertes. Il était loin de ses racines, oui, mais c'était peut-être un recul de ce genre qu'il lui fallait. L'Europe était le passé : immobile, somnolente et satisfaite de ses anciennes gloires, farouchement fière de ses traditions vénérables. Rien ne demeurait stable à Chicago. La ville poussait de tous les côtés et vers le haut. Même la vieille maison de Roscoe Street avait disparu pour faire place aux nouveaux immeubles d'appartements que l'on construisait dans le Quartier Nord. Mais ici, les yeux fixés sur les rectangles bien alignés du jardin, il pouvait voir la petite maison beaucoup plus nettement que s'il s'était trouvé dans la Ville du Vent. Il avait longtemps hésité à se rendre en Europe : il allait engloutir toutes ses économies et risquer de perdre son emploi (car rien ne lui garantissait que Comstock Harrington Briggs le reprendrait après une absence de six semaines — l'idée que le petit rédacteur en chef têtu se faisait des vacances de son personnel se limitait à trois jours à Waukegan). Mais il était là et, pardieu, il en tirerait le meilleur parti possible. Il se laisserait bercer par la musique solennelle de l'Europe, puis, l'œil clair et l'esprit revigoré, il reviendrait aux rythmes syncopés du Nouveau Monde.

Le jardin et un vieux mur se détachaient nettement sous la lune. Il ressentit une impression très forte de temps qui passe. Des gens avaient vécu en ce même endroit depuis sept cents ans, des Normands et des Anglais, des Têtes-Rondes et des Cavaliers...

« Chaque jacinthe que porte le jardin pleure en cachette pour une tête jadis aimée... » murmura-t-il. Il n'avait jamais beaucoup aimé les *Roubayat*. Trop de ferveur romantique, beaucoup trop cités pour mettre une fille dans l'ambiance du flirt. Mais tandis qu'il les répétait, les mots du poète persan le firent frissonner. Combien de *têtes jadis aimées* étaient passées sous cette fenêtre ? se demanda-t-il. Il pouvait presque voir des femmes en costumes élisabéthains avancer d'un pas serein parmi les roses. Oui. C'était le passé, et il lui permettait de discerner plus nettement son propre avenir. Il déchirerait *La Cité des larges épaules* et commencerait un autre roman, enraciné dans son propre héritage.

« J'ai écrit *Jennie Gerhardt* avec de l'amour et de la douleur... en luttant contre mes fantômes », avait dit Dreiser. C'était cela qu'il devait faire. Il devait prendre son temps, faire le plan du livre avec soin, l'écrire en toute honnêteté : la saga des Rilke, qui était la légende de l'Amérique au cours des cinquante dernières années — argent, pouvoir, réussite et échec. Oncle Paul serait bien entendu romancé dans le livre, de même que son père, sa mère, et même tante Hanna et les Greville. La dimension énorme du projet le fit hésiter pendant un instant. Serait-il à la hauteur ?... Eh bien, se dit-il en quittant la fenêtre et en s'allongeant dans le lit, j'ai six semaines de tranquillité en Europe pour y réfléchir, prendre des notes et définir la trame. Il se sentait à la fois effrayé et excité, et il se demanda s'il allait pouvoir trouver le sommeil. Mais à peine eut-il fermé les yeux que la réponse ne fit plus aucun doute.

5

Le capitaine Wood-Lacy, une arme légère sous le bras droit, traversait un champ couvert de chaume. Le fusil n'était pas armé, ni d'ailleurs chargé. Il avait emporté une gibecière, qui pendait de son épaule gauche, mais pas de cartouches.

— J'essaierais bien de tirer quelques corneilles, avait-il dit à Lord Stanmore après leur promenade matinale à cheval.

C'était le genre de chasse que le comte trouvait indigne de lui : n'était-il pas le premier chasseur de coq de bruyère des îles Britanniques ? Mais il n'aurait découragé personne de tuer ces oiseaux qui saccageaient les récoltes.

— Essayez un pigeon ou deux, tant que vous y serez.

— Je verrai, avait-il répondu.

Il aperçut les corbeaux. Ils étaient au même endroit que la veille, en train de tournoyer en croassant au-dessus des hautes cheminées de Burgate House. Il se demanda si leurs cris rauques troublaient le sommeil de Lydia. Il continua sans hâte, et il était près de neuf heures lorsqu'il atteignit les jardins clôturés qui s'étendaient des deux côtés de la maison comme des ailes amputées. Une porte donnant dans les jardins de l'est était ouverte et il s'y engagea en flânant. Il laissa le fusil et la gibecière sur un banc de pierre sculpté. Il suivit une allée qui serpentait à travers les bouquets d'ifs et de saules, jusqu'à la terrasse qui encerclait la maison d'un large anneau de pierre. Une servante qui nettoyait une fenêtre dans les étages lui fit un signe de la main et il lui rendit son salut. Les domestiques de Burgate House étaient à l'image de leur maître. Tous de Londres, espiègles et joyeux comme des moineaux.

En s'avançant vers les hautes baies du salon du matin, il aperçut Lydia à l'intérieur, exactement comme il l'avait espéré, assise devant son café. Elle portait un peignoir jaune pâle, et ses cheveux défaits tombaient sur ses épaules. Il frappa doucement contre la vitre et elle leva les yeux, les sourcils froncés tout d'abord, puis avec un sourire perplexe. Il attendit patiemment qu'elle se lève de table et ouvre une fenêtre latérale.

— Bonjour, lui dit-il.

— Que faites-vous donc ici ? On ne sert pas de petit déjeuner chez les Greville ?

93

— Certes, mais la société ne peut pas se comparer à ce que l'on trouve à Burgate House. Puis-je entrer ?

— Par la grande porte ou par la fenêtre ?

— Que préférez-vous ?

Elle recula.

— La fenêtre, sans hésiter. Mais prenez garde : si Harker vous prend pour un cambrioleur, il vous enverra des chevrotines dans le dos.

— Je prends ce risque.

La croisée était étroite mais il parvint à se glisser à l'intérieur après être monté sur l'appui.

— *Voilà !* s'écria-t-il en sautant dans la pièce. C'est fou tout ce qu'on peut apprendre dans la Garde du Roi.

Elle se rassit devant son café, et il devina sans peine que son apparition ne lui plaisait pas outre mesure. Elle serait polie, bien sûr. Lydia était toujours polie, même lorsqu'elle s'apprêtait à faire une rosserie.

Il se mit à califourchon sur une chaise et croisa les bras sur le dossier.

— Je passais par hasard et...

— Je vous en prie, Fenton, ne vous rendez pas plus ridicule que vous ne l'êtes déjà. Un peu de café ?

— Pourquoi pas ?

Son pied chercha la sonnette sous la table.

— Jenny a fait un gâteau à l'anis. Vous pouvez en prendre une tranche.

Elle but son café sans lever les yeux vers lui.

— Le cousin Rilke est bien arrivé ?

— Oui. Un gentil garçon. Un visage ouvert et honnête, guère votre genre.

Elle acheva son café et reposa la tasse avec une délicatesse extrême comme si elle avait craint de la briser.

— C'est une remarque vulgaire, Fenton. Indigne de vous.

— Je me sens un peu vulgaire ce matin, à vous dire vrai. J'ai très mal dormi. A propos, Charles vous a téléphoné au moins cinq fois hier soir, à ce que je sais. Il n'a pas cessé de faire le pied de grue dans le vestibule pendant que nous jouions au billard. Vous étiez sortie ?

— Non. Je ne voulais pas être dérangée.

— Eh bien, vous l'avez à coup sûr dérangé, *lui.* Vous recevrez certainement quelques appels de plus aujourd'hui. Vous allez lui répondre ?

— Est-ce que cela vous concerne ?

Il haussa les épaules.

— Oui et non. Archie est ici ?

— Vous changez de sujet, non ? Qu'est-ce que papa a à voir dans tout ça ?

— Je voulais lui dire que je songe sérieusement à entrer dans son

affaire. Je suis resté debout la moitié de la nuit, si vous voulez connaître la vérité, à écrire ma lettre de démission.

Elle leva vers lui un regard plein de doutes. Il lui sourit.

— C'est beaucoup plus facile de quitter la Garde que d'y entrer. Il
a fallu que l'oncle Julian écrive au moins six lettres pour que
j'obtienne mon affectation, après Sandhurst. Et Dieu seul sait combien il a dû offrir de déjeuners à des vieux camarades encore sous les
armes. Il doit avoir grillé une jolie somme, le pauvre — en fonction
du choix des vins, bien sûr.

— Ne faites pas le bouffon, dit-elle. Qu'avez-vous derrière la tête ?

La porte s'ouvrit avant qu'il puisse répondre et le maître d'hôtel des
Foxe s'avança dans la pièce.

— Vous avez sonné, Miss Lydia ?

— Je suis désolée, Spears. J'ai dû appuyer sur le bouton par inad-
vertance.

Le maître d'hôtel était un énorme gaillard au visage rubicond qui
avait tenu autrefois un bistrot populaire. Il connaissait Lydia depuis le
jour de sa naissance et le capitaine Wood-Lacy depuis qu'il avait neuf
ans. Mais son regard semblait planer au-dessus d'eux.

— Très bien, mademoiselle, dit-il.

Il s'en alla en refermant la porte sans bruit derrière lui.

Fenton gloussa de rire et prit son étui à cigarettes dans la poche
intérieure de sa veste Norfolk.

— Pauvre vieux Spears. Il croit probablement que j'ai passé la nuit
ici.

— Cessez de ricaner, dit-elle d'un ton glacial.

Le téléphone se mit à sonner au loin, assourdi par les murs. Fenton
alluma une cigarette. Lydia demeura immobile. Ses doigts jouaient
avec une petite cuillère en argent. La sonnerie s'arrêta ; quelques instants plus tard on frappa à la porte et le maître d'hôtel apparut.

— Lord Charles Amberley au bout du fil, Miss Lydia.

Fenton lança un rond de fumée assez réussi. Lydia continua de jouer
avec la petite cuillère.

— Merci, Spears. Dites-lui... Dites-lui que je suis encore couchée.

— Très bien, mademoiselle.

Ils demeurèrent immobiles et silencieux jusqu'à ce que les pas du
maître d'hôtel se fussent estompés dans le vestibule. Puis Fenton se
leva, à la recherche d'un cendrier.

— Quand lui parlerez-vous ?

— Je vais l'inviter à dîner, dit-elle. Mais occupez-vous donc de ce
qui vous regarde !

— Mon Dieu, mon Dieu, comme nous sommes sensible ce matin.
Alors que j'ai fait tout ce chemin à pied jusqu'ici pour vous demander
de m'épouser.

Il était debout très près d'elle, le bras tendu au-dessus de la table pour écraser sa cigarette dans le cendrier de cristal. Elle tenait toujours la petite cuillère et il remarqua qu'elle tremblait légèrement.

— Vous avez quelque chose aux oreilles ?

— Non, dit-elle à mi-voix. Je vous prie de sortir, Fenton.

Il se redressa et passa derrière elle. Il posa doucement ses mains sur les épaules de la jeune fille.

— Nous pouvons sauter dans votre petit carrosse doré et monter en Ecosse. Nous nous marierons à Gretna Green. Je connais une auberge donnant sur la baie de Luce, avec une vue magnifique sur le Solway. Et les lits de plume les plus profonds et les plus doux dans lesquels on puisse sombrer.

Ses doigts glissèrent dans les cheveux de Lydia pour caresser sa nuque.

— Renoncez à Charles. Rien ne pourra jamais sortir de tout ça. Et vous le savez : regardez les choses en face.

— Il m'épousera, dit-elle, d'une voix si basse que ce fut à peine s'il distingua ses paroles.

— Je suis certain qu'il en a *envie,* mais son père a son mot à dire : c'est un obstacle que vous ne parviendrez jamais à contourner. Et Charles ne vous aidera guère. Jamais il ne fera un seul pas qui ne soit *juste* et *convenable* selon le code non écrit des Greville et des comtes de Stanmore — jusqu'ici sans tache. Mais, bon dieu, c'est donc si important pour vous d'épouser un pair d'Angleterre ? Bien entendu, vous pouvez toujours ramasser un lord dans la dèche, rembourser ses dettes et ajouter un titre à votre nom. Mais ce n'est pas cela que vous voulez ! Les gens en feraient trop de gorges chaudes : « On peut acheter n'importe quoi dans un salon de thé White Manor ces temps-ci », dirait-on partout...

Elle jeta sa tête de côté, se retourna brusquement et lança sa main droite vers le visage de Fenton. Il lui saisit le poignet en plein élan et, d'une secousse, l'arracha à sa chaise, qui se renversa.

— Salaud !

Elle avait les lèvres serrées, exsangues.

Il maintint fermement son poignet et l'attira contre lui. Elle pencha la tête en arrière et il l'embrassa sur la bouche. Elle ne se débattit pas — il était certain qu'elle ne le ferait pas — et il sentit son corps se détendre, se soumettre, se cambrer contre lui.

— Epouse-moi, dit-il en la repoussant doucement.

Elle secoua la tête, les yeux clos, les lèvres entrouvertes.

— Tu m'aimes et tu le sais. Tu le sais, oui. Mais alors, l'amour ne compte donc pas pour toi ? Le mariage est trop important pour qu'on ne lui sacrifie pas l'amour ?

Elle se raidit comme s'il l'avait giflée au visage. Elle recula. Ses yeux brillaient, fureur et passion mêlées.

— Tu peux parler, toi ! Avec Winnie Sutton... Quel beau spectacle c'était ! Prélude à la séduction, par Fenton Wood-Lacy ! (Elle singea sa voix.) *Le tango est tellement facile... Permettez-moi de vous l'apprendre.* Qu'as-tu l'intention de lui apprendre d'autre ?

— Elle m'a fait pitié.

— Oui. Elle n'a pas besoin de beaucoup se forcer. Elle est tellement gourde et mal fagotée. Et ton cœur s'est mis à saigner en la regardant ? Tu me prends vraiment pour une idiote. Tu calcules tes charités avec soin. Quand tu regardes la pauvre Winnie, ce ne sont pas ses kilos que tu vois, ce sont ses livres sterling. Et moi, c'est comme ça que tu me regardes ?

Il esquissa un sourire penaud et se frotta l'arête du nez.

— *Touché.* Oui, je le reconnais en partie. Je me sens un peu goujat à la pensée de mon comportement, l'autre soir. Je suis un bon chasseur. Je ne tire jamais le canard au sol. Tu as tout à fait raison. Je suis dans une situation plutôt déplaisante en ce moment, et un rapprochement avec Winnie et ses adorables parents me tirerait d'affaire — et très convenablement, je dois dire.

— J'en suis certaine, mais ce ne serait rien comparé à la façon dont tu serais *convenablement tiré d'affaire* si tu m'épousais, *moi.* Papa serait si content qu'il jetterait probablement un million de livres dans ta main de rapace !

— Dans mes mains, dit-il en les lui tendant, paumes ouvertes. Dans mes deux mains. Enfonce un clou dans chacune d'elles si je ne dis pas la vérité. Je ne recherche pas l'argent d'Archie. Si je croyais que tu puisses te contenter de mes douze shillings six pence de solde — moins la cotisation du mess, bien sûr — jamais je ne demanderais un sou à ton père. Mais tu ne pourrais pas vivre ainsi, et je suis donc prêt à travailler dans le civil. C'est aussi simple que ça. Je serai pour toi un sacré bon mari, au lit et ailleurs, et tu le sais diablement bien.

— Oui, je le sais, dit-elle d'un ton grave.

Il posa les mains sur les hanches de la jeune fille et il sentit la douceur de sa chair sous la robe de chambre de soie.

— Nous nous ressemblons beaucoup. Nous voulons tous les deux des choses qui sont juste un soupçon hors de notre atteinte. Je suis dans un régiment que je n'ai pas les moyens de m'offrir et tu désires un statut social que tout l'argent du monde ne saurait acheter. J'ai un petit aveu à te faire. Je n'ai pas passé la moitié de la nuit à écrire des brouillons de lettres à mon colonel. Je ne pouvais pas dormir, c'est tout. Mes pensées se bousculaient dans ma tête. Je continuais à voir les traits de ce pauvre Charles quand il essayait en vain de te joindre au téléphone. Vous vous êtes querellés ?

— Non. Rien de ce genre.

Il comprit aussitôt. Un sourire amer se dessina sur ses lèvres.

— Tu le laisses se débattre au bout de l'hameçon ?

— Tu es dur, dit-elle sèchement.

— Peut-être, mais je connais ce jeu-là. Il risque d'être assez désespéré pour prendre une position ferme vis-à-vis du lord du manoir —

un ultimatum qu'il peut gagner ou perdre, que *tu* peux gagner ou perdre. Tu es un joueur sans merci, Lydia. Et pourquoi ? Il y a dans la vie bien d'autres choses que demeurer à Abington Pryory et devenir comtesse un jour. Et il y a dans la vie bien d'autres choses que la façon dont je fais la roue autour de Buckingham Palace en tunique rouge. Te rappelles-tu quand tu avais huit ou neuf ans et que mon père travaillait au Pryory ? Tu me suivais toujours sur les échafaudages, et tu voulais faire toutes les choses dangereuses que je faisais. Charles et Roger avaient peur, mais toi, non. Tu disais que tu me suivrais partout. Eh bien, je voudrais que tu me suives maintenant.

Il était très beau, dans le genre forban ténébreux. Un traîne-sabre infatué de lui-même, mais avec de belles manières. Ses mains, sur les hanches de la jeune fille, ne manquaient pas d'assurance, comme si elles avaient le droit d'être là, ou partout ailleurs sur le reste de son corps. Avec quelle facilité elle aurait pu succomber, se précipiter dans sa chambre pour faire une valise, monter en Ecosse, puis le suivre n'importe où. Mais ce n'était pas ce qu'elle désirait. Ce n'était pas *assez.*

— Je regrette, Fenton. Je ne suis plus une gamine.

Il lâcha ses hanches. Non sans regrets. Il laissa simplement ses mains tomber du corps de Lydia.

— Inutile de vous excuser, dit-il. De toutes façons, c'était sans espoir.

Il lui tendit la main.

— Toujours amis ?

Elle effleura ses doigts.

— Toujours.

— Puis-je sortir par la grande porte ? Je n'ai pas l'habitude de franchir les fenêtres dans l'autre sens.

— Bien sûr. Qu'allez-vous faire ? Au sujet de Winnie, je veux dire.

— Oh ! dit-il avec un geste vague. Je n'y ai pas vraiment songé.

— Etes-vous horriblement endetté ?

— C'est une façon de voir les choses.

— Je peux vous donner un chèque, à moins que ce ne soit trop pénible à supporter juste maintenant ?

Il se pencha en avant, très raide à partir de la taille, et l'embrassa sur le front.

— Le fait est que ce serait insupportable. Non, je retomberai sur mes pieds, comme un chat. Ce ne sera pas la première fois. J'ai plusieurs choses en tête, des projets en suspens.

Elle ne put retenir une grimace, et elle se détourna de lui. On apercevait par la fenêtre des jardiniers en blouse vert foncé qui suivaient une allée conduisant à la roseraie. Ils portaient sur l'épaule des pelles et des houes, et on eût dit des soldats du Moyen Age partant en guerre. Elle vit soudain, très nettement sur ses paupières closes, Fenton et une débutante sans visage s'avancer entre deux haies d'officiers, sabre au clair, sur un tapis de pétales de roses. Cette image lui fit mal. Elle regarda par-delà les jardins, vers les cheminées d'Abington Pryory à peine visibles dans le lointain, au-dessus de la couronne verte des bois de Leith.

— Souhaitons-nous mutuellement bonne chance, dit-elle d'une voix blanche. Et beaucoup de bonheur.

Martin dormit tard et fut le dernier à descendre pour le petit déjeuner, mais il restait des quantités de nourriture dont la diversité l'étonna. Il entassa dans son assiette œufs brouillés, rognons grillés, deux tranches de bacon ressemblant à du jambon, des tomates poêlées et des pommes frites très minces. Il prit également quelques galettes chaudes et une compote de fruits. Il y avait sur la table un humidor plein de minces cigares doux « pour petit déjeuner » et après son repas il en alluma un et sortit sur la terrasse, pleinement satisfait. Il faisait le tour de la maison à pas lents, tout en admirant l'architecture et la perspective des jardins, lorsqu'une fenêtre du rez-de-chaussée s'ouvrit derrière lui : Lord Stanmore se pencha vers lui.

— Bonjour, Martin. Vous avez déjeuné ?

— Oui, monsieur, répondit-il en ôtant le cigare de sa bouche. Et même plus qu'il n'aurait fallu.

— Venez prendre un café avec votre tante et moi. Vous voyez cette porte ? Vous suivez le couloir vers la droite.

Le comte l'attendait dans le corridor, et il le conduisit dans une pièce meublée d'un bureau à glissière, de plusieurs armoires de classement, d'une bergère de cuir et de quelques chaises. Hanna était assise derrière le bureau, des papiers étalés devant elle.

— Mon bureau, expliqua le comte. Le cœur d'Abington Pryory.

Hanna leva les yeux de ses papiers.

— Bonjour, mon cher. Nous étions justement en train de parler de vous.

Elle désigna quelques feuilles du bout de son porte-plume.

— Nous avons tellement d'obligations prévues pour ce mois-ci et jusqu'à la fin de juillet. Tout cela ne vous passionnera guère, mais j'ai inscrit votre nom sur chaque liste contenant des jeunes personnes agréables.

— C'est très aimable à vous, tante Hanna, mais vous savez je n'ai pas prévu de rester en Angleterre plus de deux semaines et je... c'est-à-dire... j'espérais voir le plus grand nombre possible d'endroits, voyager dans le pays, laisser ma malle-cabine chez vous, si cela ne vous ennuie pas, et partir simplement avec une valise.

Il se sentit gêné : n'était-ce pas lui faire un affront ? Mais elle sourit, presque avec soulagement, à ce qu'il lui sembla.

— C'est une merveilleuse idée, Martin ! N'est-ce pas, Tony ?

— Certes ! acquiesça le comte en hochant énergiquement la tête. A votre âge, j'ai fait le tour du pays à pied, d'un bout à l'autre, de la Manche à la baie de Thurso dans le Caithness, puis je suis redescendu par la côte ouest de l'Ecosse et le Pays de Galles. Quel bon temps j'ai passé ! Un bâton ferré à la main, un sac sur le dos. Oui, mon garçon, une idée sensationnelle. La saison de Londres est peut-être le paradis pour les dames, mais pour nous, les hommes, c'est l'enfer.

— Vraiment, Tony, gourmanda Hanna.

— C'est la vérité. Une ronde sans fin de soirées et de bals. Il me faut deux valets de chambre, à Londres, et je les épuise avant la moitié de la saison. Sans parler des conséquences de toutes ces débauches sur le foie...

— Oh, Tony ! s'écria Hanna en riant. Quel tableau sinistre vous brossez de la saison ! Mais en toute sincérité, Martin, je crois que votre projet est splendide. Quand vous proposez-vous de partir ?

— Le plus tôt sera le mieux. Il y a tellement d'endroits où j'aimerais aller. Je crois que je pourrais monter à Londres par le train aujourd'hui et tout organiser avec Cook... vous savez... pour me joindre à un groupe ou un autre. Peut-être commencerai-je lundi ou mardi.

Lord Stanmore sortit de son gousset une montre en argent et souleva le couvercle.

— C'est une bonne manière de procéder. Ces gens organisent tout à l'avance pour votre logement dans des hôtels et des auberges convenables. Voyons, vous pouvez prendre le onze heures trente à Godalming. Je vous ferai conduire par Ross. A la gare de Waterloo, prenez un taxi pour Thomas Cook's. Ils sont sur le Strand, je crois.

Hanna remit ses listes en ordre d'un geste définitif.

— Bien sûr, je suis un peu déçue. Je m'attendais à faire étalage de mon beau neveu. Mais je vous ferai tout de même connaître quelques amis avant votre départ en Allemagne.

— Ce sera une joie, répondit Martin poliment.

Elle approuvait ses projets, cela ne faisait pas le moindre doute. Tante Jessie l'avait, elle aussi, trouvé « socialement déplacé » à plusieurs reprises. C'était probablement son destin, songea-t-il amèrement, de déranger les plans établis par les gens.

Lord Stanmore lui donna une claque dans le dos.

— Et il nous faudra monter un peu ensemble. La seule manière d'apprécier vraiment la campagne anglaise, c'est depuis le dos d'un cheval.

Le comte l'entraîna dans le couloir, tout en évoquant avec un enthousiasme extatique les plaisirs de l'équitation — sujet qui laissait Martin parfaitement froid.

— Je vais avertir Ross et il amènera la voiture. Avez-vous de l'argent anglais ?

— Une livre ou deux, monsieur. Mais je pourrai certainement changer des chèques de voyage chez Cook.

— Oui, ils font ça. Mais il vaut quand même mieux que je vous donne un billet de cinq livres, vous serez plus tranquille.

Il saisissait son portefeuille dans la poche de sa veste lorsqu'il aperçut Fenton qui entrait dans le vestibule par la porte du jardin d'hiver.

— Ah ! Fenton, vous avez fait bonne chasse ?

Fenton, qui marchait à pas lents, visiblement perdu dans ses pensées, parut surpris par la question.

— Pardon.

— Ces saletés de freux. Vous en avez eu ?

Il avait oublié l'arme et la gibecière sur le banc du jardin de Lydia. Ma foi, quelqu'un les trouverait.

— J'en ai touché deux ou trois.

— C'est parfait. Le jeune Rilke s'en va à Londres retenir une place chez Cook pour visiter les îles Britanniques. C'est une façon intelligente de procéder quand on ne connaît pas le pays.

— Oui, j'en suis persuadé. Vous partez ce matin ?

— Oui, répondit Martin.

— Dans ce cas, je vous accompagnerai.

Il adressa à Lord Stanmore un sourire plein d'amertume.

— Je suis tombé sur le télégraphiste en traversant Fern Lane. Le lieutenant-colonel a besoin de moi.

— Mais pourquoi ?

— Une affaire de bataillon qui aurait facilement pu attendre jusqu'à la semaine prochaine, mais il est nerveux comme une vieille fille.

— Zut ! Enfin, nous aurons fait deux ou trois promenades agréables.

Il s'était enfermé dans un silence ombrageux jusqu'à mi-chemin de Londres. Martin avait tenté d'engager la conversation à plusieurs reprises, mais Fenton avait répondu par quelques grognements monosyllabiques, et le jeune Américain avait renoncé. Il était installé en face de l'officier dans un wagon de première classe, et le spectacle du paysage qui défilait suffisait à sa joie. Lorsque le train entra dans la banlieue sud de Londres, Fenton poussa un profond soupir et chercha ses cigarettes dans sa poche.

— Vous fumez, Rilke ?

— Oui, merci.

Il préférait les cigares, mais il accepta la cigarette offerte, ravi de voir que la glace était rompue.

— Le paysage est plutôt lépreux, non ? dit Fenton en montrant la fenêtre. J'ai l'impression que toute l'Angleterre se retrouvera comme ça un de ces jours. Chaque pouce de gazon, chaque colline croulant sous des villas de brique. Je déteste vraiment le progrès.

— Moi aussi, parfois. C'est la même chose à Chicago. Toujours du nouveau partout, la ville pousse comme de la mauvaise herbe.

— Oui, c'est bien ça. Seulement en Amérique, il y a tant d'espace qui reste. Je veux dire, les prairies, les déserts et tout...

Il tira sur sa cigarette et fixa Martin à travers la fumée.

— J'ai vraiment horreur de mettre ça sur le tapis, Rilke, mais cette veste ne vous va pas du tout. Qui diable est votre tailleur ?

— Marshall Field, bégaya-t-il.

— Cet homme devrait être fusillé. Ecoutez, mon vieux, j'espère que vous ne vous en offenserez pas, mais on juge un gentleman à son costume, et vous êtes un trop brave garçon pour que je vous laisse vous exposer ainsi à des rebuffades. Mon tailleur est un vrai sorcier. Il peut vous faire un ou deux complets en moins que rien, deux ou trois jours. Il se trouve à Burlington Street, tout près de Saville Row. Pourquoi ne pas y faire un saut en sortant de chez Cook ?

— Eh bien, je...

Il aurait arraché avec joie la veste coupable pour la jeter par la portière du train.

— Et si l'argent pose un problème, poursuivit Fenton allégrement, n'y songez plus. Le vieux Purdy ne s'attend pas à ce que le neveu d'un comte étale de vulgaires billets sur le comptoir. Vous le paierez simplement à l'occasion. Et vous serez surpris de voir à quel point il est raisonnable.

Il s'enfonça dans son siège avec l'air satisfait d'un homme qui vient de régler un problème une fois pour toutes.

— Oui, ajouta-t-il, nous ferons ça sans tarder.

Martin était au supplice. Il se sentait humilié, mais Fenton n'avait fait que parler en toute sincérité. Sa veste était affreuse, c'était incontestable.

Fenton chassa une particule de cendre de cigarette du pli impeccable de son pantalon de flanelle grise.

— Pour tout vous dire, j'ai fait un petit mensonge à Sa Seigneurie. Il n'y a jamais eu de télégramme du lieutenant-colonel. C'était une excuse pour éviter de rester tout le week-end. J'espère que vous tiendrez votre langue.

— Bien entendu.

— Merci. J'ai simplement eu envie de rentrer à Londres pour... des raisons personnelles.

Ils prirent un taxi de la gare de Waterloo jusqu'au Strand. On trouva les bureaux de Thomas Cook and Sons et, sans la moindre perte de temps, Martin put retenir sa place dans un groupe de touristes qui quittait la gare d'Euston le jeudi matin pour « Dix jours à la découverte des beautés des îles Britanniques... la splendeur des grands châteaux... la portée historique de Stratford-sur-Avon... le mur d'Hadrien... Bath... la région des lacs hantée par les grands poètes... ».

L'employé lui avait parlé avec un zèle évangélique et il avait félicité Martin de l'intuition qui l'avait poussé à choisir Cook. Il avait échangé pour cent dollars de chèques de voyage et lui avait remis un imprimé donnant le détail des horaires du voyage — Circuit des îles Britanniques, numéro 32.

— Sans douleur ! fit remarquer Fenton en sortant. Mais Dieu seul sait de quoi auront l'air les autres membres du groupe. On devrait avoir au moins le droit de choisir ses compagnons de voyage.

Les deux heures passées chez le tailleur de Fenton, la maison *Purdy and Beame*, furent également « sans douleur ». M. Purdy et M. Beame considérèrent Martin comme un défi à leur talent de fabricants de beaux vêtements pour messieurs. Ils échangèrent des regards entendus, froncèrent les sourcils en dépouillant Martin de sa défroque, et claquèrent la langue de mépris devant la pacotille yankee et la mauvaise qualité de la façon. Martin fut comme de l'argile entre leurs mains expertes. Il finit par commander trois complets qui, d'après Fenton et le tailleur, lui permettraient de passer la journée, du matin au soir, dans un style impeccable. Ils seraient prêts mercredi dans l'après-midi.

— Deux essayages mardi, monsieur Rilke, un le matin et un l'après-midi. Il n'est pas dans les habitudes de *Purdy and Beame* de travailler ainsi avec le couteau sous la gorge, mais nous serons, je m'en porte garant, à la hauteur de la tâche.

On aida ensuite Martin à remettre ses vêtements honteux, et ce fut tout.

— Avec un melon de qualité et un parapluie de soie noire, vous pourrez passer pour le duc de Norfolk, lui dit Fenton en quittant la boutique.

Il tendit le bras en direction d'Old Bond Street.

— Mon chapelier est à deux pas. Venez.

En entrant dans Bond Street Fenton se raidit soudain, puis se retourna brusquement pour examiner une vitrine pleine de pipes et de cigares.

— Bon dieu, s'écria-t-il à mi-voix, j'espère qu'il ne m'a pas vu.

— Qui ? demanda Martin en regardant autour de lui.

— Ne regardez pas. Restez près de moi, il va peut-être nous dépasser.

Martin se tourna vers les râteliers de pipes et les boîtes de tabac, puis il sentit que quelqu'un s'avançait vers eux et il regarda sur sa gauche. Un jeune homme s'approchait, d'un pas légèrement hésitant. La première impression de Martin fut qu'il s'agissait d'une femme en costume d'homme. Un corps mince et souple comme un saule. Des cheveux noirs bouclés encadrant un visage fin, aux pommettes hautes, plus joli que beau. Une peau d'une pâleur d'ivoire, très mate. Le nez de l'homme était mince mais proéminent, les yeux immenses, ovales et d'un marron velouté comme des yeux de faon. Mais sa bouche s'inscrivait en faux contre son regard doux : ce n'était qu'une large cicatrice qui semblait figée en un ricanement permanent.

— Le capitaine Wood-Lacy, ma parole, dit l'homme. Et avec un ami.

— Oh ! Golden ! Comment allez-vous ? dit Fenton en feignant (très mal) la surprise. Comme c'est drôle de tomber sur vous.

Le sourire ironique de l'homme sembla se crisper davantage.

— Drôle ! Et dans Bond Street de surcroît. Je ne vous connaissais pas une passion pour la pipe.

— C'est juste, mais que voulez-vous, en cas de tempête le premier port venu fait l'affaire.

L'homme lança la tête en arrière et rit aux éclats — une cascade bruyante, dont il était difficile d'associer la sonorité grave à une gorge aussi délicate.

— Fenton, vraiment, je vous admire. Vous êtes l'homme le plus franc que j'aie jamais rencontré. Mais souvenez-vous de votre éducation, présentez-moi.

— Golden... Martin Rilke de Chicago. Rilke... Jacob Golden, la guêpe de Fleet Street. A propos, Rilke est un de vos confrères journalistes.

— Oh ? répondit Golden en regardant Martin avec un nouvel intérêt. Quel journal ?

— *L'Express* de Chicago.

Golden ferma les yeux pendant une seconde.

— *L'Express*... Prise de position en faveur des républicains, hostile au président Wilson, méprise les organisations syndicales.

— Hé ! s'écria Martin avec un rire nerveux. Pouce ! je suis seulement critique littéraire.

— Et c'est exactement ce que vous devriez faire, Golden, dit Fenton sèchement. Cela vous empêcherait peut-être de nuire.

Golden poussa un soupir et fit la grimace.

— Mon père pense comme vous, j'en ai peur. Plus de reportages sur les micmacs de l'Ulster ou sur les intrigues dans les Balkans. Dans un avenir immédiat, je suis condamné aux chiens écrasés et aux crimes passionnels. Je suis sur l'affaire Goodwin en ce moment. Vous savez, le dentiste de Birchington qui a passé sa belle-sœur sous la roulette jusqu'à ce que mort s'ensuive, sous prétexte que Dieu le lui avait ordonné. Très vilaine affaire, mais je crois que Dieu savait ce qu'il disait : la victime était une véritable horreur. Tout le monde dans la famille est ravi que la vieille bique ne soit plus là. Le journal paie pour la défense du dentiste.

— Et dans le cas contraire, répondit Fenton avec une nonchalance affectée, je suis sûr que vous seriez tout aussi enthousiaste à l'idée qu'il soit pendu.

— Oui, je ne m'en défends pas.

Il tendit ses deux mains en avant dans un geste d'impuissance.

— Mais n'est-ce pas le jeu classique du journalisme ? Il faut satisfaire les goûts du public, ou même créer de nouveaux goûts à satisfaire.

Il lança un clin d'œil furtif à Martin.

— Mais je suis certain que vous connaissez toutes les ramifications pernicieuses de notre noble profession. Ce doit être beaucoup plus agréable de faire le soldat. Au moins on vous désigne la personne à tuer. Pas d'inspiration sous l'uniforme.

Fenton feignit de bâiller avec exagération.

— Toujours le même, mon vieux Golden. Rien d'étonnant à ce que vos amis plongent dans des boutiques dès qu'ils vous aperçoivent.

Il sortit sa montre de son gousset et regarda l'heure.

— Il est temps de prendre le thé. Appelons un taxi et allons au Marlborough.

— Mon cher Fenton, dit Golden, on n'aime pas les Juifs au Marlborough.

— Je sais. Une règle odieuse. Ce devrait être simplement *certains* Juifs.

Il fit la grimace à l'adresse de sa montre.

— De toute façon, c'est un peu tard pour le Marlborough. Que suggérez-vous ?

— Un White Manor, sans hésiter. Le cinq sous de luxe. Et à propos de White Manor, avez-vous vu la belle Lydia Foxe ces jours-ci ?

Fenton parut ne s'intéresser qu'à la recherche d'un taxi vide dans la rue animée.

— Non, pas depuis quelque temps.

— Je l'ai aperçue à Paris, il y a deux mois. A l'Opéra, suspendue au bras d'un major des *cuirassiers*. Elle semble avoir un certain penchant pour les militaires.

Le capitaine se retourna lentement et plongea son regard dans le visage faussement innocent de Jacob Golden.

— Pourquoi diable vous ai-je accordé mon amitié au collège, Golden ? Vous êtes vraiment le plus insupportable des...

De nouveau le rire jaillit, plus grave et plus fort que la première fois.

— C'était un acte de pure charité chrétienne, mon vieux. Et comme tout acte chrétien qui se respecte, il doit être payé par un peu de souffrance. Ah !... cria-t-il en bondissant soudain dans la rue, en voici un... Taxi ! Taxi !

Martin rentra à Abington Pryory à dix heures trente ce soir-là, après avoir pris un vieux taxi de la gare de Godalming jusqu'au manoir. Le maître d'hôtel lui apprit que Leurs Seigneuries s'étaient retirées tôt, que Lord Amberley n'était pas à la maison et que M. Roger Wood-Lacy s'était également retiré pour la nuit...

— Mais si vous désirez dîner, monsieur...

— Peut-être un sandwich et un verre de bière, si cela ne doit pas déranger.

— Pas du tout monsieur.

— Dans ma chambre, si c'est possible. Je suis épuisé.

— Certainement, monsieur, répondit M. Coatsworth avec une sympathie sincère. Un voyage à Londres est toujours très éprouvant.

Il ne savait pas si ce qui l'avait éprouvé le plus était le voyage ou bien les gens qu'il avait rencontrés. Une journée étonnante, décida-t-il en enfilant son pyjama. Un valet de pied lui apporta des sandwichs au jambon et une chope de bière blonde, que Martin engloutit avant de se mettre au lit. Ensuite, il posa sa serviette sur ses genoux et en sortit carnet de notes, stylographe et lunettes :

Observations et réflexions. Samedi soir, 13 juin 1914. L'attitude de l'Anglais de la classe supérieure à l'égard des « métiers » est très intéressante. Fenton n'appartient probablement pas à la classe supérieure au sens le plus strict du terme, mais en tant qu'officier d'un régiment de prestige, il a hérité de tous les préjugés de cette classe. On appelle « métier » au sens large tout ce qui fournit des services ou des produits — les merciers, les marchands de vin, les cordonniers, les tailleurs, etc. Les médecins ne font pas un métier, ni les journalistes, les militaires, les chasseurs professionnels, etc. Les Anglais de la classe supérieure comptent sur les hommes de métier pour leur confort et leur bien-être, mais considèrent qu'il convient de retarder aussi longtemps que possible le paiement de leurs factures. L'argent comptant, semble-t-il, est vulgaire. Après le thé, Fenton m'a conduit chez son chapelier où l'on a pris mes mesures pour un melon — le chapeau doit être prêt mercredi après-midi. J'ai insisté pour payer comptant et d'avance : Fenton et le chapelier ont paru légèrement gênés.

Nous avons pris le thé dans un White Manor à Oxford Street près de Marble Arch. Un immense endroit à étages avec plusieurs salles à manger, un orchestre à cordes, une pâtisserie et des *Delicatessen* du continent. La nourriture — de petits sandwichs et diverses pâtisseries — était de qualité et bon marché. Le service, de premier ordre : des hordes de jeunes femmes en uniformes bleus amidonnés prennent les commandes et portent les plateaux. Elles sont toutes mignonnes et gaies. Fenton m'a dit qu'elles sont bien payées, qu'elles vivent dans des meublés appartenant à la société et qu'on leur retient très peu de chose pour leur logement : le plus gros de leurs gages est versé sur un livret d'épargne. Golden a ajouté que ces largesses avaient provoqué une pénurie de servantes dans la noblesse. Les filles aiment mieux les horaires limités et les bonnes conditions de travail des White Manor, qu'entrer — comme Ivy Thaxton — au service d'une famille noble où elles travaillent de longues heures et ne reçoivent presque rien pour leur peine. Les servantes de grande maison n'ont qu'une demi-journée de liberté par semaine et sont à la disposition des maîtres vingt-quatre heures par jour. Je me demande si Ivy Thaxton a déjà entendu parler des White Manor ? Probablement, c'est forcé. Fenton dit qu'il y en a dans toute l'Angleterre, mais que tous ne sont pas aussi luxueux que celui d'Oxford Street. Il me semble que ce serait un bien meilleur endroit pour une jeune fille obligée de travailler. Etre servante dans une maison comme Abington Pryory doit être éreintant. Tellement de chambres à nettoyer, de lits à faire, de pots de chambre à vider. Je n'éprouve d'horreur que pour cette espèce de bol de porcelaine blanche au-dessous de mon lit, mais je comprends manifestement pourquoi on l'utilise, surtout en hiver. Le petit cagibi du bout du couloir est froid comme la mort, et nous sommes en juin ! J'imagine que, si je vivais ici en décembre, j'y réfléchirais à deux fois avant de sortir d'un lit bien chaud au milieu de la nuit pour trotter jusqu'au fond du couloir, dans ce placard glacé.

Impressions brèves. Jacob Golden a vingt-quatre ans, un an de moins que Fenton, un an de plus que moi, mais la valeur n'attend pas le nombre des années, comme on dit. D'après la conversation à l'heure du thé, et d'après ce que Fenton m'a dit de lui par la suite, je peux rassembler les éléments d'une biographie succincte de l'homme. Il est le fils unique de Harry Golden, le grand Lord Trewe. Trewe est aussi connu à Chicago que William Randolph Hearst à Londres. C'est le patron du *Daily Post,* le plus fort tirage de tous les quotidiens existant dans le monde. Un torchon. Le journalisme à l'estomac dans toute son horreur. Un journal rabaissé au plus petit dénominateur commun des goûts des masses : des tas de photos, des textes brefs, des récits de meurtres et de tous les délits imaginables, les puissants tombés en disgrâce, la vie et les amours des gens du théâtre et des vedettes de cinéma, des récits horrifiants de guerre civile en Irlande, la condamnation de l'Empire allemand pour avoir eu la témérité de rivaliser avec la Grande-Bretagne en construisant une flotte de guerre et en voulant avoir des colonies. Chauvinisme et sensationnel en un mélange grisant.

Jacob Golden se moque du journal que son père a bâti à partir de rien, mais j'ai pu déceler une certaine gravité sous ses attitudes cyniques. Le journal, dit-il, exerce une plus grande influence sur les masses que la Bible. L'Evangile selon saint Trewe. Golden voit le monde divisé en deux classes distinctes, les *parias* et les *nababs* — quelques nababs qui gouvernent, et des millions et des millions de parias qui font ce qu'on leur demande et qui croient ce qu'on leur imprime. Il ne trouve rien à redire dans cette division, pourvu que tous les nababs soient des hommes intelligents, généreux et éclairés — ce que bien entendu ils ne sont pas. Les nababs, pour lui, sont des babouins auxquels se mêlent quelques gorilles. Il dit toutes ces choses scandaleuses avec le sourire — comme un lutin pervers prenant plaisir à voir l'humanité courir en aveugle vers le rebord d'une falaise. Fenton l'a traité d'âne plusieurs fois, et je suis assez enclin à partager son avis. Et pourtant... je me demande...

Jacob et Fenton sont allés à l'école ensemble, dans un cours préparatoire très connu, près de Londres, qui envoie une large majorité de ses élèves à Eton ou à Harrow. Il n'y avait que deux ou trois Juifs dans cette école, et Jacob avait passé de mauvais moments jusqu'à ce que Fenton le prenne sous son aile. D'après ce que j'ai pu glaner, le père de Fenton aurait fait les plans de l'immeuble du *Daily Post* sur Whitefriars Lane, non loin de Fleet Street, et il était donc un ami du père de Jacob. Jacob est allé à Eton, puis au Balliol College à Oxford. Fenton à Sandhurst, puis dans l'armée : mais il existe un lien ténu entre eux depuis leurs années d'école primaire.

Jacob a été expulsé de Balliol et il semble en être très fier. Il n'a pas dit pourquoi il a été renvoyé, mais je suis sûr que les autorités de l'université d'Oxford ne devaient pas manquer de raisons. Son père lui a donné une place de grand reporter au journal et il a séjourné dans de nombreux pays. J'ai ressenti un petit pincement d'envie en l'entendant parler des guerres des Balkans : en 1912, il a suivi l'armée serve au cours de sa percée vers l'Adriatique à travers l'Albanie. Détail intéressant qui illustre la théorie de Jacob sur les nababs, il semble que Lord Trewe ait fait objection au reportage sur l'armée *serve*. Il trouvait que le mot ressemblait trop à servile, et il a ordonné à ses rédacteurs de substituer un *b* au *v*. C'est ainsi que du jour au lendemain la Servie est devenue la Serbie, d'abord pour les lecteurs du *Daily Post*, puis pour le reste du monde. Voilà le pouvoir du nabab ! Changer le nom d'une nation d'un simple trait de crayon bleu.

Réflexions. Jacob Golden est un journaliste. Je travaille dans un journal. Un monde sépare nos occupations ! Tandis que je m'échinais sur une critique du dernier roman de Frances Hodgson Burnett, Jacob envoyait des dépêches d'Irlande suggérant que l'Allemagne fournissait des fusils aux volontaires de l'Ulster. Il est allé un peu loin, je crois, quand il a accusé un général anglais de correspondre avec les Allemands pour que ceux-ci équipent les protestants avec des armes Maxim. Lord Trewe n'a pas publié l'article et Jacob a été rappelé au bercail pour « couvrir » l'actualité locale. Mais même rendre compte des procès d'assises est infiniment plus excitant et chargé de sens que tout ce que j'ai pu faire à mon journal. Jacob m'a fait une proposition. Il m'a dit que son journal pourrait s'intéresser à une demi-douzaine d'articles sur l'Angleterre vue par les yeux d'un Américain en visite — « Un regard yankee sur la Grande-Bretagne », m'a-t-il suggéré comme titre général. Il m'a conseillé de faire des textes courts et laudateurs, mais quelques satires gentilles et pleines d'humour seraient O.K... Le journal verserait trois à cinq livres par article. Cela ne paierait évidemment pas mon voyage, mais cela ferait une petite brèche dans la facture du tailleur. Ce serait aussi un bon entraînement... Observer la vie autour de moi et en rendre compte... Les gens, les endroits...

Quelques coups légers frappés à la porte interrompirent le cours de ses pensées. Il supposa que c'était le valet de pied revenu pour chercher le plateau et il invita l'homme à entrer. Il fut surpris de voir Charles ouvrir la porte et pénétrer dans la pièce, en tenue de soirée et avec une bouteille de champagne à la main.

— J'espère que je ne vous dérange pas, dit Charles.

— Non, pas du tout.

Il rangea son stylo et referma son carnet de notes.

— J'ai vu votre lumière en rentrant du garage. J'ai pensé qu'un dernier verre vous ferait plaisir. (Il montra la bouteille). Je l'ai trouvée à l'office. Elle est encore raisonnablement frappée et c'est une année tout à fait convenable. Mon père a un goût impeccable en matière de vins.

Martin glissa son carnet et son stylo dans sa serviette, et se leva pour mettre sa robe de chambre. Charles trouva dans la commode deux verres, dont l'un s'ornait d'une brosse à dents.

— Parfait pour chasser les bulles, fit-il remarquer en défaisant le fil de fer autour du bouchon.

Le bouchon sauta avec un petit claquement très réjouissant, et le vin couleur d'ambre pâle coula dans les grands verres.

— Vous avez passé une bonne journée à Londres ?

— Oui, répondit Martin en prenant l'un des verres. Je me suis inscrit chez Cook pour le tour de l'Angleterre, la semaine prochaine. Je pars jeudi matin.

— Ce devrait être agréable. Vous verrez probablement beaucoup plus de la vieille Angleterre que je n'en ai jamais eu l'occasion. Mais c'est toujours comme ça, n'est-ce pas ? Les visiteurs voient davantage de choses que les gens du pays.

Il n'y avait qu'une chaise dans la pièce et Charles s'y assit. Martin s'appuya contre la colonne du lit, assez gêné d'être pieds nus.

— Eh bien, à la vôtre, dit-il en levant son verre.

— Oui, à votre santé.

Charles but doucement, puis plongea un regard morne au fond de son verre.

— Savoureux et sec, vous ne trouvez pas ? dit-il. Une des rares choses que les Français fassent convenablement.

Martin eut l'impression que quelque chose tracassait son cousin et qu'il n'était pas venu dans sa chambre uniquement pour boire un dernier verre en ami. Mais la raison de sa visite demeurait un mystère.

Il supporta cinq minutes de banalités, puis Charles dit :

— C'est étrange, quand on y songe : nous sommes cousins — proches parents par le sang — et pourtant je ne connais à peu près rien de vous. Deux ou trois choses que ma mère m'a dites, c'est tout.

— Je ne sais moi-même presque rien de vous, répondit Martin.

— Il n'y a pas grand-chose à savoir. Je suis allé à Eton et à Cambridge. J'aimerais être historien ou enseigner l'histoire. J'ai séjourné en France, en Allemagne, en Italie et en Grèce. J'aime la bonne musique et les bons livres, j'aimais autrefois la chasse : une vie plutôt banale et sans histoire.

Il y eut un long silence et Martin se tortura pour trouver quelque chose à dire.

— Vous êtes né ici ?

— Vous voulez dire : dans cette maison ? Oui. Vous êtes né à Paris, c'est exact ?

— A Montparnasse.

— Votre mère est française.

— Elle l'était. Elle est morte il y a quatre ans.

— Je suis désolé. Mais c'est bien ce que je voulais dire : j'aurais dû le savoir.

Martin acheva son verre et Charles se leva aussitôt pour le remplir.

— Je ne vois pas pourquoi, répondit Martin en s'asseyant sur le bord du lit. Votre mère et la mienne ne se sont rencontrées qu'une fois. Et d'ailleurs, la mort de ma mère ne concernait pas vraiment la famille.

— Parce que votre père avait été déshérité ?

Il était donc au courant, songea Martin sans la moindre amertume. Cette conversation de minuit devenait de plus en plus curieuse.

— Oui, pour cette raison. Mon père a été déshérité avant ma naissance, et je ne sais donc pas grand-chose là-dessus. Je n'ai jamais connu mon grand-père, mais ce devait être un homme très dur, vieux jeu et puritain.

Il s'arrêta pour prendre une gorgée de champagne. Charles ne le quittait pas des yeux, suspendu à chacune de ses paroles, le visage tendu.

— Je crois que mon père était un révolté. Il était le cadet, plus jeune qu'oncle Paul de cinq ans, et plus vieux de trois ans que tante Hanna. Paul était entré dans les affaires de la famille — une demi-douzaine de brasseries — mais mon père n'avait rien voulu entendre. Il désirait être peintre. Je crois que mon grand-père a dû lui donner le choix. Ce fut sûrement aussi simple que ça. De toute façon, à sa mort, il a rayé mon père de son testament. Un dollar... Je crois que c'est tout ce qu'il lui a laissé.

Toute cette affaire le laissait indifférent. Il avait l'impression de raconter la vie d'un parfait inconnu.

Charles trempa ses lèvres dans le champagne.

— Je me demande ce que ma mère a ressenti. Elle était très attachée à votre père. En tout cas, j'ai toujours eu l'impression que c'était son préféré.

— Je crois, oui. Quand ils étaient enfants. Mais mon père s'aliénait les gens. S'il avait un talent, c'était bien celui-là.

— Pas pour la peinture ?

— Comment le saurais-je ? répondit Martin en haussant les épaules. Il est mort quand j'avais huit ans, et tout ce dont je me souviens à propos de ses œuvres, c'est qu'elles ne se vendaient pas. Ma mère était *modiste* *, et une bonne modiste : c'était cela qui nous faisait vivre. Je me souviens avoir entendu dire par ma mère que de temps en temps tante Hanna et oncle Paul adressaient de l'argent à mon père, mais il renvoyait chaque fois les chèques déchirés en petits morceaux. Il avait complètement coupé les ponts — et il leur en voulait de les avoir coupés lui-même. En tout cas, c'est ce que je crois. Mais oncle Paul et votre mère n'avaient rien à voir dans l'histoire. Je suppose qu'au bout d'un certain temps, ils ont renoncé à l'aider. Comme d'ailleurs tous les gens qu'il connaissait à Paris. Il avait une réputation lamentable, et je crois que personne n'a regretté sa mort. Je suis sûr que vous connaissez bien votre Conrad. Je ne peux pas lire *Le Cœur des ténèbres* sans songer à mon père. Paris a été son Congo. Oui, Paris l'a révélé très jeune, comme la forêt vierge a révélé tout ce qu'il y avait à savoir sur Kurtz. « Elle lui a murmuré des choses sur lui-même qu'il ne savait pas » ou qu'il n'avait pas sues à Chicago. Je me suis souvent demandé s'il n'est pas mort comme Kurtz, en murmurant : « L'horreur... l'horreur... ».

Il avait la bouche sèche comme une pierre et il tendit la main vers la bouteille posée près de la chaise. Charles la prit et la lui tendit. Il avait le visage très pâle et de minuscules gouttes de sueur perlaient sur son front haut.

— Comment est-il mort ?

Martin prit son temps pour répondre. Il emplit son verre et en but la moitié.

— Il s'est coupé les veines. Il nous a épargné ce spectacle, à ma mère et à moi, Dieu merci. Ce fut l'acte le plus noble de sa vie. Il s'est tué dans l'appartement de l'un de ses modèles à Montmartre. Ma mère pensait qu'il avait seulement voulu faire peur à la femme, mais il devait avoir beaucoup bu et perdu son instinct de conservation. De toute façon, ajouta-t-il d'une voix monocorde, il est mort.

— C'est horrible, murmura Charles.

— Oui. Une vie gaspillée.

— Etre déshérité pour une chose aussi banale que vouloir être artiste paraît tellement cruel...

— Je crois que ce ne n'était pas une chose banale pour mon grand-père. Il s'attendait à ce que ses enfants lui obéissent. C'était il y a plus de vingt-cinq ans, ne l'oubliez pas. Une autre époque. Et il était très allemand. Il ne s'était jamais soucié d'apprendre l'anglais correctement, ou d'assimiler les coutumes américaines. Je suis persuadé qu'en tant que chef suprême de la famille il considérait que punir l'enfant prodigue faisait partie de ses devoirs.

Charles se leva brusquement, comme secoué par ce qu'il venait d'entendre.

— Je suis heureux que vous m'ayez dit tout cela. J'ai toujours eu le sentiment que ma mère avait envie que je sache comment son frère était mort. Elle a commencé à m'en parler une fois, mais peut-être m'a-t-elle trouvé peu réceptif, ou bien le sujet était-il trop pénible pour qu'elle l'évoque en détail.

— Peut-être, murmura Martin sans lever les yeux de son verre.

— De toute façon, j'apprécie votre franchise.

De ses doigts raides, il ramena en arrière une boucle de cheveux égarée sur son front, et il se mit à arpenter lentement la pièce.

— On se demande quelle impression cela a dû lui faire. Quel choc, de voir son frère préféré détruit par un ordre aussi rigoureux, sans compromis. Et elle n'avait pas la possibilité d'élever la voix pour protester, ni, en tout cas, d'en modifier l'issue.

— Etre déshérité a sûrement été un crève-cœur, mais ce n'est pas ce qui a détruit mon père. S'il avait été un autre homme...

— Peut-être, peut-être, coupa Charles aussitôt. Mais c'est le décret du père qui a frappé le premier coup. Si ce coup avait pu être adouci, si quelqu'un dans la famille avait accepté de prendre le parti de votre père, d'arbitrer, de concilier...

— Mais ce ne fut pas le cas. Oncle Paul m'a beaucoup parlé de mon grand-père. Sa parole avait force de loi. Mais c'était il y a long-temps. A quoi bon parler de ce qui aurait pu être ou ne pas être fait. A moins que ?... Pardonnez-moi d'être direct, voulez-vous ? Une petite pique à la mode de Chicago. Quelque chose vous tourmente ?

Charles se figea, les yeux tournés vers les fenêtres où la brise de la nuit jouait avec les rideaux. Puis il revint vers le lit et se laissa tomber lourdement sur la chaise.

— J'ai demandé à une femme de m'épouser... un engagement ferme, irrévocable.

— Félicitations. Mais cela ne semble guère vous réjouir.

Il avait les yeux fixés sur ses mains crispées sur ses genoux.

— Nous en avons envie l'un et l'autre. Nous en avons très souvent parlé. La décision finale reposait sur moi... Je ne parle pas de la demande, mais d'affronter mon père carrément et résolument.

— Vous l'avez fait ?

Il leva les yeux, son visage était un masque de fermeté.

— J'ai l'intention de lui parler dans quelques semaines, le jour de mon anniversaire. Je crois que ce sera le meilleur moment. J'ai terri-blement peur qu'il refuse sa bénédiction. Ce n'est pas à cause de la jeune fille — père l'aime beaucoup — c'est ce que fait son père, et ses opinions politiques. Mon père les trouve complètement inacceptables.

L'avoir comme parent par alliance serait une source constante de difficultés pour lui.

Sa résolution sembla s'évaporer et Martin s'aperçut que sa lèvre inférieure tremblait légèrement.

— Je suis certain que père quitterait plusieurs de ses clubs. Et ce qu'il pourrait faire d'autre, je... je...

Sa voix s'éteignit dans le silence.

Martin se pencha pour prendre le champagne. La bouteille était aux trois quarts vide et il divisa le contenu entre son verre et celui de son cousin.

— Je crois comprendre où vous voulez en venir. Essayez-vous de me dire que votre père pourrait vous déshériter ? Vraiment, une chose pareille peut-elle se produire de nos jours ?

— Non, je ne pense pas être légalement déshérité, mais il pourrait me tourner le dos, refuser de me considérer comme son fils. Cela paraît peut-être très dur, mais c'est ce qui peut se passer. Rien ne peut l'empêcher d'agir ainsi, sauf peut-être ma mère. Elle a toujours eu une grande influence sur lui et elle adopterait probablement une attitude ferme. Je crois qu'elle se souviendrait de votre père, de la façon dont il a été coupé de la famille et de ce que cela lui a fait — ou de ce qu'elle pense que cela lui a fait. C'est là-dessus que je compte.

— Bon dieu, dit Martin à mi-voix.

Il prit une gorgée de champagne.

— Il vaudrait peut-être mieux que vous lui parliez avant.

— Non, répondit Charles. Elle me dirait simplement de réfléchir encore, d'attendre. Elle espère que mes sentiments pour Lydia évolueront, ou bien ceux de Lydia pour moi. Mais cela ne se produira pas.

Il vida son verre et se pencha en avant.

— Elle est si belle. Elle part à Londres demain, mais à votre retour de voyage je veux que vous la rencontriez. Vous comprendrez aussitôt ce que je ressens pour elle. Lydia Foxe est la créature la plus adorable, la plus séduisante et la plus exquise à qui Dieu ait jamais accordé la vie.

Martin évita de regarder Charles dans les yeux. Il but son champagne — le vin avait soudain un goût d'éventé. Il songeait à Jacob Golden et à la remarque qu'il avait faite à Fenton au sujet de sa rencontre avec Lydia Foxe à Paris. Pouvait-il y avoir deux Lydia Foxe ? C'était peu probable.

— Je vous souhaite que tout aille pour le mieux.

— J'en ai la ferme intention, répondit Charles avec un peu trop de passion. Oui, je crois vraiment que tout se passera bien.

Tombant dans l'euphorie, il voulut partir à la recherche d'une autre bouteille de champagne, mais Martin l'en dissuada et lui conseilla d'aller se coucher. Il n'était pas d'humeur à prolonger conversation et beuverie jusqu'au matin. Après le départ de Charles, il éteignit la lumière et s'enfonça dans le lit, épuisé. Mais il lui fut impossible de trouver le sommeil.

— Nom de dieu ! murmura-t-il à l'adresse du plafond.

Son père n'était pas un fantôme qu'il ne puisse affronter. Mais il préférait ne pas y songer, voilà tout. Le temps dissolvait son image. Un homme de grande taille qui entrait et sortait furtivement de l'appartement de la rue Dupin, comme ombre et fumée...

Il se tourna et se retourna pendant longtemps sous la couverture légère, puis il sortit du lit et se dirigea vers la fenêtre ouverte. Il regarda les jardins, si ordonnés, si géométriques, si impeccablement taillés. Cette sérénité semblait paradoxale quand on songeait aux problèmes de son cousin. Peut-être était-ce symbolique de l'Angleterre : une façade magnifiquement soignée, faite de grâce paisible, derrière laquelle les émotions bouillonnaient avec autant de violence qu'à New York ou Chicago. Il était tombé dans un piège ingénieux. L'Angleterre pouvait faire cela à un Américain en visite. Les vieilles pierres et les coutumes de l'Empire avaient tendance à submerger votre bon sens yankee, à endormir votre clairvoyance et à vous noyer dans la brume. Même Henry James, pourtant réceptif, était tombé au moins une fois dans le piège : il avait écrit un livre plein de descriptions enthousiastes de demeures et de clairières sylvestres — mais vide d'êtres humains. L'Angleterre était davantage que des flèches gothiques et des ruines romaines, des châteaux Tudor et des stations thermales géorgiennes. C'était un pays d'êtres humains, riches et pauvres, avec tous les vices et les vertus dont a hérité toute chair. Il garderait cela présent à l'esprit lorsqu'il écrirait ses articles pour le journal de Jacob Golden. Il s'attacherait à la vérité. Il écrirait ce qu'il verrait, ressentirait et entendrait — et si les rédacteurs du *Daily Post* n'appréciaient pas, ma foi, tant pis.

6

Jamie Ross était ravi d'être à Londres, et son humeur s'améliorait de jour en jour. Tout en arpentant l'étroite cour pavée qui séparait les écuries de l'arrière de Stanmore House, il se délectait du parfum d'essence brûlée que la brise du matin apportait de Bayswater Road et d'Oxford Street, où la circulation était déjà intense. Ce parfum était plus doux pour lui que tous les vents de la campagne. Londres, c'étaient les automobiles et la compagnie de ses véritables pairs : les hommes qui conduisent ces voitures et les font marcher. Londres, c'était un bistrot près de la gare de Paddington, où chauffeurs, garagistes et mécaniciens se rencontraient autour d'un bock pour parler sérieusement de magnétos, de carburateurs, de pompes à essence et de chevaux-vapeur. Londres, c'étaient aussi de jolies filles, des troupeaux de bonnes d'enfants et de servantes, de dactylos et de Dieu sait quoi d'autre, à Hyde Park, à Piccadilly et sur le Strand. Pour un type dans son genre, Londres c'était le paradis, songeait-il en marchant de long en large. Les talons de ses bottes claquaient sur les dalles de pierre, il portait un uniforme neuf de serge gris tourterelle, des bottes noires et des guêtres hautes, une casquette grise avec une visière de cuir noir et des gants de cuir noir très fins. Il roulait un peu des épaules, persuadé qu'une ou deux servantes devaient jeter un coup d'œil de temps en temps à travers les rideaux de la grande maison. Et il continua d'aller et venir devant les vieux bâtiments de pierre de taille qui avaient jadis servi de remises à calèches, mais que l'on avait transformés en garages, avec des logements pour le personnel au-dessus. De l'autre côté de la cour, l'arrière de Stanmore House dressait ses quatre étages. C'était un bloc de pierre uniforme, dont la façade aux colonnes de marbre donnait sur Park Lane.

Un des garages était ouvert, et ses portes de bois repliées révélaient la Rolls-Royce prête à partir. Ross s'arrêta un instant pour la regarder. Une bonne voiture. Soigneusement astiquée jusqu'à lancer de riches reflets d'argent. Un beau brin de mécanique sous le capot, mais on pouvait faire mieux. Il avait écrit une lettre à la compagnie Rolls-Royce pour suggérer une façon d'améliorer le système de carburation, et il l'avait glissée le matin même dans la boîte aux lettres de Brook Street. Il se demanda s'il en sortirait quelque chose.

115

— Salut, Ross. Tu veux une sèche ?

Il se détourna de la voiture : l'un des vieux valets de pied s'avançait vers lui. L'homme était en bretelles et portait des pantoufles de feutre. Il prit la Woodbine offerte, et le valet la lui alluma.

— Tu as un horaire de banquier, on dirait.

Le valet fit la grimace.

— Je n'ai pu me fourrer dans les draps qu'à trois heures passées, ce matin. Ils avaient trente-cinq personnes à dîner hier soir. Rien de prévu pour ce soir, Dieu merci. Ils vont au théâtre.

Le valet de pied s'assit sur une marche de pierre et déplia le journal qu'il avait sous le bras. Ross s'appuya contre la porte du garage et regarda par-dessus l'épaule de l'homme.

— Qu'est-ce qu'il s'est passé à Newmarket hier après-midi ?

Le valet tourna les grandes pages du journal.

— Voyons un peu... Ah ! Kennymore a battu Princesse de Galles sur le poteau. Pas de surprise.

— Qui a remporté la deuxième ?

— Sheba... Elle était à sept contre un.

Ross siffla doucement entre ses dents.

— Si seulement j'avais mis un ou deux tickets sur elle !

Il se pencha davantage pour mieux voir le journal.

— Monté par Jack Johnson. Personne ne peut battre ce gars-là.

— Frank Moran n'a même pas essayé. Ils disent ici qu'il n'était pas dans sa meilleure forme. Il n'est plus ce qu'il était, c'est certain.

Ross parcourut la page des sports à travers la fumée de sa cigarette. Rien qui puisse l'intéresser, ou presque. Des résultats de cricket : Winchester contre Eton, la Marine bat l'Armée de terre à Lord. Il détestait le cricket, un jeu sans attrait, ennuyeux au possible. Les épreuves de l'America's Cup à Torbay, *Shamrock IV* en tête ; un double à Wimbledon ; du polo à Ranelagh. Il n'y aurait rien d'intéressant pour lui avant le début de la saison de football.

— Tu es au courant pour l'archiduc ? demanda le valet de pied en tournant la page.

— Quel archiduc ?

— Celui d'Autriche.

— Et alors ?

— Il a été assassiné hier. Lui et sa dame.

Ross ôta sa cigarette de sa bouche et fit tomber la cendre par terre.

— Raconte, dit-il. Qui a pu faire ça ?

— Des anarchistes. Ils ont lancé une bombe, et ensuite ils ont tiré sur le pauvre type. Ils l'ont tué, et elle aussi.

— Sans blague, dit-il, incrédule.

— C'est dans le journal.

Le valet de pied feuilleta le journal jusqu'à ce qu'il trouve la photographie de l'archiduc.

— Regarde : l'archiduc François-Ferdinand, héritier du trône d'Autriche, et l'archiduchesse assassinés à Sarajevo. Un attentat politique d'étudiants, ils disent.

— Je sais lire.

Il se pencha par-dessus l'épaule de l'homme.

— Sarajevo, où c'est ?

— En Bosnie.

— Jamais entendu parler. Un de ces pays à la manque. Ça ne pourrait pas se passer ici. Trop civilisé.

— Le Roi a mis la Cour en deuil pour huit jours.

— *Notre* Roi ? Pourquoi ? Le bougre n'était pas un de ses parents, tout de même.

Ecœuré, le valet de pied referma le journal.

— Tu n'y entends vraiment rien de rien en dehors de la mécanique, et tu te fiches bien du reste. C'est la courtoisie la plus naturelle du monde, voilà tout. De la simple politesse. D'un roi à un autre.

Ross se redressa et s'éloigna lentement.

— Merci pour la sèche, l'ami.

Le valet de pied ne lui plaisait guère. Pas plus, d'ailleurs, que le reste du personnel masculin. Pas de caractère, ces gens-là. Satisfaits de leur sort. C'était ça leur problème. Satisfaits de se balader avec des culottes leur tombant au ras du genou et des perruques poudrées, comme trente-six pédales de Drury Lane. Il tira une dernière bouffée de sa cigarette et jeta le mégot au loin. Il commençait à faire chaud, le soleil tapait sur les murs des vieilles écuries et leurs toits d'ardoise semblaient concentrer la chaleur. Le col haut de sa veste, trop serré, commençait à le gêner et il sentit que ses mains étaient moites dans ses gants. Mais, bon dieu, on était le 29 juin, et qu'espérait-il donc ? Des flocons de neige ? L'église de South Audley Street se mit à sonner huit heures.

— Dieu merci, murmura-t-il en entrant à grands pas dans le garage ouvert. Il s'installa au volant de la Rolls-Royce et avant que l'heure ait fini de sonner il avait quitté l'arrière-cour et s'était engagé dans Park Lane. Lord Stanmore, précédé d'un valet de pied, sortait au même instant par la porte principale.

— Un minutage de première ! murmura-t-il.

Il arrêta la voiture le long du trottoir, le valet ouvrit la portière de derrière et le comte entra.

— Bonjour, Ross.

— Bonjour, milord.

Lord Stanmore s'enfonça dans le siège avec un soupir sonore.

— Ah ! Une matinée parfaite, Ross.

— Absolument, milord, dit-il en observant le flot des voitures descendant de Marble Arch, à l'affût du moment où il pourrait glisser la Rolls dans la file sans obliger un autre chauffeur à freiner ou à donner des coups de klaxon.

— Une trop belle journée pour qu'on la gaspille en ville. On devrait tous rentrer à Abington, hein, Ross ? Pour respirer un peu d'air pur de la campagne.

— Absolument, milord.

— Il faut que j'aille à la Chambre, Ross. Mais ce ne sera pas trop long. La rédaction d'un message de condoléances... Cet assassinat bestial de l'archiduc d'Autriche.

— J'étais justement en train de lire un article à ce sujet, milord. Et j'ai dit à M. Picker qu'une chose pareille n'aurait jamais pu se produire en Angleterre, milord.

Lord Stanmore se pencha en avant pour mieux dominer le grondement de la circulation. Le jeune Ross lui plaisait. Un garçon éveillé, intelligent. Très capable sous des dehors frustes. Un bon exemple de ce qu'il pouvait y avoir d'admirable dans les basses classes.

— Tout à fait juste. Et très bien jugé, aussi. Nous avons peut-être nos anarchistes en Angleterre, mais ils ont le sens du *fair play*. Vous rendez-vous compte, tuer cet homme un dimanche ! Mais ce qui est fait est fait, et l'on n'y peut rien. Je vais vous dire une chose, Ross, que vous ne lirez dans aucun journal : on ne versera sûrement pas beaucoup de larmes sur son sort à Vienne.

— Pas possible, milord.

— L'homme n'était pas aimé et personne ne lui faisait confiance. Il était sur le point d'ajouter que l'épouse morganatique de l'archiduc était une *déclassée*, rien de plus qu'une bourgeoise, mais il se ravisa.

— Enfin, dit-il, *de mortuis nil nisi bonum*. Il ne faut pas dire du mal des morts.

Ross conduisit le comte au Parlement et trouva une place pour la voiture à Parliament Square. Il passa les deux heures suivantes à converser agréablement avec les autres chauffeurs qui attendaient près de leurs automobiles. Il leur parla du système de carburation auquel il avait songé et de la lettre qu'il avait adressée à la compagnie Rolls-Royce. Le chauffeur de Lord Curzon, un homme grand aux cheveux blancs, intervint aussitôt.

— Dis-moi, Ross, tu as pris un brevet.

— Non. Pourquoi ?

— Pourquoi ? Pour que personne ne puisse voler ton idée.

Ross fit un grand clin d'œil aux autres hommes.

— Eh bien, si quelqu'un s'y risque, je saurai à qui dire merci.

— Ne fais pas le faraud, dit l'homme de Lord Curzon un peu froissé. J'espère que tu n'as pas envoyé des plans à Rolls-Royce ?

— Non... Je leur ai simplement écrit.

Il commençait à se sentir un peu moins fier.

— Je leur ai dit juste ce qu'il fallait pour leur mettre l'eau à la bouche.

— Bien.

L'homme sortit de sa veste un bout de papier et un crayon et s'appuya contre une aile pour écrire.

— Je vais te donner le nom et l'adresse de mon beau-frère. Il est premier clerc d'un cabinet d'avocats, New Fetter Lane, près de Lincoln's Inn. Va discuter avec lui dès que tu le pourras. Il te dira comment faire pour prendre un brevet.

— J'ai des dizaines et des dizaines d'idées.

— Vraiment, Ross ? Eh bien, mon gars, prends un brevet sur la meilleure. Cela risque de te rapporter davantage que de claquer ton argent aux quilles ou à acheter de la bière.

— Merci, vieux, murmura-t-il.

— Pas de quoi, mon gars. Et bonne chance.

— Attention, les voilà, les prévint un chauffeur en jetant sa cigarette.

Lord Stanmore et une douzaine d'autres pairs traversaient Palace Yard en bavardant joyeusement, le cigare aux lèvres. Pas du tout l'humeur où l'on s'attend à trouver un groupe d'hommes qui vient de rédiger un message de condoléances, songea Ross. Il redressa sa casquette et se dirigea vers sa voiture.

— Souviens-toi de ce que je t'ai dit, lui cria le chauffeur de Lord Curzon. Va le voir tout de suite.

Un léger parfum de xérès se répandit dans la Rolls lorsque Lord Stanmore s'installa à l'arrière.

— Pall Mall, Ross. Vous me conduirez au club, puis vous irez voir quelles sont les intentions de la comtesse et de ma fille.

Il réprima un rire ironique et contempla avec bonheur la cendre de son cigare.

— J'imagine qu'elles ont dû vous bousculer un peu au cours de ces dix derniers jours.

Non, songea Ross en faisant tourner la voiture aux reflets d'argent dans Whitehall, le comte ne pouvait absolument pas l'imaginer. Il ne faisait qu'assister aux diverses soirées qui se succédaient à Stanmore House presque tous les jours, il n'avait pas à les préparer. Ross estimait qu'il avait travaillé en moyenne quatorze heures par jour depuis que la famille et la plupart des domestiques étaient remontés d'Abington Pryory. Pour les femmes de chambre, les cuisinières et les valets de pied, le service avait été encore plus long et plus pénible. Tout en conduisant tranquillement vers la bousculade de Charing Cross il se demanda ce que Madame la comtesse et Lady Alexandra lui réservaient pour le reste de la journée. Madame la comtesse avait une passion pour la remise des invitations en main propre : il lui fallait sillonner Londres en tout sens, avec un valet de pied assis près de lui en grande livrée, perruque poudrée et tout, sous les huées joyeuses de tous les conducteurs de camions qui passaient. Miss Alexandra était folle de sauteries, ce qui signifiait de longues heures à attendre devant le Café Royal ou à la porte d'une maison de Belgravia ou de Chelsea, en jasant avec les autres chauffeurs tandis que les échos du tango erraient dans les rues sombres. Une fichue perte de temps. Il fallait que d'une manière ou d'une autre, il trouve une heure pour passer à ce cabinet d'avocats de New Fetter Lane. Un brevet avec son nom dessus ! Cette perspective le ravit. Bien sûr, cela lui coûterait cher, peut-être jusqu'au dernier sou de ses économies. Peut-être serait-il même forcé de revendre sa motocyclette, mais ce n'était pas un grand sacrifice. Et il lui faudrait renoncer à ses menus plaisirs pendant quelque temps. Plus de balades avec les filles, plus de cinéma. Un sou est un sou.

— Tournez dans le Strand, Ross, s'écria Lord Stanmore.

Il obéit sans discuter, bien que cela signifiât couper la route aux autres voitures, au milieu des grincements de frein et des coups de klaxon irrités. Penché en avant, Lord Stanmore tendait le bras à travers la glace de séparation qui, une fois relevée, l'isolait complètement de son chauffeur.

— Là, Ross, devant chez Cook. Oui, parbleu, je crois que je l'ai vu. Arrêtez-vous devant.

Il y avait une grande cohue roulant pare-chocs contre pare-chocs vers la gare de Charing Cross, mais Ross se faufila.

— Martin !

Le comte baissa la glace de la portière et passa la tête au-dehors.

— Martin, cher ami !

Martin Rilke, debout sur le trottoir, parlait avec le responsable du circuit. Il tenait sa serviette sous le bras et sa vieille valise de cuir était à ses pieds. En entendant prononcer son nom il se retourna et s'avança vers la voiture.

— Bonjour... monsieur. (Il n'avait pas encore le courage de l'appeler *oncle Tony*.) C'est une surprise...

Lord Stanmore tendit la main par la portière et saisit le bras du jeune homme.

— Et une surprise très agréable. Ce voyage est terminé ?

— Il reste encore deux jours pour la visite de Londres, mais j'ai l'intention de me débrouiller seul. J'étais justement en train de faire mes adieux au guide.

— Vous venez d'arriver en ville ?

— Oui. Nous sommes rentrés de Cambridge avec l'autocar ce matin. Un bon voyage, mais épuisant. Ils vous mènent à un train d'enfer.

Lord Stanmore ouvrit la portière.

— Montez, mon garçon, nous allons vous ramener à la maison. Toutes vos affaires sont arrivées de la campagne comme prévu, et votre chambre vous attend.

Martin hésita.

— Merci, monsieur, mais j'ai écrit sur le voyage quelques articles que j'espère vendre au *Daily Post*. Je vais prendre un taxi.

— Des vacances studieuses, hein ? Rudement bien joué. Mais montez quand même. Je vais à mon club, le chauffeur vous déposera ensuite à l'immeuble du *Post.*

Il se glissa sur le siège.

— Une arrivée en grand style ne compromettra pas vos chances de vente.

New Fetter Lane était pratiquement à l'angle de l'immeuble du *Daily Post.* Ross se hâta de sortir de la voiture pour éviter que Martin pût refuser l'offre du comte.

— Je m'occupe de vos bagages, monsieur, dit-il aussitôt. Et puis-je me permettre de vous dire que cela fait plaisir de vous revoir, monsieur, vraiment plaisir ?

L'immeuble du *Daily Post* était un amalgame architectural de cathédrale gothique et de gare de chemin de fer de l'époque victorienne. De minces colonnes ioniques de pierre noircies par la suie et des tuyaux de cuivre d'un vert mat reliaient des myriades de fenêtres en une masse monolithique pleine de majesté, conçue pour impressionner l'observateur le plus distrait et lui faire mesurer la puissance de la presse.

— Désirez-vous que je vous attende, monsieur ? demanda Ross en s'arrêtant devant l'entrée principale.

— Non, merci, répondit Martin. Je prendrai un taxi. 57, Park Lane. C'est bien ça ?

— Oui, monsieur, Stanmore House.

Le chauffeur s'éloigna et Martin, serrant sa serviette sous son bras droit, s'élança sur le large escalier de pierre et entra dans le hall du journal, vraiment digne d'un palais. Un planton en uniforme l'escorta jusqu'au deuxième étage et le fit entrer dans une vaste salle pleine de bureaux de chêne où s'affairaient des hommes en bras de chemise. Des fils d'acier tendus horizontalement au-dessous du plafond traversaient la pièce en tout sens. De petits tubes métalliques glissaient sans arrêt le long de ces fils comme des obus d'une cible à l'autre. Des machines à écrire crépitaient, des hommes hurlaient dans des téléphones ou appelaient à grands cris les garçons d'imprimerie. Les tubes contenant les messages sifflaient sur les fils et une rangée de téléscripteurs ajoutait leur cliquetis au vacarme. Comparée à cette pièce, la salle de rédaction de *L'Express* de Chicago rappelait un service de pompes funèbres.

— M. Golden est ici, monsieur, lui dit le planton avec un accent cockney si prononcé que Martin eut du mal à le comprendre. La quatrième table au centre après les cabines vitrées.

Martin aperçut Jacob Golden, penché sur un bureau, une visière verte posée très bas sur son front. Il remercia le planton et se fraya un chemin parmi les allées — avec parfois du papier brouillon jusqu'aux chevilles. Un homme au visage tourmenté leva les yeux de son bureau lorsque Martin arriva à sa hauteur.

— Comment écrivez-vous comte Marish Szogyeny ? lui demanda-t-il. J'ai l'esprit complètement lessivé.

Un tube de métal siffla au-dessus de leurs têtes puis fila le long d'une glissière courbe qui se dressait à l'angle du bureau de l'homme, avant de s'arrêter dans un petit réceptacle qui ressemblait à la culasse d'un fusil. L'homme appuya sur un levier et la boîte lui tomba dans la main.

— Ah ! non, bon dieu ! Plus de mémos ! Le patron devient complètement cinglé !

Martin le laissa à ses ennuis et s'avança vers le bureau de Golden.

— Salut, Rilke, lui dit Golden d'un ton joyeux. Renverse une corbeille à papier et assieds-toi.

— J'ai l'impression d'être importun. Vous avez l'air rudement occupés.

— Pas moi, *eux*.

Il se pencha en arrière sur sa chaise et se croisa les mains derrière la nuque.

— Je fignole un article sur un employé qui a levé le pied avec cinq mille livres appartenant à son patron, et qui mène aujourd'hui une vie de rêve au Brésil. Quant aux autres types de cette salle, ils sont moins occupés qu'ahuris. La politique intérieure de l'Autriche-Hongrie n'a jamais été leur point fort et voici que le patron — c'est-à-dire mon vénéré paternel, bien sûr — exige des colonnes et des colonnes de prose incisive et documentée pour expliquer les aspirations politiques bosniennes à une multitude de lecteurs incultes et mal décrassés. J'ai mes petites idées sur ce recoin sombre du vaste monde, mais nul ici-bas ne semble intéressé à m'entendre les exprimer.

— C'est une chose terrible. Mais il ne semble pas y avoir de crise majeure en perspective.

Les lèvres minces de Golden se tordirent en un sourire ironique.

— Précisément, mon cher Watson. C'est l'affaire du chien qui n'a pas aboyé.

Martin se gratta la joue.

— Désolé, Holmes, mais c'est un peu trop elliptique pour moi.

Golden décroisa ses mains et prit une boîte de cigarettes sur le bureau.

— Notre connaissance de la fourmilière européenne a besoin d'être un peu rafraîchie, on dirait.

— Un peu, oui.

— C'est un défaut assez fréquent, j'en ai peur ; mais ne pleurez pas, le professeur Golden est là, avec ses commentaires caustiques et un assortiment complet de documents évocateurs.

Il fit claquer la boîte de cigarettes après en avoir pris deux, et il en tendit une à Martin.

— L'empire austro-hongrois, une simple boîte à cigarettes Abdullah, dit-il, mais dans la vie réelle, pas si simple que ça. Un méli-mélo d'Allemands, de Magyars, de Croates, de Slaves, corrompu et monumentalement stupide, n'ayant qu'un seul rival en matière de stupidité et de corruption, l'empire russe qui le touche vers l'est.

Il fit glisser un encrier à côté de la boîte de cigarettes.

— Le puissant encrier russe, ténébreux, avec ses serfs, ses Cosaques, ses mystiques et ses sombres complots — dont la plupart sont d'ailleurs concoctés dans les cafés viennois.

— Je ne suis pas complètement ignare en matière de politique européenne, lança Martin avec son meilleur accent flegmatique de Chicago.

— Non, j'en suis certain, Rilke, mais vous avez observé tout ça de loin, depuis l'autre côté d'un océan. Je l'ai vu depuis les entrailles de chaque capitale. De la haine. C'est là le mot clé du continent. Tout le monde hait tout le monde.

Martin prit une allumette sur le bureau et alluma sa cigarette et celle de Golden.

— Je sais cela aussi. Ma mère était française, et née en Lorraine. Elle a porté le deuil de la province perdue jusqu'à la fin de ses jours.

— Et votre père était allemand ?

— Un Allemand d'*Amérique*. Jamais elle ne s'est lancée dans une guerre franco-prussienne contre lui. Ils avaient des guerres plus personnelles à livrer.

Le sourire de Golden se fit énigmatique.

— La haine de la France pour l'Allemagne est une haine normale, on a presque envie d'en sourire. Pour voir une haine authentique, il faut aller en Serbie, dans les petits cafés de Belgrade et, le plus banalement du monde, autour d'un verre de slivovitz, orienter la conversation sur l'Autriche et sur la question de son droit légitime à conserver tous les peuples slaves de Bosnie et d'Herzégovine étouffés sous l'aile des Habsbourg. *Alors*, mon cher Rilke, vous verrez haïr. Ces Serbes sont un peuple violent, au sang chaud. Il y a neuf ans, ils ont massacré un de leurs rois et la plupart de sa maison. Ils les ont hachés menu comme de la viande pour chiens, et ils ont jeté les morceaux par les fenêtres du palais. Le roi qu'ils ont maintenant a un port très impérial, il est grand, droit, avec un visage assez aimable. Un seul défaut mineur : l'homme est fou. Le pays est gouverné par un régent faible et des ministres à gros biceps. Intrigues et contre-intrigues, radicaux du panslavisme, la Main noire. Oh ! la Serbie est un petit pays tout à fait charmant. Et nous les aimons : ils sont si petits, si courageux, alors que l'Autriche est une masse énorme.

Un homme jaillit d'un des bureaux voisins.

— Puis-je t'emprunter une plume ? Je viens de casser ma dernière. Golden ouvrit le tiroir du milieu.

— Sers-toi. Tu veux rester quelques minutes ? Je suis en train d'expliquer la crise des Balkans.

L'homme prit deux plumes dans le tiroir et se détourna au plus vite.

— Grands dieux, non.

— J'ai peu d'auditeurs, soupira Golden en soufflant sa fumée. Savez-vous pourquoi ? Parce que personne n'arrive à concevoir un monde qui ne soit pas divisé nettement en bons et en méchants, en héros et en salauds. Eh bien, de l'autre côté de la Manche, ce sont tous des *salauds,* du premier jusqu'au dernier.

Il fit glisser une boîte de trombones au-dessous de la boîte de cigarettes.

— La Serbie, dit-il. Sur le flanc sud de l'Autriche. C'est la raison pour laquelle les Russes aiment les Serbes. Ils mettent les Autrichiens en porte à faux et immobilisent la moitié de leur armée. Jamais l'Autriche ne se lancera dans une guerre contre la Russie avec ces Serbes accrochés à son ventre fragile. Bien. Et où en sommes-nous en ce moment ? Un archiduc mort. Pas une grande perte. Un Habsbourg typique, portant corset pour avoir la taille mince, et avec des idées plus minces encore. Mais sa mort va donner aux Autrichiens un prétexte pour écraser la Serbie, s'ils peuvent prouver que le crime a été commis par un activiste serbe. Or ceci ne fait aucun doute, en tout cas dans ma tête.

Il poussa brusquement la boîte de cigarettes contre la boîte de trombones.

— L'Autriche décide d'attaquer la Serbie, mais pas dans le feu de la colère — un chien qui n'aboie pas ne peut pas être entendu, n'estce pas ? Oh, non ! jamais ils ne traverseront le Danube s'ils ne sont pas sûrs que l'Allemagne tiendra les Russes en échec. Or cette assurance leur sera donnée le moment venu. Ceci mettra les Russes en fureur, et nous pouvons donc faire avancer l'encrier contre les cigarettes. Des hordes et des hordes de Russkoffs barbus, plus qu'assez pour retenir l'Autriche, et les Allemands par-dessus le marché. Et que fera la France si la guerre fait rage de la Baltique à l'Adriatique ? Elle a signé un traité avec la Russie, le bon prétexte dont *la belle France* * a besoin pour venger 1870, l'Alsace et la Lorraine, les provinces sacrées. Avec l'ours russe semant la terreur parmi les Allemands de Prusse Orientale, les Français franchiront le Rhin et se jetteront sur Berlin avec leur bel enthousiasme, pour défiler en triomphe sur Unter den Linden comme les Allemands l'ont fait sur les Champs-Elysées il y a quarante-quatre ans.

Il se pencha en avant avec un sourire radieux et braqua sa cigarette sous le nez de Martin.

— Mais les Allemands sont des types très malins. Ils savent tout ça. Ils l'ont mis noir sur blanc il y a des années. Ils apprécient et ils honorent les généraux qui ont des idées, alors que nous méprisons les nôtres et que les Français ignorent les leurs. C'est plutôt de mauvais augure, non ? Toujours est-il que les Allemands ont un plan pour contrer les initiatives françaises. Ce n'est pas un secret. Tous les *sous-lieutenants* * de l'armée française en font des gorges chaudes. Il consiste à opérer un glissement massif sur le flanc à travers la Belgique pour pouvoir envelopper les armées françaises dans un filet, et les écraser en moins de trois semaines avant que l'ours russe n'ait eu le temps de mettre le bout du nez hors de sa tanière. Ce n'est pas un plan sans faiblesses, mon cher Rilke, mais il peut très bien marcher, et même marcher très bien. Les Français se refusent à croire que l'Allemagne oserait violer la neutralité de la Belgique. Nous aussi. Ce ne serait pas très « sport », n'est-ce pas ? Ce ne serait pas de jeu. La Belgique est sacrée et inviolable. Il y a un bout de papier qui le démontre, signé par nous-mêmes et toutes les grandes puissances, il y a des années et des années. Une vieille relique de plus à jeter aux ordures.

— Oh merde ! s'écria l'homme du bureau voisin au comble de l'exaspération. Mets-la un peu en veilleuse, je ne m'entends plus penser.

— Tu ne peux pas entendre ce que tu ne peux pas faire, mon vieux.

Golden poussa un profond soupir.

— Enfin !... Je suppose que nul n'est prophète en son pays.

L'homme lui adressa un regard narquois.

— Mais toi, tu es unique, Jacob. Tu n'es prophète dans aucun pays. Sans exception. Mais merci pour les plumes. Tu as une âme généreuse.

Golden se pencha en arrière sur sa chaise et regarda dans le vide, la cigarette vissée au coin des lèvres.

— Où en étais-je ?

— Du diable si je le sais, répondit Martin en riant. En train de chevaucher à bride abattue à travers la Belgique.

— Oui. Je criais au désastre, comme d'habitude. Je ne peux pas en vouloir aux gens de se cacher sous les tables quand j'entre dans une pièce. J'espère que je ne vous ai pas ennuyé ?

— Pas du tout. Je suis ravi que vous m'ayez rafraîchi les idées.

Golden écrasa sa cigarette et nettoya la scène européenne en rangeant l'encrier à sa place et en faisant tomber la boîte de trombones dans le tiroir d'en haut.

— Revenons à des sujets plus plaisants. Le voyageur américain est rentré sain et sauf. Comment avez-vous trouvé notre petite Grande-Bretagne ? Pas de révolution à Manchester, je pense. L'Écossais sauvage et chevelu reste-t-il toujours de son côté de la frontière ?

— J'ai passé des journées formidables, répondit Martin en riant. J'ai écrit une demi-douzaine de petites chroniques. C'est en sténo, malheureusement. Si je pouvais emprunter une machine à écrire...

Il posa sa serviette sur le bureau.

125

— Inutile, le coupa Golden. J'ai appris la sténo Pitman sur les genoux de mon vieux père. J'espère que c'est de la Pitman et non cette affreuse chose américaine.

— C'est de la Pitman.

— Bien.

Il alluma une cigarette et poussa la boîte vers Martin.

— Laissez-moi votre texte et allez faire un petit tour. Vous trouverez une espèce de cantine au fond de ce couloir sur votre droite. Du thé acide et des petits pains ramollis, au profit d'un dispensaire pour filles repenties atteintes de maladies vénériennes à Huddersfield. Salut, je m'occupe du reste.

Le thé était doux et les petits pains croustillants ; et l'œuvre de charité, une école professionnelle pour orphelins à Southwark. Martin s'assit à une petite table près d'une fenêtre donnant sur les jardins du Temple et sur le fleuve. Il finissait sa seconde grande tasse de thé et son troisième petit pain lorsque Golden entra dans la cantine avec les articles sur le voyage roulés en un cylindre serré. Il s'assit et frappa avec le rouleau sur le bord de la table.

— Tu as passé beaucoup de temps à ça, Rilke ?

— Non, pas tellement.

— Simplement ce qui t'est venu à l'esprit ?

— Si l'on veut, oui.

Il sentit que ses joues prenaient feu.

— Eh bien, c'est foutrement bon. Tu as l'œil vif et l'oreille leste. Le comice agricole du Yorkshire m'a fait rire aux éclats. Les juges sont sortis tout droit de Dickens. De la satire aimable. Juste la dose.

Il le regarda, songeur.

— Quand pars-tu pour le continent ?

— Après-demain.

— Il est absolument vital que tu y ailles ?

— Non, bien sûr. Pourquoi ?

— Parce que tu pourrais peut-être retarder ton voyage quelque temps. Je crois que ton style d'écriture pourrait très bien plaire à nos lecteurs. L'opinion d'un Yankee sur la Grande-Bretagne, en mettant l'accent sur les attitudes typiques des couches supérieures de la classe moyenne. Comme les hobereaux du Yorkshire. Ce serait peut-être bon pour au moins huit semaines, et avoir une chronique dans le *Post* serait pour toi une très bonne expérience. Ou bien faut-il que tu rentres à Chicago à une date fixe ?

— Non. En fait, je ne sais même pas si je pourrai retrouver ma place à mon retour.

— Ceci veut dire que tu es intéressé ?

— Bien sûr.

La bouche ironique s'adoucit en un sourire chaleureux.

— Parfait. Nous faisons un saut là-haut et je te présente au patron : j'espère que tu lui en mettras plein les yeux.

L'étage supérieur de l'immeuble formait un contraste saisissant avec ceux d'en bas. Aucune agitation, aucun visage harassé, aucune machine à écrire tapant à vous briser les nerfs. Des tapis profonds et des lambris de chêne étouffaient tous les bruits. D'énormes portes de chêne s'alignaient le long d'un large couloir recouvert de moquette. Toutes étaient fermées, toutes portaient des plaques de cuivre discrètes avec des noms gravés : M. KEENE, M. UPSHAW, M. ROSENBERG...

— Les véritables puissances résident ici, comme les véritables prophètes résident au ciel, chuchota Golden comme s'il venait d'entrer dans une cathédrale. Ce sont les hommes qui déterminent la ligne politique du journal.

Son petit sourire ironique revint aussitôt.

— Une tâche terriblement difficile. Doit-on faire déjà campagne pour le droit de vote des femmes, ou bien attendre et observer comment le vent va tourner ? Et quelle attitude prendrons-nous à l'égard du contrôle des naissances ? Du théâtre grivois ? De l'impôt sur le revenu ? Les décolletés doivent-ils être plus ou moins profonds cette saison ? Si l'on ne fait aucun bruit et si l'on tend l'oreille, on peut entendre leurs cerveaux grincer comme des engrenages rouillés.

Le corridor se terminait sur une double porte de chêne. Pas de nom gravé sur une plaque de cuivre. C'était inutile. Les portes donnaient dans un vestibule où plusieurs personnes étaient assises dans des fauteuils de cuir. Elles avaient l'air résigné d'hommes qui ont beaucoup attendu et qui savent qu'ils ont encore longtemps à attendre. Un secrétaire se tenait derrière un petit bureau près d'une deuxième double porte.

— Il est occupé ? demanda Golden.

— Naturellement, répondit le secrétaire avec l'accent traînant d'Oxford. Vous ne le savez que trop. Mais il vous recevra si c'est important.

— C'est important, dit Golden.

Il se pencha vers l'oreille de l'homme et chuchota de façon mélodramatique :

— Le type qui est avec moi a tiré le coup mortel, hier à Sarajevo, et il accepte de tout raconter pour cinq tickets.

Plusieurs visages se dressèrent. Le secrétaire affecta de bâiller.

— Entrez, Jacob, mais emmenez votre assassin avec vous.

Les portes s'ouvraient sur une pièce caverneuse, à moitié bureau et à moitié musée. Des vitrines garnies d'objets d'art égyptien voisinaient avec des téléscripteurs enfermés dans des dômes de verre insonorisés. Des tableaux de Reynolds, Gainsborough et Turner disputaient l'espace libre sur les murs avec des cartes bon marché de l'Europe fixées sur les panneaux de chêne avec de simples punaises. Une multitude de secrétaires et de dactylos des deux sexes entraient et sortaient des cabines de verre avec une sorte de frénésie complètement muette. Au fond de la pièce se trouvait une grande table de salle à manger en chêne, qui servait de bureau, et derrière, dans un fauteuil Biedermeier, se tenait Harry Golden, Lord Trewe.

— Président, dit Jacob, je vous présente Martin Rilke de Chicago. Un éminent journaliste de *L'Express*.

Il n'y avait pas la moindre ressemblance entre le père et le fils, songea Martin en tendant la main au-dessus de la table. Si Jacob était un saule, son père était un chêne. Et quel chêne ! Le roi de tous les chênes. Un tronc robuste avec des bras qui méritaient vraiment le nom de branches. Un marin, se souvint Martin, participant toujours aux courses de l'America's Cup, mais condamné à perdre chaque fois derrière Sir Thomas Lipton. La main qui avait pris la sienne était dure et calleuse comme un pied de marin.

— Rilke, tu as dit ?

Sa voix lui correspondait bien : un grondement grave comme un orage en mer.

— Vous êtes parent de Paul Rilke de Chicago ?

— C'est mon oncle, monsieur.

Martin, tendu, s'attendait à une poignée ferme, mais la grosse main brune était étrangement douce.

— Un de mes bons amis. Je l'ai vu il y a deux ans, oui c'est cela. Dans cette même pièce. Comment va-t-il ?

— Bien, monsieur, très bien.

La main brune s'éloigna pour rejoindre sa compagne. Les doigts de Lord Trewe s'entrecroisèrent sur un gilet de la taille d'une voile. Une chaîne d'or, en guise d'écoute, tombait en boucle d'une poche à l'autre.

— Dans ce cas, vous êtes aussi le neveu d'Hanna Stanmore. Oui. Vous lui ressemblez, c'est certain.

Martin décela enfin un trait commun aux deux hommes. C'était dans la bouche. Les mêmes lèvres en coup de couteau. Rien d'autre n'était semblable, uniquement cela. Les yeux de Jacob étaient immenses et lumineux, ceux de son père minuscules comme des perles de verre noires, presque perdues dans un grand visage charnu, brûlé par le soleil.

Jacob se pencha au-dessus de la table et posa devant le Lord de la presse le rouleau que formaient les articles de Martin.

— Le jeune Rilke a visité la bonne vieille Angleterre avec un circuit de chez Cook et il est revenu avec quelques observations très amusantes, d'un millier de mots chacune. J'aimerais que vous les lisiez.

Lord Trewe ne leur accorda qu'un coup d'œil.

— Si tu dis que c'est bon, Jacob, donne-les à Blakely.

Jacob ramassa les articles et glissa le rouleau sous son bras comme un bâton de maréchal.

— Parfait. Mon idée, c'est de donner à Rilke une chronique brève chaque jour : son point de vue sans œillères sur la scène sociale et élégante de Londres. En utilisant un nom de plume : Cousin Yankee ou quelque chose dans ce genre. Il demeure chez les Stanmore, ce qui lui permet d'observer de l'intérieur les joyeusetés de la haute société — et ce qui impose le nom de plume, Rilke : nous ne pouvons pas vous faire accuser de mordre la main qui vous nourrit, n'est-ce pas ?

— Il peut se nourrir lui-même, grommela Lord Trewe. Nous n'avons jamais été accusés de faire travailler nos correspondants au rabais.

Un jeune homme harassé se précipita vers la table avec des poignées de papier arrachées aux téléscripteurs.

— Les rapports de Berlin et de Moscou, monsieur.

Lord Trewe les arracha des mains de l'homme et les parcourut rapidement. Son visage était impassible, comme la figure de proue sculptée d'un navire. Quand il eut terminé, il les mit de côté d'un geste désinvolte.

— J'ai quelques mémorandums à dicter. Demandez à Miss Fisher de venir.

— Oui, monsieur, répondit le jeune homme en repartant.

Lord Trewe se tourna vers son fils, un vague sourire sur les lèvres.

— Toutes tes craintes se révèlent sans fondement. La sérénité règne. Le monde a l'habitude de voir des Habsbourg se faire assassiner. On pense beaucoup de bien du nouvel héritier présomptif. Pas une ride sur la mare européenne.

— L'eau bouillonne dans les profondeurs, répondit Jacob. C'est ce que je crois.

Lord Trewe s'enfonça dans son fauteuil.

— Continue ton travail, Jacob. Et essaie de téléphoner à ta mère de temps en temps, c'est la moindre des politesses.

D'autres messages arrivèrent, et le Lord de la presse se détourna dans son fauteuil pour les étudier. L'entrevue était manifestement terminée et Jacob entraîna Martin vers le pandémonium de la salle de rédaction.

— Eh bien, Rilke, comment se sent-on quand on travaille pour le journal le plus puissant du monde ?

— Très bien. Mais je ne peux pas rester chez les Stanmore. Ce ne serait pas très correct.

— Tu vas avoir du mal à trouver un logement convenable, mon vieux. On est en pleine saison et Londres est bourrée à craquer. Je vais te dire une chose : j'ai des chambres à ne savoir qu'en faire dans un vieil appartement immense de Soho, au-dessus du meilleur restaurant hongrois existant de ce côté-ci du Danube. Et je sais que tu aimeras ma piaule : toutes les petites danseuses de Londres en ont une clé.

En se penchant par la fenêtre mansardée et en étirant le cou pour éviter une cheminée, Ivy Thaxton avait une belle vue de Mayfair. Un peu bancale, plus de toits que de rues, mais c'était tout de même Londres, et elle y était !

Chers maman et papa, et mes très chères sœurs Mary et Cissy et mes frères Ned et Tom et notre cher bébé Albert Edward. Je vous écris ceci à tous depuis la ville de Londres. Oh ! c'est l'endroit le plus formidable que l'on puisse voir.

Juste au-dessous de la fenêtre, à la base de la grande cheminée, il y avait une sorte de recoin plat que les couvreurs avaient dû utiliser pour entreposer des ardoises pendant la construction de la maison. Passer par la fenêtre avec son papier à lettres et son crayon, et s'asseoir sur ce recoin le dos appuyé contre la cheminée, ne présentait aucune difficulté. Le toit était une merveille qu'elle aurait adoré explorer, une vaste étendue de collines d'ardoises triangulaires courant en tout sens, avec d'étroites vallées pour recueillir la pluie. En hiver, ces vallées seraient des torrents impétueux d'eau noire se précipitant vers les gouttières. Au milieu de ces crêtes vives se dressait une forêt de cheminées et d'évents, certains émettant des nuages de vapeur ou de fumée noire comme des volcans. Les meilleurs moments de ses longues journées étaient les quelques minutes qu'elle pouvait dérober dans une solitude totale en se glissant par la fenêtre de sa mansarde avec l'habileté silencieuse d'un chat.

Le soleil était très chaud et elle détourna son visage pendant un instant, les yeux clos. Le soleil, disait-on, était mortel pour la beauté d'une femme ; elle l'avait lu quelque part, mais les filles de Norfolk adoraient le soleil : on l'apercevait si rarement dans leurs marécages humides et brumeux.

Elle avait commencé sa lettre quelques jours plus tôt, mais elle avait eu si peu de temps pour la terminer ! Velda Jessup avait fait une espèce de crise peu après leur arrivée à Londres : elle était tombée par terre avec de l'écume à la bouche. Elle avait quitté la maison sur un brancard, le corps raide comme un manche à balai. Son départ intempestif avait provoqué un drame : Lady Alexandra était restée sans femme de chambre juste au moment où elle en avait le plus besoin. Mme Broome, qui faisait marcher la maison de Park Lane avec la même assurance paisible qu'Abington Pryory, avait confié le travail à Ivy.

— C'est un grand pas en avant, ma fille.

C'était aussi un travail écrasant. Alexandra vivait dans une fièvre perpétuelle : elle passait ses journées et ses nuits à des soirées, des fêtes, des buffets, des garden-parties, des dîners et des bals ; elle montait à cheval à Rotten Row ; assistait à des présentations dans le monde, à des concerts et des pièces de théâtre. Chacune de ces activités imposait un changement de costume de pied en cap, et elle avait toujours du mal à choisir la robe qu'elle porterait. Elle en essayait une douzaine avant de se fixer sur l'une d'elles, qui d'ailleurs ne lui plaisait qu'à moitié. Et elle parlait ! Cette fille n'arrêtait jamais. Un flot constant de paroles sur ce garçon-ci et ce garçon-là, et devait-elle épouser un homme de loi, ou bien accorder sa main à un hussard plein de panache qui était aussi le plus jeune fils d'un duc ? Et des commérages et des commérages à n'en plus finir, tandis qu'Ivy se battait avec un ourlet défait ou un bouton décousu... Lady Blake, murmurait-on, avait été aperçue au Café Royal avec un danseur des ballets russes dont les charmes faisaient des ravages, alors que Lord Blake, à coup sûr l'homme le plus petit et le plus vilain de tout Londres, se trouvait justement à Dublin ! Et Ivy avait-elle entendu le bon mot désopilant que George Bernard Shaw avait dit à Granville Baker au foyer du Lyceum ?

Ivy sourit dans la tranquillité bénie de la toiture ensoleillée. Pourquoi ne pas se laisser bercer par le grondement assourdi de la circulation et les roucoulades du pigeon qui se pavanait sur une des cheminées ? George Bernard Shaw, vraiment ! Comment aurait-elle pu savoir ce que cet homme avait dit ? Et qui était donc Granville Baker ? Elle aimait beaucoup Lady Alexandra, sincèrement, mais quelle écervelée !

Chers maman et papa et mes très chères sœurs...

Les mots semblaient danser sur la page, sous l'effet du soleil. Du bout de la langue, elle mouilla le bout de son crayon et le posa contre le papier. Mais elle ne parvenait pas à mettre deux pensées bout à bout.

Je vous écris ceci à tous depuis la ville de Londres. Oh ! c'est l'endroit le plus formidable que l'on puisse voir.

C'était vrai — en tout cas ce qu'elle en avait vu : quelques sorties pour accompagner Lady Alexandra qui avait des emplettes à faire, et un après-midi de congé qu'elle avait passé sur un banc de Hyde Park à regarder les rameurs sur la Serpentine. Ross lui avait proposé de l'emmener au cinéma, mais elle avait entendu l'une des filles de la salle à manger raconter à une autre servante ce que Ross avait l'habitude de faire dans les salles obscures.

— Et je lui ai enlevé la main de ma culotte, avait dit la fille en gloussant.

En gloussant ! Ivy leva les yeux vers le pigeon. Si un homme lui avait fait une chose pareille, elle l'aurait drôlement fait glousser, oui ! Avec sa main en travers de la figure. Elle se mit à écrire, de son écriture lente et appliquée... *On m'a donné ici un travail très agréable et de nouvelles responsabilités, votre Ivy vient de monter d'un échelon...*

Etait-ce vrai ? Elle regarda dans le vague, songeuse. Qu'était-elle ? La servante d'une lady. Elle repassait, cousait et rangeait, elle pliait des choses dans des tiroirs et suspendait des choses dans des penderies pendant toute la journée et la moitié de la nuit. Jamais Lady Alexandra ne remettait à sa place ne serait-ce qu'un bas... Mais, après tout, si on a un chien, ce n'est pas pour aboyer soi-même.

Comme le pigeon faisait le fier ! Il se pavanait en tout sens comme si la maison sous ses petites pattes lui appartenait. Ça, c'était le véritable esprit de Londres ! Elle l'avait remarqué dans le parc : à Londres, tout le monde se pavanait, riches et pauvres, dressés sur leurs ergots comme des lords. Elle était restée assise dans sa robe marron toute simple, une main posée sur son canotier pour éviter que le vent ne l'emporte dans le bassin. Trois filles s'étaient avancées dans l'allée, en piochant toutes ensemble dans un sac de bonbons — de jolies filles, de son âge ou peut-être plus âgées. Bien habillées. De jolies jupes de toile et des chemisiers blancs. Elles s'étaient assises un moment sur le banc et elles avaient bavardé en riant, puis l'une d'elles avait tiré d'une petite poche de sa jupe une montre d'argent au bout d'une chaîne d'argent. Elle avait regardé l'heure et elle avait dit : « Oh, Seigneur ! nous ferions mieux de rentrer au bureau, sinon M. Parrot va être furieux. »

Les deux autres filles avaient éclaté de rire et l'une d'elles avait répliqué, vaniteuse comme pas deux : « Pour ce que M. Parrot peut faire ! »

Puis elles étaient parties, sans se presser le moins du monde, le long de l'allée conduisant à Stanhope Gate, vers la grande ville où elles devaient travailler, quelque part dans un bureau, et sûrement pas après six heures du soir. Des dactylos, se dit-elle. On n'apprenait pas à taper à la machine à l'école. On n'apprenait pas grand-chose d'ailleurs. A faire des additions, à lire, à écrire. La bibliothèque de Norwich avait été sa véritable école. Elle avait commencé par les A — Jane Austen, les romans historiques de William Harrison Ainsworth, les essais choisis d'Addison. « Vous ne croyez pas que c'est un peu trop profond pour vous, Ivy ? » Le bibliothécaire avait des vues très strictes sur les lectures qui convenaient aux jeunes filles. Mais elle avait insisté, inébranlable, ouvrage après ouvrage, dans l'ordre le plus strict : Dickens, Galsworthy, Shakespeare, les atlas et les almanachs, les dictionnaires et les encyclopédies. Elle avait beaucoup lu, mais rien appris qui eût une valeur pratique.

... Votre Ivy vient de monter d'un échelon et Mme Broome a dit que je gagnerai à partir de maintenant un shilling de plus par semaine.

Ecrire exigeait trop d'effort. Le cœur n'y était pas et elle ne pouvait empêcher ses pensées de vagabonder dans la ville à ses pieds. Ce fut presque avec soulagement qu'elle entendit la voix de Mme Broome qui la cherchait.

— Ivy ?... Jane, où est Ivy Thaxton ?

La fille allait la dénoncer. (Elle partageait la mansarde avec quatre filles, toutes des rapporteuses.)

— Sur le toit, madame Broome. Je le lui ai dit. Je lui ai dit : Ivy...

Ivy poussa un soupir et referma son bloc de papier. Quand elle leva les yeux, le visage incrédule de Mme Broome s'encadrait dans la fenêtre mansardée.

— Ivy Thaxton ! Remontez ici à l'instant avant de tomber et de vous briser les reins !

— Mais il est impossible de tomber, madame Broome.

— Peut-être. Il est également impossible de permettre à un membre du personnel de Sa Seigneurie de caracoler sur les toits comme un vulgaire ramoneur. Remontez ! Remontez *tout de suite !*

Elle rentra dans la petite mansarde étouffante, franchissant la fenêtre étroite avec la même agilité au retour qu'à l'aller. Elle épousseta la poussière de sa jupe, sous le regard glacé de Mme Broome, tandis que l'autre fille pressait sa main contre sa bouche pour ne pas éclater de rire.

— Franchement, Ivy, dit Mme Broome. Vous êtes incorrigible. Que je ne vous voie jamais plus sur le toit.

— Jamais, madame Broome.

La gouvernante parut sceptique.

— Enfin, nous verrons ce que nous verrons. En tout cas je n'aurai pas à me soucier de votre invraisemblable comportement pendant les jours qui viennent. Miss Alexandra a été invitée dans le Somerset. Vous l'accompagnez, bien entendu. Alors dépêchez-vous de faire les bagages. Votre maîtresse choisira ses robes, mais vous pouvez commencer par les sous-vêtements et les accessoires. Et ne prenez pas un air si repentant, ma fille. Vous ne trompez personne, et surtout pas moi. Aller s'asseoir sur les toits, vraiment !

Elles partiraient le lendemain matin sans faute par le train de huit heures trente à la gare de Paddington. Lady Alexandra était plus excitée et plus loquace que jamais, et elle faillit mourir en choisissant ses robes. Il s'agissait d'une petite fête de trois jours au château — antique et somptueux, mais restauré et pourvu du confort moderne — du duc d'Avon. Elle était allée à l'école avec la fille du duc et tous les célibataires *les plus* épousables d'Angleterre, et peut-être de *tout* l'Empire britannique, avaient été invités.

— Oh, Seigneur ! mais je ne peux pas me montrer dans ces haillons !

A onze heures ce soir-là, les vêtements avaient été enfin choisis et soigneusement rangés. On avait apporté un souper sur un plateau — des sandwichs et du thé. Ivy n'avait fait que mordre deux bouchées du sandwich au jambon : elle avait trop de travail à repasser robes et jupes.

— Dois-je emmener celle en taffetas ? Est-ce que vous aimez celle en soie jaune de chez Worth ?

Un ou deux ourlets avaient besoin de quelques points, un bouton ou deux s'en étaient allés et il fallait les remplacer. Enfin tout fut fini. Les malles de cuir de couleur crème portant les armoiries des Greville (repoussées et dorées à la feuille) furent fermées et prêtes à être emmenées par le valet de pied le lendemain matin. Une petite fête de trois jours ! Ivy frémit à la pensée du travail qu'elle aurait si sa maîtresse décidait de partir en croisière autour du monde.

— Bonne nuit, Ivy. Soyez sur pied de bonne heure demain.

— Oui, milady.

Elle longea le couloir, épuisée, puis monta l'escalier en colimaçon jusqu'au troisième étage où un autre escalier, plus étroit encore, conduisait aux chambres mansardées. Lorsqu'elle passa, une des portes du troisième qui donnait sur le palier s'ouvrit brusquement, et Martin Rilke en sortit. Il était en robe de chambre et il tenait à la main une brosse à dents et un tube de Pepsodent.

— Ivy... Thaxton ? demanda-t-il en souriant.

— Oui, monsieur, dit-elle.

Elle paraissait surprise.

— Vous ne vous souvenez pas de moi ?

Elle hocha la tête.

— Si, monsieur. M. Rilke de Chicago.

— Tout juste ! Les abattoirs et les chemins de fer.

Elle le regardait de façon étrange et il se sentit soudain à court de mots. Il aurait voulu lui dire qu'il avait espéré la rencontrer de nouveau, qu'elle était vraiment la plus jolie fille qu'il ait jamais vue, mais il savait que cela ne ferait que la dérouter et la gêner. En Angleterre, les gentlemen ne parlent pas aux servantes de cette façon. Peut-être ne le font-ils pas d'ailleurs non plus en Amérique, mais il n'avait pas été élevé au milieu des servantes.

— Eh bien, dit-il en désespoir de cause, comment trouvez-vous Londres ? La campagne ne vous manque pas ?

— Non, monsieur.

— Vous venez peut-être d'ici ? Je veux dire : êtes-vous londonienne ?

— Non, monsieur. Je viens d'Illingsham, près de Norwich.

Il n'avait pas visité ces endroits au cours de son voyage organisé. Il commençait à se sentir idiot, debout dans le couloir en peignoir de bain avec sa brosse à dents et son dentifrice. Et il ne trouvait absolument rien d'autre à lui dire.

— Vous allez repartir bientôt en Amérique ? lui demanda-t-elle.

— Non, se hâta-t-il de répondre, ravi qu'elle l'ait sorti de l'impasse. J'ai trouvé du travail au *Daily Post*. Je vais rester en Angleterre pendant deux autres mois. Mais je pars d'ici demain. Je vais habiter chez un ami à Soho.

— Ce sera sûrement très bien. Je vais dans le Somerset demain avec Lady Alexandra.

— Ce sera sûrement très bien aussi.

— Oui, monsieur, dit-elle en se détournant vers l'escalier des mansardes. Bonne nuit, monsieur.

Deux des filles avec qui elle partageait la chambre ronflaient — et très fort. De grands échalas de filles, écossaises toutes les deux, robustes comme des chevaux. Elles étaient employées aux cuisines et leurs mains étaient rouge betterave à force de tremper dans l'eau. Elles travaillaient comme des terrassiers, et elle n'eut pas le cœur de les réveiller pour leur demander de se retourner. Les deux autres filles étaient irlandaises, des servantes de la salle à manger, deux sœurs de Belfast. La colère de Dieu n'aurait pas pu les réveiller.

Ivy s'assit sur son lit étroit, puis se releva pour aller à la fenêtre. Elle aperçut les silhouettes sombres d'une dizaine de pigeons endormis sur la cheminée, serrés contre les poteries. Presque aucun bruit de voitures. La ville dormait, ou bien elle retenait son souffle à la veille du mois de juillet.

Chers maman et papa, et très chères sœurs Mary et Cissy et mes frères Ned et Tom et notre cher bébé Albert Edward. Je vous écris ceci *en pensée* par une nuit chaude dans la ville de Londres. Demain je pars dans le Somerset pour séjourner dans le château d'un duc. J'ai rencontré un jeune Américain très gentil qui est de Chicago, dans l'Etat de l'Illinois, sur les bords du lac Michigan, ce que Tom comprendra parce que tous les deux, nous connaissons mieux l'atlas que les rues d'Illingsham. Il est assez séduit par moi, je crois, mais il est très timide et réservé, et il connaît sa place. Il n'oserait pas dire : Ivy, puis-je me promener avec vous demain ? Ou bien : Ivy, puis-je vous emmener au cinéma samedi ? Après tout, ce n'est jamais qu'un garçon américain avec des valises minables et des pyjamas un peu élimés aux genoux. Demain je pars dans le Somerset, dans le château d'un duc. Le sanitaire, je crois, sera très bien. Tous les célibataires qui comptent dans le monde seront là, et je les épaterai par l'abondance inépuisable de mes tabliers amidonnés et de mes coiffes de dentelle.

— Zut ! dit-elle doucement en regardant, à travers les ombres des toits, la ville endormie à ses pieds. Zut... zut... et zut !

7

Lord Charles Amberley sortit du hall très frais du Carlton Club et attendit patiemment, dans la chaleur de l'après-midi, que le portier lui ait appelé un taxi. Pour toute personne qui passait, il avait l'air élégant, calme et désinvolte — qualités que l'on s'attend à trouver chez toute personne sortant du Carlton. Mais au fond de lui, tout bouillonnait. Il venait de quitter son père, et absolument rien n'était résolu. Ils avaient déjeuné ensemble, saumon d'Ecosse avec une bouteille sublime de vin du Rhin, suivi de fruits, de fromages et d'un cognac centenaire. Son père avait attendu le cognac pour porter un toast à son anniversaire.

— Au 23 juillet. La date de naissance de mon fils. Que ce soit toujours un jour ensoleillé.

— Merci, père.

— Bois, mon enfant. C'est une vraie fine Napoléon.

Son père était d'excellente humeur. La saison tirait à sa fin, de plus en plus de gens abandonnaient Londres pour leurs propriétés à la campagne. Il pourrait bientôt faire de même sans choquer personne. Abington Pryory serait de nouveau en pleine activité pour la fête légale du premier lundi d'août.

— Je vous assure, Charles, que les chevaux me manquent. Que je sois damné si je mens ! Banks va les tenir en forme à son idée, mais je les souhaiterais beaucoup plus minces. Je vais être obligé de leur faire tomber la graisse. Et en parlant de chevaux, mon garçon, pourquoi ne venez-vous pas avec moi courir le Tetbury en septembre ? Comme au bon vieux temps.

— Peut-être, père.

— Je suis ravi de l'entendre. A propos, je croyais que Roger et vous aviez l'intention d'aller en Grèce ce mois-ci.

— Nous y avons renoncé. Roger prépare un recueil de poèmes, une plaquette.

— Un été fructueux, hein ? Alex vous a dit qu'elle avait finalement fait son choix ?

— Non. Et comment a-t-elle procédé ? Elle a fermé les yeux et planté une épingle sur la liste ?

— Presque ça, oui. Le nom du garçon est Saunders. Belle allure.

Trinity College. Au Foreign Office. Neveu et héritier de Lord Esher. Bien sûr, c'est son choix pour *cette* semaine. Mais j'espère qu'elle s'y tiendra.

— Moi aussi. Et puis, père, j'ai décidé d'épouser Lydia.

Comme ces mots lui avaient paru doux à l'oreille. Une mélodie. Pour son père, ce n'était sûrement pas la même musique, mais il avait dit peu de chose. Il avait pris une gorgée de cognac et allumé une cigarette.

— Oh ? Vous connaissez mes sentiments à ce sujet, Charles. La pensée que vous soyez le gendre d'Archie Foxe m'est extrêmement pénible.

— Parce qu'Archie est dans le commerce ?

Le comte avait pris le verre de Cognac entre ses deux mains et il en humait l'arôme.

— Archie Foxe est un commerçant qui a très bien réussi. Grand bien lui fasse. Je ne saurais nullement lui en tenir rigueur. Mais ce que je ne peux pas tolérer chez lui, c'est son mépris pour la structure des classes en Angleterre. Dieu me damne, mais je suis sûr que cet homme est socialiste de cœur. Et ses liens avec Lloyd George et toute cette bande malpropre de libéraux iconoclastes me répugnent franchement. Je suis désolé. Lydia est la bienvenue dans ma maison depuis son enfance. Jamais je ne lui ai fait d'affront, en pensée ou en acte, parce que je désapprouve les opinions de son père. Mais le mariage... c'est hors de question.

— Et si je l'épouse malgré tout, père ?

Sa voix avait paru grêle et sans force dans l'immensité de la salle à manger. Il avait scruté le visage de son père mais n'y avait décelé aucun changement d'expression révélateur. Le comte avait paru vaguement ennuyé, c'est tout.

— Je ne désire pas discuter davantage de ce problème, Charles.

Il avait posé son verre sur la table et tendu la main vers la bouteille de cognac.

— Prenez un autre doigt de fine Napoléon. Cela fait du bien.

Le déjeuner avait traîné interminablement pour Charles : plusieurs amis de son père étaient venus à leur table se joindre aux toasts d'anniversaire. Mais tout s'était enfin terminé, et il avait pu prendre congé.

Le taxi arriva et il se laissa tomber sur le siège arrière. La colère et la déception lui nouaient la gorge et il lui fallut plusieurs secondes pour se reprendre. Il donna l'adresse au chauffeur. Dieu, quelle torture ! Et que pouvait-il faire ? Il avait l'impression d'être attaché à deux chevaux tirant en sens opposé. Il était manifeste que son père ne lui indiquerait jamais la ligne de conduite qu'il adopterait. Il ne pouvait pas l'empêcher matériellement d'épouser Lydia. Il ne ferait pas de scène et il ne se mettrait pas en travers de la porte de l'église. Mais il risquait de leur faire savoir, à tous deux, sans la moindre ambiguïté, qu'en ce

137

qui le concernait ce mariage n'existait pas. Un mariage entre deux étrangers, une union auquel il n'assisterait pas et qu'il ne reconnaîtrait pas. Mère l'empêcherait-elle de prendre des mesures aussi funestes ? Et si elle le tentait, père serait-il suffisamment ébranlé par ses arguments pour modifier sa conduite ? Ses mains se crispèrent. Les articulations lui firent mal. Tout était incertain, et il serait impossible d'obtenir des réponses solides, concrètes. Eviter le problème, gagner du temps : tel était le jeu de ses parents. Et celui de Lydia ? Par tout ce qu'il y a de plus sacré, quelle serait sa réaction s'il ne pouvait lui affirmer que son mariage la ferait entrer dans la famille ? Aucune femme ne pouvait avoir envie d'épouser un homme mis au ban par son propre père. Il ne croyait pas vraiment, malgré ses assurances, qu'elle ne désirait rien d'autre que lui-même. Etre acceptée par la société était important pour Lydia, et il ne pouvait lui en tenir rigueur.

Lorsque le taxi tourna dans Pall Mall il regarda par la portière. Jamais le parc n'avait paru si beau, les arbres formaient une ombre verte magnifique sur un ciel d'un bleu presque inimaginable pour l'Angleterre — un ciel d'Italie, comme on en voit à Amalfi au mois d'août. Les tours de brique rouge de St. James se dressaient au-dessus des arbres et devant Buckingham Palace les sentinelles étaient sorties de leurs guérites. La Garde écossaise, remarqua-t-il, tandis que le taxi dépassait le palais en direction de Lower Belgrave Street.

La belle-fille du comte de Stanmore...

Il ne pouvait que s'interroger sur l'importance de ce lien familial pour Lydia. Quelles portes nouvelles allaient s'ouvrir devant elle ? Des portes que tous les millions d'Archie ne lui auraient jamais permis de franchir... Lydia *Amberley*. Ce nom s'accompagnait d'une auréole indéfinissable de prestige et de privilèges. Il signifiait des garden-parties et des bals dans des demeures où Lydia *Foxe* n'aurait pas été admise, ou, au mieux, simplement tolérée. Et elle serait acceptée de façon définitive et irrévocable, même aux niveaux les plus exclusifs de la haute société — pourvu, bien entendu, que leur union ait été publiquement bénie.

— Dieu ! murmura-t-il d'un ton farouche.

Quelle serait sa réaction s'il lui apprenait que leur union serait refusée ? Qu'à leur mariage l'absence de son père ferait figure de coup de tonnerre ? Allait-elle sourire, l'embrasser, et lui dire que cela n'avait pas la moindre importance ? Non, il savait très bien comment elle réagirait, et à cette pensée son sang se glaça. Lydia l'aimait, il n'en doutait pas, mais son amour se fondait, au moins dans une certaine mesure, sur la position qu'il occupait dans la vie. Pourtant... S'il avait tort ? Si elle s'en souciait comme d'une guigne ? Si elle voulait le mariage, avec ou sans la bénédiction paternelle ? Que se passerait-il ? Pouvait-il faire fi de l'opinion de son père et partir avec elle ? Balayer d'un simple geste son sens du devoir et de ses obligations.

Il avait le sentiment de vivre un cauchemar. Ses émotions étaient si désordonnées qu'en arrivant à sa destination il remit un billet de cinq livres au chauffeur et lui dit de garder la monnaie. L'homme s'éloigna en toute hâte avant que ce fou ne recouvre son bon sens.

L'ordonnance de Fenton Wood-Lacy ouvrit la porte de l'appartement meublé avec goût où Roger demeurait pendant ses séjours à Londres. Roger se trouvait dans le salon, assis sur le plancher au milieu des épreuves de ses poèmes. Rupert Brooke était allongé par terre près de lui, sans chaussures et sans chaussettes, et sa chemise de tennis, complètement déboutonnée, révélait son torse brun, hâlé par le soleil. Lascelles Abercrombie, l'ami de Brooke, assis dans un fauteuil, tirait sur sa pipe tout en lisant l'édition du soir du *Globe*.

— Bonjour, Rupert, dit Charles.

C'était un vrai plaisir de revoir cet homme. Le poète avait déjà quitté King's College lorsque Charles et Roger étaient arrivés à Cambridge, mais son influence y était restée très forte. Il avait marqué de son sceau tous les groupes littéraires qui s'étaient épanouis. Et Brooke avait vécu pendant un certain temps près du collège, au vieux presbytère de Grantchester. Charles, Roger et bien d'autres y avaient passé des heures et des heures à converser sans fin de littérature et de poésie, ou à nager dans le lac artificiel au-dessus de Byron's Pool... *l'aiguille de l'église a-t-elle dépassé trois heures ? Et restera-t-il du miel pour le thé ?*

— Bonjour, Charles, répondit Brooke avec un sourire nonchalant. Heureux anniversaire.

— Oui, Amberley, murmura Abercrombie. Bien des choses.

— Je vois que Roger m'a fait de la publicité, dit Charles.

Brooke acquiesça.

— Dans l'espoir que nous pourrions te pousser à donner une petite soirée en cet honneur, ou tout au moins une agape princière dans quelque taverne modeste mais épicurienne.

— Ce sera pour moi un plaisir, dit-il d'une voix trouble.

Roger leva alors les yeux vers lui et remarqua la pâleur maladive du visage de son ami.

— Dis-moi, Charles, tu vas bien ?

— Très bien, merci.

— Tu n'en as pas l'air. Webber !

L'ordonnance s'élança dans la pièce.

— Oui, monsieur ?

— Servez un grand whisky à Lord Amberley. Et M. Brooke et M. Abercrombie prendront une Guinness s'il en reste.

— Il n'y en a qu'une bouteille, monsieur.

— Vous vous la partagerez. Comme deux bons copains que vous êtes.

Il attendit que le serviteur-soldat ait disparu.

— Mon cher frère tient sa maison comme un ladre. Mais sincèrement, Charles, tu es pâle comme un fantôme.

Charles s'assit sur le bord d'un sofa. Il ne se sentait pas bien du tout.

— Ce n'est que la chaleur, et les relents d'essence. Bon dieu, laissat-il échapper, j'aimerais bien filer pendant un mois ou deux. Ne peuxtu pas retarder ce fichu bouquin ? Partons en Grèce. Prenons le train jusqu'à Trieste, et puis *pedibus cum jambis* jusqu'en Epire.

Abercrombie baissa son journal.

— J'éviterais ce coin du monde pendant quelques mois. L'Autriche vient d'envoyer à la Serbie un ultimatum parfaitement choquant, une véritable gifle en pleine figure. Et avec un gant de fer. Il va y avoir une autre guerre dans les Balkans. Nous en discutions juste avant votre arrivée, Amberley. Vous voulez lire les nouvelles de Belgrade ?

— Qu'ils aillent se faire foutre !

Il y avait dans sa voix une amertume qui les surprit tous — lui le premier.

— Oh ! je vois, dit Roger, nous aimons pourtant la petite Serbie, je crois ?

Tout est parfaitement dans l'ordre, songeait Fenton Wood-Lacy en marchant lentement vers le numéro 24 de Cadogan Square. On était le lendemain du bal de lancement dans le monde de Winifred Sutton, et il était socialement correct de revenir déposer sa carte ou de remercier l'hôtesse pour sa merveilleuse soirée. Il avait l'intention de faire davantage. Il n'avait dansé qu'une seule fois avec Winifred, mais la dernière danse — une valse — et aussitôt après il avait entendu une femme dire à Lady Dexford que sa fille avait belle allure... « et qu'ils formaient un couple tellement adorable ». Lady Dexford avait souri, radieuse. Il avait ensuite apporté à Winifred une dernière coupe de punch et il lui avait demandé s'il pourrait lui rendre visite le lendemain et peut-être, si elle n'était pas trop fatiguée des efforts du bal, l'emmener faire une promenade.

— Je suis tellement contente que vous me l'ayez demandé, avaitelle répondu. Et je vais vous dire un secret : maman sera ravie elle aussi.

Et tout en gravissant le perron de la demeure londonienne des Dexford, il se sentait très « soupirant » avec sa boîte de bonbons de Fortnum and Mason sous le bras gauche. Un valet de pied ouvrit la porte avant même qu'il ait tiré sur la clochette.

— Bonjour, monsieur.

On l'introduisit, presque avec déférence, dans le salon où Winifred et ses parents attendaient. Ils parurent tous extrêmement soulagés de le voir entrer.

— Ah ! Fenton, s'écria le marquis de Dexford.

C'était un homme trapu, presque chauve, avec les jambes légèrement arquées des vieux cavaliers.

— Rudement gentil à vous de faire un saut, quoi. Un verre de xérès ? Vous ai-je dit que j'ai vu votre oncle l'autre jour ? Au club Army and Navy. L'air en pleine forme. Sa division a fait merveille à Salisbury, pendant les manœuvres.

La conversation à sens unique devint de plus en plus idiote, puis, dieu merci, Lady Dexford fit à son mari un signe de tête discret. Ils s'excusèrent et quittèrent la pièce.

Fenton sourit à la grosse fille, tellement modeste et réservée sur le rebord du divan.

— Eh bien, Winifred, dit-il avec une gaieté forcée, votre premier bal a été une réussite totale.

— Vous croyez vraiment ? demanda-t-elle d'un ton timide. J'espère que vous ne vous êtes pas ennuyé.

— J'y ai pris beaucoup de plaisir.

— Mère était si contente que vous soyez venu.

Elle baissa les yeux vers ses mains, croisées sur ses genoux.

— Et elle est très heureuse que vous passiez me voir aujourd'hui.

— Mais, dit-il en se raclant la gorge, tout le plaisir est pour moi, Winifred. C'est pour nous l'occasion de... parler.

— Pouvons-nous faire une promenade ? Cette maison est étouffante.

N'importe quoi plutôt que de rester dans le salon des Dexford, où le marquis risquait toujours de revenir raconter une autre anecdote de sa carrière militaire — brève mais éclatante. Quelques instants plus tard, ils descendaient le perron sous un soleil magnifique.

— Voulez-vous que nous allions aux jardins de Kensington ? demanda-t-il.

Elle posa la main sur son bras.

— Descendons lentement vers le fleuve. J'adore Chelsea, et vous ?

Il reconnut qu'il aimait Chelsea et il lui dit aussi qu'elle était adorable.

Elle rougit beaucoup et sa main se crispa sur le bras de Fenton.

— Merci. Ce ne serait pas bien de vous dire que vous êtes adorable, vous aussi, n'est-ce pas ? Ce n'est pas le genre de choses que l'on dit à un homme, je sais. Mais pourtant c'est vrai. Je me sens très fière de marcher près de vous.

Sa retenue habituelle s'était évanouie dès qu'ils avaient quitté la maison. Elle était très lucide à son sujet, elle avait pleinement conscience de ses points faibles.

— J'essaie de m'améliorer. Prenez cette robe. Je crois qu'elle est très seyante, mais au début maman avait dit non. Elle trouvait son décolleté trop osé, moi, je crois qu'une femme ne doit pas avoir honte de posséder... euh... une poitrine féminine, n'est-ce pas ?

141

— Absolument.

— Un de mes problèmes a toujours été les sucreries. Je raffole des gâteaux à la crème et de toutes les confiseries de la terre, mais si l'on désire parvenir à la sveltesse il faut résister fermement à ces délices. Je garderai votre boîte de chocolats comme un trésor, mais je ne les mangerai pas.

— Je suis désolé. Mon prochain présent ne sera pas comestible.

Elle fit glisser sa main sous son bras. Son intimité était celle d'un enfant. Il eut l'impression d'être l'oncle préféré. Seigneur, se dit-il, comme elle est jeune !

La Tamise était boueuse et l'après-midi trop chaud. Leur conversation sur Chelsea commença à languir. Une brasserie dans Cheyne Walk paraissait engageante, mais il ne put pas l'y entraîner : le simple fait d'être avec lui, de marcher cérémonieusement à son côté, bras dessus, bras dessous, semblait la satisfaire, peu lui importait qu'ils parlent ou se taisent. Un remorqueur remontait péniblement le fleuve en tirant un chapelet de péniches à charbon vides. Quelques oiseaux gris s'élevèrent des bancs de vase, dans l'ombre d'Albert Bridge, et traversèrent le fleuve vers Battersea. Ils continuèrent, quittant l'Embankment pour remonter King's Road en direction de Sloane Square. Une sentinelle debout près des grilles des casernes du duc d'York fit claquer deux fois la crosse de son fusil contre le trottoir lorsqu'ils passèrent à sa hauteur.

— Pourquoi a-t-il fait ça ?

— Parce qu'il m'a reconnu, il sait que je suis officier, répondit Fenton après avoir salué l'homme d'un signe de tête.

— Il est de votre régiment ?

— Non, du Royal Sussex, mais je me suis rendu plusieurs fois dans cette caserne. Il s'est sans doute souvenu de mon visage.

— Non. C'est simplement que vous ressemblez à un capitaine des Coldstream Guards. Je crois que c'est la façon dont vous portez votre canotier. Exactement comme j'imagine que Kitchener porte le sien.

Il se pencha vers elle et lui murmura, très fort, dans l'oreille :

— Ne le dites à personne, mais Lord Kitchener n'a pas un seul chapeau de paille. Rien que des uniformes, même ses pyjamas — écarlates avec des rangées et des rangées de médailles.

Son rire était chaud et profond.

— Oh ! mon dieu, comme la pauvre Lady K. doit souffrir.

Il se plaisait beaucoup en sa compagnie. Il commençait à apprécier vraiment cette fille. Et cette allusion gentiment impudique au vieux K. et à sa femme prouvait qu'elle n'était pas prude. Oui, il l'aimait bien. Elle était plutôt dodue, c'était certain. Et même sa nouvelle robe n'y changeait pas grand-chose. Elle soulignait sa silhouette, oui, mais ce n'était pas le genre de silhouette qui fait tourner les têtes. Ses cheveux étaient jolis sous le soleil et elle avait le teint clair et rose. De bonnes dents. Des lèvres qui semblaient douces et attirantes. Oui, elle lui plaisait. Sa compagnie était agréable, et l'on pouvait en un sens se détendre auprès d'elle.

— Vous ne sentez pas un petit creux ? demanda-t-il. Une tasse de thé ? Des sandwichs ?

— Je sens toujours un petit creux. Ce sera ma mort. On gravera sur ma tombe : Ci-gît Lady Winifred Sutton, jeûnant enfin.

Il rit et son rire explosa comme un coup de feu : des têtes se retournèrent. Il lui prit la main et l'entraîna au milieu de la rue animée, en esquivant voitures et camions, jusqu'à un restaurant italien dont il gardait un bon souvenir. Il y avait emmené Lydia une fois. Elle avait apprécié la cuisine milanaise, mais la faune de Chelsea lui avait déplu : des acteurs, des écrivains et des peintres, qui hantaient l'endroit de l'aurore à la nuit. Winifred, en revanche, était ravie par la révélation d'un aspect de Chelsea qu'elle n'avait jamais vu et dont elle ne soupçonnait même pas l'existence. La pénombre de la salle aux volets clos, les bougies plantées dans les bouteilles de vin sur les tables, la foule un peu bohème, tout la fascinait. Un gros bonhomme arborant une barbe en broussaille, drapé dans une cape de velours en loques, s'arrêta près de leur table et regarda Fenton de pied en cap.

— Vous avez l'air du prince de Galles.

— Seulement quand je suis assis, répliqua Fenton, en se levant.

Il mesurait près d'un mètre quatre-vingt-dix. Barberousse acquiesça.

— Je vois, l'ami. Voulez-vous votre portrait et celui de votre Lady ? Une demi-couronne pièce.

— Et une bouteille de Chianti, bien entendu ?

— Bien entendu.

L'homme esquissa leurs portraits au fusain et au pastel pendant qu'ils mangeaient. Le résultat était excellent.

— Me donnerez-vous le vôtre ? demanda Winifred. Je le conserverai précieusement. Toujours...

Elle se sentait légèrement grise après le verre de vin qu'elle avait bu, aussi fit-il appeler un taxi. Il demanda au chauffeur de les ramener à Cadogan Square par le chemin des écoliers. Elle avait la tête plus claire lorsqu'ils contournèrent le parc, mais elle restait euphorique.

— C'est le plus bel après-midi de ma vie, dit-elle.

— Je suis heureux que vous vous soyez amusée, Winifred.

Elle serra les deux portraits contre elle et se tourna sur le siège pour le regarder.

— Pourrons-nous recommencer ?

Elle était sienne. Mûre pour la demande. Ferrée, dans l'épuisette et dans le panier. Le sang-froid avec lequel il observait tout cela fit naître en lui un sentiment de honte assez agaçant, mais pourtant, bon dieu, elle lui plaisait *vraiment*.

— Aussi souvent que vous le désirez, dit-il. Mais je suppose que vous allez bientôt quitter Londres.

— Oui, dit-elle à mi-voix. Nous rentrons dans le Dorset le 1er août.

Ses yeux avaient un charme troublant.

— Pourrais-je demander à votre père la permission officielle de vous rendre visite, Winifred ? Ici, à Londres... et... le plus souvent possible à Lulworth Manor.

Sa respiration sembla s'arrêter un instant, puis elle poussa un petit cri, se pencha contre lui et effleura son visage des lèvres.

— Oh ! oui, oui. Oh ! mon très cher, mon *très cher* Fenton. Que Dieu vous bénisse et vous garde *toujours*...

Martin Rilke essayait de se concentrer sur ce qu'il tapait, mais le cliquetis des téléscripteurs troublait ses pensées. On lui avait courtoisement attribué une cage de verre, qu'il partageait avec le critique de théâtre, mais la cage était sans plafond et les bruits de l'immense salle de rédaction déferlaient comme de grandes vagues par-dessus une jetée. La manchette de l'édition du matin était prête et il l'aperçut entre les mains d'un prote qui apportait les épreuves aux rédacteurs.

LA CRISE SERBE S'AGGRAVE

C'était un fleuron à la couronne de Jacob, songea-t-il. On l'avait retiré des faits divers pour l'envoyer à Belgrade en toute hâte. Il l'enviait... Mais les pages qui sortaient de sa machine semblaient narguer la gravité de la situation en Europe...

Il y a sur le terrain de cricket de Lord quelque chose qui provoque un sentiment d'humilité, même chez le spectateur le moins initié. Debout dans la Salle Oblongue, au milieu des reliques presque sacrées du passé de ce jeu, lorsqu'il lève les yeux vers le visage sévère de W.G. Grace dont le buste domine le pavillon, même un Yankee ne peut manquer d'être frappé par...

D'être frappé par quoi ? L'absurdité du jeu ? Les joueurs en vêtements blancs, debout sous le soleil ? L'absence de passion ? Les hommes d'un certain âge assis dans l'ombre et murmurant « Beau jeu... Oh ! bien joué, monsieur » ? Et le coup explosif de la balle pour battre le coureur ? Et le coureur lui même qui file sur ses pointes, en soulevant la poussière ?

Mais l'article devait être laudateur, avec simplement quelques vannes aimables à l'adresse des *club-men* les plus indécrottables avec leur ricanement prétentieux. Quelques coups d'épine au milieu des roses.

— Avez-vous terminé, monsieur Rilke ? demanda un garçon de l'imprimerie en passant la tête par la porte.

Il avait un fort accent de l'East End, mais l'oreille de Martin s'était déjà habituée. Il s'anglicisait.

— Dans un petit quart d'heure, Jimmy.

— Parfait, m'sieur.

Vingt minutes avant l'heure fatidique de minuit. Il y arriverait sans mal, bien que ses pensées aillent à la dérive. Quand il eut terminé, il leva le bras : le garçon bondit vers la cage de verre et fila avec son texte. Martin ôta ses lunettes, les essuya avec son mouchoir et les glissa dans sa poche. Le critique de théâtre, un homme cadavérique que personne n'avait jamais vu au journal autrement qu'en tenue de soirée et cravate blanche, s'étira en bâillant à tout rompre, derrière le bureau où il dormait à poings fermés depuis deux bonnes heures.

— Terminé, Rilke.

— Oui. Je file au lit.

— C'est là que je devrais être.

— Vous le pourriez depuis plus de deux heures.

Le critique bâilla et prit une cigarette dans un étui d'argent.

— Je sais, mais je me sens nerveux. Jacob me manque. C'est le seul homme de ma connaissance qui puisse comprendre de façon valable ce qui se passe en ce moment. Les autres types ici ne sont pas fichus d'y voir clair.

Il esquissa un sourire.

— Ils ne savent pas ce qu'ils lisent dans les journaux. Je vais vous dire, Rilke, je suis très inquiet sur la situation dans les Balkans. Je ne vois ni comment cela peut se calmer ni où cela finira. Enfin, nos inquiétudes n'y changeront rien, n'est-ce pas ? Je vous offre un verre chez Romano ?

— Non, merci. Je crois que je vais rentrer directement au bercail.

— Je partagerai votre taxi, si vous n'y voyez pas d'inconvénient. Tard le soir, la solitude me fait absolument horreur. Ça ne s'explique pas. C'est un sentiment infernal.

C'était, semblait-il, un sentiment partagé par beaucoup de gens. Martin avait l'impression que les rues de la ville ne désemplissaient pas. Les cafés de Soho n'étaient pas ouverts vingt-quatre heures sur vingt-quatre, mais s'ils l'avaient été, ils auraient fait des affaires. Peut-être était-ce simplement le temps anormalement chaud qui chassait les gens de leurs chambres, surtout les hommes jeunes, et qui les poussait à marcher en bandes agitées dans tout le West End. Les groupes étaient en réalité tranquilles, extrêmement disciplinés et la police n'avait pas de souci à se faire. On était à la veille du congé du premier lundi d'août, et une certaine excitation était naturelle. Mais cela ne suffisait pas à expliquer le comportement de la foule. L'un des rédacteurs du *Post* qui rentrait de Berlin avait observé la même chose en Allemagne, mais sur une plus vaste échelle : des masses de jeunes gens se pressaient sur les routes vers la Forêt Noire ou les montagnes de Bavière en chantant des chansons de *Brüderschaft*, poussés par quelque besoin profond que personne ne pouvait définir avec précision. Le journaliste avait trouvé cela très étrange, mais les Allemands avaient toujours été un peuple mystique. Une atmosphère de paroxysme, encore en suspens, semblait planer dans l'air comme une brume de chaleur. Lord Trewe, en traversant la salle des rédacteurs financiers au cours de sa visite d'inspection quotidienne, avait fait remarquer que ce dont l'Europe avait le plus besoin en ce moment, c'était d'un bon orage avec des déluges de pluie pour rafraîchir le sang. Mais il ne pleuvait pas. Le ciel était d'un bleu agressif. Jacob avait écrit de Belgrade : « *On peut voir les canonnières autrichiennes sillonner le Danube, qui n'a jamais paru si beau et qui n'a jamais autant donné envie de chanter.* »

L'appartement de Soho avait une odeur d'encaustique et d'ammoniaque. La femme de ménage était venue pendant la journée, non qu'elle dût avoir trouvé beaucoup à faire depuis sa visite précédente. En l'absence de Jacob, les chambres spacieuses de Beak Street restaient propres, en ordre — et vides. Les filles qui avaient l'habitude de se faire déposer en taxi depuis leurs théâtres de Shaftesbury Avenue, pour prendre une coupe de champagne et une pince de homard entre deux représentations (souvent d'ailleurs en costumes de scène) avaient disparu dès que Jacob était parti. Martin se demandait si Jacob avait averti tout le monde de son départ, ou bien si les filles avaient simplement deviné qu'il n'était plus là. Une sorte de septième sens. Plus probablement, les ragots de théâtre. Leur gaieté un peu paillarde lui manquait, les parfums, les boas de plumes et la chair exubérante des petites danseuses. La présence désordonnée de Jacob lui manquait aussi, les papiers et les livres qui jonchaient le sol et les meubles, le nuage bleu de ses cigarettes turques très fortes, le torrent de sa conversation : incisive, exaspérante, séditieuse et païenne — mais toujours digne d'être écoutée.

Il n'y avait pas grand-chose à manger dans la cuisine : du pâté de Strasbourg en boîte, des biscuits de carême, de gros pots de verre de caviar russe et un placard plein de champagne. On prenait les repas substantiels au-dehors, ou on les faisait monter sur des plateaux depuis le restaurant hongrois du rez-de-chaussée : Jacob passait la commande en criant par la fenêtre de derrière dans le cul-de-sac où les cuisiniers et les garçons se réfugiaient pendant les pauses pour jouer aux cartes sur un bidon de lait retourné. Mais le restaurant fermait à onze heures et il devrait se contenter d'amuse-gueule. Il mit une bouteille de champagne à rafraîchir dans le bac à glace, puis il enfila son pyjama et emmena sa serviette dans le bureau de Jacob, la seule pièce de l'appartement convenablement éclairée.

Ses carnets de note étaient restés fermés depuis le mois de juin. Il n'avait pas eu le temps, pas avec cinq articles à sortir chaque semaine pour le journal — et les déplacements nécessaires pour rassembler les éléments. Et puis, il n'avait pas eu envie d'écrire ses pensées. Il avait espéré que son roman prendrait forme à partir de ces notes au jour le jour — l'observation du présent faisant naître des réflexions sur le passé. Mais cela ne s'était pas produit. Sa vision de Chicago et des Rilke ne s'en était nullement enrichie. Et Jacob avait jeté un voile de doutes sur son projet.

— Tous les écrivains à la veille de leur premier roman ont l'impression que l'histoire de *leur* vie et de *leur* famille est un événement digne de bouleverser le monde et qu'il serait monstrueux de ne pas publier. Je suis passé moi aussi par ce stade, Martin. J'avais douze ans à l'époque, et j'ai remarqué soudain une chose que tu as peut-être remarquée aussi : simplement que je ne ressemble pas du tout à mon père. Eh bien, j'ai commencé à y réfléchir et je suis parvenu à la conclusion angoissante que j'étais le résultat d'une liaison entre ma mère et le roi d'Espagne. Puis, animé du projet de saga épique que je concevais pour mes douze premières années sur terre — petit Juif anglais qui était en réalité un prétendant bâtard à un trône catholique —, j'allai fureter dans le grenier et je découvris une grande malle. Il y avait dedans des daguerréotypes de mon père et de sa sœur Rose, morte depuis des années. J'étais exactement son portrait, un sosie de la pauvre chère disparue. Pas du tout un bâtard royal : la simple résurgence de certains types physiques de Whitechapel, après l'affluence des Sephardim à Londres au XVIIIᵉ siècle. Eh oui, le monde a perdu un grand romancier populaire et gagné un journaliste impopulaire. Mon cher ami, le temps file à une vitesse folle. Fais ton possible pour au moins rester à sa hauteur. Tu as un talent sûr pour observer les faiblesses de l'humanité, qu'elles soient pathétiques, attachantes ou terre-à-terre. Il faut que tu l'utilises. Proclame tes articles avec la rage des anachorètes hurlant leurs prophéties aux pierres du désert. Transforme ta plume en poignard et taille... taille ! Et économise tes mémoires pour ta vénérable vieillesse.

Le bouchon de champagne sauta avec un bruit fort agréable et retomba sur le sofa de cuir. Jacob était aussi facile à vivre qu'une guêpe folle ! Mais il avait parfois beaucoup de bon sens. Le roman épique sur les Rilke irait rejoindre dans l'oubli sa saga sur les traminots en grève de Chicago.

Il se versa une coupe de champagne, étala une épaisse couche de pâté sur les biscuits, puis feuilleta la pile de lettres que la femme de ménage avait déposée sur le bureau. Des lettres de relance des créanciers de Jacob, pour la plupart. Une seule enveloppe à son nom. Le papier à lettres du Marlborough Club.

Cher Rilke,

J'ai le malencontreux honneur d'être capitaine de la Garde pour la fête de Lundi. Je vous avais promis un coup d'œil sur le fonctionnement intérieur du service de Buckingham. Cela pourra faire un article pour la presse à quatre sous. Si vous n'avez pas d'autre engagement, je serai ravi que vous vous joigniez à moi et à quelques amis aux quartiers de la Garde à St. James, mardi soir, 4 août à sept heures. Tenue de soirée.

R.S.V.P., si possible.

> Sincèrement,
> Fenton Wood-Lacy

Il lui répondrait demain matin sans faute. Ce serait intéressant. Oui, il pourrait probablement en tirer deux articles.

Les carnets de notes gisaient dans sa serviette. Le dernier texte datait d'Abington Pryory, avant son départ en voyage. Il avait des centaines de commentaires et d'observations à écrire, mais il se borna à noter la date en haut d'une page blanche : *24 juillet 1914, très tôt le matin.* Rien d'autre. Il remua le champagne avec son stylo, puis il en prit une gorgée. Il se sentait trop épuisé pour écrire et trop « remonté » pour dormir. Un événement singulier lui vint à l'esprit et s'attarda en lui avec une violence particulière. Pourquoi cela ? C'était seulement, deux ou trois semaines plus tôt, un pique-nique sur les bords de la Tamise, à Henley, avec les Stanmore et une partie de leurs invités, et pourtant la scène semblait appartenir à une autre époque, suspendue dans le temps et nimbée d'une lumière d'or. Les Régates Royales se déroulaient sur les eaux lisses, très vertes : des bateaux à rames, scintillants, vernis à miroir, glissaient sur le fleuve sans plus de bruit que les cygnes royaux ; les saules laissaient traîner leurs longs rameaux pleureurs dans le courant ; des femmes en robe blanche et en capeline se promenaient sur les berges ; un orchestre jouait sur un kiosque rococo.

C'était la dépêche envoyée de Serbie par Jacob qui avait ressuscité en lui cette journée. *On peut voir les canonnières autrichiennes sillonner le Danube...* Les casques à pointe venaient se superposer au spectacle délicat des bords de la Tamise. On n'avait pas parlé de la crise ce jour-là. On s'était assis dans l'herbe et on avait mangé des fraises à la crème. L'archiduc était dans sa tombe depuis deux semaines. Depuis longtemps oublié. Mais à présent l'Autriche-Hongrie se préparait à la guerre, et la Serbie tenait bon. Que ferait la Russie ? La France ? L'Angleterre ? Des traités et des alliances liaient les pays les uns aux autres comme des chaînes d'acier. Aujourd'hui, dans les chancelleries d'Europe, les lumières brûleraient toute la nuit.

Des fraises à la crème et du vin blanc, le vin servi par le maître d'hôtel des Stanmore — car il y avait évidemment des serviteurs, même pour un pique-nique dans un pré —, rafraîchi dans un seau d'argent plein de glace. Il avait rencontré Lydia Foxe ce jour-là. De quoi avaient-ils parlé ? Il ne pouvait s'en souvenir. Rien d'important. Une femme d'une beauté étonnante. La toquade de Charles était facile à comprendre, mais il avait décelé de l'âpreté et de l'obstination derrière son visage adorable et son maintien plein de grâce. Charles bondissait à la moindre de ses requêtes et il était suspendu à chacune de ses paroles. Elle était intelligente, charmante, mais il l'avait surprise en train d'observer le comte et Hanna qui mangeaient leurs fraises : son regard était alors de l'acier.

Il posa son stylo et referma le carnet. Inutile d'essayer d'écrire. Il éprouvait une sensation d'attente, comme si le monde entier retenait son souffle. Il entendit, dans la rue, des pas qui claquaient sur les pavés : un groupe de jeunes gens remontant Carnaby Street vers Oxford Circus. Il n'avait nul besoin de se lever et de regarder par la fenêtre pour savoir qu'ils étaient une douzaine ou davantage, bras dessus bras dessous, la casquette perchée à l'arrière du crâne, la cigarette tombant au coin des lèvres. Dans les rues de la ville par une chaude nuit de juillet. Plusieurs chantaient une rengaine à succès ; leurs voix graves étaient chargées de bière, mais le son s'éloigna très vite tandis qu'ils remontaient la rue étroite... *C'est loin de la maison, alors ne m'attends pas... Je te donnerai un baiser et quelque chose à croquer, mais surtout ne m'attends pas...*

Ils semblaient tous surveiller la pendule, bien que Roger Wood-Lacy tentât encore d'animer la conversation en racontant quelques histoires drôles. Les serveurs du mess, en uniforme, commençaient à desservir. Martin remarqua qu'il y avait beaucoup de restes sur les assiettes. Mais non sur la sienne. La selle d'agneau sauce Cumberland était délicieuse.

— Vous avez de la bonne cuisine à l'armée, dit-il.

Fenton était assis au bout de la longue table, et les boutons de cuivre de sa tunique écarlate réfléchissaient les chandelles.

— Ce sont les chefs du Palais, mais les hommes que nous avons au mess ne sont pas mauvais non plus. Savez-vous qui offre ce dîner, Martin ?

Martin leva son verre de vin.

— Vous, je suppose, aussi je propose un toast à notre hôte.

Roger battit des mains, et le son se répercuta dans la vaste salle aux poutres de chêne noires et aux murs de brique sombres, datant des Tudor.

— « Je bois à la santé de qui a invité... ». Nous sommes tous poètes ce soir.

— Oui, il ne manque plus que les calembours et les bouts rimés, dit Charles d'un ton lugubre.

— Des rimes ? Quelles rimes ? demanda un lieutenant au regard vague.

— Ne t'inquiète pas, Ashcroft, répondit Fenton. Pour en revenir à ce que je disais, la réponse est non. Je n'ai pas offert ce dîner. Ce repas est dû à la générosité du roi George IV, bien connu dans l'histoire comme l'ami du Beau Brummel. Quoi qu'il en soit, il adorait les bons repas et les femmes polissonnes. Malheureusement il n'a doté le capitaine de la Garde du Roi que des premiers et non des secondes. Ce repas est un legs que nous lui devons et, depuis sa mort, des générations de capitaines affamés et leurs amis lui en sont sincèrement reconnaissants.

— Encore bravo, murmura le lieutenant Ashcroft.

Charles vérifia l'heure une fois de plus.

— Dix heures et demie.

— C'est-à-dire deux minutes de plus que la dernière fois que vous avez regardé, fit remarquer Fenton sèchement.

L'un des amis alpinistes de Fenton, un avocat au visage hâlé du nom de Galesby, fronça les sourcils et secoua lentement la tête.

— Vous prenez tout ceci très à la légère, je dois dire. Après tout, ce qui se passera, ou ne se passera pas, au cours des prochaines quatre-vingt-dix minutes vous concerne beaucoup plus qu'aucun d'entre nous, le lieutenant Ashcroft excepté, bien sûr.

— Bien sûr, répéta Ashcroft, très raide.

L'un des hommes du mess fit passer une boîte de cigares. Fenton en choisit un et le fit glisser lentement sous son nez.

— Nous avons une règle qui nous interdit de parler boutique dans les quartiers de la Garde. Parler de la guerre, mon cher Galesby, serait parler boutique.

— Pour vous. Mais je n'ai jamais touché la solde du Roi, aussi suis-je légalement qualifié pour vider mon sac. Je vous le demande sans fard, Fenton. Croyez-vous que l'Allemagne fera marche arrière à minuit et n'envahira pas la Belgique ?

Fenton alluma son cigare. Le silence était tel qu'ils entendirent tous le crissement de l'allumette. Les serveurs marchaient comme sur des nuages.

— Nous avons dépassé depuis longtemps le moment où qui que ce soit puisse encore reculer. Les Allemands sont aux portes de Liège et Dieu lui-même ne pourrait faire rebrousser chemin à leurs colonnes. Les hommes politiques, les hommes d'Etat, les rois et les empereurs ont fait leur travail, et maintenant c'est aux soldats de prendre la relève. On en est là, voilà tout. Si nous pouvions faire venir ce bon vieux Golden de Serbie, il pourrait probablement vous expliquer ça mieux que moi — bien qu'à la réflexion, j'en doute un peu. Ce serait vraiment comme expliquer la couleur bleue à un aveugle.

L'avocat saisit le flacon de porto qui faisait le tour de la table.

— Seigneur, quelle semaine horrible nous venons de passer !

La pendule était ancienne, un triomphe du style rococo, un petit cadran perdu dans une débauche d'ormolu. Un officier des grenadiers l'avait trouvée dans le bagage d'un général russe après une bataille de la guerre de Crimée. La pièce était pleine de souvenirs de gloires anciennes. Chandeliers d'argent ramenés du Portugal après la campagne dans la péninsule ibérique contre Napoléon, plateaux d'argent offerts à la brigade des Gardes par la duchesse de Richmond un an après Waterloo. Qu'ajouteraient-ils, cette fois ? se demanda Martin. Il regarda la pendule. L'aiguille des minutes fit un petit bond en avant. Il pouvait visualiser les colonnes... des centaines et des centaines d'hommes roulant vers l'ouest dans la nuit à travers l'Allemagne, roulant vers l'est à travers la France. Le long du Danube, la guerre faisait rage depuis six jours. Elle aurait dû rester là-bas, un simple affrontement entre Autriche et Serbie. Jacob avait écrit que la Serbie était petite mais agressive, et que l'empire austro-hongrois était pourri jusqu'à la moelle. Les Serbes pourraient contenir l'invasion autrichienne, et si personne ne se portait au secours de l'un ou de l'autre camp, la guerre s'achèverait en trois semaines par un traité de compromis. Une paix acceptée de mauvaise grâce, peut-être, une paix amère, mais tout de même la paix. Et Jacob avait ajouté dans sa dépêche : « Mais est-ce que le monde désire la paix ? » L'un des rédacteurs avait biffé cette question.

— Avec votre permission, capitaine, j'aimerais proposer un toast, dit le lieutenant Ashcroft, que l'émotion faisait rosir davantage encore.

— Je vous en prie, répondit Fenton, les yeux fixés sur le bout de son cigare. C'est une soirée à toasts.

Le lieutenant bondit de sa chaise.

— A l'Angleterre !

L'aiguille des minutes sauta. Lorsque les échos du toast eurent fait le tour de la pièce, ils entendirent dans le silence le bruit très doux du mouvement de la pendule. On fit de nouveau passer le porto. Les verres se remplirent.

— Etrange, dit Galesby. Incroyable, vraiment, si l'on prend le temps d'y songer. Pas plus tard que la semaine dernière je projetais d'aller à Lanersbach pour me dérouiller les jambes sur les pentes des Alpes...

Fenton lança paresseusement une bouffée de fumée.

— Bah ! Vous pouvez toujours aller au Pays de Galles.

Fenton et le lieutenant Ashcroft devaient faire une inspection de la garde à Buckingham Palace, à minuit, aussi les invités partirent-ils à 11 h 30 — une séparation presque guindée, dans la cour austère et sans arbre de St-James.

— Partageons-nous un taxi ? demanda Galesby lorsqu'ils pénétrèrent dans Cleveland Row.

Charles respira profondément l'air pur de la nuit.

— Non, merci. Je ne parle que pour moi, mais je préférerais marcher.

L'avocat hésita.

— Rudement bonne idée. Je crois que je vais faire comme vous. Vous descendez vers Whitehall, je pense ?

— Nous serons peut-être parmi les premiers à savoir, répondit Charles.

151

Ils marchèrent vers Pall Mall en silence. St. James Park semblait sombre et lugubre de l'autre côté de la large avenue bordée de trois rangées d'arbres. Un héron nocturne glissait sur la surface immobile du lac.

— Oui, dit Galesby presque à lui-même. Très étrange. On aurait cru que des hommes intelligents auraient pu régler ces problèmes autour d'une table de conférence.

— Ce serait contraire au destin, dit Roger avec une ferveur inhabituelle. La guerre est une forme de renaissance. Un rite aussi vieux que le temps. J'ai parlé à Rupert ce matin, au téléphone, et jamais je ne l'ai vu aussi enthousiaste, aussi revigoré. Partir en guerre, rayonnants, à la défense de la petite Belgique, a toute la noblesse et la pureté de la quête du Graal, m'a dit Rupert. Je vois, quant à moi, la chose sous un angle plus hellénique. La mise à la voile vers Ilion.

— Je n'entends rien à tout ça, dit l'avocat en jetant son cigare à demi fumé dans le caniveau. Mais ce dont je suis bougrement certain, c'est que rien ne sera plus désormais comme avant.

— C'est peut-être un bien, dit Charles d'une voix calme.

Ils s'arrêtèrent au bout de Pall Mall. La statue du duc d'York se détachait sur le ciel, les lumières du Palais de l'Amirauté scintillaient à travers les arbres, en bordure du parc. Big Ben sonna l'heure : douze coups graves. Ils entendirent des vivats dans le lointain, puis le tumulte d'une foule, des centaines de pas claquant sur les trottoirs. Des ombres se mirent à courir dans les taches de lumière tombant des fenêtres du Foreign Office. D'autres ombres déferlèrent sur le vaste terre-plein où défilent les Horse Guards. Les torrents convergèrent puis se brisèrent : certains glissèrent rapidement le long de Birdcage Walk, d'autres se jetèrent dans Pall Mall. Des hommes, jeunes pour la plupart, courant avec une exubérance sans retenue.

— La guerre ! criaient-ils. C'est la guerre !

Martin et Galesby reculèrent pour ne pas être happés par la masse frénétique qui se précipitait vers Buckingham Palace, éclatant de lumière soudain. Roger, au comble de l'excitation, saisit Charles par le bras.

— Viens, Charles ! Viens !

Et la foule les engloutit. Ils ne faisaient plus qu'un avec elle, elle les soulevait.

Un homme entre deux âges, à bout de souffle, le visage écarlate, jaillit des ombres de Waterloo Place.

— C'est la guerre ? criait-il. C'est la guerre ?

— Mais oui, bougre d'idiot, répondit Galesby. Ça y est.

LIVRE DEUX

En avant la troupe, en avant,
Et chantez jusqu'aux portes de la mort,
Semez votre joie pour la moisson de la terre,
Et joyeux vous serez, au fond du sommeil.
Jonchez de votre joie la couche de la terre
Et soyez heureux, soyez morts.

Charles Hamilton Sorley
(1895-1915)

I

Le général de brigade Sir Julian Wood-Lacy, Victoria Cross, commandeur de l'Ordre royal de Victoria, était debout près de sa voiture d'état-major sur une colline basse, dans l'ombre d'un moulin à vent abandonné. La route de Maubeuge s'étendait au-dessous de lui, et les peupliers qui la bordaient étaient immobiles dans l'air brûlant, les feuilles blanches de poussière. L'armée remontait du Cateau-Cambrésis depuis l'aube, et les brodequins avaient transformé le revêtement de la route en poudre de chaux. La division du général arrivait, et le premier bataillon du régiment du Lancashire était presque à sa hauteur, suivi du Royal West Kent, puis de trois batteries d'artillerie de campagne. Le reste de la division était loin derrière, ligne kaki qui semblait ramper, à peine visible à travers la poussière. Deux escadrons du 19e hussards, pied à terre pour ménager les chevaux, suivaient la crête d'une colline au loin. Nom de dieu ! songea le général, muet d'émotion, la gorge nouée. Nom de dieu, quelle merveille !

La division était en route depuis trois jours, de l'aurore au crépuscule à travers les plaines vallonnées du Nord de la France. Trois jours de marche harassante depuis le port de Boulogne sous un soleil d'août impitoyable, mais maintenant, enfin, ils étaient arrivés : à quinze kilomètres à peine de la frontière belge. Le général ôta sa casquette de sa tête presque chauve et l'agita énergiquement. Le colonel des Lancashire, sur un cheval alezan, en tête de son peloton de commandement, lui rendit son signal puis se tourna pour crier quelque chose aux hommes en rangs derrière lui.

L'infanterie, par le diable ! Le général remit sa casquette et se raidit comme pour saluer son Roi. Nom de dieu, comme il aimait l'infanterie. Et ils étaient là, les bataillons de sa division, marchant d'un bon pas, fusils en bandoulière, couverts de poussière, les uniformes noirs de sueur... et ils sifflaient. Certains jouaient de l'harmonica ou de la guimbarde, mais tous, jusqu'au dernier troufion, restaient au pas et en colonnes par quatre — et des colonnes qui ne tortillaient pas. Le général avait soixante et un ans, et c'était un fantassin depuis sa dix-septième année, lorsqu'il était entré au vieux 24e Chasseurs comme subalterne. Nom de dieu ! Sur combien de routes, en Inde ? D'innombrables kilomètres. Il se souvenait des rudes épreuves de ces

155

chemins de pierre, de la mauvaise tambouille, de l'eau puante des fossés, des hommes qui tombaient comme des mouches pendant cet horrible mois de septembre sur la route de Jalalabad. Tout cela avait évolué. Maintenant chaque compagnie de chaque bataillon était suivie de chariots à chevaux chargés de vivres, d'un chariot ambulance et des popotes — de réjouissants panaches de fumée s'élevaient des tuyaux.

Les hommes qui passaient se tournèrent vers la colline et se mirent à crier :

— Sommes-nous abattus ? NO-O-ON !

Les cris de la compagnie fusèrent jusqu'au général comme une canonnade. Puis les hommes se mirent à chanter la rengaine de music-hall que la B.E.F. (la Force Expéditionnaire Britannique) avait adopté du jour au lendemain : *It's a long way to Tipperary... it's a long way to go...*

Les unités qui se succédaient reprenaient les couplets l'un après l'autre, rang après rang, les Wiltshire et les Royal Irish, l'infanterie légère des Highlands et le régiment du Middlesex : des visages en sueur, brûlés par le soleil, tournés vers la colline où le « Vieux Woody », debout, les saluait — nom de dieu ! — jusqu'à ce que le dernier de ses dix-neuf mille hommes soit passé, ou au moins en vue.

Good bye, Piccadilly, farewell, Leicester Square... it's a long, long way to Tipperary, but my heart's right there.

Le château de Longueville paraissait d'argent sous la lune, un château de conte de fées avec des tours coniques et des flèches pointues. C'était le quartier général provisoire de la troisième division du deuxième corps d'armée de la B.E.F., et la cour pavée était envahie de voitures d'état-major, de chevaux entravés, et des motocyclettes et bicyclettes des porteurs de dépêches et des estafettes du bataillon. Le capitaine Wood-Lacy dirigea son cheval fourbu vers l'arche gracieuse de fer forgé qui reliait les deux colonnes de pierre de l'entrée, montra ses papiers d'identité au sergent de garde, puis mit pied à terre et conduisit sa monture vers les rangées de chevaux où un joyeux maréchal-ferrant lui offrit de bouchonner l'animal et de lui donner du fourrage. Fenton lui remit quelques cigarettes pour sa peine, puis s'avança d'un pas raide vers l'escalier de pierre qui conduisait à la terrasse du château.

Le hall d'entrée était un vrai capharnaüm. Des hommes des transmissions se débattaient avec leurs téléphones dans un coin, les officiers d'état-major montaient ou descendaient quatre à quatre le grand escalier de marbre baroque, tandis que des pelotons de commandants de compagnies et de bataillons faisaient le pied de grue avec une impatience manifeste. Fenton sentit qu'il attirait tous les regards au milieu de ce foisonnement de commandants, de colonels et de généraux, et il les attira davantage encore lorsque le colonel Archibald Blythe, l'aide de camp du général Wood-Lacy, l'aperçut enfin et franchit la foule des officiers en faisant la sourde oreille à leurs récriminations.

— Ah ! capitaine, dit le colonel en serrant chaleureusement la main de Fenton, ravi que vous ayez reçu le message. Le général est très impatient de vous parler. Montez au premier.

Fenton feignit d'ignorer les regards outrés de ses supérieurs, tandis que le colonel entre deux âges — qui ressemblait davantage à un professeur de grec qu'à un soldat — le conduisait jusqu'à l'étage. Ils pénétrèrent dans une grande pièce.

— Un whisky ?

Fenton, d'un revers de main parfaitement inefficace, essaya d'épousseter son uniforme plein de poussière.

— Avec plaisir. Et aussi une brosse à habits.

— Grands dieux, non, répondit le colonel. Les uniformes poussiéreux et les bottes crottées sont *de rigueur* dans cette division. Je crois que votre oncle ferait passer en cour martiale tout officier qui se présenterait en tenue correcte.

Il posa amicalement la main sur le bras de Fenton.

— Rudement agréable de vous revoir, mon garçon. Reposez-vous, je vais faire chercher une bouteille et un peu de Vichy. Sa Seigneurie ne sera pas longue.

— Comment va-t-il ?

— Heureux comme un pinson au printemps. Il se préparait à prendre sa retraite il y a deux mois, et le voici à la tête d'une division au grand complet contre les Fritz. De quoi donner à réfléchir, non ?

Fenton fit le tour de la pièce, une galerie pleine de tableaux bucoliques et d'*objets d'art* *. Le château d'un homme cultivé. Un soldat apporta du whisky, de l'eau de Vichy et des verres, et Fenton se servit une bonne rasade et s'installa dans un fauteuil Louis XV, beaucoup trop délicat pour qu'on y soit bien. Il avait dépassé depuis longtemps le stade de l'épuisement : il était en selle depuis l'aurore. Les hommes de sa compagnie étaient encore plus éreintés que lui, songea-t-il, car ils avaient fait le chemin sur leurs jambes — mais ils dormaient à présent, dans des meules de foin près de Neuf-Mesnils.

Il venait de finir son verre et songeait à s'en verser un second lorsque le général entra à grands pas dans la pièce. Son uniforme, remarqua Fenton, était soigneusement brossé. Il bondit sur ses pieds, fit passer le verre vide de sa main droite à sa main gauche et exécuta un salut hâtif mais convenable.

— Repos, mon garçon, repos.

Sir Julian regarda son neveu avec un large sourire.

— Tonnerre, mais tu es splendide : crotté comme un barbet. Ravi de voir les Gardes faire enfin du vrai travail de soldats.

— Je dois dire que l'on abandonne la tunique rouge sans déplaisir.

— Je m'en doute, nom de dieu.

Et des deux mains il lui donna des claques amicales sur les épaules.

— Cela fait plaisir de te voir, mon garçon. Comment va le jeune Roger ?

— La dernière fois que je l'ai vu, il était sur le point de s'engager.

Le général tira sur sa moustache tombante, aux poils raides.

— Rudement bien de sa part, mais toute cette histoire s'achèvera avant qu'il ait eu le temps de se faire couper un uniforme. Nos amis teutons ont eu les yeux plus grands que le ventre. Ils retraverseront le Rhin à la débandade avant la chute des feuilles.

— Vous croyez, général ?

Il se pencha en avant et sa voix s'abaissa d'un ton.

— Je le *sais*. Ils ont essuyé des pertes terribles à Liège et ce sera bien pis s'ils essaient de prendre d'assaut les forts de Namur. Les Belges se battent comme des diables. Nom de dieu, j'espère bien que nous aurons l'occasion de faire le coup de feu, mais j'ai peur qu'ils rentrent leurs cornes et qu'ils battent en retraite pour couvrir leur centre. Les Mangeurs de Grenouilles sont à l'attaque depuis ce matin, vers Morhange et Sarrebourg. Demain, à cette heure-ci, ils seront très enfoncés en Lorraine et les Fritz seront dans de sales draps, crois-moi. Je n'ai jamais beaucoup cru à leur tactique : amincir le centre et regrouper toutes leurs forces sur l'aile droite ! C'est une pure idiotie, si tu veux mon avis. La première et la deuxième armée des Français vont trancher dans le ventre des Fritz comme des couteaux brûlants dans de la cire. Un autre whisky ?

— Uniquement si vous m'accompagnez, général.

— Désolé, mon petit. Je n'ai pas le temps. J'ai une montagne de choses à faire.

Il se croisa les bras et se balança lentement sur les talons.

— Je n'irai pas par quatre chemins, Fenton. Je viens de régler ta mutation à mon état-major.

Fenton détourna son regard des yeux perçants de son oncle.

— Cela a un certain parfum de népotisme, ne croyez-vous pas ?

— Un certain parfum ? Nom de dieu, mais ça pue le népotisme à plein nez, Fenton ! Et que les mauvaises langues en jasent autant qu'elles voudront. Tout mon état-major est favorable. Nous entrons en Belgique demain, toute l'armée. J'imagine que tu te représentes ce que cela signifie : quatre-vingt-dix mille hommes en mouvement, et c'est à peine si nous avons une carte valable. Ta brigade est censée demeurer en contact étroit avec mon flanc droit. Cela risque d'être assez délicat étant donné les routes et le relief. J'ai besoin d'un officier de liaison de confiance, quelqu'un qui ne caressera pas le général des Gardes à rebrousse-poil, si tu vois ce que je veux dire.

— Je comprends, général.

— Tu es exactement l'homme de la situation. Blythe te donnera une carte et te montrera la position que nous avons prévu d'occuper le soir du 22, et il t'indiquera l'endroit où la brigade des Gardes devrait se trouver à ce moment-là. Ton travail consiste à t'assurer qu'ils seront bien dans cette position. S'ils n'y sont pas, je dois savoir exactement où ils sont pour ne pas laisser mon flanc perdu dans le brouillard. Les transmissions ne posent leurs fils que le long de la ligne de marche. Je peux décrocher le téléphone et appeler Calais, ou même Paris, mais je n'ai aucun moyen de parler à quelqu'un à cinq kilomètres sur ma droite ou sur ma gauche. J'espère que tu ne m'en veux pas de te transformer en porteur de messages ?

— Non, général, pas du tout.

— Bien. Tout est d'accord. Prends un second whisky pour te donner des forces, puis vois tous les détails avec Blythe.

Sa rude main brune jaillit et serra le bras de Fenton.

— Nom de dieu, c'est un plaisir de t'avoir avec moi. Je t'avais fait mon commandant en second quand tu avais huit ans, tu te souviens ?

— Oui, général, répondit Fenton en souriant. Et Roger était lieutenant-colonel.

— Epées de bois, casques de papier et tout...

Le colonel Blythe parut dans l'embrasure de la porte et toussa discrètement pour attirer l'attention.

— Les commandants de bataillon sont réunis, général...

— Parfait, dit celui-ci, sortant soudain de sa rêverie. Prenez notre nouvelle estafette en main, Blythe, c'est un bon garçon.

Il se détourna brusquement et quitta la pièce. Les éperons de ses bottes sonnèrent joyeusement la charge sur les dalles de terre du palier.

Le colonel Blythe esquissa un sourire.

— Un son réconfortant.

— Le général déborde de confiance.

— Oui, et nous devrions lui en savoir gré. La troupe a bon moral et un culot d'enfer, mais, à l'exception du Vieux Woody, le haut commandement est aussi nerveux qu'une vieille fille dans un fumoir pour messieurs.

Il se versa un whisky et l'avala d'un trait.

— La Ve armée française est quelque part sur notre droite, mais il n'y a aucune liaison entre eux et nous, aucune coordination, de quelque ordre que ce soit. Peut-être sont-ils massés le long de la Sambre, et peut-être pas. Peut-être s'apprêtent-ils à attaquer les Fritz, et peut-être sont-ils sur le point de battre en retraite. Nul ne le sait. Et nous n'avons pas non plus la moindre idée de ce que les Fritz ont en tête. Il peut y avoir en face de nous aussi bien deux bataillons que deux armées entières, mais sincèrement nous le découvrirons bien assez tôt.

Il sortit une carte d'une pochette de cuir fixée à sa ceinture, et la tendit à Fenton.

— Nous partirons vers le nord demain à l'aube. Nos unités prendront position le long du canal entre Condé et Mons. Le Q.G. de la troisième division sera à quelques kilomètres au sud de Mons, à Frameries. Nous désirons que vous y alliez avec le groupe d'avant-garde.

159

Lorsque les secteurs des bataillons auront été déterminés et que vous pourrez les situer sur la carte, vous vous précipiterez vers le premier corps et vous vous assurerez que la brigade des Gardes a atteint Villers-Saint-Ghislain, et qu'ils ont au moins deux batteries de pièces de dix-huit en couverture de la route de Thieu — s'il y a vraiment une route. Les cartes deviennent désespérément inutiles lorsqu'on en vient à ce genre de détails mineurs.

Il fit glisser sa main à travers ses cheveux gris.

— Seigneur, quelle manière étrange de partir en guerre !

La compagnie D bivouaquait dans un champ. La plupart des hommes s'étaient enroulés dans des couvertures près des meules de foin mais quelques-uns, assis par terre, bavardaient en fumant. La compagnie était au complet avec ses réserves, deux cent quarante hommes répartis en quatre sections, et Fenton avait espéré en assumer le commandement. Mais le strict respect des règles avait prévalu : les compagnies ne pouvaient être dirigées que par les majors. Ceux-ci auraient certainement cédé volontiers la place aux capitaines. La plupart d'entre eux avaient la trentaine bien sonnée, et certains, comme le major Horace Middlebanks qui commandait pour l'instant la compagnie D, étaient en permission prolongée depuis des mois — Middlebanks dans sa propriété d'Irlande où il élevait des chevaux d'obstacles et distillait du whisky. A force de goûter ce dernier, il avait mis son foie en capilotade ; et il n'éprouvait aucun plaisir à voir son commandant en second faire ses bagages pour le quitter.

— Par l'enfer, Fenton, grommela-t-il en arpentant la minuscule chambre de ferme qu'ils partageaient, je me sens vraiment à plat.

Fenton enfonça ses affaires dans un sac de toile et essaya de ne pas tenir compte des allées et venues du major en caleçon.

— Allez voir le médecin-major.

Middlebanks fit une grimace de dégoût.

— Et qu'est-ce qu'il me donnera ? Une pilule bleue ou une pilule jaune : quelle que soit sa fichue couleur, je passerai huit jours à courir de latrines en latrines. Et je vous perds en ce moment. Ce n'est pas juste. Et si je m'évanouis sur ma selle demain ? Si l'on doit m'amener à Boulogne voir un vrai docteur ?

— Ashcroft prendra le commandement. C'est un bon officier.

— Il manque d'expérience, dit le major avec dédain.

— Nous manquons tous d'expérience, non ? Je veux dire : ce ne sont pas les manœuvres. Avez-vous jamais entendu un canon tirer pour de bon ? Non. Ni moi non plus... ni Ashcroft. Quelle différence cela fait-il ? Rendormez-vous, Horace, et cessez de vous tracasser pour tout.

Le major s'agita et se retourna sans cesse dans un demi-sommeil troublé. Il ne cessait de grogner et de se racler la gorge ; mais peu importait pour Fenton. De toute façon il ne dormirait pas, son cerveau l'en empêcherait. Les pensées tourbillonnaient en lui en un chaos d'images évocatrices. Comment croire qu'il était en France depuis moins d'une semaine ? Six jours plus tôt il se trouvait encore à Southampton attendant de monter à bord du transport de troupes. Le marquis de Dexford avait obtenu l'autorisation de venir sur les docks et il avait apporté des cadeaux pour son fils Andrew, qui embarquait avec la 4e brigade de cavalerie, et pour « *son futur gendre* ».

Il s'assit sur le lit (très dur) et regarda à travers le mica rayé de la fenêtre l'image déformée de la lune. Les cadeaux de Lord Dexford avaient été appréciés — une boîte de friandises de chez Harrods, des cigarettes Abdullah, une bouteille de whisky et un pistolet de poche, très finement ouvragé, mais absolument inefficace. Il l'avait échangé à un capitaine de la compagnie A contre quelques paires de chaussettes de rechange. Et puis le colis contenait une lettre de Winifred.

Mon cher Fenton,

Dieu vous protège en ces heures d'épreuves. Je sais que vous serez brave et audacieux et que vous contribuerez à une victoire rapide et glorieuse. Je suis très fâchée que l'Allemagne ait lancé cette guerre, mais ils ne tarderont pas à s'en repentir. Tous les journaux prédisent que ce sera terminé à Noël. Je prie pour que leurs prévisions soient exactes et que nous puissions danser le tango au bal de la Victoire, la veille du Jour de l'An.

Pour toujours... votre Winifred.

Il grogna aussi fort que le major hépatique. *Votre* Winifred ! Il avait du mal à se rappeler ses traits...

Il était sur pied avant l'aube. Il traversa le champ de blé fauché jusqu'au carrefour où une voiture d'état-major l'attendait. Le première classe Webber, son ordonnance, le suivait avec les sacs en sifflant entre ses dents. L'idée que son officier soit détaché à l'état-major plaisait beaucoup à Webber. Finis les cinquante kilomètres de marche par jour, finies les nuits passées à la dure. Pas étonnant qu'il se fût mis à siffloter. La chanson était tout à fait appropriée à leur changement de situation, et Fenton en fredonna les paroles : *C'est moi Burlington Bertie, je m'lève à dix heures et demie... Et je descends sur l'boulevard m'balader comme un richard...*

— Qu'est-ce que c'est, capitaine ?

Webber s'immobilisa, la tête penchée sur le côté. On n'entendait que l'appel ténu et lointain d'un rossignol dans les bois sombres, de l'autre côté du champ, mais quelque chose avait glissé contre eux, une bouffée d'air qui n'était pas du vent, quelque chose que l'on devinait plus qu'on ne sentait. Puis le bruit leur parvint, des grondements lents et lourds, très loin vers le nord-est, un roulement de tonnerre qui faisait trembler l'horizon. Des éclairs diffus se dessinèrent sur le ciel qui commençait à pâlir.

— Bougre ! s'écria Webber en reniflant l'air. Ça ne sent pas la pluie.

Fenton poursuivit sa route, les yeux fixés sur le ciel — sur cette lueur pâle, tremblotante, orange et rouge, qui était, après six ans d'armée, la première vision qu'il avait de la guerre. Pas *sa* guerre... pas encore. Les canons lourds étaient à des kilomètres plus à l'est, vers Charleroi, ou même Namur. C'était peut-être l'artillerie française ou belge, et l'armée allemande était peut-être en train de reculer en désordre devant ces éclairs de mort — mais il ne pouvait s'empêcher d'en douter. Ses paumes devinrent moites : il enfonça ses mains dans ses poches et s'avança vers la voiture avec une nonchalance étudiée.

Le train de Cherbourg arriva à Paris avec sept heures de retard. Il avait été aiguillé une demi-douzaine de fois sur des voies de garage pour laisser passer des convois de troupes. Lorsqu'il atteignit enfin la gare Saint-Lazare, il n'y avait pas de porteurs et les voyageurs furent obligés de trimbaler leurs valises jusqu'à la sortie. Les quais étaient bondés de soldats et des sergents et des caporaux harassés s'efforçaient de répartir les hommes dans leurs compagnies et bataillons respectifs. Des clairons sonnaient. On déployait les couleurs des régiments pour servir de points de ralliement et peu à peu les soldats quittaient la gare en bon ordre — avant que d'autres convois de troupes n'arrivent pour augmenter encore la confusion. Une fanfare, sur la place devant l'église Saint-Augustin, jouait la Marseillaise et Sambre-et-Meuse — clairons, tambours et flûtes — tandis que les troupes descendaient la rue de la Pépinière vers le boulevard Haussmann. Des milliers de Parisiens s'entassaient sur les trottoirs pour acclamer les longues colonnes de fantassins en capotes bleues, pantalons et képis rouges.

Pour Martin Rilke, c'était une image de son enfance : il avait de nouveau sept ans et il était sur les Champs-Élysées avec sa mère et sa cousine Bette. Le 14 juillet. Des fanfares et des soldats défilant au pas, les chevaux énormes des *cuirassiers* *, les géants qui les montaient avec leur cotte d'acier sur la poitrine et leur casque à crête scintillant sous le soleil. Et aujourd'hui aussi des cuirassiers sortaient de la rue Pasquier à la suite de l'infanterie. Ils avaient l'air exactement semblables à ceux d'autrefois, sauf que des housses brunes recouvraient leurs casques à queue de cheval. Une concession à la guerre.

Tom Ramsey, dessinateur du *Leslie's Weekly*, ne put retenir un murmure d'appréciation.

— Coloré et... très ancien monde. On dirait qu'ils sont prêts à recommencer la bataille de Sedan.

— Le pantalon rouge est sacré pour l'armée française, répondit Martin. Mais je crois que le kaki serait beaucoup plus pratique par les temps qui courent. Ces pantalons et ces képis vont faire des cibles idéales pour l'ennemi.

162

Ramsey ôta la pipe de bruyère de sa bouche et en nettoya le fourneau du bout de son doigt.

— Je pensais la même chose, mais la façon dont ils veulent s'habiller pour mourir ne me concerne en rien. Et de toute façon mes tableaux seront bigrement plus jolis.

Il étendit les bras dans un geste enthousiaste, comme pour étreindre toute la scène.

— Paris ! La Ville lumière, capitale de la beauté. Des pantalons rouges et des capotes bleues se détachant sur les marronniers en fleur. Je ferai des aquarelles de régiments de cuirassiers et de bataillons de pantalons rouges dans les jardins des Tuileries.

Martin éclata de rire.

— Et s'il n'y en a pas ?

L'artiste haussa les épaules.

— Et après ? Licence poétique. De toute façon s'il n'y en a pas, il faudrait en mettre.

Il respira à pleins poumons.

— Paris, c'est comme si j'arrivais chez moi.

— Hein ? Mais vous m'avez dit que vous n'êtes jamais venu en France.

— Non. J'ai fait mes études à Philadelphie, mais sacré nom, comme j'ai pu rêver de cette ville ! Je crois que j'ai vu plus d'un million de dessins et de photos de Paris. Je le connais par cœur. Vous ne pouvez pas savoir à quel point je vous envie, Rilke, d'être *né* ici. Mon dieu...

Ce fait avait beaucoup impressionné les onze journalistes américains présents dans le train. Ils parlaient français à des degrés divers, mais très proches du ridicule — ils pouvaient demander des choses simples, une tasse de café, un verre de vin ou la direction des toilettes, mais il leur était parfaitement impossible d'exprimer des pensées plus complexes. Leurs journaux avaient prévu des interprètes pour les assister à Paris, mais Martin avait dû leur servir de porte-parole au cours de l'interminable voyage par train : aucun portier, contrôleur ou serveur du wagon-restaurant n'avait su, ou voulu, parler anglais.

— Pourquoi ? avait demandé Jasper King du *New York Herald*. C'est un train qui fait la correspondance avec le bateau, nom d'un chien. Ils doivent avoir l'habitude de voyageurs parlant anglais.

— Ils comprennent tous l'anglais, avait expliqué Martin après avoir bavardé avec le contrôleur dans un français impeccable. Mais ils sont furieux contre les Américains. Un journal parisien a publié un article virulent sur la décision américaine d'observer une neutralité impartiale et d'honorer ses engagements commerciaux avec l'Allemagne. Ils en ont gros sur le cœur, c'est tout.

On avait également demandé à Martin mille renseignements sur Paris. Les meilleurs restaurants, la situation des divers hôtels, le métro. Mais il aurait été bien en peine de répondre. Paris était pour lui une

163

ville étrangère. Tout ce qu'il se rappelait avec quelque netteté c'étaient deux ou trois rues proches du Luxembourg et le petit square, près de la rue Campagne-Première, où il jouait au cerf-volant avec son ami Claude. Paris n'était pas *sa* ville. Il aurait échangé tous les Champs-Elysées contre une façade de State Street.

Mais il était là, assis dans l'un des taxis fournis par le ministère français de l'Information, suivant un officier de l'armée de terre qui se trouvait dans la voiture de tête ; le petit cortège se dirigeait à travers les rues immenses de Paris, vers le quai d'Orsay où un immeuble lugubre de pierre de taille abritait le ministère. La raison pour laquelle il se trouvait là n'était autre qu'une lettre dans sa serviette : une lettre qu'on lui avait demandé de présenter au troisième secrétaire adjoint du ministère de l'Information en même temps que son passeport. La lettre émanait de Comstock Harrington Briggs et elle accréditait Martin Rilke comme unique correspondant de *L'Express* de Chicago en Europe. Le secrétaire adjoint vérifia solennellement une liste posée sur son bureau, celle des journaux des Etats-Unis ayant fait preuve d'attitudes pro-allemandes. Il y en avait pas mal, à Milwaukee, Chicago, Saint Louis, Philadelphie et New York. *L'Express* n'était pas sur la liste noire.

— Vous pouvez aller voir le ministre, monsieur Rilke.

Ils furent tous agréés par le secrétaire, ce qui ne les étonna guère puisque leurs références avaient déjà été vérifiées à Londres avant qu'on ne leur délivre les visas. Ce n'était qu'une formalité, mais le troisième secrétaire adjoint était à cheval sur les formalités.

— Nous sommes en guerre, monsieur, avait-il dit d'un ton glacé au correspondant de guerre du *New York Times* qui avait eu la témérité de perdre patience quand il avait pris dix minutes pour examiner ses papiers.

— Nom de dieu, je le sais, avait éclaté l'homme du *Times*. Pourquoi croyez-vous que je suis venu en France ?

— Vous n'êtes pas venu à notre requête, monsieur. Je puis vous l'assurer.

Le froid ne fit qu'augmenter lorsque le ministre de l'Information, un homme de forte stature et de port princier, entra dans son cabinet, environ une heure après que le dernier journaliste eut été introduit dans la pièce et prié d'attendre. Il ne présenta aucune excuse pour son retard.

— Messieurs, dit-il en anglais, sans une trace d'accent ou presque, permettez-moi de vous souhaiter la bienvenue à Paris. J'espère que votre séjour ici sera très agréable. Le ministère fera tout ce qui est en son pouvoir pour vous fournir des informations au jour le jour sur l'évolution de la situation militaire. Permettez-moi de vous avertir au sujet de l'utilisation des services du télégraphe et des postes. Une censure a été imposée. Aucune information relative à la guerre ne peut être envoyée hors du pays sans avoir été approuvée par ce bureau et avoir reçu le visa correspondant. Aucun journaliste étranger ne peut se rendre dans la zone des armées sans la permission écrite du maréchal Joffre. Il est peu probable que des permissions de ce genre soient accordées dans un avenir proche.

Le silence fut absolu. Finalement, le correspondant de guerre du *New York Times*, journaliste de réputation internationale qui avait « couvert » toutes les guerres depuis 1890, se racla la gorge et se leva.

— Votre Excellence, voulez-vous dire qu'aucun de nous ne pourra se rendre sur le front ? Qu'il nous est interdit de voir de nos propres yeux les combats qui se déroulent actuellement en Lorraine ?

La voix du ministre se fit débonnaire.

— Cela n'est pas nécessaire, monsieur. Nous vous fournirons toutes les données. Le capitaine de Lange, qui vous a reçus à la gare, vous mettra au courant de tout ce qui se passera. Les communiqués officiels seront à votre disposition à quatre heures, tous les après-midi, au Centre des Informations militaires, au deuxième étage. Pièce numéro 225. Le capitaine de Lange vous remettra le communiqué d'aujourd'hui, que vous êtes libres de transmettre à vos journaux. Si je peux vous être utile en quelque manière, n'hésitez pas à faire appel à moi. Bonne journée, messieurs.

Et il disparut, du même pas royal que lors de son entrée. Une porte de chêne massif se referma sans bruit derrière lui. Le capitaine de Lange, grand et mince, grisonnant, portant un pince-nez tout au bout de son appendice nasal, s'avança d'un pas raide depuis le fond de la pièce et occupa la place abandonnée par le ministre. Il sortit une unique feuille de papier de la poche intérieure de sa veste d'uniforme et la déplia.

— Le général Castelnau nous a envoyé de Nancy le communiqué suivant : La IIe armée, en coordination étroite avec la Ire armée sous les ordres du général Dubail, a rencontré aujourd'hui un succès total dans son avancée vers Morhange. Notre infanterie a infligé de lourdes pertes à l'ennemi et a repris de nombreuses villes sur le sol sacré de la province perdue... et le drapeau de la France flotte pour la première fois depuis 1870 sur les mairies des endroits suivants : Burthecourt, Moyenvic, Lezey, Donnelay, Marsal, Salival, Saint-Médard. On escompte reprendre Château-Salins demain matin à l'aube. Nos pertes ont été insignifiantes et les rapports des commandants d'unité signalent que la VIe armée allemande bat en retraite en désordre. Sur le front d'Alsace, le général Pau est en possession de Mulhouse et espère atteindre le Rhin dans trois jours.

Il replia la feuille et la remit dans sa poche.

— C'est tout pour le communiqué d'aujourd'hui. Des copies sont à votre disposition. Y a-t-il des questions ?

Baker, du *Journal American*, se leva.

— Nous avons entendu à Cherbourg une rumeur selon laquelle les Allemands seraient loin au-delà de Liège, et en force. Ils auraient écrasé les garnisons avec des canons de siège très mobiles et d'une puissance exceptionnelle, et ils avanceraient vers Namur en emmenant ces canons avec eux. Il me semble que si les forts belges de Namur devaient tomber...

Le capitaine de Lange l'interrompit avec un petit sourire pincé.

— Permettez-moi de vous conseiller de ne pas faire cas de ces rumeurs défaitistes. Il y a de nombreux espions allemands dans le pays. Nous en découvrons tous les jours et nous mettons fin sans délai à leurs intrigues. La vérité, vous la trouverez tous les jours à quatre heures dans la pièce 225. Y a-t-il d'autres questions ? Non ? Permettez-moi de vous souhaiter un bon après-midi.

L'après-midi était déjà terminé quand ils quittèrent le ministère. Ils traversèrent la grande cour vers la file de taxis en attente. Martin en partagea un avec Ramsey et trois autres hommes. L'un d'eux se battait avec une grande carte de France qu'il avait achetée à Cherbourg. Le taxi traversa la Seine sur le pont Alexandre-III et plongea dans les avenues brillamment éclairées derrière le Petit Palais. Les terrasses des cafés étaient bondées de monde. Des soldats et des jolies filles se promenaient la main dans la main sous les becs de gaz. Sur le boulevard des Capucines, les voitures n'avançaient qu'au pas. Paris vivait la fièvre des vacances.

— Ça y est ! s'écria le journaliste d'une voix sombre. Les voilà, les villes dont il nous a parlé. Burthecourt, Moyenvic, Salival... Hé ! mais ce ne sont pas des *villes !* Juste des petits points sur la carte. Il y a peut-être une étable à cochons ou deux, mais sûrement pas une *mairie.*

— Je crois que nous avons fait une erreur en venant à Paris, dit un autre. Nous aurions dû aller tout droit en Belgique par la Hollande. Ils vont nous filer une dose quotidienne de bobards...

— C'est tout ce que demande *Leslie's,* répondit Ramsey. De jolies aquarelles de soldats qui défilent sous les acclamations de la foule. Ils croient que cette guerre ne va être que rodomontades de traîne-sabres et postures martiales. Qu'est-ce que votre journal attend de vous, Rilke ?

Martin haussa les épaules.

— Une atmosphère générale, aussi objective que possible. Nous avons beaucoup de lecteurs germano-américains.

La lettre de Briggs avait été une surprise pour Martin, mais le rédacteur en chef avait été très franc :

... du moment que vous êtes déjà en Angleterre il nous a semblé inutile d'envoyer un autre homme, bien que Jack Pierson ait exprimé le désir de faire ce travail. Vous parlez français et allemand, ce qui est un autre argument en votre faveur. Martin, gardez les yeux ouverts et écrivez ce que vous voyez. Ne faites pencher vos articles ni dans un sens ni dans l'autre. La plupart des gens auxquels j'ai parlé ici sont

persuadés que cette guerre repose sur une rivalité économique entre l'Allemagne, la France et l'Angleterre, et il y a beaucoup de sympathie pour la position allemande. J'ai eu une longue conversation avec un général de brigade de la Garde nationale de l'Illinois, et il estime que la guerre ne durera que quatre semaines : l'armée française, à son avis complètement désuète et dépassée, s'effondrera ; et la prétendue force britannique retraversera la Manche sans tirer un seul coup de feu contre les Prussiens. Il ne croit pas que l'Allemagne occupera la France, mais qu'elle retirera ses armées en toute hâte. Si elle ne le fait pas, elle sera écrasée par les Russes à l'Est. Il considère actuellement — et vous ne devez prendre cette opinion que pour ce qu'elle vaut — que le seul objectif des Allemands est d'éliminer la menace militaire que la France faisait peser sur eux. A vrai dire, je ne crois pas que le général en sache davantage sur cette guerre que l'homme de la rue — qui ne sait rien du tout. Pour moi, je n'y comprends goutte.

Vous êtes un jeune homme intelligent, sans aucun intérêt particulier à défendre, demeurez donc objectif et écrivez ce que vous voyez. Ne soyez pas dupe des faux bruits, qui foisonnent en temps de guerre, et prenez tous les communiqués officiels avec un certain recul : c'est ce que j'ai appris lorsque j'ai couvert la guerre des Boers pour la vieille Gazette. Je réglerai les problèmes d'argent, salaire et frais de mission, par l'intermédiaire de l'American Express. Je vous suggère de ne pas passer plus de dix jours en France, puis de gagner Berlin via la Suisse, et de recueillir le point de vue allemand. Je veux que vos articles soient aussi équilibrés que possible.

P.S. : J'ai vu votre oncle à l'Union Club et il vous envoie son bon souvenir. Cleveland est son favori pour le titre.

Rester à Paris offrait peu d'intérêt. Il y passa la nuit, se promena en ville toute la journée du lendemain avec Ramsey — qui s'extasia sur chaque vieille pierre et fit d'innombrables esquisses — puis il se rendit au ministère à quatre heures avec une vingtaine de collègues, pour entendre le capitaine de Lange lire le communiqué.

— ... Château-Salins et la ville de Dieuze ont été pris ce matin par la Deuxième Armée du général Castelnau. Toutefois le maréchal Joffre a conseillé un repli stratégique pour appuyer la poussée de la Ire armée vers Sarrebourg.

Un journaliste anglais fut assez naïf pour poser une question.

— Ce repli s'est-il produit en face de contre-attaques allemandes ?

Le capitaine de Lange parut offensé.

— S'il s'était produit une contre-attaque ennemie, il en serait fait état dans le communiqué.

La ligne de Bâle passait à travers la zone des armées et rares étaient les civils ayant obtenu des permis de voyage. Même avec ses papiers tamponnés et visés, parfaitement en règle, Martin n'était pas sûr d'être accepté dans l'un des trains qui quittaient la gare de l'Est tous les quarts d'heure, bondés de soldats, de chevaux et de matériel. Ce ne fut qu'à cinq heures du matin qu'on lui accorda, d'ailleurs à regret, l'accès à un petit wagon de voyageurs accroché à l'arrière d'un train de marchandises chargé de canons de campagne et de caissons. Il y avait une vingtaine de Suisses lugubres avec lui. Le train s'étira lentement vers l'est le long de la Marne ; il s'arrêtait tous les quelques kilomètres sur des voies de garage pour permettre à des convois de troupes, plus rapides, de le dépasser. Ils atteignirent Epernay en fin d'après-midi. Les wagons de canons de soixante-quinze millimètres furent détachés et accrochés à un autre train se dirigeant vers le nord de Reims. Personne dans la gare ne semblait se soucier du wagon de voyageurs isolé, bien qu'un employé des chemins de fer eût fait une vague allusion à un autre train venant de Paris à destination de la frontière suisse.

Le wagon était étouffant, les Suisses moroses, il n'y avait rien à manger et uniquement de l'eau tiède à boire. Martin décida de partir. A l'importance du trafic vers le nord, il jugea que la guerre se trouvait dans cette direction, et qu'il aurait peut-être la chance de voir quelque chose. Il était très engagé dans la zone des armées, et dans la gare surpeuplée personne ne songea à remettre en question son droit de se trouver là. Il était le seul civil au milieu d'une mer d'uniformes. Il aurait pu passer pour un voyageur de commerce. Tandis qu'il dînait (saucisse, pain, fromage et vin) dans un *estaminet* proche du dépôt, un major de l'artillerie prit une chaise à sa table et s'assit.

— Vous êtes à la Chambre des députés ? demanda l'officier.

— Non, répondit Martin, je dépens du ministère de l'Information.

Le major joua avec sa moustache, abondamment gominée.

— L'information, hein ? Eh bien, je vais vous dire quelque chose que vous pourrez transmettre à vos supérieurs. Le seul truc que respecteront jamais les Boches, ce sont les canons. Le ministère de la Guerre nous a donné un bon canon de campagne, mais il nous en faut des plus gros et des meilleurs.

— Je rédigerai une note à ce sujet.

Le major roula les pointes de sa moustache, raides et fines comme des aiguilles.

— Ils disent que c'est l'infanterie qui repoussera les Boches dans le Rhin, moi je dis que ce sont les canons.

— Je suis absolument d'accord avec vous. Vous prenez un verre ?

— Merci, dit le major en tendant la main vers la bouteille. Vous avez l'air intelligent. En général les civils ne comprennent rien à la guerre. Vous parlez de canons et ils vous regardent d'un œil vide. Je vois bien que vous êtes différent.

— Je comprends qu'il faut des canons. Absolument.

Le major but à la bouteille puis essuya une goutte de vin restée sur ses lèvres.

— J'admire les fonctionnaires civils qui comprennent les besoins des militaires, mais je ne crois pas que vous soyez un fonctionnaire civil. Un homme du ministère ne porterait pas une veste marron et un pantalon pied-de-poule. Il aurait un costume noir et une chemise à col cassé. Et puis vous parlez avec une pointe d'accent que je ne reconnais pas. Êtes-vous suisse ?

— Américain — de mère française.

— Et vous êtes ?...

— Journaliste.

— Ah !...

Il prit une autre lampée de vin, puis se pencha au-dessus de la table et baissa la voix.

— Papa Joffre n'aime pas les journalistes. Personne dans les hautes sphères ne peut les voir en peinture. Vous essayez de monter au front ?

— J'espérais.

— Alors, je vous emmène. Mais en récompense de ma générosité, je vous demande de dire au monde entier que ce sont les canons qui gagnent les batailles. Je vous donnerai une capote d'artilleur pour vous couvrir, et un képi. Ma batterie est déjà embarquée et nous partons vers les Ardennes dans une heure. Nous sommes le 27e régiment d'infanterie du troisième corps d'armée colonial. Des vieux briscards, c'est moi qui vous le dis. Nos engins ont servi plus d'une fois au Maroc. Quinze cartouches de mitraille à la minute... bang... bang... bang... bang...

Au nord de Reims, les trains avançaient comme des escargots. Deux jours après avoir quitté Epernay, ils traversèrent l'Aisne et la batterie du major fut débarquée. On attela les chevaux aux canons et l'on prit la longue route bordée d'arbres qui va vers Mézières. Martin était dans l'un des chariots de transport qui suivaient, en craquant de partout, les servants des canons. Il s'était fait un nid au milieu des paquetages des hommes et des caisses de matériel. Il regretta de ne pas avoir emmené son appareil photographique en France, mais on le lui avait déconseillé au consulat français à Londres. Ses yeux seraient son objectif, et le carnet de notes sur ses genoux sa pellicule photographique. Il jeta en vrac quelques impressions, avec l'intention de les étoffer plus tard.

Montigny-sur-Vence, 22 août. Petit village de maisons de pierre blanchies à la chaux. Toits de chaume. Vergers derrière le village. Vignobles sur les collines. Paysans en blouses s'occupant des arbres et des vignes sans tourner la tête vers les interminables colonnes de

169

soldats qui traversent le village et franchissent à gué le petit ruisseau boueux encombré de mauvaises herbes. Des dragons sur des chevaux noirs, des cuirassiers sur des chevaux gris. L'infanterie en énormes masses désordonnées, comme une foule à la sortie d'un match de base-ball. Malgré la chaleur, les fantassins portent leurs grosses capotes bleues de laine, dont les pans sont relevés et boutonnés à l'arrière. Leurs pantalons rouges sont blancs de poussière. Les officiers ont l'épée au côté et certains portent même des gants... des officiers français, malgré tout *très chics*.

Fontaine-Géry, quelques kilomètres plus loin. Des collines et des vallons, couverts d'une forêt dense. Un porteur de dépêches à bicyclette rejoint la batterie et le major donne l'ordre de quitter la route près d'une vieille église et d'un mur de cimetière croulant. Une fanfare de zouaves dans les taches de lumière et d'ombre d'un verger. Ils portent des pantalons turcs jaunes, des vestes bleu vif et des chéchias rouges. Comme des perroquets au milieu des arbres. Ils jouent la marche de Sambre-et-Meuse — tambours et fifres. Les troupes les acclament et se mettent à pleurer. Nous ne sommes pas loin de Sedan. L'Allemagne a écrasé la France sur cette route en 1870 et maintenant les fils des vaincus reviennent le leur faire payer.

Il y a devant nous comme un roulement de tonnerre. Nous l'avons entendu depuis l'aurore, mais par intermittence, extrêmement loin. Maintenant, il est plus proche, c'est un grondement continu comme si des centaines de trains de marchandises vides avançaient et reculaient sous un long tunnel.

Embouteillage sur la route. Les paysans du Nord, chassés de leurs fermes par les combats qui doivent faire rage à quinze ou vingt kilomètres d'ici, ralentissent la montée des troupes. Ils s'en vont avec tous leurs biens sur leurs charrettes et leurs carrioles. Les enfants, assis sur les tas de ballots, ne cessent de pleurer. Les réfugiés ne tiennent aucun compte des soldats qui tentent à cor et à cri de leur faire quitter la route. Des soldats blessés sont au milieu d'eux — certains dans des ambulances tirées par des chevaux, d'autres marchent en étreignant des bandages pleins de sang, les yeux vitreux, hébétés. Leur vue provoque une certaine gêne chez les soldats. Un colonel, allongé à l'arrière d'un chariot avec un pansement sanglant maladroitement fixé autour de sa poitrine murmure sans cesse : « *C'est la catastrophe ! C'est la catastrophe !* »

Hannogne-Saint-Martin. La batterie s'est déplacée au galop sur des chemins de terre et à travers champs. Le village est à sept kilomètres du front. L'après-midi s'achève. Les peupliers et les bouleaux ont des teintes d'or pâle dans le soleil couchant. On a tiré les canons sur une colline basse, derrière des rangs de vigne très fournis. Des canons de soixante-quinze millimètres. Un caisson de munitions près de chaque pièce. Une échelle métallique de deux mètres a été vissée à l'un des caissons et le major se tient sur le barreau supérieur, derrière une

170

mince tôle de protection. De puissantes jumelles à la main. Il scrute les bois et les champs devant la batterie puis il crie : « *Fantastique ! Magnifique ! C'est incroyable ! ** ».

Martin rangea son carnet de notes et grimpa sur le chariot. Le major descendait de l'échelle en criant aux pointeurs distance, élévation et type d'obus. Il tendit les jumelles à Martin.

— Jetez un coup d'œil ! Oh ! mille dieux ! Les pauvres couillons de fantassins !

Martin monta sur l'échelle et régla les jumelles. Il vit l'infanterie française déboucher d'un vallon et s'élancer sur une prairie en pente douce, vers une ligne sombre de bois. Ils étaient bien alignés, épaule contre épaule, et ils avançaient lentement, l'arme à la hanche. Leurs longues baïonnettes brillaient sous le soleil. Les officiers, sabre au clair, marchaient en tête. Le rouge et le bleu de leurs uniformes formaient avec les gants blancs de leurs officiers comme un drapeau vivant — les trois couleurs ondoyant sur le vert des collines de France. Ils avançaient, un millier ou même davantage, répartis en trois vagues. A cent mètres des arbres la première vague commença à vaciller, à trébucher et à tomber, à se racornir soudain : une force invisible et silencieuse les fauchait. Ils tombèrent en tas et la deuxième vague passa sur leurs corps.

— Pièces prêtes ! cria un sergent.

— Feu d'essai sur ordre, répondit le major.

Il sauta sur le dessus du caisson et grimpa à l'échelle. Saisissant Martin à la taille, il lui prit les jumelles des mains.

— Feu !

Un canon aboya et quelques secondes plus tard l'obus éclata sur la cime des arbres. Les feuilles et les petites branches furent pulvérisées. L'infanterie continuait d'avancer : les hommes chancelaient, tombaient sur les genoux, puis se retournaient et se tordaient en une sorte de danse macabre, lente et silencieuse.

— Ils ont des mitrailleuses, cria le major. Ces putains de Boches ! Plus court de cent mètres... Quatorze degrés... Feu ! Feu ! Feu !

Tous les canons de la batterie se mirent à envoyer des obus à mitraille en direction des trois lignes, à six kilomètres de là. De la fumée noire jaillit aussitôt dans l'ombre du bois. Les culasses claquèrent, les douilles vides cliquetèrent contre les affûts de métal des canons. Le feu de l'artillerie était précis et faisait des ravages, mais il survenait trop tard pour sauver les soldats. Les formations napoléoniennes avaient disparu. Il ne restait rien sur la pente : uniquement des tas de cadavres alignés comme des andains de foin. Des blessés tentaient de redescendre au pied de la colline et quelques hommes couraient se mettre à l'abri. Les balles des mitrailleuses couchaient l'herbe haute autour d'eux.

Le major tira Martin en arrière.

— Descendez de là avant de perdre votre tête. Ces putains de Boches ont des canons eux aussi.

Une Renault montait du village en première. Un colonel d'artillerie était debout à l'avant, la main crispée sur le pare-brise.

— Ramenez votre batterie en arrière, Duchamp, cria-t-il par-dessus le bruit des canons. Tout le front est enfoncé. Battez en retraite jusqu'à Omicourt, et vite.

Il remarqua Martin qui redescendait de l'échelle d'observation, ses vêtements civils bien visibles sous sa capote d'artilleur.

— Qu'est-ce que c'est que ça, nom de dieu ?

Le major haussa les épaules.

— Un Américain de Chicago.

Le colonel tira sur sa barbe à la Van Dyck.

— Je ne vous demanderai pas comment il a atterri ici, Duchamp. Je ne suis pas d'humeur à écouter vos histoires. Fichez-le dans la voiture avant que quelqu'un n'abatte ce salopard comme un espion. Je vous dis que tout fout le camp de partout. C'est la débâcle !

Il y eut un grondement sourd au-dessus de leurs têtes, puis un bref sifflement très aigu. Un obus éclata dans un bosquet derrière le village. L'onde de choc jeta Martin à terre. Le bruit explosa dans son crâne. Les arbres et la terre jaillirent vers le ciel au milieu d'une cascade ascendante de fumée et de flammes.

— Un obusier ! cria le major Duchamp. Deux cent dix millimètres ! Ces putains de Boches !

Il saisit Martin et le poussa vers la voiture.

— C'est ça qu'il vous faudra écrire. Dites-leur qu'on ne peut pas combattre contre des obusiers de deux cent dix millimètres avec nos pièces de soixante-quinze. Dites-leur...

Mais tout ce que le major aurait encore voulu qu'il « leur » dise se perdit dans le vacarme des obus lourds, tirés en chaîne, et dont les explosions secouaient la colline. Des geysers de terre et d'arbres brisés fusaient vers le ciel dans un tourbillon d'éclairs aveuglants. Un des soixante-quinze cahota dans un trou d'obus béant, encore fumant. Un caisson de munitions explosa et les projectiles brûlants se mirent à tourner sur eux-mêmes au milieu des vignes, comme des feux d'artifice géants. Martin plongea ou plutôt tomba à l'arrière de la Renault. Il sentit que la voiture dérapait tandis que le chauffeur, le pied au plancher, faisait tourner le volant. Il était allongé de tout son long, la tête coincée contre le bas du siège. Des mottes de terre et des bouts de bois pleuvaient sur son dos. Seigneur, songea-t-il soudain, comme j'aimerais être à Chicago... comme j'aimerais être à Maxwell Street...

2

— J'ai bien peur d'être perdu, capitaine, dit le chauffeur.
— Ce n'est pas de votre faute, lui répondit Fenton, les yeux fixés sur sa carte. C'est bien Givry que nous venons de dépasser, non ?
— Oui, capitaine.
— Dans ce cas c'est la carte. Une véritable œuvre d'imagination. Cette route ne va pas à Villers-Saint-Ghislain, et ne nous en rapproche pas.

Le chauffeur pianota sur le volant avec sa main gantée et se mit à siffloter doucement entre ses dents.

— Et cessez de siffler comme ça, lança Fenton irrité.

Il regretta aussitôt d'avoir perdu son calme et songea à s'excuser. Mais c'était inutile. On ne s'excuse pas auprès d'un subordonné, en aucune circonstance. Pauvre garçon qui ne faisait que « siffler dans le noir ». Quel sentiment étrange et troublant de se trouver seul en plein midi au milieu de Dieu savait quoi ! La route qu'ils suivaient, pour ce qu'ils en savaient, pouvait aussi bien les conduire tout droit au milieu de l'armée allemande. Quatre-vingt-dix mille soldats anglais en France, la Ve armée française quelque part sur leur droite et pas un seul homme en vue. C'était bougrement désagréable. Il s'enfonça dans son siège et étudia la carte. Pourquoi un cartographe tracerait-il une route qui n'existait pas ? Peut-être était-elle prévue, et le dessinateur avait-il simplement anticipé sur les faits en la traçant. C'était une possibilité. En fait, ils n'étaient pas sur une vraie route, avec un vrai revêtement, mais plutôt sur un genre de chemin à bestiaux, qui ne méritait de figurer sur aucune carte. Il essaya d'imaginer sa destination. Bray ? Spiennes ? Il y avait une vingtaine de noms de villages qui se pressaient à l'est de Mons. Le chemin pouvait conduire à n'importe lequel — ou à aucun d'eux. Il ôta sa casquette et s'essuya le front avec son mouchoir. Dieu, qu'il faisait chaud ! Le soleil de midi dans un ciel embrasé, sans nuages... La chaleur avait assommé son ordonnance : il s'était affalé sur le côté, trempé de sueur, indifférent à tout. Pauvre vieux Webber, il avait passé l'âge. Le chauffeur, le caporal-chef Ackroyd, était un Londonien sec et nerveux du régiment du Middlesex. Il tiendrait le coup très bien. Fenton prit une boîte de cigarettes dans sa poche.

— Une sèche, caporal ?

— Merci, capitaine, dit le chauffeur, retrouvant soudain une bonne partie de sa gaieté. J'en crevais d'envie.

— Prenez-en une poignée.

Le chauffeur s'empressa d'obéir.

— Bon sang, des Abdullahs !

— Ça risque de vous faire perdre le goût des Woodbines.

— Qui sait ?

Fenton sourit, et l'homme lui rendit son sourire. Il était impossible d'éviter une certaine familiarité. Ils étaient — pour ainsi dire — dans le même bateau. Il alluma la cigarette du caporal, puis la sienne.

— Quel triste pays !

— Oui, capitaine. Assez dégueulasse.

C'était un paysage de mauvais augure, qui vous faisait frissonner, même sous le soleil clair du mois d'août. Des taillis humides, trop denses, des champs incultes, l'odeur sure du négligé. Des tas de scories parsemés d'herbes folles et des chevalements coniques de bois en train de pourrir : les sites de mines de charbon abandonnées. C'était la limite du Borinage : charbon, ardoise, et rivières sombres, polluées.

Fenton replia la carte et la glissa dans son étui.

— Avancez encore quelques kilomètres. Nous tomberons forcément sur un village et cela nous permettra de nous orienter.

Le caporal-chef Ackroyd passa sa vitesse et ils repartirent en cahotant le long de la route étroite, sillonnée d'ornières profondes. Ils dépassèrent des crassiers usés par l'érosion, puis suivirent l'orée d'un bois sombre et se retrouvèrent en terrain complètement découvert, au milieu de champs d'avoine non moissonnée. Soudain Ackroyd freina et tendit le bras vers l'avant.

— Regardez-moi ça, capitaine ! Il vient droit sur nous.

L'aéroplane, après un virage sur l'aile au-dessus d'une rangée de peupliers, se dirigea vers eux à une altitude d'une dizaine de mètres à peine. Le pilote inclina l'appareil, se pencha du cockpit, et tendit le bras vers le champ.

— Un des nôtres, capitaine ?

— Oui, répondit Fenton en étudiant avec soin la machine qui ralentissait. Un Avro, je crois. Qu'est-ce qui peut bien les faire tenir en l'air comme ça ?

— C'était justement ce que je me disais. On dirait une carriole de blanchisseur chinois.

Le petit moteur de l'avion toussa, crachota et fuma, puis l'assemblage disgracieux de toile, de bois et de fil de fer fit une embardée effarante, se stabilisa à quelques dizaines de centimètres du champ puis se mit à glisser en un atterrissage parfait. Les pare-chocs de bambou fixés à l'avant des roues écartaient les tiges d'avoine.

Fenton et le caporal descendirent de voiture et se mirent à courir à travers le champ. Le pilote sortait lentement du cockpit en évitant les nombreux haubans reliant l'aile inférieure à celle de dessus.

— Salut, les gars ! leur cria le pilote. Vous avez une idée de l'endroit où je suis ?

— A peu près, répondit Fenton. Vous êtes quelque part entre Givry et Villers-Saint-Ghislain. A une douzaine de kilomètres à l'est de Mons.

Le pilote ôta son casque de cuir et se gratta énergiquement la tête. Il ne devait guère avoir plus de dix-huit ans.

— Je vois. Je croyais être à l'*ouest* de Mons. Pas étonnant que je ne retrouve pas ce sacré terrain. J'ai l'impression d'avoir tourné en rond pendant des heures. Vous n'auriez pas un peu d'essence de reste ? J'en suis à mes dernières gouttes.

— Il y a un bidon de vingt litres dans le coffre, dit le caporal.

— Dieu merci. Cela me suffira pour aller jusqu'au Cateau.

— C'est d'accord, capitaine ? demanda Ackroyd.

— Bien sûr, répondit Fenton. Allez le chercher.

Tandis que le caporal revenait au pas de course jusqu'à la voiture, le pilote, épuisé, s'appuya contre l'aile inférieure de son engin.

— F.A.M. Weedlock, dit-il. En fait, le lieutenant Weedlock.

Il tendit une main noire, pleine de cambouis.

— Et vous êtes ?

— Fenton Wood-Lacy.

Le pilote regarda les galons sur la manche de Fenton.

— Très gentil de me prêter secours, capitaine. Je vais vous rendre la pareille : faites faire demi-tour à votre voiture. Il n'y a absolument rien devant vous sauf des Boches. Et des drôles de hordes !

— A quelle distance ?

— Quinze, seize kilomètres. Je suis allé jusqu'à Nivelles et jusqu'à Charleroi ce matin. Des Allemands sur toutes les routes, traversant tous les champs. Partout, comme des criquets. Jamais je n'ai vu un truc comme ça. J'ai volé très bas au-dessus d'eux et ces salopards m'ont fait de grands signes. Ils croient vraiment que c'est une partie de rigolade.

Fenton sortit sa carte.

— Où sont-ils exactement ?

— Seigneur ! Ils sont *partout*.

Il fit glisser son doigt sur la carte, laissant une légère trace d'huile.

— Depuis Charleroi sur toute la largeur, jusqu'au nord de Mons. Il doit y en avoir deux cent mille. D'en haut, on dirait un fleuve gris. Et de l'artillerie, des canons tirés par des chevaux sur des kilomètres et des kilomètres. Il faut que j'aille rendre compte au Q.G., si j'arrive à le retrouver.

— Oui, répondit Fenton sèchement. Je crois que ça les intéressera. Vous avez vu des troupes françaises sur votre droite ?

— De la cavalerie — plumets au vent, et cuirasses brillantes sous le soleil — toutes leurs foutaises de costumes de théâtre. Peu de fantassins, et tous se dirigeant vers le sud. Si nos troupes sont à Mons, leur flanc est dans les nuages. Je suis monté à trois mille mètres au-dessus de Charleroi et je n'ai rien pu voir, sauf la fumée de combats au-dessus de la Meuse. Le pauvre vieux Frenchy passe un mauvais quart d'heure. On dirait que toute la ligne de bataille est enfoncée.

Le pilote mangea un peu de pain et de fromage tandis qu'Ackroyd refaisait le plein de son appareil. Puis il montra au caporal comment lancer l'hélice sans se faire décapiter et il s'envola. L'avion s'éleva au-dessus du champ, sans effort semblait-il, comme une hirondelle. Il tourna en hoquetant au-dessus de la voiture, à une trentaine de mètres d'altitude, puis il prit la direction du sud. Ils restèrent debout sur la route jusqu'à ce que le petit appareil eût disparu au loin.

— Ce doit être une manière assez plaisante de voyager, dit Fenton à mi-voix.

Peu après la tombée de la nuit, ils arrivèrent à l'école de brique du village de Frameries, qui constituait le nouveau Q.G. de la troisième division. La route de Mons était un chaos d'artillerie tractée à cheval et de chariots d'intendance, et des joueurs de cornemuse des Gordon Highlanders ne cessaient de souffler dans leurs outres pour essayer de calmer les conducteurs grincheux. Fenton congédia le caporal-chef Ackroyd et Webber pour la nuit, puis se fraya un chemin dans le bâtiment bondé d'officiers d'état-major et de ligne. Il régnait une atmosphère de confusion proche de la démence mais le colonel Blythe affirma à Fenton « qu'on tenait des choses bien en main ».

— Je pense que vous savez maintenant ce qu'il y a en face de nous ? demanda Fenton.

Le colonel acquiesça.

— Nous avons reçu des rapports toute la journée. C'est la masse de l'armée allemande... Von Klück, croyons-nous. Le général en chef nous a téléphoné du Cateau Cambrésis pour nous dire qu'il n'y avait que deux corps d'armée en face de nous, mais nous savons la vérité. Les estafettes de la cavalerie ont patrouillé toute la journée, Elles ont fait du très bon travail. Elles ont même ramené des prisonniers. Nous sommes terriblement inférieurs en nombre, mais le Vieux a convaincu le commandant en chef que nous pourrions les arrêter le long du canal. J'espère qu'il a raison, bon dieu ! Comment les Gardes s'installent-ils à Villers-Saint-Ghislain ? Est-ce qu'ils ont une couverture d'artillerie suffisante ?

— Peut-être... à l'endroit où ils sont. Nous avons fini par découvrir ce fichu village après avoir tourné en rond pendant des heures et des heures. Mais il n'y a pas de soldats. Pas le moindre. Votre flanc, passez-moi l'expression, est tout nu.

— Bon dieu, murmura le colonel. Le Vieux Woody ne va pas être content de l'entendre, mais je ne crois pas que cela le surprenne outre-mesure. Le haut commandement essaie de mettre en scène ce spectacle depuis cinquante kilomètres à l'arrière, avec des routes impossibles, des fils téléphoniques pourris et des cartes fausses. C'est un foutu bordel, voilà ce que c'est. Eh bien, je vais aller lui annoncer la bonne nouvelle. Nous avons une sorte de mess au bout du couloir. Faites-vous servir un repas chaud et un whisky. Vous n'en aurez peut-être pas d'autres avant longtemps.

Les cuisiniers ouvraient des boîtes de ragoût de deux kilos et en faisaient réchauffer le contenu sur un réchaud à pétrole. Le bon vieux *irish stew* Foxe de luxe, remarqua Fenton avec un sourire amer. Il se demanda ce que devait manger Archie ce même soir dans son club de Londres. Sûrement pas un ragoût de sa fabrication, bien que d'ailleurs il fût assez savoureux. Il mangea deux portions et les fit passer avec une bonne rasade de whisky and soda. L'un des autres officiers, coincé contre la longue table conçue pour des jambes d'enfants, lui lança un regard amer.

— Où diable se trouve le premier corps ? Il devrait être en position sur notre flanc droit à cette heure-ci non ?

— Il devrait. Mais il n'y est pas et n'y sera pas. Il n'y a rien sur *leur* flanc droit. Les Français s'effondrent sur toute la ligne.

L'officier morose remua son ragoût.

— J'aurais pu le leur dire. Je savais que ce serait comme ça. Nous aurions dû débarquer à Anvers et laisser ces foutus Français faire leur propre guerre.

Adieu la coopération entre alliés et l'amitié franco-anglaise, songea Fenton en dégustant son whisky. Mais pourquoi les officiers du deuxième corps de la force expéditionnaire britannique éprouveraient-ils un sentiment de camaraderie avec l'armée française alors qu'ils n'en éprouvaient même pas pour leurs collègues du premier corps ? Un major du régiment de Manchester fixait ses insignes des Cold-stream Guards avec une hostilité non dissimulée. Fenton acheva son whisky d'un trait et quitta la pièce sans se soucier de remercier qui que ce soit pour l'hospitalité du mess.

Le Q.G. fut tranquille à partir d'une heure du matin, quand les commandants de bataillons et leurs aides de camp rentrèrent auprès de leurs unités. Le général Wood-Lacy, avalant à grand bruit son thé brûlant, allait et venait lentement devant une carte murale du front, désespérément imprécise mais la meilleure qu'on ait pu lui trouver. Fenton, assis derrière un bureau d'enfant dans la salle de classe, observait son oncle en silence. Au bout de dix minutes, le général se détourna de la carte et s'assit sur le bord d'un bureau. Il fit claquer sa règle contre ses bottes.

— Eh bien, Fenton, la bataille aura lieu demain et le deuxième corps sera seul. Peu importe. Nous pouvons arrêter l'offensive. Nous avons Smith-Dorrien comme commandant en chef, Dieu merci. Un bon fantassin. Je l'ai bien connu en Afrique. Les Zoulous ont failli le massacrer quand il était sous-lieutenant, exactement comme moi. Nom de dieu, cette division ne le laissera pas tomber.

— Que vais-je faire, général ? J'ai vraiment l'impression d'être la cinquième roue du carrosse, maintenant.

— Oh ! je vous occuperai, ne vous en faites pas. Il y aura des choses urgentes. Je ne peux pas vous renvoyer, n'est-ce pas ? Dieu sait où se trouve votre brigade en ce moment. Coincée sur le bord d'une route, quelque part dans le brouillard. Non, non, vous resterez attaché à mon état-major pendant quelques jours encore, et vous gagnerez votre picotin, croyez-moi. Vous aurez aussi l'occasion d'apprendre un peu l'art de la guerre... qui ne consiste pas uniquement à monter la garde à Buckingham Palace, à séduire les femmes et à jouer aux cartes.

Les cloches de l'église sonnèrent pour la première messe, mais ce fut le dernier son de paix que l'on entendit en ce dimanche matin. Fenton dormait à poings fermés dans la salle de classe, pelotonné contre un bureau d'écolier. Le son des cloches l'éveilla — et il entendit aussitôt les fusils crépiter dans le lointain. Les ordonnances du mess apportèrent des gamelles de thé dans les classes pour les officiers d'état-major aux yeux encore ensommeillés. Les téléphones de campagne se mirent à sonner.

— Le 4e Middlesex rend compte d'une prise de contact avec l'ennemi au pont d'Obourg.

On plaça une épingle à cet endroit sur la grande carte. Les autres rapports se succédèrent et le bruit des armes légères devint plus rapide et plus intense...

— Les West Kent et les Royal Fusiliers sont très engagés... Deux bataillons de Fritz attaquent Le Bois-Haut...

Vers dix heures du matin, l'artillerie allemande ouvrit le feu et le réseau téléphonique des bataillons de ligne se tut : les obus avaient coupé les fils. Des messagers et des estafettes des bataillons allaient et venaient sans cesse. On apporta d'autres gamelles de thé brûlant, ainsi que du bœuf bouilli et du pain. Fenton s'assit dans un coin de la salle des opérations, but son thé et fuma. Il se sentait « en dehors du coup », une bouche inutile à nourrir. Il fit quelques pas dans la cour de l'école au milieu de l'après-midi et observa le rideau de fumée qui planait lourdement au-dessus de l'horizon vers le nord. Les énormes crassiers des environs limitaient la visibilité à quelques centaines de mètres en tout sens. Un paysage sinistre et misérable, mais des gens vivaient là, y bâtissaient leurs maisons, se mariaient, élevaient leurs enfants et les envoyaient chaque matin dans cette petite école de brique sombre. Et maintenant des obus sifflaient dans le ciel brûlant et foudroyaient la terre à moins de deux kilomètres du village. Les petites maisons semblaient attendre que l'orage les atteigne. Leurs occupants étaient partis ou s'en allaient. Ils entassaient leurs affaires sur des charrettes, dans de vieilles automobiles pétaradantes, sur des voitures d'enfants et même sur de petites carrioles à deux roues tirées par un chien. Les obus se rapprochèrent du village et un nuage de poussière rouge jaillit de maisons détruites et obscurcit le soleil. Des décombres retombèrent dans la cour d'école et les fenêtres des classes se mirent à trembler à chaque impact, puis se brisèrent. Il était vraiment ridicule de demeurer au milieu de la cour alors qu'une bonne partie de Frameries tombait autour de lui. Fenton revint donc d'un pas normal vers le bâtiment, conscient d'être épié par la section de Highlanders qui s'était prudemment mise à l'abri de l'autre côté de la cour. Un capitaine des Coldstream Guards, songea-t-il, ne pouvait pas se permettre de courir. Un cornemusier qui avait le sens de l'humour joua quelques notes de *Johnnie Cope : Eh, Johnnie Cope, peux-tu encore marcher ?* La section éclata de rire et, en arrivant près de la porte, Fenton ôta sa casquette à l'adresse du cornemusier, geste qui provoqua une tempête d'acclamations — aussitôt suivies par un obus de mortier allemand qui transforma le centre de la cour en volcan. La section des Royal Scots s'accroupit. Une balançoire et un portique furent transformés en éclats mortels, et Fenton plongea la tête la première dans l'embrasure de la porte.

Les officiers du quartier général travaillaient encore avec efficacité au milieu du verre brisé et du plâtre qui jonchaient les classes. Fenton avait une écorchure à la tête. Un infirmier lui posa un pansement puis revint porter secours aux blessés plus graves que l'on amenait à l'école en nombre croissant. Le colonel Blythe, les yeux cernés et le visage sombre, repéra Fenton qui se tenait la tête dans un coin et se dirigea aussitôt vers lui.

— Vous allez bien ?

— Tout à fait, répondit-il d'une voix pâteuse. Un simple coup sur le crâne.

— Parce que nous avons du travail pour vous. Nous avons reçu l'ordre de décrocher et de nous retirer de huit kilomètres pour établir une nouvelle ligne de front à la tombée de la nuit. Cette bougre d'artillerie est bougrement trop précise.

— Quelle est la réaction du général ?

— Woody voudrait rester et combattre. Il a envoyé au G.Q.G. un message demandant dix pelotons de mitrailleuses. Ils ne les enverront pas, bien entendu. Je suis sûr qu'il n'y a pas dix Vickers de réserve dans toute l'armée. De toute façon les mitrailleuses n'arrêteraient pas les canons, et les Boches font avancer leurs batteries sur notre flanc. Nous sommes obligés de battre en retraite, mais Woody a peur qu'une fois lancé le mouvement ne puisse être renversé. Il est sûr que nous continuerons de glisser jusqu'à la côte.

— Que voulez-vous que je fasse ?

— Nous avons perdu le contact avec le Q.G. de la cinquième

division à Elouges. Prenez votre voiture et filez là-bas pour vous assurer qu'ils savent que nous nous replions vers Sars-La-Bruyère. Voici l'horaire prévu pour la retraite. Nous devons coordonner nos mouvements et il y a des trous effrayants dans la ligne de front.

Il glissa une liasse de papiers dans la main de Fenton.

— Dépêchez-vous. Il y a une bonne trotte.

Fenton laissa Webber décider s'il préférait l'accompagner ou rester. Comme tout ordonnance dévoué, Webber refusa d'abandonner son officier. Il s'assit à l'avant, près du caporal-chef Ackroyd, un fusil Lee-Enfield chargé entre les jambes, convaincu par des bruits qui couraient que des hordes d'Allemands sillonnaient les routes déguisés en bonnes sœurs belges.

Le réseau routier les obligea à descendre plein sud pendant près de deux kilomètres avant de pouvoir obliquer vers l'ouest en direction d'Elouges. La route était complètement embouteillée par les canons et les chariots d'intendance qui faisaient demi-tour. Certains officiers d'artillerie refusaient de battre en retraite avant d'avoir déchargé leurs canons sur l'ennemi. Des pelotons de Tommies du Wiltshire Regiment, faisant office de police militaire, parvinrent bientôt à dégager le bouchon de chevaux, de chariots et de canons, et la retraite vers le sud s'effectua dans l'ordre et le calme.

La route vers l'ouest, étroite et sinueuse, traversait des champs, des bois, de petits villages sans nom — et toujours des énormes tas de scories et des mines de charbon. Des colonnes de fantassins traversaient la route de loin en loin, s'éloignant de la bataille qui faisait rage à l'horizon. C'étaient des hommes épuisés, aux uniformes sales et déchirés, aux visages noircis par la poussière de charbon, mais ils semblaient tout joyeux, pleins d'optimisme. Un lieutenant du Royal Irish, qui avait ralenti la voiture pour demander son chemin, apprit à Fenton qu'ils avaient arrêté les Allemands sur le canal.

— On a tiré dans le tas, cinq rafales rapides tout le long de la ligne. Pas besoin de viser : ils arrivaient en masses compactes, épaule contre épaule. Il paraît que le Kaiser nous prend pour une « petite armée misérable ». Je me demande ce qu'il en pense en ce moment.

Le lieutenant avait l'impression d'être à la veille d'une grande victoire, même s'ils devaient, selon ses propres termes, lâcher un peu de terrain. Fenton songea qu'il ne s'agissait pas uniquement d'« un peu de terrain ». L'armée tournait bride devant l'ennemi qui avançait, et ce serait un cauchemar logistique de la faire se retourner dans l'autre sens. Le lieutenant avait considéré que les quelques centaines de mètres de front occupés par sa section constituaient l'ensemble du conflit, et, sur ce front-là, il avait vu les attaques allemandes tenues en échec par le feu meurtrier de ses tireurs d'élite. Il n'avait pas vu la grande carte du Q.G. révélant que l'action de Mons n'était qu'un infime élément de l'énorme bataille qui faisait rage de la frontière suisse à Bruxelles. Une bataille est davantage que la somme de ses parties. Même une victoire stupéfiante à Mons n'aurait que peu de sens, ou même pas du tout, si les armées françaises refluaient de la frontière — ce qui semblait se passer. La minuscule force expéditionnaire britannique n'était qu'un membre tendu, et s'il ne se repliait pas en toute hâte, il serait séparé du tronc. A quoi bon tenter de l'expliquer à un jeune lieutenant euphorique, persuadé qu'il venait de gagner la guerre ? Fenton lui donna quelques cigarettes, lui indiqua la direction de Sars-La-Bruyère et dit au caporal-chef Ackroyd de poursuivre sa route.

Au Q.G. de la cinquième division, nul ne fit le moindre cas de l'horaire de repli de la troisième division. La pression exercée sur le front de la cinquième division leur imposait un autre dispositif de retraite — or, cette pression était très sévère. Les obus éclataient de plus en plus près d'Elouges, transformant les routes en un chapelet de cratères. Les troupes allemandes avaient franchi le canal en force et la situation de l'arrière-garde était désespérée. On avait fait sauter la plupart des ponts mais d'importantes formations de cavalerie allemande, appuyées par l'infanterie, avaient contourné le canal à l'est de Condé et prenaient la division par le flanc. Il était impossible de coordonner le repli. Chaque bataillon devait battre en retraite selon ses possibilités.

— Dites à Sir Julian que nous essaierons de ne pas laisser des trous, mais nous ne pouvons absolument pas le lui garantir, lui déclara l'aide de camp du commandant de division, de fort mauvaise humeur. Après tout ce ne sont pas les manœuvres de Salisbury.

Lorsque Fenton quitta le bâtiment du Q.G. sur la place de la ville, le caporal-chef Ackroyd, très nerveux, faisait les cent pas près de la voiture. Une batterie de pièces de dix-huit livres, dans un petit square miteux, tirait à mitraille sur une colline assez proche. Les coups se succédaient aussi rapidement que les servants pouvaient charger les armes. Assis très raide sur le siège avant, les mains crispées sur son fusil, la tête penchée, Webber regardait les obus éclabousser la ligne d'horizon de gerbes de fumée noire.

— Où allons-nous, capitaine ? demanda Ackroyd en ouvrant la portière arrière de la voiture.

Il était obligé de crier pour se faire entendre. Fenton regarda sa montre. Quatre heures vingt-cinq. Il ferait nuit lorsqu'ils arriveraient à Frameries et il y avait de grandes chances que la division soit déjà partie. Il faudrait alors qu'ils la rattrapent sur la route de Sars-La-Bruyère. Il s'assit sur le marchepied avec Ackroyd et ils étudièrent la carte ensemble. La principale route vers le sud devait être complètement bouchée : chariots de transport, artilleurs et fantassins refluaient déjà sur la ville. Ce serait de la démence de vouloir conduire au milieu de ce chaos.

— Nous pouvons facilement faire le tour, capitaine, proposa Ackroyd. C'est une grosse voiture nerveuse et la terre est sèche comme de la pierre. Nous pouvons passer à travers champs et être à cette espèce de Sarlabrouette dans deux heures.

Fenton jugea la chose raisonnable : il faudrait qu'il pense à recommander Ackroyd pour un galon de plus.

La voiture traversa en cahotant les champs d'avoine et d'orge, laissant derrière elle un sillage de tiges courbées, mais au bout de quelques kilomètres le paysage changea brusquement : aux champs plats succédèrent des bois épais séparant des carrières d'ardoise et des mines de charbon. Un labyrinthe de petites routes partaient en tout sens — aucune n'était portée sur la carte. Ils en prirent une qui avait l'air engageant, mais après trois kilomètres vers le sud, elle se termina en cul-de-sac sur une mine de charbon et ils durent revenir en arrière pour en essayer une deuxième. La nouvelle route serpentait un peu au hasard, vers le sud, puis l'ouest, puis encore vers le sud, franchissant des bois denses où les branches entrelacées formaient comme un dais sombre au-dessus de la voiture. Ackroyd dut freiner brusquement pour éviter de heurter une section de dragons français qui surgirent soudain des bois sombres. Visiblement épuisés, les cavaliers cravachèrent leurs chevaux pour traverser la route au trot, serrant les rangs, en un flot cliquetant de croupes couvertes d'écume et de harnais étincelants. Une partie de l'unité du général Sordet qui appuyait le flanc gauche des troupes anglaises : ils défilaient dans la pénombre du couchant comme une cavalerie fantôme sur la route de Waterloo. Les bois de l'autre côté de la route les engloutirent.

— Bon sang ! murmura Ackroyd émerveillé. Ils n'ont même pas tourné la tête.

Ils rencontrèrent d'autres cavaliers plus loin sur la route, des hussards anglais, une centaine au moins, marchant près de leurs chevaux fourbus. Les soldats vêtus de kaki paraissaient moins sublimes que leurs homologues français, mais beaucoup plus efficaces avec leurs fusils Lee-Enfield dépassant des fontes de leurs selles. Fenton reconnut le major de la compagnie, un des meilleurs joueurs de whist du Marlborough Club, et il le héla. L'homme s'approcha lentement de la voiture, sans lâcher la bride de son cheval.

— Salut, Fenton, dit-il. Que faites-vous par ici tout seul ?

— J'essaie de rejoindre Sars-La-Bruyère.

— Cette route vous y conduira, oui. Mais le village est un sacré micmac, bourré à craquer de chariots tous tournés vers le sud. Qu'est-ce qu'il se passe, plus haut ?

— Je n'en sais foutrement rien. Une grande bataille ce matin, le long du canal de Mons à Condé. Nous avons bien combattu, je crois, mais tout le corps se replie malgré tout.

182

Le major esquissa un sourire amer.

— C'est le brouillard de la guerre. La main gauche n'a pas la moindre idée de ce que fait la main droite. J'aime autant vous dire que patauger ainsi dans le noir ne me plaît pas du tout. Vous avez du whisky ?

— Malheureusement, non.

— Dommage.

Des fusils crépitèrent dans le lointain. Le mur des arbres déformait le bruit. Le major pencha la tête sur le côté, comme un chien de chasse. Le tir des fusils s'arrêta, aussitôt remplacé par le crépitement impossible à confondre d'une mitrailleuse.

— Trompette ! cria le major en sautant en selle. A cheval ! Au galop de chasse !... En avant !

Une trompette de cavalerie retentit, les hommes montèrent en selle et suivirent le major qui traversa la route et s'engagea sous les arbres. Ils disparurent presque aussitôt, avalés par les ombres comme tout à l'heure les dragons français. Il y avait dans ces bois quelque chose de sinistre qui fit frissonner Fenton. Peut-être ne lui auraient-ils pas paru aussi menaçants à midi, mais le soleil se couchait et le ciel, en tout cas ce qu'il pouvait en voir, était rouge sang. La lumière faible qui filtrait à travers les hêtres avait la même teinte sanglante.

— Continuons, dit-il. Et vite.

La route vira à l'est, puis plein ouest et les bois commencèrent à s'éclaircir. Le soleil était un ballon écarlate trop gonflé qui semblait posé sur la route. Des ombres noires se mirent à papillonner devant eux.

— Encore des saloperies de chevaux ! murmura Ackroyd en écrasant le frein.

— Des lanciers, dit Webber en mettant sa main devant ses yeux pour atténuer les reflets.

Fenton entrevit soudain les casques des cavaliers en ombres chinoises sur le ciel. Ce n'étaient ni les casquettes de tissu des Anglais, ni les casques de cuivre des Français, mais de petits casques avec sur le dessus une sorte de rebord plat.

— Des uhlans, dit-il sans perdre son sang-froid, ce qui était remarquable étant donné la terreur que semait ce nom-là. En arrière.

Le première classe Webber n'était qu'un ordonnance, mais même le dernier des troufions de la Garde était passé au centre de formation-dépôt du régiment et avait participé à de nombreuses séances de tir. Il se leva, appuya son corps contre le pare-brise, épaula le Lee-Enfield et tira. L'une des silhouettes noires tomba sur la route et un cheval sans cavalier, affolé, dépassa la voiture au galop. Le second coup de feu de Webber se perdit : Ackroyd avait passé en marche arrière et accélérait à fond. La voiture se mit à reculer à toute allure, zigzaguant d'un côté à l'autre de la route. Une rafale de mitrailleuse jaillit de l'orée du bois devant eux. Les balles crépitèrent contre la voiture, perçant le métal, le caoutchouc et le verre. Les pneus avant éclatèrent et la voiture culbuta soudain dans le fossé. Fenton entrevit Webber qui basculait en arrière, le visage en sang, mais déjà il était lui-même projeté hors de son siège. Il traversa un rideau de branches et atterrit lourdement sur un tas de feuilles sèches.

Il s'évanouit sous le choc. Lorsqu'il ouvrit les yeux, il n'aperçut que des lumières rouges dansantes. Il voulut respirer, mais quelque chose lui comprimait la bouche et le nez. Il suffoquait. Il essaya de se débattre. Une bouche se pressa contre son oreille et la voix à peine audible du caporal-chef Ackroyd murmura :

— Ne bougez pas, capitaine... Ne bougez pas.

Les doigts qui serraient son nez le libérèrent, mais la main d'Ackroyd demeura contre sa bouche. Ses yeux parvinrent à faire le point et il se rendit compte que les lumières rouges jaillissant autour de lui étaient de grandes flammes s'élevant de la voiture par bouffées. Il était allongé à une bonne trentaine de mètres, loin dans les bois, et les troncs noirs des arbres minces fragmentaient la vision qu'il avait du feu. Il n'avait sûrement pas été projeté à trente mètres au milieu d'une forêt de hêtres. Le caporal-chef Ackroyd avait dû le traîner. Par le diable, il veillerait à ce que ce type soit nommé sergent et obtienne la croix de guerre par-dessus le marché. Il fit un signe de tête pour indiquer à Ackroyd qu'il n'avait plus besoin de l'étouffer.

— Où sont-ils ? murmura-t-il.

— Partout, ces enculés... capitaine.

Il les entendit : le pas amorti des sabots des chevaux, les craquements des jeunes arbres et des buissons du sous-bois, les jurons des hommes — des jurons gutturaux allemands. Il y eut un roulement de brodequins ferrés sur la route : l'unité d'infanterie de *Jäger* qui suivait la cavalerie allemande pour l'appuyer de son tir précis — au fusil ou à la mitrailleuse. Quelqu'un cria :

— *Achtung ! Die Engländer kommen !*

Un clairon sonna, plus bas sur la route. Puis l'on entendit le galop des chevaux au loin. Les uhlans qui fouillaient le bois se hâtèrent de regagner la route. Une mitrailleuse se mit à crépiter près de la voiture encore en train de brûler. Des fusils entrèrent dans la danse, le feu devint intense et soutenu. Fenton ne pouvait rien voir de l'action, mais il n'avait aucun mal à l'imaginer : les hussards revenaient au galop attirés par les coups de feu — ou plutôt par la lueur du brasier. Le pauvre vieux Webber devait être carbonisé depuis longtemps. D'autres hommes et d'autres chevaux tomberaient...

— Oh ! mon dieu !

— Chut ! Taisez-vous, capitaine. Vous pouvez marcher ?

— Je... ne sais pas.

— Essayez, capitaine, *essayez !*

La voix d'Ackroyd trahissait un certain désespoir. Fenton se leva lentement. Il ressentait une douleur sourde au creux des reins, mais il n'avait apparemment rien de cassé.

— Baissez la tête, capitaine, et courez comme un diable.

La direction ne semblait pas importante pour l'instant, il s'agissait avant tout de s'éloigner le plus possible des lanciers allemands et des *Jäger* — Fenton croyait se souvenir que ces derniers étaient tous des chasseurs et des hommes de la forêt. Ils se mirent à courir, pliés en deux. Ackroyd, en tête, zigzaguait entre les arbres serrés, non sans trébucher souvent, se frayant un chemin à travers les broussailles épaisses. Derrière eux le tir continuait, mais aucune balle ne vint dans leur direction, et ils débouchèrent enfin dans une petite clairière au milieu des bois. Des formes noires se mirent à bouger et une voix cria :

— *Wer da ?*

Puis des fusils aboyèrent et Ackroyd plongea dans l'herbe verte, aussitôt imité par Fenton. Ils se mirent à ramper sur le ventre. Les balles sifflaient dans l'herbe autour d'eux. Quand ils furent de nouveau à l'abri des arbres, ils se relevèrent et s'élancèrent de tronc en tronc, sans s'arrêter jusqu'à ce qu'ils s'effondrent, à bout de souffle, complètement épuisés. Fenton se mit à vomir puis roula sur le dos, sous un buisson d'aubépine. Ackroyd demeura allongé sur le ventre, comme mort. Ils s'étaient profondément enfoncés dans la forêt et l'on n'entendait aucun bruit hormis le bruissement doux des feuilles, quelques trilles d'un rossignol, et leurs propres respirations haletantes.

Ils se cachaient le jour et se déplaçaient la nuit, avançant lentement vers le sud. L'armée allemande était tout autour d'eux, mais ne formait pas une masse compacte. Ils restaient souvent plusieurs heures dans la journée sans apercevoir un seul soldat ennemi, et ils hésitaient alors à rester dans leur cachette — un taillis, une meule de foin, un puits de mine abandonné ou une porcherie puante. Ils auraient pu avancer beaucoup plus vite le jour. Mais invariablement, à un moment ou à un autre, les Allemands survenaient. Un peloton isolé en reconnaissance sur une route, ou un bataillon entier fourmillant dans un champ. Et, toujours suspendue sur leurs têtes, la menace de uhlans, de hussards Têtes-de-Mort, ou de cavaliers à l'allure moins pittoresque. Ils attendaient donc la nuit pour se diriger vers le sud, prenant les bornes kilométriques des routes comme points de repère et évitant les villages. Ils se nourrissaient de pommes et de mûres, ainsi que du peu qu'ils trouvaient dans les nombreuses fermes abandonnées. Le temps était beau, chaud la journée et doux la nuit, avec un ciel sans nuage et suffisamment de lune pour que leur marche à travers champs fût facile. Un orage soudain, très violent, éclata au cours de la deuxième nuit de leur voyage et ils furent contraints de s'abriter dans une grange. La pluie s'arrêta à l'aube, mais le tonnerre continua — un tonnerre différent : le martèlement des obus lourds. Ce

bombardement d'artillerie se situait presque plein est, à une quin-
zaine de kilomètres, au Cateau-Cambrésis ou tout près, autant que
Fenton pût en juger. Il se poursuivit de l'aurore au couchant, et c'était
manifestement une grande bataille. Puis le feu cessa, mais il n'existait
aucun moyen de savoir qui l'avait emporté.

— Je crois que nous pourrions aller au Cateau cette nuit et voir qui
est en possession de la ville, dit Fenton qui étudiait la carte tout en
croquant une pomme.

— Ce serait possible, capitaine, répondit Ackroyd d'un ton plein
de doutes. En faisant terriblement attention.

Etant donné les circonstances, il était impossible à Fenton de main-
tenir avec le caporal-chef Ackroyd des relations strictes d'officier à
subalterne. Quand deux hommes ont passé plusieurs heures l'un contre l'autre à moitié enfouis dans le fumier puant d'une étable à
cochons, pendant que les uhlans faisaient boire leurs chevaux à quelques mètres de là, ils ont appris beaucoup de choses sur leurs qualités
humaines respectives. Fenton éprouvait un profond respect pour Ackroyd. Jamais il ne se plaignait, il était plein de ressources, prudent et
courageux. Le genre de soldat indomptable que tout officier a envie
d'avoir à ses côtés quand les choses se gâtent.

— Vous ne pensez pas que c'est une bonne idée, Ackroyd ?

— Je vous demande pardon, capitaine, mais non, je ne le pense
pas. S'il y a eu une bataille par là-bas, je crois que les deux camps
seront plutôt à cran, et que s'ils nous aperçoivent en train de patauger
dans le noir, nous risquons d'être abattus par les uns ou par les autres.
Et Boches ou Tommies, nous n'en nourrirons pas moins les corbeaux.

— C'est un raisonnement sensé.

Il scruta la carte dans la nuit tombante.

— Pourquoi ne pas continuer vers le sud jusqu'à la voie ferrée de
Cambrai, puis la suivre en direction de Saint-Quentin ? Si les Boches
sont aussi loin dans le sud, c'est que tout est terminé, et dans ce cas,
peut-être vaudrait-il mieux jeter l'éponge.

Ackroyd approuva cette proposition et ils se mirent en route dès
qu'il fit assez noir. La lune se leva tôt et ils avancèrent rapidement
dans les champs et les bois. Ils atteignirent la voie ferrée avant minuit.
Ils se reposèrent pendant une heure sous un ponceau et mangèrent
leurs dernières pommes, puis ils marchèrent le long de la voie en
direction du sud-est. On apercevait des feux à l'horizon vers le nord,
une lueur pâle, comme une aurore étrange commençant à poindre. Ils
ne pouvaient que se perdre en conjectures sur l'origine de ces feux.
Des villages et des champs en flammes ? Les feux de bivouac d'une
innombrable armée ? Ces deux possibilités étaient aussi effrayantes
l'une que l'autre et ils continuèrent leur route sans prendre de repos.
A quatre heures du matin ils atteignirent les petites maisons éparses
d'un village, dont un panneau près des voies leur révéla le nom :
Saint-Petit-Cambrésis. Ils aperçurent une route étroite remontant vers

l'agglomération — petit ruban blanc sous les derniers rayons de la lune. Elle serpentait entre les vignes sur une colline basse. Des chariots d'intendance étaient rangés le long du bas-côté et les chevaux dételés paissaient dans un champ.

— Ce sont les nôtres, pardieu ! s'écria Fenton en reconnaissant les popotes anglaises.

Les deux hommes s'arrêtèrent pour épousseter un peu leurs uniformes pleins d'accrocs et couverts de boue, puis s'élancèrent d'un bon pas. Ackroyd se mit à siffler *Tipperary* pour prévenir les sentinelles, mais personne ne les arrêta. Ni près des quais de la gare, ni lorsqu'ils traversèrent la salle des pas perdus déserte et débouchèrent sur la petite place.

— C'est étrange, dit Fenton. Il aurait dû y avoir au moins une sentinelle.

— Cette foutue ville a l'air déserte, capitaine.

— C'est impossible.

Ils s'avancèrent. Leurs bottes claquaient sur les pavés. La rue tourna puis déboucha sur la place principale, que dominait une grande fontaine de pierre. Autour de la fontaine, occupant le moindre centimètre carré de pavé, des soldats étaient étendus, au moins trois cents, gisant comme des morts. Ils n'appartenaient pas tous à la même unité. Fenton remarqua les insignes d'une demi-douzaine de régiments. Un sergent des Gordon Highlanders était couché sur le dos dans le caniveau, la tête posée sur son paquetage. Sa main gauche était enveloppée dans un pansement couvert de sang et de poussière. Fenton posa le bout du pied contre son flanc et le secoua doucement.

— Debout, sergent.

L'homme jeta à Fenton un regard hébété, puis se leva en grognant.

— Que se passe-t-il ? dit Fenton d'une voix sèche. On dirait une armée de mendiants.

Les yeux injectés de sang du sergent glissèrent du visage de Fenton vers les insignes de régiment cousus sur sa casquette, puis vers les galons sur les manches tachées de boue. Il se mit au garde-à-vous.

— Tous les gars sont épuisés, capitaine.

— Je m'en doute, sergent. Mais pourquoi n'y a-t-il pas de sentinelles ? Bon dieu, mais les Boches seront ici à l'aube.

— Oui, capitaine. Le colonel nous a dit de former les faisceaux et de dormir, capitaine. Il nous a dit que la guerre était finie pour nous, capitaine.

— *Votre* colonel, sergent ?

— Non, capitaine. Un colonel de Winchester, capitaine.

— Combien y a-t-il de Gordon ici ?

— Douze, capitaine.

— Réveillez-les. Envoyez-en six le long de la voie ferrée et six sur la route. Trouvez-moi les conducteurs des chariots et réveillez-les eux

187

aussi. Je veux que les chevaux soient attelés et prêts à partir. Où est ce colonel ?

— A la mairie, capitaine, de l'autre côté de la place.

— Vous croyez que la guerre est finie, sergent ?

Les muscles de la mâchoire du sergent se contractèrent.

— Je ne peux pas discuter les ordres d'un colonel, capitaine... Même un colonel de ces enculés de Winchester, *capitaine*.

Le hall de la mairie et le grand couloir étaient bondés de soldats grièvement blessés dont s'occupaient deux infirmiers et un civil français. Les blessures étaient toutes pansées et les hommes semblaient sous anesthésie. Fenton fut favorablement impressionné par l'efficacité des soins.

— Vous avez fait du bon travail, leur dit-il.

— Merci, capitaine, dit l'un des infirmiers. C'est grâce à lui, ajouta-t-il en désignant le Français d'un signe de tête. C'est le vétérinaire du coin. Il nous a apporté des tas de pansements pour chevaux et tout un stock de morphine.

— Combien d'hommes transportables ?

L'infirmier se frotta la joue, perplexe. Il avait les yeux enfoncés dans les orbites, et des cernes profonds.

— Peut-être une douzaine si on les laisse bien à plat. La plupart sont dans un drôle d'état. Ces putains d'obus vous salopent vraiment un bonhomme.

— Triez les hommes que vous pouvez emmener, puis vous déciderez avec votre camarade lequel d'entre vous restera avec les autres. Tirez à pile ou face s'il le faut, mais un infirmier doit rester. Les Allemands seraient trop heureux de dire que nous abandonnons nos blessés.

L'homme acquiesça.

— Vous avez raison, capitaine. Le colonel Hampton est le seul à penser que nous sommes tous fichus.

— Absolument. Où puis-je trouver ce colonel Hampton ?

L'infirmier montra le bout du couloir.

— Dans une de ces chambres, capitaine.

— D'autres officiers ici ?

— Oui, capitaine, deux lieutenants et un major. Le major est par là, sur un brancard. Une jambe cassée, capitaine. Les lieutenants sont avec le colonel.

Il baissa la voix et regarda Fenton droit dans les yeux.

— Il y a quelque chose de bizarre dans l'attitude du colonel, capitaine. Je suis dans le Service de Santé de l'armée depuis vingt ans, capitaine, et j'ai déjà vu ce genre de choses se produire, et plus d'une fois, je vous assure.

— Vous avez vu se produire *quoi*, sergent ?

— Eh bien, capitaine, un homme perdre le contrôle de lui-même. Je crois que le colonel a craqué.

Bon dieu ! songea Fenton, quelle situation horrible ! L'image des hommes frappés de stupeur sur la place, le sommeil de drogués des blessés lui firent prendre conscience de l'immensité de sa fatigue. Il était à bout de forces. Il aurait été si simple, si naturel, de s'allonger par terre et de fermer les yeux — et si une botte allemande le réveillait quelques heures plus tard, ma foi, tant pis. Et là-bas, au fond du couloir, il y avait un colonel, responsable d'un régiment, très probablement un homme âgé avec des états de service plus qu'honorables, qui était épuisé comme lui-même, mais qui ne pouvait plus reprendre le dessus, et qui laissait la fatigue lui dicter ses décisions. Fenton devait, d'une manière ou d'une autre, relever cet homme de ses fonctions, prendre le commandement en tant qu'officier de plus haut rang en état d'exercer les fonctions, et conduire cette chienlit de soldats, de bric et de broc, loin du village avant le lever du jour. Cela lui sembla sur le moment une tâche impossible, comme si on lui demandait de grimper tout nu sur une falaise inaccessible.

— Je respecte vos commentaires, sergent, mais veuillez les garder pour vous désormais. Pouvez-vous me donner quelque chose qui me tienne éveillé ?

— Désolé, capitaine, nous n'avons plus un seul grain de café, ni la moindre feuille de thé. Mais je pourrais vous faire dormir en un rien de temps, ajouta-t-il avec un sourire sombre.

— Merci, sergent, mais je n'aurais vraiment pas besoin de vous pour ça.

Il trouva très vite les trois officiers, dans le bureau du maire. Les deux lieutenants étaient couchés par terre et le colonel sur un divan de cuir. Une lampe à pétrole posée sur le bureau éclairait faiblement la pièce. Fenton remonta la mèche, mais pas un seul muscle des hommes ne bougea lorsque la lumière jaillit sur leurs visages. Il lança des coups de pied aux deux jeunes officiers jusqu'à ce qu'ils s'étirent en grognant et en grommelant, puis il secoua énergiquement le colonel. Il avait un long visage cadavérique, couronné de cheveux gris. Soixante ans passés et, sur sa tunique, une décoration fanée, datant de la guerre d'Afrique du Sud. Un homme des listes de réserve, arraché à son club de Londres pour conduire un régiment au feu. Fenton ne pouvait ressentir pour lui que de la pitié.

— Réveillez-vous, colonel, réveillez-vous.

Le colonel regarda Fenton. Il avait les yeux vitreux et sa mâchoire pendait.

— Quoi ? Que dites-vous ?

— Réveillez-vous. Il est temps de partir.

Le colonel, non sans mal, parvint à s'asseoir et Fenton l'aida à enfiler sa tunique.

— Partir ? dit le vieil homme d'une voix hébétée. Partir, dites-vous ? De quoi diable parlez-vous, monsieur ? Qu'est-ce que cela signifie ?

Fenton se tourna vers les lieutenants. Ils s'étaient levés mais tenaient mal sur leurs jambes. Ils appartenaient tous les deux à la neuvième brigade, l'un au régiment de Winchester, l'autre aux Royal Fusiliers.

— La sieste était bonne ? dit-il d'un ton sec.

Le lieutenant des fusiliers se frotta énergiquement le visage.

— Bon dieu, quelle heure est-il ?

— L'heure de filer, répondit Fenton. Sortez sur la place et faites lever les hommes.

— Mais qu'est-ce que vous faites ? murmura le colonel d'une voix pâteuse. Réveiller les hommes ? Mais ils ont mérité leur sommeil... mérité leur sommeil... cinquante-deux heures sans fermer l'œil... deux batailles... Ils ont fait tout ce qu'ils pouvaient.

— Non, colonel, dit Fenton à mi-voix. Pas tout à fait encore.

Les lieutenants semblaient indécis, conscients du conflit prêt à éclater entre les deux officiers supérieurs.

— Restez un instant, leur dit Fenton. J'ai besoin de vous comme témoins. Je vais demander au colonel de se faire porter malade.

Le visage du colonel se marbra de taches pourpres.

— Porter malade ? Mais de quoi parlez-vous ?

— Vous devez avoir quelque chose, colonel, sinon vous n'auriez pas laissé vos hommes s'endormir, au risque d'être faits prisonniers par l'ennemi.

Le vieil officier ouvrit la bouche plusieurs fois. De la salive glissait aux commissures de ses lèvres. Il levait vers Fenton des yeux ronds, très fixes, comme s'il était au bord de l'apoplexie.

— Que dites-vous ? Quoi ? Bon dieu... des épaves... pas *mes* hommes... à la dérive... on ne peut pas exiger d'eux... c'est trop demander d'un homme... ce n'est pas juste... non.

Fenton l'interrompit d'un ton glacial.

— Aucun colonel des Winchester ne se rendrait sans se battre à moins d'être malade. Je n'ai sûrement pas besoin de rappeler à un colonel l'histoire de son régiment.

Le visage de l'homme devint tout gris, et ses yeux parurent saillir davantage de leurs orbites.

— Les Coldstream ! dit-il d'une voix pâteuse. Vous êtes bien tous les mêmes dans la Garde, des salopards arrogants, du premier au dernier troufion. Pour qui vous prenez-vous pour me parler sur ce ton ? Pour me dire ce que j'ai à faire ? Malade, moi ? Je ne suis pas *malade,* vous entendez !

— Vous êtes soit un malade, soit un lâche, colonel. Si vous refusez de vous faire porter malade, mon seul recours est de quitter cette pièce, de revenir avec une arme et de vous faire sauter la cervelle.

Le colonel parut suffoquer. Ses lèvres remuèrent mais aucun son ne sortit de sa gorge, puis ses yeux se révulsèrent et il tomba en avant. Fenton le saisit par les épaules pour l'empêcher de s'écrouler par terre.

— Pauvre vieille ganache, railla le fusilier.

— Tenez votre langue, répondit Fenton d'un ton sec. Allez chercher l'infirmier, et au trot.

Le jeune officier se précipita dans le couloir tandis que l'autre lieutenant s'avançait d'un pas mal assuré vers le divan.

— Il va bien ?

— Oui. Sortez sur la place. Réveillez les hommes. Faites sonner les clairons et les cloches, bottez-leur le train, mais qu'ils se lèvent.

— Je vais essayer, capitaine.

Fenton le fixa.

— N'*essayez* pas. Je ne vous ai pas demandé d'*essayer*.

Il le suivit des yeux jusqu'à la porte, puis il prit le poignet du colonel entre ses doigts. La peau était moite mais il sentit le pouls qui battait faiblement. Le colonel irait bien. Vraiment bien ?... Non ! Comment pourrait-il aller *bien* désormais ! Cet homme vivrait peut-être cent ans, mais il était mort en France, aussi sûrement que le pauvre vieux Webber. Il lâcha le poignet et allongea le colonel sur le dos. Le ruban orange, jaune et noir de l'Afrique du Sud semblait plutôt futile sur sa poitrine.

Sur la place, la situation s'améliorait. A peu près un quart des hommes étaient debout, mais leur attitude n'était guère martiale. Ils avaient cessé d'être des soldats. On eût dit des clochards rampant sous un pont par un matin d'hiver. Le caporal-chef Ackroyd aidait les deux lieutenants à faire lever les hommes. Ils les insultaient et les suppliaient, tiraient sur leurs ceintures et leurs baudriers, leur lançaient des coups de pied. Certains se levaient, d'autres restaient allongés, à demi hébétés, en murmurant des insultes ou des menaces. Fenton eut l'impression que c'était sans espoir — et le temps passait. Les Allemands se mettraient en marche dès l'aube et submergeraient Saint-Petit-Cambrésis de leur marée gris-vert. Il repéra trois première classe des Cameroniens en train de boucler leur barda près de la fontaine. L'un d'eux avait sur l'épaule un sac de toile dont jaillissaient les tubes d'une cornemuse.

— Vous, là-bas ! cria Fenton à son adresse. Jouez-nous un air.

— Il n'a plus de poumons, capitaine, répondit un de ses copains.

— Il a intérêt à en trouver quelque part !

Le *bagpiper,* avec un sourire résigné, sortit sa cornemuse. Il y eut un cri étrange, comme le miaulement d'un chat à l'agonie, puis *Blue Bonnets Over the Border* jaillit, clair et entraînant, avec pourtant cette pointe de tristesse que toute musique de cornemuse semble contenir — l'image d'hommes valeureux se battant sur les landes désertes pour des causes perdues... Le *Bonnie Prince* avait écouté les mêmes notes avant Culloden.

— Debout, les hommes, debout.

Le cornemusier s'avançait lentement au milieu des soldats épuisés, regardant bien où il mettait les pieds pour ne marcher sur le visage de

191

personne. Les soldats commencèrent à se lever. Quelques-uns applau-
dirent faiblement. Un caporal des Royal Fusiliers mit ses mains en
porte-voix et cria :

— Ecossais, enculés !

Il y eut, çà et là, quelques rires. D'autres hommes se levèrent et
s'occupèrent de leur équipement.

— Si la musique écossaise ne vous plaît pas, faites-nous entendre
celle de Londres, cria Fenton.

Un harmonica sortit de la poche d'un homme, et un petit bando-
néon émergea d'un sac à dos. Bientôt *Who's your Lady Fair ?* et *The
Old Kent Road* rivalisèrent avec *Blue Bonnets*. On se mit à chanter et
les soldats formèrent les rangs et quittèrent lentement la place. On
entendit le hennissement des chevaux au loin, puis le grincement des
chariots de transport. Les hommes savaient où se diriger — vers le
sud : au-delà de la voie ferrée et d'un petit pont, des peupliers sombres traçaient la route.

Fenton demeura sur la place jusqu'à ce que le dernier homme, le
dernier chariot et le dernier cheval aient quitté le village. L'aurore
allait poindre, la pierre sombre du clocher de l'église se teintait de rose
pâle. Des hirondelles plongèrent du beffroi qu'effleurait déjà le soleil,
dans le feuillage sombre d'un marronnier. Cela rappela à Fenton les
matins d'été à Abington Pryory. Il s'arrêta un instant pour jeter un
dernier regard à l'infirmier qui restait avec les blessés. Il était debout
sur l'escalier de la mairie, en train de fumer sa pipe, apparemment
insouciant. Peut-être était-il soulagé de ne pas partir avec les autres,
de savoir que, pour lui, la guerre était finie.

— Bonne chance, capitaine, cria-t-il.

Fenton leva le bras en un geste d'adieu, et s'en fut. Il boitait légèrement, les pavés lui faisaient mal aux pieds. Au loin devant lui, la cornemuse bourdonnait.

— *Ce sera fini à Noël...* Tout le monde l'avait dit : *A la maison
avant la chute des feuilles*. Et c'était bien ce qui allait se passer ! Oui,
à ce train-là, ils seraient rentrés en Angleterre avant l'automne, se dit-
il en entendant les premiers obus éclater dans l'aurore naissante. Les
artilleurs allemands cherchaient la route de Saint-Quentin et les soldats qui devaient forcément s'y trouver. Les obus manquèrent leur
objectif d'une cinquantaine de mètres : la mitraille laboura les vignes,
lançant dans les airs des gerbes de terre et de feu.

A la maison avant la chute des feuilles... Quelle rigolade !

3

Il gelait à pierre fendre. Quand Lord Stanmore sortit d'un taillis sans feuilles et s'élança au galop à travers champs en direction d'Abington Pryory, l'herbe craquait sous les sabots de Jupiter. Une journée sombre de février, avec des nuages gris ardoise planant au-dessus de la terre glacée. Le comte sentit le froid le pénétrer jusqu'à la moelle des os, et il se réjouit d'apercevoir enfin les écuries. Un vieux palefrenier, emmitouflé jusqu'aux yeux pour lutter contre le froid, l'attendait pour prendre le cheval.

Le comte quitta les écuries à la hâte. Personne ne savait à quel point il souffrait de voir les rangées de boxes vides, les volets de la petite maison où George Banks avait vécu, fermés, et les dortoirs, que les valets d'écurie animaient naguère de leurs cris et de leurs rires, déserts. Tous les chevaux, à l'exception de Jupiter et d'une poulinière de douze ans, avaient été remis à l'armée en octobre. La cavalerie avait essuyé de lourdes pertes sur la Marne et au cours des nombreuses escarmouches de la retraite épique des Allemands. On avait demandé des chevaux de remonte, et le comte s'était montré généreux. Il ne regrettait pas son geste de patriotisme — après tout c'était bien le moins qu'il pût faire — et pourtant, chaque fois qu'il posait les yeux sur les écuries vides, sa gorge se nouait. La mobilisation ne s'était pas limitée aux chevaux. Banks était entré au corps vétérinaire, et les palefreniers et les valets d'écurie avaient rejoint l'armée régulière ou la garde territoriale montée. Seuls restaient à Abington Pryory les vieillards, les aveugles et les éclopés. Et la mobilisation n'avait pas touché que les hommes, songea le comte non sans amertume. La dernière servante jeune était partie après Noël : le pays demandait aux femmes de se charger des tâches abandonnées par les hommes. Car il fallait de plus en plus d'hommes. Kitchener avait demandé cent mille volontaires pour constituer le noyau de sa nouvelle armée. Plus d'un million avaient répondu à son appel :

VOTRE PAYS A BESOIN DE VOUS

Avec, sur l'affiche, le portrait de Kitchener, le visage grave, le regard d'acier, tendant le doigt droit vers le passant. De la réclame en faveur de la guerre ! Car il s'agissait de la « vendre » comme du savon Pears ou des salons de thé White Manor. Et bien sûr, les hommes se hâtaient de s'enrôler sous les drapeaux — pour quelques sensations fortes et une poignée d'aventure. Les filles aussi...

LES FEMMES D'ANGLETERRE RÉPONDENT A L'APPEL

... pour suivre une formation d'infirmière au Service sanitaire militaire impérial de la reine Alexandra ou à la Croix-Rouge, ou bien pour apprendre à garnir de lyddite les têtes des obus. Beaucoup plus amusant que de servir à table ou d'astiquer des rampes d'escalier. Le résultat de cet exode, c'était que les deux tiers d'Abington Pryory étaient fermés, avec les meubles recouverts de housses et de draps blancs. Une maison momifiée attendant sa résurrection. La poussière s'accumulait doucement dans les corridors déserts. Les mauvaises herbes poussaient entre les dalles de la terrasse.

Et quand il se plaignait de toute cette négligence et du manque de personnel, Hanna lui répondait :

— *C'est la guerre, Tony.*

Comme s'il avait besoin qu'on le lui rappelle ! Charles en uniforme, ainsi que Roger Wood-Lacy. Pas en France — pas encore. *En France*. Cela faisait mal... Oui, comme les sons qu'il avait entendus, fin octobre et au cours des premières semaines de novembre, tôt le matin quand l'air était calme : le grondement des canons en Flandre, de l'autre côté de la mer. Et puis, en première page du *Times*, la liste des pertes, que l'on parcourait maintenant chaque matin au petit déjeuner.

Cinquante-huit mille noms de morts, blessés et disparus, uniquement après Ypres. Tant de noms qu'il avait reconnus, sur lesquels il avait mis un visage, les noms d'hommes avec qui il avait chassé, et joué aux cartes, mais surtout les noms de leurs fils. Non, il n'avait pas besoin qu'Hanna lui rappelât qu'une guerre se déroulait.

Le froid subsista même après deux tasses de thé fort — la dernière agrémentée d'une tombée de rhum de la Jamaïque. Son humeur était revêtue en permanence d'un voile de gelée blanche qu'il se sentait incapable d'arracher. Dieu savait que le journal ne lui était d'aucun secours. Rien dans le *Times*, hormis la guerre, et la liste des noms qui s'allongeait sur le tableau d'honneur. Un nombre assez limité de blessés et de disparus. Les combats s'enlisaient dans la neige et la boue glacée. Parmi les morts, surtout des pauvres diables qui succombaient enfin — non sans soulagement parfois — à des blessures reçues au cours de l'été et de l'automne à Mons, au Cateau, sur la Marne, à Messines et Ypres. Il avait le cœur lourd ce matin-là : deux noms se détachaient de la liste. Gilsworth R.T., colonel, 1er Hampshire ; le comte de Maidhurst, capitaine, Royal Horse Guards.

Il se souvenait d'Andrew Maidhurst à quinze ans : un jeune homme trépidant de gaieté qui attaquait chaque obstacle avec un cri sauvage à vous glacer le sang, comme un vrai Peau-Rouge. Un diable de cavalier. Il lui faudrait envoyer une lettre de condoléances au marquis et à la marquise. Leur fils aîné. Seigneur, quel coup terrible ! Et Ronnie Gilsworth, le pauvre vieux. Combien de fois avaient-ils arpenté ensemble les champs en amont du pont de Pately après une chasse à l'affût ? De bonnes nouvelles des Dardanelles. Les vaisseaux de l'amiral Carden avaient bombardé avec succès les forts turcs de la péninsule de Gallipoli. Les Royal Marines avaient débarqué et s'étaient promenés dans les décombres sans recevoir un coup de feu. Les Turcs avaient fui devant la puissance de l'artillerie navale anglaise. Ce que l'on espérait obtenir dans ce coin reculé du monde n'était pas clair, mais il y avait anguille sous roche. Une affaire strictement navale. Pour une fois, les pauvres diables de l'infanterie avaient l'occasion de souffler. Mais les militaires semblaient divisés. L'armée était très opposée à l'opération. Article de Repington en page quatre.

La défaite des Puissances Centrales en 1915 ne peut survenir qu'à la suite d'une victoire décisive en France... au printemps... une offensive combinée franco-britannique en Artois et en Champagne... submerger le dispositif allemand de tranchées... développer la cavalerie britannique pour exploiter les gains de l'infanterie... Le Premier Lord de l'Amirauté se fourvoie lorsqu'il croit que les forces navales pourront, à elles seules, mettre les Turcs à genoux... un très grand nombre de soldats nécessaire... consolider la côte de la péninsule et de l'Asie... un déploiement de troupes à l'est compromettrait gravement les plans de Sir John French et du maréchal Joffre.

Qu'ils aillent tous au diable ! Trop de micmacs entre les ministères. D'ailleurs, le fait que le jeune Winston Churchill fût mis sur la sellette ne le touchait guère. Pour qui se prenait-il, vraiment ! En plus, son père était mort fou.

Coatsworth entra en traînant les pieds. Il posa les œufs brouillés et les rognons d'agneau devant le comte, puis il ôta le couvercle d'argent.

— Ross nous quitte, milord, dit-il.

Il avait l'air plutôt satisfait.

— Quoi ? Ross ? Ah ! je vois...

— Oui, milord, il vient de nous l'annoncer dans la salle des domestiques.

— Envoyez-moi ce garçon lorsque j'aurai terminé mon petit déjeuner. Ainsi, Ross s'en va... Quelle plaie !

Le comte alluma son premier cigare de la journée, non sans avoir auparavant présenté l'humidor à son chauffeur. Ross préféra l'une des cigarettes Abdullah du comte et il se servit dans la boîte de cinquante qui se trouvait sur la table.

— Eh bien, Ross ? On m'a rapporté que vous vous apprêtiez à nous quitter pour toucher les cinq sous du Roi.

Jamie Ross parut contrarié.

— J'avais envie de m'engager dans l'armée, milord. Rien ne m'aurait fait plus de plaisir que porter un uniforme kaki, mais la vraie raison de mon départ, c'est une lettre que j'ai reçue ce matin par exprès. De la compagnie Rolls-Royce.

— La compagnie Rolls-Royce ? répéta Lord Stanmore sans en croire ses oreilles.

— Oui, milord. Au sujet d'un brevet que j'ai pris sur un système de carburation. La compagnie Rolls-Royce s'y était intéressée, mais ils avaient jugé que ce n'était pas indispensable sur leurs voitures. Seulement maintenant, ils fabriquent des moteurs d'aéroplanes, milord, à Enfield, milord, et ils pensent que mon système fera marcher leurs moteurs de façon beaucoup plus efficace.

Lord Stanmore retira lentement son cigare et laissa la fumée sortir en volutes de sa bouche. Il était complètement abasourdi.

— Des moteurs d'*aéroplanes ?*

— Oui, milord, répondit Ross avec beaucoup de patience, comme s'il parlait à un enfant à l'esprit lent. L'armée a commandé beaucoup d'aéroplanes, pour des missions d'observation et de reconnaissance et pour repérer l'artillerie ennemie. Les appareils qu'ils ont en ce moment sont horriblement lents et le moteur a des ratés quand l'avion vole la tête en bas... Toute l'essence s'en va du carburateur, milord. C'est fondamentalement le genre d'ennuis que nous avions dans la côte de Box Hill : le moteur a tendance à bafouiller et même à caler sur les pentes raides.

— La tête en bas ? Mais pourquoi diable veulent-ils voler la tête, en bas, Ross ?

— Je suppose que parfois ils ne peuvent pas faire autrement, milord. Des vents trop forts ou bien pour prendre la fuite.

La cendre augmentait au bout de sa cigarette mais jamais il n'aurait assez de cran pour se pencher au-dessus de la table et la déposer dans le cendrier d'argent du comte. Il fit passer sa main derrière sa jambe droite et secoua la cendre sur le tapis, puis il l'étala dans la laine avec le bout de son pied.

— Voilà, milord, dit-il. J'ai reçu cette lettre. Les gens de Rolls-Royce me demandent de monter à Enfield travailler avec leurs ingénieurs. Ils disent que je serai plus utile là-bas pour écraser les Boches que si je m'engage comme simple soldat.

Le comte étudia le visage de son chauffeur à travers les volutes de fumée gris-bleu. Étrange ! *Ross,* entre tous les sujets du Roi, *son* Ross recevant une lettre de Rolls-Royce. Tout à fait incroyable. Bien sûr, il s'était aperçu que ce garçon était doué pour la mécanique. Il était toujours en train de bricoler les voitures et il les faisait marcher mieux qu'à la sortie de l'usine. Comme c'était étrange ! Ce garçon avait probablement une éducation très sommaire, et pourtant on le jugeait trop précieux pour être envoyé en France. Charles avait quitté Cambridge avec mention bien, et pourtant on n'avait trouvé aucune meilleure manière d'utiliser ses capacités que de le nommer sous-lieutenant dans les Royal Windsor Fusiliers.

— Je suppose que ces moteurs sont très importants, Ross ?

— Oh oui, milord ! J'ai lu un article à ce sujet pas plus tard que l'autre jour, dans *Mechanics and Journeymen*....

— Dans quoi ?

— *Mechanics and Journeymen,* milord, une revue à laquelle je suis abonné, très populaire parmi les mécaniciens et les garagistes, milord. L'article m'a sauté aux yeux. Le rédacteur en chef du journal écrivait que ce seraient les machines qui gagneraient la guerre, milord : les meilleures armes, les aéroplanes les plus rapides et les plus sûrs. Et que les hommes qui les produisaient étaient plus précieux, ou en tout cas *aussi* précieux, milord, que les troufions des tranchées.

— Oui, songea le comte les yeux mi-clos. Oui, je finirai par le croire.

— En ce moment, milord, ils retirent les mécaniciens du front et ils les renvoient à leurs outils.

— C'est juste. C'était dans le *Times*. Quand allez-vous nous quitter, Ross ?

— Ils désirent ma présence le plus vite possible. Dans quelques jours au plus tard.

— C'est diablement ennuyeux pour moi, je dois dire. Où donc vais-je pouvoir trouver un autre chauffeur ?

Jamie Ross, gêné, dansa d'un pied sur l'autre. Sa cigarette s'était consumée jusqu'au bout de ses doigts et il était forcé de l'écraser dans le cendrier scintillant du comte.

— Maddox habite toujours le village, milord.

— Ah ! railla le comte, il doit bien avoir quatre-vingts ans. Il a fait son temps.

— Ou bien le jeune Fishcombe, milord. Il n'a que seize ans mais il conduit le camion de son père.

— Oui, je crois que je pourrais l'engager.

— Ou bien encore... Que votre Seigneurie me pardonne, mais pourquoi ne conduiriez-vous pas vous-même ? Je pourrais vous apprendre à tenir le volant en quelques heures. C'est vraiment très simple.

— J'en suis persuadé, Ross, répondit-il, très raide. Mais je préfère avoir un chauffeur.

Il luttait de toutes ses forces pour éviter que les normes de sa vie fussent irrévocablement balayées. *C'est la guerre, Tony.* Cela expliquait l'abandon de son écurie, la fermeture de la majeure partie de sa maison, la transformation progressive de ses jardins en un maquis sauvage. Cela expliquait le départ de son chauffeur et la difficulté de trouver un remplaçant convenable. On était forcé d'accepter tout cela comme un fait accompli, comme une réalité indiscutable. Refuser d'envisager la proposition de Ross était puéril, mais quoi qu'il en soit, la guerre serait sûrement terminée au printemps et tout retournerait à la normale.

Il prit un verre de rhum pur et se sentit beaucoup mieux. De la neige fondue papillonnait contre les fenêtres de la bibliothèque. Hanna téléphonait avec Mary Dexford depuis une heure. Elle raccrocha et se tamponna les yeux avec un mouchoir de dentelle.

— Elle est tellement courageuse. Andrew est mort de ses blessures mais il n'a pas souffert. Mary m'a lu la lettre que son colonel a envoyée. Quel jeune homme plein de bravoure ! Il a conduit ses hommes contre une mitrailleuse qui empêchait une avancée. Horrible... horrible... Et pourtant Mary paraissait si résignée, si fataliste... Et elle n'a aucune crainte pour ses autres fils. John et Timothy sont en France et Bramwell à Oxford, dans un camp d'élèves officiers. Elle m'a dit qu'elle sent autour d'eux une aura d'invincibilité. Un bouclier sacré.

— Je n'aurais jamais cru que Mary fût mystique à ce point, répondit le comte d'un ton morose, les yeux fixés sur les reflets de givre des vitraux.

— Elle ne l'est pas. Elle croit qu'il existe une force plus grande que notre conception moderne de Dieu, un esprit ancien que les druides connaissaient bien. Elle m'a dit une fois qu'elle avait senti cet esprit l'envelopper lorsqu'elle se trouvait au centre de Stonehenge, il y a fort longtemps.

— Des foutaises ! murmura le comte.

— Peut-être, mais cela la réconforte.

— Le *bouclier sacré* n'a pas servi à grand-chose pour ce pauvre Andrew.

— Elle m'a dit que seul son corps était mort. Je ne vois pas très bien ce qu'elle entend par là.

Elle tordit son mouchoir de dentelle entre ses doigts.

— Alex m'a dit ce matin qu'elle avait une surprise pour nous, ajouta-t-elle. Elle avait l'air tout excitée.

— Elle déborde d'énergie.

— Lui avez-vous appris la mort du frère de Winifred ?

— Non pas encore.

— Ronnie Gilsworth a été tué lui aussi. Vous vous souvenez de lui ? Le colonel Gilsworth... nous allions souvent à la chasse ensemble.

— Oui, dit-elle d'un ton absent, tant d'hommes sont partis en si peu de temps. Des nôtres et des leurs. Je me demande si les Rilke...

Elle n'alla pas jusqu'au bout de sa pensée. Elle ne pouvait s'attendre à aucune parole de sympathie de la part de son mari à propos du sort de ses parents en Allemagne. Les sentiments anti-allemands avaient contaminé le pays comme une fièvre maligne. On avait même parlé sérieusement, au Parlement, de suggérer à la Couronne de changer le nom de la famille royale et de prendre quelque chose de plus anglais que Saxe-Cobourg. M. Köpke, le boulanger qui vendait du pain et des gâteaux à Guilford depuis plus de vingt ans, avait été emprisonné, arrêté sans avertissement. Pauvre Adolph Köpke, qui avait toujours conservé une petite boîte de biscuits cassés et de tartes à la confiture près de la porte de sa boutique pour que les enfants puissent se servir en passant sans payer ! Et il avait été traîné dans une voiture de police comme un vulgaire criminel. Les mêmes enfants qui s'étaient rempli les poches grâce à la générosité du vieux Köpke l'avaient insulté, debout au milieu de la rue, puis ils avaient barbouillé SALE BOCHE sur la vitrine de la boutique, avec de la peinture. Mme Kenilworth, la sœur de l'évêque de Stock qui vivait à Abington, avait le malheur de posséder un berger allemand. Un gamin avait lancé des pierres contre la pauvre chienne, et Mme Kenilworth n'osait plus la faire sortir de la maison qu'à la nuit tombée. De la folie.

Elle triturait son mouchoir de dentelle, l'air absent. Il y avait, enfermée à clé dans le bureau de son boudoir, une lettre de douze pages de sa grand-tante Louise, baronne Seebach. Martin la lui avait remise après son séjour en Allemagne en septembre. Il avait passé deux semaines avec les Rilke et les Seebach, les Grünewald et les Hoffman-Schuster, à Lübeck, Coblence, Hanovre et Berlin. La baronne, âgée de quatre-vingt-dix ans mais « bon pied bon œil » (comme le lui avait dit Martin), lui avait confié cette lettre. Elle contenait un arbre généalogique complet, laborieusement mis à jour par la vieille dame. Les Rilke et toutes les branches collatérales allemandes. Tellement de noms, tellement de jeunes gens — et un petit astérique près des noms des hommes sous les drapeaux. Les deux fils du cousin Frederick Ernst von Rilke, Werner et Otto. Werner avait le même âge que Charles, Otto était plus âgé de deux ans. Ils appartenaient au même corps d'officiers de réserve à l'université de Lübeck. Martin les avait rencontrés et ils lui avaient plu. Ils étaient passés au service actif, dans l'infanterie. Etaient-ils vivants ou morts ? La pluie glacée crissait sur les vitres sans fournir de réponse.

— Un pays tout à fait remarquable, tante Hanna, lui avait avoué Martin.

Il avait été favorablement impressionné par l'efficacité de l'Etat allemand moderne, par ce qui l'impressionnait favorablement elle aussi quand elle se rendait en Allemagne à chaque printemps : l'absence de misère extrême, les villes sans taudis, le système scolaire, les conditions de travail dans les usines — la crèche pour les enfants des ouvrières dans l'usine chimique Rilke de Coblence ; l'usine de moteurs électriques, ensoleillée et aérée, près de Potsdam, si différente des usines anglaises qui ressemblaient à des caves sombres et sans air.

— Werner et Otto m'ont piloté partout. Des garçons très gentils.

Elle se tourna vers son mari qui ruminait la tristesse de cette journée, les yeux fixés dans le vide, songeant sans doute à Andrew Maidhurst et au colonel Gilsworth. Tony aimait beaucoup Werner et Otto (Otto était resté sept mois dans la maison de Park Lane en 1912, pendant ses études de chimie à l'université de Londres). Mais aujourd'hui, quelle serait sa réaction à leur égard ?

Elle avait toujours été fière de son sang allemand, et fière de ce que l'Allemagne avait accompli en moins d'un demi-siècle. L'Allemagne qu'avait connue son père était un pays de paysans et d'artisans, un peuple laborieux et persévérant, se levant de bonne heure, un peuple rêveur et craignant Dieu, qui avait fait naître de son sol maigre d'abord de grands penseurs : Goethe, Kant, Heine, Schiller, et ensuite, sous Bismark, de grands hommes d'action. *Aus dem Lern-folk soll ein That-folk werden,* avait promis Bismark, et maintenant l'industrie des Allemands n'avait pas de rivale dans le monde entier. Leur production d'acier dépassait largement celle de l'Angleterre. Leurs vaisseaux marchands défiaient le pavillon britannique sur toutes les routes maritimes. Les racines de la guerre, c'était justement cela : la crainte anglaise de l'expansion allemande et l'arrogance germanique. Oui, l'arrogance germanique. Leur société n'était pas parfaite, il s'en fallait. Ce n'était pas Utopie. Un système rigide de castes dominé par le militarisme prussien. Non, tout n'était pas parfait en Allemagne, mais ce n'était pas non plus une nation de monstres aux yeux injectés de sang. Les soldats allemands n'avaient pas violé les nonnes belges sur les marches des autels, ils n'avaient pas attaché les vierges belges par les cheveux aux battants des cloches d'église. Tous ces racontars n'étaient que propagande vulgaire, des calomnies nées des brutalités indéniables de l'armée allemande pendant l'invasion de la Belgique. Mais, calomnies ou non, ils étaient désormais paroles d'Evangile. Ces violences, Martin les avait constatées : Werner était affecté à un régiment d'occupation de Bruxelles, et Martin l'avait accompagné jusqu'à Louvain. Les soldats qui occupaient cette ville, furieux d'être attaqués sans cesse par des ennemis embusqués et croyant voir des *francs-tireurs* dissimulés dans chaque impasse ou accroupis derrière chaque mur, avaient perdu la tête au point de tirer sur quelques civils innocents et de mettre le feu à quelques bâtiments. L'incendie n'avait pu être maîtrisé : une grande partie de la vieille ville, dont la bibliothèque médiévale, avait été détruite. Un incident effroyable, mais la guerre c'était *cela* : une succession d'incidents horribles. Martin l'avait très bien expliqué au cours d'un dîner, le soir de son retour en Angleterre. Tous les yeux étaient fixés sur lui...

— Certains soldats ont été pris de folie. Je crois qu'on pourrait comparer l'incendie de Louvain à celui de Columbia, en Caroline du Sud, par les troupes de Sherman pendant la guerre de Sécession. Mais, Seigneur, quelle vision bouleversante ! Werner était horrifié. Nous étions tous horrifiés. Un colonel qui voyageait avec nous depuis Berlin a pleuré à la vue de...

— Un colonel boche ? avait demandé un des invités, incrédule.

— Un Allemand, oui, avait répliqué Martin doucement. Il avait séjourné à Louvain avant la guerre, lorsqu'il faisait ses études à Heidelberg.

— Des études de quoi ? De boucherie ?

A quoi bon tenter de parler rationnellement et objectivement de la guerre ou des Allemands. Tout espoir de ce genre avait disparu au cours des semaines terribles de novembre, enseveli à jamais avec les morts anglais d'Ypres.

— Maman, papa, fermez les yeux ! cria la voix d'Alexandra de l'autre côté de la porte de la bibliothèque.

Hanna n'eut aucune peine à obéir. Ses yeux étaient déjà fermés et ses lèvres remuaient doucement en une prière muette, *Ach du lieber Gott...*

La porte s'ouvrit.

— Vous pouvez regarder, maintenant !

Alexandra pirouetta devant eux dans son uniforme d'infirmière, sa jupe plissée volait autour d'elle et son voile blanc ondoyait, retenu par un bandeau orné de deux croix rouges.

— Tu as l'air bien... *estivale,* dit Hanna lentement, sans reconnaître sa voix.

Le comte parut tomber des nues.

— Mais qu'est-ce que...

— Je me suis engagée dans les aides médicales volontaires de la Croix-Rouge, s'écria Alexandra gaiement. Jennifer Wiggins, Cecily, Jane Hargreaves, Sheila et moi. Nous nous sommes toutes engagées ensemble.

Elle tourna de nouveau sur elle-même comme un mannequin de mode.

— Vous l'aimez ? Estival, oui, maman. Parce que c'est l'uniforme d'été. Celui d'hiver est en serge bleu pâle avec un soupçon de rouge, mais il ne tombe pas très bien sur les hanches. Il faudra que je retourne chez Ferris pour le faire retoucher avant qu'ils ne coupent les autres.

— Les autres ? murmura le comte.

— Trois de chaque. Trois d'été, blancs ; trois d'hiver, bleus. Avec deux grosses capes de laine pour le temps froid. Et je dois trouver des chaussures comme il faut. Nous aurons beaucoup à marcher, vous savez.

— Mais vous n'entendez rien au métier d'infirmière... s'écria le comte.

— Oh ! nous ne nous occuperons pas des bassins et de tous ces trucs horribles. Ils ont de vraies infirmières pour ça, des femmes âgées. Nous ne nous occuperons que des hommes en convalescence... Nous les pousserons sur leurs fauteuils roulants, nous écrirons des lettres à leur place s'ils ont les mains bandées ou les bras dans le plâtre, et nous leur ferons la lecture si les pauvres chers sont devenus aveugles. Ce genre de choses. Il y aura tant à faire !

— Vous allez quitter la maison ? demanda Hanna,

— Oui, en un sens. Nous vivrons en dortoir. Mais je ne serai pas très loin. Les Hargreaves ont donné leur demeure de Rochampton à la Croix-Rouge pour en faire un hôpital pour officiers convalescents. Ils sont rudement contents de s'en débarrasser, c'est une horrible grange. Ils s'installent dans une maison absolument adorable de Portman Square.

Elle fit une dernière pirouette.

— Vous ne m'aimez pas comme ça ? C'est chic, n'est-ce pas ?

— Diablement élégant, dit le comte sans conviction. Vous êtes sûre de pouvoir faire ce genre de travail ? Certains de ces pauvres garçons sont très vilainement touchés, vous savez.

Alexandra regarda son reflet dans un miroir et ne put s'empêcher de sourire à ce qu'elle vit : un ange de miséricorde. Le bandeau et le voile lui allaient à merveille. Elle avait l'air d'une jeune nonne particulièrement jolie. Et cela ne cachait pas trop de choses. On pouvait encore voir ses cheveux blonds.

— Je ferai du bon travail, papa, je le sens.

Elle se redressa fièrement sur la pointe des pieds — une vraie Florence Nightingale en reflet dans le miroir.

— Ce sera difficile au début, ajouta-t-elle, mais c'est la guerre, et il faut se préparer pour l'épreuve avec une certaine abnégation.

La pluie qui inondait le terrain d'exercices transformait la terre battue en bourbier. La section défilait, de la boue jusqu'aux genoux. La moitié des hommes, à peine, étaient en uniforme, les autres portaient des imperméables bon marché. Un ou deux chapeaux melons, des casquettes de drap pour le reste. La classe ouvrière apprenait le métier des armes pour cinq sous par jour. Dix hommes seulement avaient des fusils.

— Section, halte ! Rompez les rangs !

Ils refluèrent vers les baraquements comme une masse imbibée d'eau.

Le sous-lieutenant vicomte Amberley les regardait s'éloigner. Il était vêtu comme il convient à un soldat du Roi et du pays — un uniforme de bonne coupe, des bottes parfaites, un pardessus sans basques. Rien n'avait été fourni par le gouvernement. On lui avait donné une somme forfaitaire pour tout acheter. En fait, l'uniforme venait de chez Hanesbury and Peeke, tailleurs militaires et ecclésiastiques, Haymarket, Londres. Il avait coûté très cher, mais il valait son prix jusqu'au dernier sou.

Chose assez étrange, les hommes ne lui en voulaient pas du tout pour sa magnificence martiale. Lorsqu'il passa la tête dans l'embrasure de la chambrée, tous lui sourirent.

— Tout va bien, les gars ?

— Aussi raides que la pluie, lieutenant ! répondit un jeune homme qui se chauffait le dos au poêle ventru. Sommes-nous abattus ?

La section répondit avec ferveur :

— NO-O-ON !

Terminé. La première section de la compagnie D du deuxième bataillon des Royal Windsor Fusiliers était aussi raide que la pluie... Charles se dirigea vers le mess, hâtant le pas à la perspective du grog au whisky qui l'y attendait. Et double, le whisky, bien sûr.

Le mess était bondé et le serveur avait du mal à satisfaire toutes les commandes. Les Royal Windsor partageaient le mess avec un nouveau bataillon des London Rifles : « Tout à fait impensable avant la guerre », avait fait remarquer le lieutenant-colonel des Royal Windsor lorsque les officiers des London Rifles étaient entrés dans le mess pour la première fois. Mais la rupture avec la tradition ne préoccupait nullement les jeunes officiers des deux régiments. C'étaient tous des civils en uniforme, qui venaient tout juste de quitter Oxford, Cambridge, Eton ou les facultés de droit avec l'intention de se lancer dans la vie active. Partager le mess leur donnait l'occasion de partager leurs incertitudes sur ce qu'ils faisaient ou essayaient de faire. Ils étaient parfaitement conscients de leurs insuffisances.

— Je donnerais cher pour avoir ne serait-ce qu'un vieux sous-off connaissant toutes les ficelles, fit observer un lieutenant des London Rifles d'une voix sombre. Je me sens vraiment idiot avec mon bouquin à la main pour diriger l'exercice.

Le sous-lieutenant Roger Wood-Lacy, des Royal Windsor, prit une gorgée de son soda au gingembre.

— Les hommes s'en fichent. J'ai dit tout de suite à mes gars que je n'y entendais rien à rien et que nous découvririons l'ordre serré ensemble. Mais, soit dit en toute modestie, nous sommes devenus de première force.

— Quand vont-ils nous former pour les tranchées ? demanda un subalterne aux joues couvertes d'un fin duvet.

— Quand nous partirons en France, répondit Charles en se joignant au groupe près du bar. J'ai cru comprendre qu'on construisait à Harfleur une base d'entraînement où nous séjournerons pendant une semaine ou deux avant de monter au front.

— Avec la moitié de nos gars en imper, en melon et le riflard sur le bras, railla Roger. Les Fritz vont en crever de rire.

— Tous les hommes seront en uniforme au milieu de la semaine prochaine, et ils toucheront en même temps des Lee-Enfield et des baïonnettes. Le colonel me l'a dit ce matin. Et c'est également valable pour les London Rifles.

— J'espère que vous avez raison, répondit un officier des London. Les gars ont du mal à se sentir soldats tant qu'ils n'en ont pas l'air. J'ai fait faire une marche à ma section jusqu'à Datchet Common l'autre jour, et un type horrible, debout devant un bistrot, m'a demandé où j'allais *avec cette bande de terrassiers à la manque !* S'il y avait eu parmi nous un seul homme avec un fusil en état de marche, je lui aurais ordonné de tirer sur ce corniaud.

— Il l'aurait manqué, répondit Roger. Je me demande si dans votre bataillon ou dans le nôtre il y a dix hommes qui savent de quel côté du fusil la balle sort.

Charles sourit, ironique, et commanda son grog au whisky. Il se souvenait que Fenton lui avait dit que jamais les Gardes ne parlaient « boutique » au mess. C'était peut-être une tradition dans les Royal Windsor Fusiliers également — avant la guerre, avant que le premier bataillon, des soldats de métier, eût été détruit à Ypres. De nouvelles traditions apparaissaient au dépôt, dans l'ombre du château de Windsor, et elles devaient être choquantes pour ceux qui avaient connu le régiment en temps de paix. On disait que la reine Victoria regardait souvent les hommes faire l'exercice depuis la fenêtre de son boudoir. Quelle aurait été sa stupéfaction si elle avait pu les voir en ce moment ? Mais à quoi bon revenir sur le passé. Il n'existait dans sa section aucun homme capable de lui apprendre ce que le régiment avait fait à Blenheim, à Oudenarde, à Badajoz, à Vittoria, à Quatre-Bras, à Inkerman, ou à Tel-el-Kébir. Ces batailles ne signifiaient rien pour eux, ce n'étaient que des lettres décolorées sur les couleurs du régiment, des noms à demi oubliés, datant de vieilles leçons d'histoire perdues dans la pénombre du souvenir. Ce dont ils avaient envie, c'était d'écrire, *eux,* leur propre page d'histoire — tout en défilant sous la pluie dans leurs vêtements miteux, avec Tipperary aux lèvres.

— Quels sont tes projets, cet après-midi ? demanda Roger.

Charles regarda son bracelet-montre.

— Je retrouve Lydia à Charing Cross, si je ne manque pas le train. J'ai une permission de midi à minuit.

— Veinard ! Où l'emmènes-tu ?

— Déjeuner à Piccadilly, peut-être au théâtre. Je ne me soucie guère de ce que nous ferons. Traîner sur un sofa avec un cognac me conviendrait à merveille.

— Remarque typique d'un officier du service actif, répondit Roger, les yeux fixés sur les bulles de son verre. Je suppose que tu as appris, pour le frère de la pauvre Winnie.

— Oui. Pas de chance. Je ne connaissais guère ce garçon... mais... Enfin, tout est pourri. Je vais lui envoyer une lettre.

— J'ai reçu un mot de Fenton ce matin. Il a été promu major.

— Toujours à l'état-major ?

— Non, de nouveau avec les Gardes. Dans les tranchées, près de Béthune. Il dit qu'ils sont comme des coqs en pâte et qu'ils apprécient beaucoup leurs sports d'hiver. Seul un pendu pourrait apprécier l'humour de Fenton.

— Oh ! dit Charles à mi-voix, en regardant de nouveau sa montre, tu connais ton frère...

Le connaissait-il vraiment ? Assis dans le train qui contournait la Tamise glacée, il se demanda s'ils retrouveraient jamais Fenton. L'ancien Fenton, sûrement pas. *Dans les tranchées.* Ces trois mots le séparaient de la majorité de l'humanité, aussi radicalement que s'il se trouvait sur la face cachée de la lune. Etre *dans les tranchées* était une expérience qu'il fallait avoir vécue pour pouvoir l'imaginer. Les rares survivants du premier bataillon qui avaient rejoint le dépôt des fusiliers à Windsor ne parlaient jamais de ce qu'ils avaient vécu à Wytschaete en novembre. En fait, ils ne se parlaient même pas entre eux, bien que partageant les mêmes souvenirs de cet enfer. Ils gardaient pour eux ce qu'ils avaient vu et ce qu'ils avaient fait sur la colline du Drap-Blanc. Chacun d'eux s'entourait d'un voile complètement impénétrable. Ils avaient jeté un coup d'œil sur le purgatoire et ils ne confiaient à personne les secrets entrevus par Dante. Fenton agirait de même ; il se retirerait derrière ses dons d'ironie et d'humour pour masquer les horreurs. Les communiqués officiels venus de France parlaient d'importants échanges d'artillerie entre la crête Aubers et le canal de La Bassée. Fenton devait se trouver quelque part dans ce secteur *comme un coq en pâte et en train d'apprécier les sports d'hiver.* Il essaya d'imaginer ce que l'on pouvait ressentir tapi dans une tranchée glacée tandis que les obus s'écrasaient sur le sol dur comme du métal. En vain : tout demeurait flou devant ses yeux. Ce serait un mystère jusqu'à son initiation personnelle.

— Tu as l'air magnifique ! lui dit Lydia dès qu'elle l'aperçut au milieu de la gare bondée.

— C'est plutôt toi qui as l'air magnifique, répondit-il avec un sourire de joie absolue.

Elle avait l'air si belle dans son manteau russe de couleur beige qu'il eut envie de la prendre dans ses bras et de l'embrasser tout de suite, en pleine foule — personne d'ailleurs ne s'en serait soucié, nul ne l'aurait même remarqué. Partout où l'on posait les yeux, on apercevait des soldats en train d'embrasser des jeunes filles : un bataillon attendait d'embarquer dans un train à destination de Folkestone, les paquetages et les armes étaient posés en désordre sur le quai. Il lui effleura furtivement la joue.

— Comme tu es démonstratif, Charles ! s'écria-t-elle avec un sourire ambigu. Est-ce que je t'ai manqué beaucoup ?

Il saisit ses deux mains gantées.

— Tu le sais.

— Tes lettres n'ont pas pu me l'apprendre.

— Je suis désolé.

Il serra ses mains comme pour la convaincre de sa sincérité.

— C'était presque impossible d'écrire, poursuivit-il. Nous étions de service dix-huit heures par jour, à apprendre le métier de soldat et à essayer de l'enseigner aux hommes. Des aveugles montrant le chemin à d'autres aveugles ! Mais tout commence à rentrer dans l'ordre maintenant et je pourrai venir à Londres plus souvent.

Il faillit ajouter « avant qu'on nous embarque pour la France » mais il se ravisa. Inutile de jeter tout de suite une ombre sur leur après-midi.

Elle l'embrassa carrément sur les lèvres.

— Voilà ! Ça, c'est un baiser de bienvenue. Je vous prierai de bien vouloir en prendre note, mon lieutenant.

Il la serra contre lui, mais son étreinte demeura maladroite : trop de fourrure, de laine et de kaki entre eux. Son parfum lui donna le vertige. Parfum de femme... Quelle chose délicate et merveilleuse ! Il songea à l'odeur âcre et rance de sa section dans le baraquement de bois et de papier goudronné. La vapeur qui s'élevait des vêtements trempés lorsque les hommes se serraient près des poêles.

— C'est tellement formidable d'être de nouveau avec toi, murmura-t-il en faisant glisser ses lèvres dans le cou de Lydia. On dirait qu'il y a un siècle...

Elle avait la même impression, elle aussi. Cet homme en uniforme, au visage fin, était à certains égards un étranger complet. Il n'avait guère changé sur le plan physique — peut-être un peu plus svelte, c'est tout — mais tant d'autres choses s'étaient modifiées. Le temps écoulé entre octobre 1914 et février 1915 ne pouvait se mesurer en mois. C'était comme la rupture entre deux siècles. Elle s'accrocha à son bras et ils quittèrent la gare. Il y avait une file d'ambulances tout le long du Strand, prêtes pour l'arrivée du train-hôpital de Southampton. Ils les dépassèrent sans un mot et s'engagèrent dans Buckingham Road où elle avait rangé sa voiture.

— J'ai pensé que nous pourrions déjeuner à la rôtisserie de Piccadilly, dit-il en prenant les clefs qu'elle lui tendait.

— C'est affreusement triste là-bas. Rien que des vieilles dames aux visages lugubres et des généraux à la retraite. Je me suis permis de retenir une table au Café Royal, loin de l'orchestre pour pouvoir parler, parler, parler...

Mais il était hors de question de parler, à moins de hurler pour dominer le tumulte, ce que Charles trouva irritant. Le Café Royal était plein à craquer d'hommes en uniformes (avec pour la plupart les écussons rouges des officiers d'état-major sur leurs revers), d'hommes d'affaires, de hauts fonctionnaires du gouvernement, et de hordes de femmes élégantes (la plupart d'entre elles beaucoup plus jeunes que leurs chevaliers servants). Un orchestre jouait des ragtimes et sur le parquet de danse les couples étaient si serrés qu'il était hors de question de faire les pas de Grizzly Bear ou de Temptation Rag. Le menu était impressionnant et les prix scandaleux. Ce n'était pas l'endroit où un lieutenant pouvait emmener sa petite amie avec sa solde normale. Mais Charles avait laissé ses galons à Windsor avec ses bottes boueuses. Au Café Royal il était l'héritier d'un titre de comte, et au diable la dépense...

La cuisine était un délice après le bœuf et les légumes bouillis du régiment, et le Pouilly Fumé, un pur nectar ; mais bientôt les accords bruyants et les gémissements de l'orchestre, les cris perçants des femmes dansant la *maxixe* devinrent impossibles à supporter. Avec un sourire lugubre, il éleva la voix pour dominer le tumulte.

— Plutôt difficile de parler ici.

— Oui, convint Lydia. Nous partons ?

— Je t'en prie.

Il pleuvait de nouveau, une sorte de crachin arctique tombant d'un ciel noir, sinistre. Ils allèrent jusqu'à une maison que possédait le père de Lydia sur Grosvenor Square, vingt pièces de style Regency — l'une des nombreuses résidences d'Archie à Londres.

— Tu ne te sens pas à l'étroit, je pense ! dit Charles en admirant le plafond en forme de dôme du vestibule avec sa verrière de vitraux, les longs corridors de marbre et les grandes portes encadrées de colonnes ioniennes.

— Nous avons donné beaucoup de soirées récemment, dit-elle en tendant son manteau à une servante. En fait cette maison est davantage pour les amis de papa au ministère que pour nous-mêmes.

— Archie au gouvernement ! Quand j'ai lu la nouvelle dans le *Times,* je n'en ai pas cru mes yeux.

— Oui, dans un comité de guerre, et il y prend un plaisir énorme. Le ministre et lui se ressemblent beaucoup.

— Langham, c'est cela ?

— Oui. David Selkirk Langham. Il tourne comme une dynamo, c'est un vrai petit coq nain du Lancashire, aux ergots acérés et à la langue pointue. Du miel pour une moitié du Parlement et du vinaigre pour l'autre moitié.

— Mais qu'est-ce que fait ton père au juste ?

— Il applique la méthode Foxe brevetée à l'effort de guerre : les trois piliers de la compagnie — publicité, efficacité et qualité. Il a commencé par critiquer les affiches pour le recrutement. Kitchener tendant le doigt dans la figure des gens sera remplacé par des images plus subtiles et plus efficaces. Et il y a le problème des rations de l'armée. Le système est tout à fait inadapté pour le million d'hommes dont a besoin Kitchener. La distribution de nourriture, c'est le cheval de bataille de papa, tu comprends. Le rôle du ministère de Langham, c'est de trouver des experts pour s'occuper des problèmes d'organisation. Il croit que cette guerre est beaucoup trop complexe pour qu'on la confie à des militaires. Il vient de recruter Lord-Je-ne-sais-qui, tu

sais, le milliardaire des autobus de Londres, pour résoudre les problèmes de transport de l'armée.

Les boiseries cirées, les glaces et l'argent réfléchissaient le feu de la
cheminée du salon. C'était une pièce du XVIIIe siècle, vaste mais
chaude et intime. La servante tira les rideaux de velours pour masquer
la lumière lugubre de l'après-midi, et un maître d'hôtel en livrée
apporta du cognac dans un flacon de cristal taillé.

— Et toi ? demanda Charles. Comment occupes-tu tes journées ?

— Oh ! Mon rôle dans l'effort de guerre est plutôt ambigu. Je suis
la « secrétaire sociale » de papa. Et aussi de Langham en un sens.
J'organise des petits dîners ici. De la politique de salle à manger :
libéraux et conservateurs, capital et travail, rompant le pain et s'atte-
lant ensemble aux problèmes — pour une fois. Je suppose que tu
juges cela plutôt bébête et frivole, mais le nombre de choses importantes réalisées à l'occasion d'un bon dîner ou autour d'un verre de
porto est plus élevé qu'on ne croit.

— Et que crois-tu qu'on puisse réaliser après un bon déjeuner et
une bouteille de Pouilly Fumé ? Sans parler d'un vieux cognac de premier ordre ?

— Cela ne dépend que de toi, dit-elle en s'asseyant sur un divan et
en posant la main sur le coussin près d'elle.

Charles attendit que la servante et le maître d'hôtel eussent quitté
la pièce, puis s'assit à ses côtés.

— Je sais bien ce que j'aimerais faire... Et je le ferai.

Elle le regarda dans les yeux et posa sa main fraîche sur la joue du
jeune homme.

— Je t'en prie, Charles. Ne gâche pas un après-midi absolument
magnifique en faisant des promesses que tu n'es pas en mesure de
tenir. Ce n'est pas loyal pour moi. Ni pour toi.

Il avala son cognac d'un trait et posa le verre rond sur une petite
table.

— Tout ça c'est du passé, Lydia. Je le sais, je le sens. Ne devines-tu
pas les grands changements sur le point de se produire ? Comme un
vent frais... Oh ! je ne sais pas très bien comment l'exprimer. C'est un
paradoxe. Je veux dire que j'ai peur, bien sûr, de partir en France et
de recevoir des obus sur la tête, mais je suis pourtant heureux que
nous soyons en guerre, et heureux d'y participer. Quelque chose de
nouveau et de formidablement excitant va se passer dans nos vies. Un
nouveau départ, sur des bases propres, pour notre monde vieux et
fatigué. Les hommes du rang en sont conscients eux aussi — ce sont
des anciens employés, des garçons livreurs, des apprentis, mais ils
savent tous que la guerre changera radicalement leurs vies, brisera les
œillères, balaiera les routines. C'est pour cette raison qu'ils sont si
enthousiastes et ne se plaignent pas. Leurs uniformes (quand ils en
ont) sont de la vraie camelote, la nourriture est ignoble, les caserne-

ments humides et pleins de courants d'air. Mais on croirait voir des gamins en vacances.

Il lui prit la main et embrassa sa paume.

— Nous partirons de l'autre côté de la Manche bientôt. En tout cas ce sont les bruits qui courent au mess. Nous repousserons les Boches de l'autre côté du Rhin ce printemps et cet été. Quand je reviendrai, je t'épouserai et si cela ne plaît pas à mon père, il faudra qu'il l'avale tout de même ; et s'il menace de te désavouer, je lui ferai honte devant les pairs. J'irai à la Chambre des lords et je critiquerai publiquement son attitude.

— Oh ! Charles, dit-elle en riant. C'est de la folie.

— Je le ferai, dit-il d'une voix farouche. Je ferai tout ce que je t'ai dit. Ou en tout cas, je le menacerai d'agir ainsi et il se hâtera de revenir sur sa décision. Bon dieu ! Ce sont les jeunes qui vont faire cette guerre, et ce sont donc les jeunes qui devront profiter de la victoire. Je ne renoncerai pas à mes droits, Lydia. *Cela,* je te le promets.

Il tenta de se mettre à genoux à ses pieds mais il trébucha. La cuisine riche du Café Royal, le vin, le cognac, la lueur du feu de bois, le fait qu'il était debout depuis l'aube, tout conspira à lui ôter toute grâce. Sa tête se mit à tourner. Il s'assit sur le tapis et posa son front sur les genoux de la jeune fille.

— Seigneur, murmura-t-il, je me sens... comme si j'étais drogué.

— Mon pauvre chéri...

Elle se pencha en avant et lui embrassa le dessus de la tête.

— Tu dois être épuisé. Voudrais-tu faire un petit somme ?

— Oui, je crois. Pendant une heure ou deux.

Elle caressa ses cheveux d'un geste distrait, sensuelle sans en prendre conscience.

— Rien ne nous oblige à aller au théâtre. Tu peux te reposer, puis nous dînerons ici.

— Il faut que je sois rentré à minuit.

— Je sais. Je me suis arrangée avec papa pour que Simmons te ramène à Windsor. La voiture sera là à dix heures et demie. Le train du soir est tellement sordide.

Il enfouit sa tête contre ses genoux et poussa un soupir de soulagement.

— Oh ! Lydia, je me sens tellement en paix avec toi.

— Et moi avec toi, mon chéri. Mais viens, tu ne vas pas dormir par terre. Tu peux t'allonger dans un lit douillet.

— Je ne me suis pas couché dans un lit douillet depuis des mois. Jamais je ne parviendrai à me relever. Non, je vais juste me reposer une heure sur le divan.

Elle l'aida à quitter sa veste, puis elle rit des complexités de la ceinture Sam Browne, qui résista à tous leurs efforts. Enfin il s'allongea, sans veste et sans chaussures, la tête sur un coussin. Elle posa une couverture sur ses épaules et l'embrassa sur le front.

209

— Je me sens tellement idiot, murmura-t-il d'une voix ensommeillée. Je suis avec la plus jolie fille d'Angleterre et je... je fais la sieste sur son divan.

Elle l'embrassa de nouveau.

— Je ne le répéterai à personne. Cela ruinerait ta réputation.

Il s'endormit presque aussitôt et pendant quelques instants elle le regarda — si serein dans son sommeil, vulnérable comme un enfant. Elle ressentit une émotion purement maternelle et elle se pencha pour border la couverture doucement autour de lui. Elle repoussa une boucle de cheveux qui lui tombait dans les yeux puis elle sortit sur la pointe des pieds et referma la porte sans bruit derrière elle.

Le ferait-il ? Elle se le demanda, assise dans le salon du matin, les yeux fixés sur l'ovale de la glace, en face des hautes fenêtres. Comme les grilles de fer semblaient noires et agressives ! Comme les arbres sans feuilles paraissaient lugubres sous la pluie ! Un homme traversa la rue en direction de South Audley Street, les deux mains crispées sur un parapluie retourné par le vent. *Le ferait-il ?* Elle alluma une cigarette, aspira une bouffée de fumée, puis la souffla aussitôt. Oui. Elle avait le sentiment qu'il le ferait. Que *cette fois-ci* il le ferait. C'était l'uniforme : il faisait partie d'une chose à laquelle son père ne participait pas. *La guerre.* Son père pouvait être Lord Stanmore, neuvième comte de ce nom, mais il était désormais Charles Amberley, lieutenant des Royal Windsor Fusiliers. L'importance de leurs statuts respectifs avait basculé — en tout cas pour l'instant.

Oh ! comme j'aime le petit soldat,
Nos gars en kaki fiers et rudes,
Nos cols-bleus qui n'ont pas froid aux yeux,
Et qui gardent l'Empire...

Une rengaine de music-hall idiote, mais qui avait su captiver le public. Rien n'était trop beau pour les hommes qui servaient le Roi et le pays. La fumée de la cigarette lui fit plisser les yeux et elle imagina Charles, debout dans la Chambre des lords — le bras droit en écharpe et un pansement autour de son front shakespearien — en train de plaider sa cause avec passion...

Mon père est un homme honorable, mais je ne suis pas moi non plus sans honneur... l'honneur d'avoir versé mon sang pour l'Angleterre... et voilà que la bénédiction de mon père est refusée à la femme que j'aime... Honte, dis-je... c'est une honte...

Elle faillit éclater de rire. C'était tellement romantique ! Une scène tirée d'un des romans à quatre sous chers à Alexandra. Impossible.

Elle entendit des voix dans le corridor, puis la porte s'ouvrit et son père entra dans la pièce, suivi d'un homme mince et de petite taille, très brun, âgé de quarante-cinq ans environ.

— Beau temps pour les canards, bougonna Archie Foxe en ôtant ses

210

gants fourrés de ses grosses mains. N'est-ce pas Charles qui dort dans le salon ?

— Si, répondit Lydia, en écrasant sa cigarette.

Archie n'approuvait pas que les femmes fument.

— Quelque chose qui ne va pas.

— Non, il est fatigué, c'est tout.

— Les rigueurs de la vie militaire, hein ?

— C'est probable.

— J'ai quelques coups de fil à passer. Veux-tu faire servir un double cognac à M. Langham pour chasser le froid ?

— Bien sûr. Comment allez-vous, monsieur Langham ?

— Je vais mouillé, Miss Foxe. Trempé jusqu'aux os.

Il n'était pas mouillé du tout, bien sûr. Il avait franchi sous un vaste parapluie les trois pas séparant sa voiture de la porte de la maison. Son manteau de drap noir à col d'astrakan n'avait pas reçu une goutte de pluie. Archie Foxe s'éloigna dans le corridor vers l'escalier conduisant à sa chambre bureau du deuxième étage. Le maître d'hôtel prit le pardessus du ministre puis apporta un cognac sur un plateau d'argent. David Selkirk Langham, tiré à quatre épingles dans son pantalon à rayures et sa veste du matin, se mit à arpenter lentement la pièce. Ses yeux perçants prenaient note de chaque détail.

— Somptueux. Il n'existe pas de meilleure association qu'une grosse fortune et un goût sans défaut. C'est vous qui avez choisi le mobilier ?

— Oui, répondit Lydia.

— Pour toutes les nombreuses demeures de votre père ?

Elle esquissa un sourire.

— Pour celles que je connais.

— Ah oui ! gloussa-t-il. Je suis sûr que le renard matois doit avoir une ou deux tanières secrètes.

— Avec renardes à l'intérieur.

— Je décèle une note de désapprobation dans votre voix, Miss Foxe. On ne devrait jamais reprocher à un homme ses amusements.

Il y avait vraiment quelque chose de diabolique dans son visage, estima Lydia. Les journaux conservateurs le caricaturaient souvent comme le Prince des Ténèbres murmurant dans l'oreille d'Asquith ou de Lloyd George. Il avait un visage mince, en lame de couteau, avec un long nez pointu, des sourcils fins comme un trait de crayon, et une barbe à la Van Dyck très soignée. La silhouette du diable, mais il n'y avait aucune trace de *mal* en lui, uniquement une sorte de sarcasme contenu, comme s'il était toujours sur le point d'éclater d'un rire moqueur. David Selkirk Langham, né dans un taudis de Liverpool, avocat autodidacte, défenseur des ouvriers des docks de la Mersey, membre du Parlement et ministre, marié avec cinq enfants — mais l'on chuchotait des histoires salaces sur son compte depuis son élection au Parlement en 1908. Les femmes, disait-on, étaient hypnotisées par ses yeux et son air de virilité brutale. Des calomnies lancées par les conservateurs, lui avait dit son père, mais elle n'en était pas si sûre. Elle avait entendu trop d'histoires de ce genre pour les rejeter toutes, et il lui suffisait de regarder ses yeux pour y lire un certain défi.

— Le jeune homme sur le divan, c'est Charles Amberley ?

— Oui.

— Un jour, dans un discours au Parlement, le comte m'a traité de canaille. Bien sûr cette remarque n'avait rien de personnel. Il était simplement furieux du résultat des élections. Le fils est-il aussi conservateur que le père ?

— Non, il n'a pas de sentiment politique particulier.

Langham haussa les sourcils, prompt à la raillerie.

— Vraiment ? Ne sait-il pas que c'est la politique qui fait tourner le monde ? Que c'est la politique qui l'a mis en uniforme et qui l'y maintiendra probablement pendant longtemps ?

— Il ne voit pas la guerre sous ce jour.

— Stupidité de sa part. A notre époque, le réalisme paie. A la façon dont parlent certains de ces jeunes soldats, on croirait qu'ils s'en vont en cotte de mailles guerroyer contre le Roi de France. Cette guerre va être longue, amère. Une guerre d'idéologies politiques, une guerre de...

Le rire de Lydia l'interrompit.

— Monsieur Langham, vous n'êtes pas en train de faire un discours aux Communes.

Il s'inclina légèrement.

— Mes excuses. J'avais autrefois la réputation de faire des discours à tous les coins de rues ou dans tous les bistrots pour le seul plaisir d'entendre le son de ma voix. Ce temps n'est plus, depuis longtemps. Avec une femme jeune et belle, il y a effectivement des sujets de conversation plus agréables que les troubles politiques de l'Europe.

— Quoi, par exemple ?

— Eh bien, le pur plaisir de votre compagnie.

Il la dévisagea d'un œil effronté et elle devina un sourire prêt à surgir derrière ses yeux noirs. Il lui rappela un furet jouant avec un lapin. Elle comprenait pourquoi bien des femmes le trouvaient déconcertant. Il n'y avait en lui rien de subtil ou de circonspect. Il était totalement sûr de lui et de son empire sur le sexe faible. Et c'était un homme si petit ! Toujours si bien soigné de sa personne qu'on l'aurait pris pour un tailleur s'il n'était pas de façon aussi manifeste un ministre ayant le vent en poupe. Elle ressentit une sorte d'excitation obscure, comme si quelque chose se nouait au creux de son estomac. Combien de femmes, se demanda-t-elle, avaient-elles connu cette même impression et y avaient succombé ? Sa main remonta lentement vers sa gorge et elle détourna les yeux. La pluie tambourinait sur les fenêtres.

— Où allez-vous avec père cet après-midi ?

Sa voix était plus rauque et Langham le remarqua. Il sourit et prit une gorgée de cognac.

— Une réunion avec le Premier ministre, au Dix Downing Street. Kitchener sera là pour évoquer son affaire des Dardanelles.

— Qu'en pensez-vous ?

— Une idée brillante. Comme on pouvait s'y attendre de l'esprit fertile du jeune M. Churchill. Je n'ai pas, quant à moi, d'opinion arrêtée. Si l'opération échoue, les répercussions politiques peuvent être catastrophiques.

— Je n'ai pas eu l'impression que vous ayez peur du risque.

Il fit un bruit de gorge rauque, comme un rire étouffé ou un ronronnement de chat. Il effleura le bras de Lydia, une caresse très douce.

— Certains jeux de hasard valent toujours la chandelle, et d'autres non. Ce n'est pas votre avis, Lydia Foxe ?

Elle feignit d'ignorer le contact de sa main, et ses yeux ne se détachèrent pas des vitres froides de la fenêtre.

— Je n'en sais rien, monsieur Langham. Ce qui m'intéresse, dans les jeux de hasard, ce ne sont pas les chandelles, mais seulement les gros lots.

4

Martin Rilke, assis sur un banc de Regent's Park, lançait des torpilles de pain à une flottille de canards. Après un hiver long et rude, les canards fêtaient le sacre du printemps en dévorant tout ce qui tombait sur l'eau. Martin émietta parmi les roseaux ce qui lui restait de ses quatre tranches de pain, puis se leva et suivit à pas lents une large allée de gravier conduisant à Clarence Gate. Il avait les mains dans les poches de son manteau. L'une d'elles se crispait autour d'une lettre froissée. Arrivée à Chicago par le courrier du matin, elle contenait un chèque de quatre-vingt-cinq dollars de *L'Express* et quelques conseils de Comstock Harrington Briggs :

Cher Rilke,
  Le chèque ci-joint n'est pas à l'image de votre valeur mais il mesure assez précisément votre degré d'utilité pour nous en ce moment. L'Europe et ses guerres commencent à taper sur les nerfs de nos braves gens du Middlewest. Le long du lac, de Milwaukee à Gary, les sympathies sont partagées à peu près par moitié. De nombreux Américains d'origine allemande se sont mis à condamner à grands cris l'Angleterre, la France et la Russie — surtout l'Angleterre d'ailleurs — jugées responsables de cette guerre destinée à écraser l'économie allemande. Le blocus de la marine britannique fait à coup sûr beaucoup de tort aux marchands de grains et aux affréteurs de minerai de fer. Les gens du coin ne comprennent pas pourquoi on les empêche de vendre aux puissances centrales. Le blocus agace même Washington, et vous pouvez donc vous douter de la violence des sentiments dans certains quartiers de Chicago et partout à Milwaukee.
  Vos chroniques belges étaient bonnes et impartiales, mais ce que vous nous envoyez à présent sur l'Angleterre en guerre devient trop ouvertement anglophile pour convenir à nos lecteurs. Ne perdez jamais de vue que les tuniques rouges ont incendié la Maison Blanche — il est vrai qu'aujourd'hui tous les Républicains seraient ravis de la voir brûler (à condition, bien sûr, que M. Wilson soit à l'intérieur). Non, Rilke, je ne vois pour vous aucune raison valable de demeurer à Londres plus longtemps. Joe Finley a bu une bouteille de rye de trop, aussi y a-t-il une place vacante aux faits divers. Envoyez-moi un câble

214

et la place est à vous. Un simple oui suffira. Si vous n'avez pas l'argent du billet de retour, dites-le.

P.S. Je marche avec Philadelphie cette année pour le titre. Cliff Cravath et Grover Cleveland Alexander... Une combinaison imbattable.

Il sortit la lettre de sa poche, la roula en boule et l'envoya, d'un lob plein de style, en direction des genoux de Cliff Cravath... Le papier tomba dans l'eau et les canards se précipitèrent.

Allongé sur le divan du salon, Golden contemplait le plafond. Il était resté dans cette position presque sans discontinuer depuis son retour de Serbie en janvier. Il avait dit peu de chose — et écrit encore moins — sur ce qu'il avait vu et vécu là-bas avec les armées du général Putnik. Il s'était produit comme une fêlure dans les relations entre Jacob et son père, mais Martin s'était refusé à mettre son nez dans l'affaire.

— Tu profites du beau soleil d'avril ? lui demanda Jacob d'une voix nonchalante lorsqu'il accrocha son manteau dans le petit vestibule.

— Oui. Je suis allé au parc donner à manger aux canards.

— Tu as pris ta décision ?

Martin haussa les épaules et s'affala dans un fauteuil.

— Je vais rentrer à Chicago, je crois.

— Tu tournes le dos à la guerre, hein ?

— C'est elle qui me tourne le dos.

Jacob bâilla et s'assit. Il avait perdu beaucoup de poids et il paraissait squelettique. La peau de son visage était tendue comme du parchemin sur un cadre d'os.

— Pourquoi n'entres-tu pas au *Daily Post* ? Le patron aime ta façon d'écrire. Il veut m'envoyer en Egypte pour couvrir l'expédition des Dardanelles. Prends ma place. J'ai l'intention de quitter ce bon vieux journal.

Martin rumina cette nouvelle pendant quelques secondes. Des bruits de vaisselle montaient du restaurant voisin. Les Hongrois étaient partis — victimes innocentes de la guerre — et une famille italienne, nombreuse, verbeuse et grandiloquente, avait pris leur place.

— Quand as-tu pris cette décision ?

— Je l'envisage depuis plusieurs mois.

— Que s'est-il passé en Serbie, Jacob ?

Golden fit glisser ses doigts dans ses cheveux.

— Seigneur ! Rien de ce que j'avais prévu. Je t'avais dit que dans cette partie du monde, la haine atteignait un niveau malsain. La guerre lui a donné un coup de fouet et un exutoire. Le viol, la torture et le massacre ne sont que des mots tant qu'on n'a pas vu les victimes. Mais j'ai vu de mes yeux ce que les Autrichiens ont fait aux paysans

215

serbes. Et j'ai vu de mes yeux ce que les Serbes ont fait aux Autrichiens après la contre-attaque de Putnik sur la Save. Mes dépêches révélaient en détail les atrocités commises dans les deux camps, mais on n'a imprimé que les horreurs autrichiennes.

— Et cela t'a surpris ?

— Non, bien sûr, non. Je ne m'attendais pas à voir la courageuse petite Serbie traînée dans la boue par la presse. (Il ne put retenir un sourire amer.) La guerre et la vérité ne vont pas de pair. Je suppose qu'en tant que journaliste j'ai l'obligation de porter témoignage des événements, même si les nouveaux règlements de la censure m'empêchent de publier tous les faits. Et pourtant, je ne peux pas le faire. Il y a quelque chose d'affreusement scandaleux dans cette guerre. C'est un massacre sans conscience, sans but, un véritable chaos, et je ne veux pas y être impliqué.

— Tu auras beaucoup de mal à ne pas l'être, non ? Où iras-tu ?

— Mais... dans l'armée bien sûr. C'est le meilleur endroit au monde pour éviter toute implication affective et morale. Un type que j'ai connu à Oxford est dans les Transmissions. Il m'a donné un coup de fil l'autre jour. Pour m'offrir une place. Du boulot d'arrière-boutique à Whitehall : une histoire de codes et de chiffres. La cryptographie est une de mes passions depuis l'âge de six ans. De quoi vais-je avoir l'air en uniforme ?

— D'un squelette ambulant.

Il fit une grimace et passa la main sur ses joues.

— Juste. Un peu trop famélique. Toute cette crème aigre au paprika du rez-de-chaussée me manque. Je crois que j'ai intérêt à me lancer dans les spaghettis si je veux mettre un peu de viande sur mes os.

— Tu me parais beaucoup moins abattu soudain.

— C'est parce que tout ça me soulage, mon vieux. Tu es un merveilleux copain, Martin. Tu laisses parler les gens sans pontifier et sans cracher par terre. Je crois vraiment que si Attila t'avait fait ses aveux, tu lui aurais prêté l'oreille avec sympathie.

— Je préfère prendre ça pour un compliment, répondit Martin d'un ton de doute, mais j'ai des opinions bien arrêtées, tu sais.

— Bien entendu. Mais tu es beaucoup plus objectif que moi sur bien des choses. Et vraiment plus tolérant à l'égard des folies de l'humanité que je ne saurais jamais l'être. Cette guerre va avoir besoin de quelques témoins sans parti pris, et tu devrais être l'un d'eux. Sans aucun doute. Aimerais-tu aller aux Dardanelles ?

— Si je peux, oui.

— Parfait ! Je prends le bigophone et j'arrange ça. Fais sauter un bouchon de pinard à bulles pendant que je romps une lance ou deux avec le patron.

Lorsque Martin revint de la cuisine avec une bouteille de champagne et deux flûtes, Jacob parlait au téléphone avec son père.

216

— J'ai pensé que c'était vraiment la seule chose à faire, disait-il d'une voix pleine d'onction patriotique. Aucun Anglais en bonne santé n'a le droit de refuser l'uniforme, alors... Oui, les Transmissions, le Royal Signal Corps... Les codes, le chiffre, le décodage, ce genre de choses... Oui, maman en sera très contente... C'est tout à fait juste, on n'a pas besoin de spécialistes du code dans les tranchées. Je suis ravi que vous me compreniez, père... C'est pour ça que j'étais si abattu et découragé ces temps-ci. J'essayais de décider ce qui serait le mieux à tout point de vue... Merci, père. Je suis très sensible à ce que vous me dites... Maintenant, pour cette affaire en Méditerranée, je ne vois personne de mieux qualifié pour prendre ma place que Martin Rilke.

Les autres correspondants de guerre le tenaient à l'écart. Il était « cet Américain, vous savez ? » toléré mais non sans réserves, un intrus. Le nombre des représentants de la presse autorisés à se joindre à la force expéditionnaire en Méditerranée avait été limité à la stricte demi-douzaine. Kitchener aurait préféré qu'il n'y ait personne, mais le général Sir Ian Hamilton, commandant de l'expédition, avait autorisé la venue de quelques observateurs triés sur le volet. La plupart d'entre eux étaient des hommes d'un certain âge qui avaient couvert tous les conflits armés depuis la guerre des Boers et même au-delà. Ils étaient à tu et à toi avec les officiers d'état-major, et ils s'intégraient sans un pli à l'ordre social du mess. Si grande était leur connaissance des procédures et de l'éthique militaire qu'ils auraient très bien pu passer pour des colonels ou des majors en civil. La présence même de Martin avait fait l'objet de contestations presque jusqu'à l'heure de quitter Southampton. Le War Office avait mis en question l'opportunité d'envoyer un journaliste neutre, mais les arguments de Lord Trewe avaient finalement prévalu. Il soutenait que Martin Rilke devait accompagner l'expédition justement *parce qu'il* était neutre. L'Amérique, avait-il déclaré dans une note très ferme au War Office, devait prendre conscience des perspectives et de la grandeur de l'aventure britannique en Orient. Les Américains n'appréciaient pas à sa juste valeur l'effort de guerre des Britanniques, et les comptes rendus des journaux anglais étaient considérés outre-Atlantique comme partiaux et faussés... « Faisons jaillir la vérité dans les journaux américains, grâce aux articles d'un Américain dont la sympathie et la compréhension à l'égard du peuple anglais en guerre ne sauraient être mises en doute. »

Et Martin faisait donc partie de l'armée qui se rassemblait en Egypte pour préparer l'assaut de la péninsule de Gallipoli, Américain solitaire arpentant les rues ensablées et surpeuplées d'Alexandrie, en chemisette à col ouvert, le Kodak en bandoulière, le carnet de notes d'une main et le crayon de l'autre. De tout ce qu'il avait écrit, très peu de choses avaient franchi la censure du G.Q.G., et pas une seule de ses photographies n'avait obtenu le visa. Les Anglais avaient des idées très précises sur ce qui pouvait ou ne pouvait pas être envoyé à Londres, et Martin ne laissait pas de s'en étonner. Le dernier des petits cireurs en haillons savait que les Anglais se préparaient à débarquer à Gallipoli la dernière semaine d'avril. Des bateaux de pêche grecs dérivaient librement au milieu de la vaste flotte de guerre ancrée dans la rade : or tout le monde savait qu'au moins un pêcheur grec sur deux était soit un sympathisant de la Turquie, soit un espion turc. Et pourtant les censeurs caviardaient les commentaires les plus innocents des envoyés spéciaux. Une remarque comme « les soldats australiens et néo-zélandais semblent très à l'aise au milieu des rochers désolés du désert égyptien » revêtait à leurs yeux une importance militaire éminente.

— Oh ! vous ne pouvez laisser ceci, monsieur. Cela risque de donner des indications à l'ennemi sur l'endroit où nous allons envoyer les troupes. Gallipoli est désolé et plein de rochers, vous savez.

Martin se demanda si Jacob, prévoyant avec sa lucidité habituelle ce que serait cette farce administrative, ne s'était pas débarrassé d'une corvée inutile en l'envoyant à sa place. Il l'imaginait volontiers secoué d'un fou rire inextinguible dans le nid douillet de son appartement de Soho, renouant enfin avec les pyjamas de soie, le champagne et les petites danseuses de Shaftesbury Avenue. Mais il ne regrettait rien. Jacob allait à sa perte. Londres était très bien, mais ce n'était jamais qu'une ville, tout comme Chicago ou New York. Alexandrie, c'était du temps figé sous de la pierre patinée. La ville d'Alexandre le Grand. Al-Iskandariyah. Une cité déjà antique quand Euclide étudiait dans sa bibliothèque. Les lieux où Cléopâtre avait somnolé entre les bras d'Antoine. Il arpentait la large avenue bordant la baie en forme de croissant, avec la Méditerranée bleu-vert à l'ouest et brun-jaune à l'est, à l'endroit où se déversent les eaux du Nil souillées par la terre d'Afrique. Il y avait près des docks un café que les officiers de la Royal Navy et de la marine française avaient adopté, et dont ils chassaient tout officier vêtu de kaki qui osait s'y risquer. Mais ils toléraient la présence discrète d'un journaliste solitaire de Chicago qui prenait à la terrasse la table la plus éloignée, et qui passait son temps, devant une ou deux bières, à écrire son journal intime sans déranger âme qui vive :

Alexandrie, 10 avril 1915.
Observations et réflexions. Tout est curieux, ici. Une atmosphère d'excitation presque insupportable imprègne tout ce qui touche à l'expédition. Comme si seuls de grands honneurs et des couronnes de laurier attendaient au-delà de l'horizon chaque homme destiné à aller là-bas. Nul ne peut dire à quoi pensent les Turcs en ce moment, mais

je ne crois pas qu'ils vivent la même euphorie. J'ai essayé sans succès de découvrir davantage de choses sur cette péninsule vers laquelle la flotte ne va pas tarder à mettre le cap. Un pays sans eau, désolé — c'est tout ce que je sais. Une langue de terre qui sépare l'Europe de l'Asie, parsemée de rochers, montagneuse, couverte de maquis, sinistre et inhospitalière. Y a-t-il beaucoup de plages ? Personne ne semble le savoir... ou plutôt personne ne le dit. Impossible de trouver une carte des lieux. Il devait y en avoir quelques-unes ici à Alexandrie et au Caire, mais les Anglais les ont toutes achetées et elles sont en sécurité entre les mains des officiers supérieurs. Les Turcs se défendront-ils âprement ? Il y a un mois ou deux, les fusiliers marins et les matelots de la Royal Navy ont parcouru les ruines des forts turcs et les emplacements d'artillerie après le bombardement de l'amiral Carden. Les flottes anglaise et française ont tenté de traverser les Dardanelles en force jusqu'à la mer de Marmara pour atteindre Constantinople et éliminer la Turquie de la guerre. Un coup audacieux. Les Turcs hésitent à se jeter à corps perdu du côté de l'Allemagne et de l'Autriche. La vision de vaisseaux de guerre comme le *Queen Elizabeth* avec ses canons de quinze pouces fumant au milieu de la Corne d'Or aurait sans doute été décisive : leurs nerfs auraient lâché. Mais les vaisseaux de guerre n'ont pas atteint la mer de Marmara. L'amiral Carden... c'est un bruit qui court... se serait effondré, moralement et physiquement. L'amiral De Robeck qui l'a remplacé a tenté de forcer les détroits, mais il a perdu trois ou quatre vaisseaux en un seul jour et il a dû rebrousser chemin. On a décidé en haut lieu que la marine ne ferait aucune nouvelle tentative tant que la péninsule ne serait pas aux mains des Britanniques, pour que les Turcs ne puissent plus prendre les vaisseaux entre deux feux avec leurs batteries de la côte ou des mines flottantes. Je n'entends rien à la stratégie militaire, mais cela me paraît assez rationnel. J'ai pris quelques verres avec un colonel anglais et un de ses homologues du contingent français, qui commande un régiment de la Légion étrangère. Ils n'étaient pas plus optimistes l'un que l'autre. Nous étions sur la terrasse d'un très bon restaurant français dominant le Nil, à El Fuwa, et ils m'ont expliqué leurs angoisses en faisant observer que les Turcs et leurs conseillers militaires allemands ont eu un mois de travail ininterrompu pour fortifier tous les sites de débarquement utilisables. Les fils de fer barbelés tendus sur les plages et les mitrailleuses sur les falaises seront un véritable enfer pour les soldats qui essaieront de descendre à terre. Absolument rien ne leur plaît dans cette opération — sentiment que ne partage nullement le simple soldat.

Charles Amberley est ici ! Nous nous sommes rencontrés par hasard dans le hall de l'hôtel Shepheard du Caire et j'ai passé la journée avec lui, Roger Wood-Lacy, Rupert Brooke et quelques autres officiers. Nous sommes allés en voiture à Gezirah pour suivre un match de cricket, puis à Gizeh en fin d'après-midi pour voir les pyramides au soleil couchant. Brooke est un très brave type qui a le don de parler pendant des heures sans ennuyer personne. Les choses les plus banales, même sordides, l'emplissent de joie poétique : les rues étroites, sales et sur-peuplées du Caire, les tentes de l'armée alignées sur des kilomètres le long du Nil, les drapeaux s'agitant paresseusement dans le ciel blanc, une ligne de palmiers se profilant à l'horizon, les fellahs travaillant dans leurs champs ou puisant de l'eau dans le fleuve, sans entendre l'éclat lointain des obus de l'artillerie qui fait ses exercices de tir dans le désert, les soldats — les *légionnaires* français, les Sénégalais, les Sikhs, les Gurkhas, les Anglais en kaki et en casque colonial, les Aus-traliens et les Néo-Zélandais avec leurs larges chapeaux de feutre. *Que Dieu soit béni de nous avoir choisis à Son Heure, d'avoir saisi notre jeunesse et de nous avoir éveillés du sommeil.* En Egypte, tout le monde semble vivre ce poème qu'il a écrit. Serais-je le seul à ne pas l'apprécier ? Trop romantique d'esprit. Je ne parviens pas à tenir la guerre pour une bénédiction. Je continue à songer à ces « pauvres couillons de l'infanterie » en train de crever sur cette colline du côté d'Hannogne-Saint-Martin.

Brooke est dans la division navale, une unité de la marine qui a servi pendant quelque temps à Anvers en septembre dernier. Roger Wood-Lacy était très déçu de ne pas avoir pu s'engager avec lui — pour une raison que j'ignore — mais il est ravi de l'avoir retrouvé en Egypte. « Une joyeuse bande de frères » — c'est son expression. *Tout le monde* (hormis mes deux colonels) est aux anges, fasciné par la magie de trois mots : Dardanelles, Constantinople, Hellespont. Les allusions littéraires abondent. On cite constamment Keats et Byron. Homère, les légendes de l'Hellade, la Toison d'or, Héro et Léandre sont invoqués à tout propos et même hors de propos. Des hommes dont les seules lectures étaient il y a quelques mois les *Sporting News* et le *Punch* parlent maintenant des « mers de vin sombre » et des « vents qui se lèvent sur la vigne d'Hellas ». Brooke écrit un poème sur l'expédition, ainsi que Roger Wood-Lacy — et, je crois, dix ou vingt mille autres hommes. Même le commandant en chef de l'expédition est un poète et un écrivain de renom. La seule conférence où le géné-ral Hamilton ait condescendu à rencontrer la presse en groupe s'est transformée très vite en une sorte de thé littéraire. De toute façon Hamilton fait très professeur, et lorsqu'il a commencé ses observations en disant : « Messieurs, nous embarquerons sous peu pour la pénin-sule de Gallipoli ou, comme je préfère l'appeler, la Chersonèse de Thrace... » j'ai eu l'impression étrange et inquiétante de me retrouver sur les bancs de l'université. Les pauvres Turcs vont bientôt être bom-bardés non seulement par des obus de quinze pouces et par des mor-tiers de campagne, mais par des bordées d'anapestes, d'hexamètres dactyliques, d'alexandrins et de sonnets.

12 avril 1915.

Rupert Brooke est malade... une insolation. Charles est venu m'en parler. Brooke affirme à tout le monde qu'un coup de soleil n'a rien de très grave, mais ses supérieurs ne sont pas du même avis et on l'a embarqué à bord d'un des nombreux vaisseaux-hôpitaux réunis à Alexandrie. Il n'assistera pas au débarquement à Gallipoli, ce qui doit être un crève-cœur pour lui. Ensuite, je suis allé avec Charles et le commandant en second de son bataillon, un certain major Thursby, jusqu'aux docks de la Royal Navy voir un bateau sur lequel trois compagnies des Royal Windsor Fusiliers embarqueront la semaine prochaine. Nous avons pris une vénérable victoria tirée par quatre mules blanches, ce fut une promenade agréable et pittoresque. Chemin faisant, le major Thursby m'a raconté l'histoire des Royal Windsor avec un luxe de détails, et ce que « le toujours glorieux capitaine Pikestaff » avait fait lors de l'attaque de Badajoz. En plein milieu du récit, Charles s'est penché vers moi pour murmurer : « C'est vraiment un horrible vieux raseur » — ce que je lui ai accordé volontiers.

Le bateau affecté aux Windsor pour le débarquement de Gallipoli a cloué le bec au loquace Thursby lui-même. C'est un vieux charbonnier rouillé portant le nom de *River Clyde,* le genre de bateau qui sillonne les voies maritimes du monde avec ses cales pleines de houille destinée au ravitaillement des autres bateaux — les vrais. Un vrai baquet lamentable, à la peinture rongée, qui semble égaré au milieu du groupe de croiseurs flambant neufs. On était en train de découper dans sa coque deux grandes ouvertures carrées de chaque côté et l'on construisait des rampes de bois que les mâts de charge mettront en place à la hauteur de ces sabords improvisés lorsque le bateau s'approchera de la côte. Deux mille hommes seront à bord au moment de l'assaut : les Windsor, les Dublin Fusiliers, les Munster Fusiliers, et deux compagnies du régiment de Hampshire. Des officiers de ces unités se trouvaient sur le dock et ils n'avaient pas l'air plus heureux que Thursby et Charles.

— C'est une façon plutôt minable de partir en guerre, a dit le major Thursby.

S.S. *Lahore,* 18 avril 1915.

Reçu un câble de Lord Trewe m'informant qu'aucune de mes dépêches n'est parvenue à Londres. Discuté du problème avec Ellis Ashmead-Bartlett, journaliste londonien morose et assez excentrique, qui n'a pas été surpris le moins du monde. Il a offert quelques verres à l'un des censeurs, un soir à Alexandrie, et il a découvert que tous les comptes rendus écrits par des civils sur les préparatifs militaires de l'expédition des Dardanelles étaient retenus. Il croit qu'aucun représentant de la presse ne sera autorisé à se joindre aux forces d'assaut. On nous encourage tous à rester en Egypte, mais il est bien décidé à participer à l'action, tout comme moi-même et un type myope de chez Reuter. C'est à cela que se réduit en fait toute la presse. Les autres sont sur la plage. Un vieux correspondant de guerre m'a dit qu'il restait à l'arrière « pour ne gêner en rien les opérations militaires » — laissant entendre que seul un Américain sans le moindre tact pouvait avoir envie de partir avec la troupe.

Le S.S. *Lahore* est un paquebot de la Peninsular and Oriental réquisitionné il y a quelques semaines pour servir de quartier général. Le confort et le service sont tout ce qui se fait de mieux, les larbins indigènes abondent, toujours vêtus d'une veste blanche impeccable à boutons de cuivre rutilants. Depuis ma chaise longue, tout en sirotant un « planteur », je contemple le départ de la flotte d'Alexandrie. Les sirènes retentissent, les sifflets à vapeur leur répondent, les pavillons de signaux courent sur les drisses, les éclats de lumière s'appellent et se répondent d'un bateau à l'autre : ils sont plus de deux cents à prendre le large. Nous faisons voile vers l'Egée, vers l'île de Lemnos, à quatre-vingts kilomètres de la pointe méridionale de Gallipoli. Un officier du bateau m'a dit que la baie de Mudros, à Lemnos, est assez vaste et assez profonde pour contenir très à l'aise tous les vaisseaux que nous avons sous les yeux. Je suppose que les derniers préparatifs de l'assaut seront effectués là-bas. Tout semble si bien organisé, si efficacement conçu, que le succès ne peut faire aucun doute.

Debout à la proue du *River Clyde,* Charles Amberley regardait les hommes de sa section emplir des sacs de sable pour construire une sorte de mur percé de meurtrières : un mètre vingt de haut sur une épaisseur de plusieurs sacs. Le gaillard d'avant se transformait en un petit fortin où l'on pourrait mettre en batterie une douzaine de mitrailleuses. Le charbonnier tirait doucement sur son ancre dans les eaux de la baie de Mudros. Calme plat. Le soleil martelait les plaques de métal du pont.

— Comme la forge du vieux Vulcain, fit remarquer Roger Wood-Lacy.

Il essuya la sueur de sa nuque avec un mouchoir sale. Penché contre le bastingage, il ne quittait pas des yeux les collines sauvages, sans arbres, de l'île.

— Vulcain a vécu ici, tu sais. C'est son petit paradis. On se demande ce qu'il a vu en ces lieux. Et pourtant, j'aime assez le vieux Vulcain, le genre de gars tout d'une pièce. Jamais je n'ai compris pourquoi Jupiter l'a chassé du ciel à coups de pied. Tu te souviens de ton Milton ? *De l'aube à midi il tomba, de midi jusqu'aux rosées du soir, par une journée d'été ; et avec le soleil couchant il glissa du zénith, comme une étoile filante, sur Lemnos, l'île égéenne.* Cela donne à penser, non ? La proximité du passé. Vulcain là-haut, dans ces collines, en train de baisser les yeux vers nous. Je me demande ce qu'il en pense...

— Que nous sommes une bande d'idiots, à coup sûr, murmura Charles. Tu n'as rien de mieux à faire que de traîner sur le pont en citant le *Paradis Perdu* ?

Roger repoussa son casque colonial en arrière puis tendit le bras vers l'autre côté de la baie.

— Rien avant l'arrivée de la compagnie A. Les voilà, regarde, par le travers du *Swiftsure*.

Les soldats débarquaient des bateaux de transport depuis le début de la matinée. Il y avait déjà douze cents hommes à bord du charbonnier, rongeant leur frein dans la cale étouffante. On en attendait encore deux cents — les compagnies B et C des Windsor et deux compagnies des Munster.

— Tu n'as pas l'air très content, dit Roger. Quelque chose qui cloche?

— Je suis fatigué, c'est tout. C'est Talbot qui est l'officier responsable des mitrailleuses du bataillon mais il est complètement entubé depuis que nous sommes à bord.

Roger se boucha les oreilles en feignant l'horreur.

— Mon dieu, mon dieu, quel affreux langage ! Je n'ai rien entendu de pareil depuis que tante Mary s'est coincé les tétons dans l'essoreuse à rouleaux.

Charles éclata de rire.

— Fous le camp. Va arrimer tes gars dans la cale.

Il regarda son ami s'éloigner sur le pont vers les échelles de coupée du milieu de bateau. Il ne marchait plus avec la grâce langoureuse du poète. Il avait maintenant le pas fier et crâne d'un officier subalterne confirmé, tout à fait capable de tenir en main sa section de petits durs des quartiers sud de Londres. Il se détourna pour examiner le revêtement de sacs de sable.

— Tassez-les comme il faut avec le plat de la pelle, caporal.

— Très juste, lieutenant.

— Puis commencez à mettre les armes en place. Vous poserez des sacs sur les trépieds.

— Très bien, lieutenant.

Il regarda les fusiliers et quelques Royal marines monter les Vickers sur leurs socles et ouvrir les caisses de rouleaux de cartouches. Les hommes savaient ce qu'ils avaient à faire sans qu'on ait besoin de tout leur dire. Il s'appuya contre l'un des murs de sacs de sable et contempla l'armada de bateaux dispersée dans le vaste port naturel. Lemnos l'Égéenne ! Cela sonnait dans sa tête comme le fragment d'un poème. Le spectacle des vaisseaux de guerre et de la myriade de bateaux de transport flottant dans une sérénité parfaite sur la plus belle des eaux et sous le plus bleu des ciels lui donna envie de rendre grâce à Dieu de n'avoir pas été envoyé en France. Il aurait pu laisser monter en lui des

223

centaines d'images sur lesquelles rêver — Xerxès et sa flotte faisant voile vers Salamine, Jason et les Argonautes en quête de la Toison d'or, Ulysse et Achille s'attardant, ici même, au cours de leur voyage sans enthousiasme vers Troie. Et puis Byron, bien sûr, à la recherche de la tour d'Héro dominant la « mer de vin sombre » d'Homère. Le barde aveugle s'était trompé sur ce point. Tous les océans se ressemblent, ils sont bleus ou gris, selon la couleur du ciel... Mais c'était bien la mer Egée baignée de soleil, et non les plaines boueuses de Picardie, qu'il regardait par-dessus son rempart de sacs de sable. Ses lèvres murmurèrent une prière silencieuse.

— Lieutenant Amberley, s'il vous plaît, cria la voix du lieutenant-colonel Askins dans le porte-voix. Voulez-vous monter sur la passerelle ?

Le colonel se tenait sur le côté de la passerelle, droit comme un peuplier. Sa grande main brune tracassait sa moustache que le soleil avait pâlie. Charles se présenta à son officier supérieur avec la conscience nette.

— Oui, colonel.

— Ah ! Charles. Vous avez fait du bon travail avec ces sacs de sable.

— Merci, colonel.

— Qu'est-ce qui ne tourne pas rond chez le capitaine Talbot ? C'était son travail, non ? Il m'a dit qu'il avait des crampes. Je n'en crois pas un mot. Moi, j'appelle ça tirer au flanc. C'est toujours le même problème avec les réservistes : trop de temps dans le civil et ils se ramollissent. Je vais le débarquer, vous ferez office de capitaine et vous aurez la responsabilité des mitrailleuses du bataillon.

— Merci, colonel. .

Les yeux du colonel quittèrent ceux de Charles pour se poser sur les collines brunes et dénudées de l'île.

— Vous êtes un ami de ce poète, Rupert Brooke. Vous et Wood-Lacy ?

Charles sentit que son estomac se contractait.

— Oui, colonel.

— Wood-Lacy plus que vous ?

— Il le connaît davantage, oui, colonel.

— Il est mort hier. Désolé d'être aussi sec, le message du général Hamilton ne dit pas un mot de plus. Il était destiné à Wood-Lacy mais j'ai préféré vous en parler d'abord. Nous levons l'ancre à minuit et nous arriverons à la plage V à six heures du matin, comme prévu. Le jeune Wood-Lacy a un travail diablement important à faire demain, et je ne tiens pas à ce que ses pensées battent la campagne. Vous pourrez lui apprendre la nouvelle quand nous serons en sécurité à Sedd-el-Bahr. Je suis désolé, Amberley. Je sais ce que représente la perte d'un ami.

Le soleil parut perdre sa chaleur, comme si une grande partie de sa lumière avait quitté le ciel. La mer était devenue sinistre, huileuse. Debout près du bastingage, Charles baissa les yeux vers les allèges qui accostaient avec leurs charges de soldats. Deux mille hommes pour la plage V. Seuls Dieu et le général Hamilton savaient combien il y en avait pour les plages W, X, S, Y et pour Gaba Tepe où débarqueraient l'Anzac (l'Australian and New-Zealand Army Corps). Le moment était mal choisi pour s'affliger de la mort d'un poète.

C'était là, devant lui dans le noir, invisible sauf pour l'imagination : la courbe accentuée, presque en demi-cercle, de la baie de Sedd-el-Bahr. Eléments cartographiques mémorisés : quatre cents mètres de bande de sable étroite à l'ouest des ruines du château médiéval, le sol s'élevant en pente douce derrière la plage, une série de terrasses, un village de cabanes de pierre au-delà du vieux fort. Il regarda par une meurtrière étroite, la joue pressée contre le métal froid de la Vickers. Rien à voir hormis la silhouette sombre de la plage ; rien à entendre que le martèlement sourd des machines du *River Clyde* et le cri de l'eau fendue par la proue. Il se redressa et regarda vers l'arrière. Les deux chalands vides qui formeraient un pont flottant — entre le cargo et la côte — étaient en remorque, silhouettes noires se détachant sur le sillage phosphorescent. Derrière eux, à peine visibles, se trouvaient vingt chaloupes manœuvrées par les hommes de la Navy et pleines de Dublin Fusiliers. Ils couvriraient la plage pendant que le *River Clyde* s'échouerait dans la baie et que les chalands seraient halés vers l'avant pour former le pont. Quinze minutes après l'échouage, les sifflets retentiraient et les deux mille hommes de la cale du charbonnier se déverseraient par les grands sabords, courraient sur les passerelles de bois suspendues contre la coque, sauteraient sur les chalands et déferleraient sur la plage sans se mouiller les pieds.

Une heure avant le jour, une cloche tinta et le bateau ralentit. Des premières lueurs de l'aube surgit derrière eux un grondement de tonnerre soudain, suivi d'une série d'éclairs : des coups de poignard de lumière intense, orange et rouge, tout le long de l'horizon. Puis les obus lourds de la flotte grondèrent au-dessus de leurs têtes et sifflèrent en plongeant vers la terre. La côte en demi-lune, depuis Sedd-el-Bahr jusqu'au cap Helles, s'enflamma.

— Et que ça bourre ! dit une voix dans l'ombre. Entubés, les Turcs !

Le ciel pâle se souilla de nuages couleur de terre. Des cailloux tombèrent sur le pont. Les obus déchiquetaient le sol et le vent apportait jusqu'à eux la poussière de Gallipoli. Les explosions se succédaient sans relâche, éclairs de feu, sous des gerbes de terre jaune. Risquant un œil par-dessus les sacs de sable, Charles aperçut le village, sur le point le plus élevé de l'anse : il disparut sous l'onde de choc des obus de marine. Il rapprocha son poignet de son visage et regarda sa montre. Six heures. Les canons de la flotte tiraient sans discontinuer depuis près d'une heure. Rien, pas une souris, pas un oiseau ne pouvait demeurer en vie sur cette langue de terre qui bouillonnait de toute part au milieu des vapeurs de cordite.

— Dieu les prenne en pitié ! murmura-t-il.

La cloche tinta de nouveau et le bateau trembla : les machines étaient lancées : en avant toute. La baie embrumée se rapprocha.

— Chargez les armes ! ordonna-t-il.

Il entendit le cliquetis des caisses de munitions que l'on ouvrait, puis le claquement sec au moment où les rouleaux de cartouches étaient verrouillés dans les culasses.

— Hausse à cent mètres !

Ils allaient tirer sur des fantômes, sur des ossements pulvérisés.

Le bombardement cessa aussi brusquement qu'il avait commencé. La côte se rapprocha sous le voile de fumée et de poussière qui dérivait dans le vent. Silence pesant : il pouvait entendre le murmure des débris frappant les eaux de la baie comme une pluie fine.

— Toutes embarcations en avant, cria un aspirant de marine enthousiaste. Vers la plage !

Sa voix juvénile était aussi ténue qu'un cri de courlis.

Les chaloupes de la marine lâchèrent les câbles de remorque qui les reliaient aux petites vedettes à vapeur et se dirigèrent en ligne vers la côte. Les Dublin Fusiliers étaient debout, baïonnette au canon. Les lames d'acier brillaient dans le soleil du matin.

— Haut les cœurs, les Irlandais ! cria un Munster Fusilier depuis l'entrepont sombre du *River Clyde*.

Cinq cents mètres de la bande de sable. Les chaloupes dérivèrent, se séparèrent, puis se regroupèrent lentement, luttant contre un fort courant qui bouillonnait sous la surface paisible de la baie. Charles regarda sa montre égrener les interminables minutes d'attente. Le charbonnier luttait contre les courants et la puissance de ses machines faisait dresser sa proue contre le flot venant de l'Hellespont.

— Nom de dieu ! dit un des mitrailleurs qui scrutait la côte par-dessus le canon de son arme. Les obus n'ont pas touché les barbelés.

Charles se pencha vers une des meurtrières du mur de sacs de sable. L'homme avait raison. Les défenses de fil de fer barbelé en broussailles s'étendaient sur toute la longueur de l'anse en remontant vers les collines. Ils étaient couverts de rosée comme des toiles d'araignée.

— Il va falloir que les Dublin Fusiliers les coupent, dit-il. J'espère qu'ils...

La quille frotta le fond, le bateau trembla, craqua puis s'immobilisa enfin. A trente mètres de la grève. Des pas martelèrent le pont : les marins se précipitaient vers la poupe pour haler les gros chalands sur le côté du bateau : ils formeraient un pont sur les derniers mètres d'eau profonde. Charles regarda par l'une des écoutilles latérales. Les chaloupes, de nouveau en ligne, avançaient régulièrement vers la côte. Le silence était tel qu'il pouvait entendre les officiers et les sergents des Dublin Fusiliers se transmettre les ordres. Trente mètres à franchir... vingt... dix. Un col-bleu sauta dans le ressac en brandissant un grappin.

Etait-ce un clairon ? Un appel de deux notes, cuivré mais très assourdi, du côté du village ? Charles n'en était pas sûr.

— Quelqu'un a-t-il entendu... ? demanda-t-il.

Sa question resta en suspens. Un nuage de fumée voila tout le croissant de la baie, et la surface de l'eau fut soudain transformée en écume blanche par la première rafale des fusils et des mitrailleuses turcs. Les soldats entassés dans les canots, fauchés par les balles, hurlèrent soudain.

— Feu ! cria Charles.

Les Vickers se mirent à tressauter et à piaffer sur leurs socles. Leur vacarme noya les cris d'agonie des Dublin Fusiliers. Le sable et l'argile jaillirent sur la plage et sur les flancs de la colline, mais la fusillade turque ne ralentit pas un seul instant. Aucune cible, songea Charles désemparé. Pas un seul Turc en vue. Il devait y avoir des tranchées étroites, bien dissimulées, sur toute la longueur des pentes. Comment les hommes qui les occupaient avaient-ils pu éviter d'être mis en pièces par le bombardement des canons ? Ils étaient probablement remontés dans les collines jusqu'à ce que cesse la canonnade, puis ils avaient couru reprendre position. Sur toute la péninsule, il n'y avait que cinq plages — où des troupes pussent débarquer. Les Turcs le savaient et avaient eu un mois pour les fortifier et pour répéter leurs stratégies de défense. Et ils les avaient très bien apprises. Dans l'eau, tout n'était que mort : chaloupes offrant le flanc à la plage, éclats de bois jaillissant des coques, soldats basculant dans la mer ou gisant en tas en travers des bancs de nage. Quelques-uns parvinrent à atteindre la plage et se couchèrent à l'abri d'un appontement bas. Une poignée d'hommes s'élança vers les barbelés, ils moururent entre les rouleaux.

Les balles crépitaient contre les plaques d'acier du *River Clyde* et s'enfonçaient avec un bruit mou dans les sacs de sable. Les marins qui tentaient de haler les chalands le long du bordage furent abattus sur les ponts et les coursives. D'autres hommes prirent leur place aux câbles de remorque et quelques secondes plus tard ils furent fauchés sur place à leur tour, ou renversés par-dessus bord. Quelques balles pénétrèrent dans les meurtrières entre les sacs de sable et deux mitrailleurs tombèrent. D'autres prirent aussitôt leur place et les armes continuèrent de tirer. Les rouleaux des caisses de munitions se dévidaient. L'eau des manchons de refroidissement s'était mise à bouillir.

Charles lança un coup de poing contre un sac et jura à mi-voix. Pourquoi ne donnait-on pas l'ordre de se replier ? Pourquoi ne signalait-on pas à la flotte la nécessité de recommencer le bombardement ? Il frappa sur l'épaule d'un sergent des Windsor Fusiliers et lui cria, par-dessus le bruit.

— Je monte sur la passerelle. Prenez le commandement.

Il descendit dans le panneau du gaillard d'avant, sombre et fétide, et il s'écorcha le genou contre l'échelle de fer. L'intérieur du bateau résonnait comme une cloche sous l'impact des balles frappant la coque. Il se fraya un chemin à grand mal entre les caisses de cartouches et de rouleaux pour mitrailleuses. Il dépassa les pourvoyeurs en sueur puis se mit à courir, non sans trébucher, jusqu'à l'entrepont. Une section des Hampshire était entassée, à genoux, contre les batflanc de fer, et les balles passaient au-dessus de leurs têtes en claquant comme des fouets métalliques.

— Qu'est-ce qu'il se passe, bon sang ? dit un sous-officier, le visage blême.

A quoi bon lui répondre ? Il s'en apercevrait assez tôt lui-même. On était en train d'abaisser les rampes de bois sur les côtés, sous la direction du lieutenant-colonel Askins et d'un commandant de la marine. Les deux hommes, debout sur la passerelle, étaient exposés au feu de l'ennemi mais n'en tenaient aucun compte.

— Que faites-vous ici ? dit le colonel Askins lorsque Charles parvint sur la passerelle.

Le colonel fixait la côte et ses lèvres serrées formaient une ligne exsangue.

— Nous ne pouvons pas ralentir leur tir avec des mitrailleuses, colonel. Nous ne pouvons pas faire la moindre brèche.

— Je sais. Je le vois.

— Il faut de l'artillerie... La flotte...

— Trop tard pour ça... nous sommes engagés. Ce satané bateau s'est planté trop vite dans le sable. La seconde vague passe déjà à l'attaque.

Il lança son bras droit de manière étrange dans la direction de son épaule gauche. Charles se tourna vers l'arrière. Un cordon de chaloupes et de vedettes surchargées de soldats s'avançait en éventail d'un bout à l'autre de la baie.

— Je leur ai signalé de s'arrêter, dit le colonel d'une voix blanche, épuisée. C'est le général Napier qui est à leur tête. Il se prend pour l'amiral Nelson, nom de dieu : il a tourné de mon côté son œil borgne. Ils veulent tous la Victoria Cross aujourd'hui, du premier au dernier.

Le commandant de la marine se pencha soudain par-dessus la barricade parfaitement inefficace de sacs de sable et de tôles qui entourait la passerelle, et se mit à hurler des ordres aux marins qui manœuvraient les treuils à vapeur. Il se précipita vers l'échelle.

— Il faut que je le fasse moi-même, bon sang !

— Cher M. Unwin ! fit remarquer le colonel d'un ton morne. Il aura sa croix aujourd'hui, ou une caisse de sapin, ou peut-être les deux.

Il adressa à Charles un regard distant.

— C'est un sacré bordel, Amberley, mais il n'y a rien à faire. Il faut envoyer les hommes à terre et dégager la plage à la baïonnette. Aucun autre moyen, à présent ? Compris ?

— Oui, colonel.

— Vous êtes un bon élément. Retournez à vos mitrailleuses et gardez...

Il mourut. La moitié supérieure de son crâne vola vers la cheminée du bateau, les cheveux et la casquette ensemble, le cerveau éclaboussant la vitre de la timonerie d'une bave gris-rose. Charles tomba à genoux et pressa ses poings contre ses yeux pour effacer l'horreur. C'était inutile. Il le savait. Toute personne qui l'aurait vu ainsi aurait pu prendre son attitude crispée pour de la lâcheté. Pourtant, il n'avait pas peur. Il était au-delà de l'effroi. La terreur suscitait une forme de courage très particulière, unique en son genre. Seulement, la mort du colonel était survenue de façon si soudaine, si explosive, qu'il n'avait pas pu s'y préparer. Sa mort n'avait pas de sens en elle-même. Après tout, il aurait aussi bien pu mourir à Tugela ou à Spion Kop au cours de la guerre d'Afrique du Sud. Les balles des Boers l'avaient manqué. Les balles des Turcs, non. Il regarda le grand corps étalé de tout son long et le sang qui coulait, puis il se releva. Un signaleur de la marine, accroupi le dos contre une plaque de blindage, tournait vers lui des yeux vides.

— Continuez à signaler aux bateaux de s'arrêter, cria Charles.

Le regard de l'homme était figé, comme celui d'un épileptique. Inutile de tenter d'obtenir de lui quoi que ce soit. Il descendit de la passerelle en courant, la tête rentrée dans les épaules, pour annoncer la mort du colonel au commandant en second. Il trouva l'homme au pied de l'échelle de tribord, allongé sur le pont, la poitrine percée de balles de Mauser. Les larges chalands plats avaient été amarrés ensemble à la proue et les plates-formes de débarquement glissaient le long des bateaux depuis les sabords découpés dans la coque. Des sifflets retentirent et les hommes de la première section de la compagnie A des Royal Windsor Fusiliers se mirent à descendre vers la plage, au pas de gymnastique — la plate-forme de tribord résonnait sous leurs pas lourds.

— Serrez les rangs, les Windsor !

Charles entrevit Roger pendant un instant : revolver au poing, sifflet entre les dents, à la tête de ses hommes. Les balles s'écrasaient contre le bateau ou ricochaient avec un sifflement plaintif. C'était comme affronter un blizzard de plomb — et la tempête devenait plus féroce à mesure que les soldats s'avançaient sur les chalands. Charles se coucha sur le pont, bien à plat derrière la mince protection d'un bossoir de canot de sauvetage — le canot lui-même avait depuis longtemps été réduit en charpie par le feu continu. Il regarda le flanc du navire par l'intervalle au-dessous de la plaque du bastingage et il découvrit avec horreur que la rampe était vide : la section avait disparu. Quelques hommes gisaient en un tas sanglant sur le chaland, les autres, dans l'eau, formaient des taches immobiles, marron foncé, qui sombraient lentement en laissant derrière elles des traînées écarlates. Un sifflet retentit. La deuxième section de la compagnie A s'élança. Quand elle parvint au chaland, elle était réduite à six hommes. Une section des Munster lui emboîta le pas, mourut en pleine course et culbuta dans la mer.

Mort. Roger était mort. Le fait se matérialisa lentement dans sa conscience. Mort et disparu. Un des cadavres du chaland, ou bien un sac kaki dansant dans l'eau. Disparu. Parti sans au revoir, sans un mot d'adieu. La folie de tout cela le glaça soudain. Il oublia le feu, se leva et se dirigea à pas lents vers le gaillard d'avant. Il reprit sa place entre les Vickers qui ne cessaient de crépiter.

— Nom de dieu, lui dit le sergent. Je ne vous donnais pas une sacrée putain de chance du diable de revenir ici sain et sauf.

Ils étaient à l'abri, ici — en sécurité, songea Charles. Les meurtrières les plus larges avaient été obstruées par des sacs de sable. Les tireurs ne se souciaient plus de viser, pour la simple raison qu'il n'y avait rien à viser. Ils s'étaient allongés sur le pont et ils appuyaient sur la détente tandis que les balles turques claquaient, sifflaient ou grondaient dans les sacs lourds de sable blanc d'Egypte.

Un major des Hampshire arriva de l'avant-pont en rampant et cria à Charles, par-dessus le fracas des mitrailleuses :

— Les gars ne sortent plus... On attend la tombée de la nuit. Que les Vickers continuent... de tirer.

Charles acquiesça et appuya sa tête contre les sacs que le soleil réchauffait déjà. Par un interstice, il pouvait voir la baie, les bateaux de la deuxième vague en train de dériver, chargés de morts, les corps innombrables roulés par le ressac, le sang qui tachait la mer de rose — de rouge plutôt, couleur de vin de Bourgogne. Dieu, songea-t-il, le vieil Homère avait raison après tout. C'était une mer de vin sombre.

5

Il y avait six officiers dans le wagon de première classe lorsque Martin Rilke monta dans le train à Southampton. Ils rentraient tous au pays après plusieurs mois en France et ils dévisagèrent Martin avec un mépris glacé, induits en erreur par son âge, son état de santé, le teint hâlé de sa peau — et ses vêtements civils.

— Passé de bonnes vacances ? lui demanda un major de la Durham Light Infantry avec une politesse ironique.

— Non, répondit Martin tout en rangeant sa serviette gonflée dans le filet au-dessus du siège. Gallipoli.

L'atmosphère se dégela aussitôt. On échangea cigarettes et anecdotes. Martin décrivit aux officiers la situation au cap Helles et à l'anse de l'Anzac ; ils lui parlèrent de Neuve-Chapelle et de la Crête Aubers — sombre évocation de massacres tandis que le train cahotait à travers la campagne ensoleillée du sud de l'Angleterre.

Londres était étouffante sous le ciel de juillet, mais Martin la trouva fraîche après Lemnos et la péninsule. Il y avait plus de voyageurs que de taxis à la sortie de la gare de Waterloo et tandis qu'il en attendait un, non sans impatience, une jeune femme vêtue d'une robe vert pâle s'avança vers lui sur le trottoir, lui lança un regard de mépris et lui tendit une plume blanche.

C'était étrange. Rien n'avait changé. Les tubes contenant les messages sifflaient le long des fils du plafond, puis tombaient en piqué sur les rédacteurs et les rewriters harassés : les téléscripteurs crépitaient, les saute-ruisseaux couraient en tout sens entre les innombrables bureaux et les presses bourdonnaient au loin comme les machines d'un énorme bateau. Il y avait tout juste un an, il était assis derrière son bureau dans la cabine aux murs de verre, en train d'écrire des banalités sur les mœurs des Anglais et sur leurs passe-temps. Il se demanda si le critique de théâtre venait encore chaque soir en queue-de-pie et cravate blanche. Non, presque rien n'avait changé. Quelques nouveaux visages, un autre homme derrière l'ancien bureau de Jacob.

Il y avait encore des cartes bon marché punaisées sur les murs du somptueux bureau de Lord Trewe : une carte du front de l'Ouest près

231

d'un paysage de Constable, une carte de la Méditerranée à côté d'un Turner. Lord Trewe avait toujours le même embonpoint, mais son visage avait perdu son hâle : les courses de yacht en pleine mer n'étaient plus possibles depuis le début de la guerre.

— Ah ! Rilke, je suis content de vous voir de retour.

— Je suis ravi d'être ici, monsieur.

Il s'assit dans un fauteuil ancien et posa sa serviette sur la table de la salle à manger en chêne qui servait de bureau au lord de la presse.

— J'ai un certain nombre de choses à vous faire lire, monsieur. Un journal que j'ai tenu… Des observations qui n'auraient pas pu passer la censure à Mudros.

Lord Trewe s'enfonça dans son fauteuil Biedermeyer et croisa ses grosses mains sur son gilet.

— Je n'aime pas lire les journaux intimes, Rilke. J'aime lire votre prose imprimée à la page quatre du *Daily Post,* en même temps que des millions d'autres lecteurs. Permettez-moi de vous dire une chose que vous ignorez peut-être encore. Ceux qui s'intéressent aux généraux et à la haute stratégie de cette guerre lisent Repington dans le *Times.* Ceux que concernent les hommes de chair et de sang qui font les sales boulots du front et qui en vivent les dangers lisent le *Daily Post.* Et, en particulier, ils lisent les « Chroniques de Gallipoli » de Martin Rilke, de même que les lecteurs de cinq quotidiens américains, trois canadiens, deux australiens, et les lecteurs du *Leslie's Weekly.* Vous êtes absent depuis trois mois et demi, mais vous nous revenez sous les traits d'un homme célèbre, d'un novateur. Je n'hésite pas à dire que vous avez inventé un nouveau journalisme, Rilke, une nouvelle forme de reportage de guerre, qui traite moins des grandes batailles que des hommes. L'intérêt humain, Rilke, ce bon dieu d'intérêt humain : c'est cela votre point fort. Mais vous voici de retour, et si j'ai bien compris, vous n'avez guère envie de retourner à Gallipoli. Je le conçois. C'est un théâtre d'opérations secondaire. La grande scène, c'est la France. Sir John French et Joffre ont dans leur manche un plan extraordinaire pour cet automne, et j'aimerais bien que votre prochain titre soit « Chronique du front de l'Ouest », par Martin Rilke.

Martin ouvrit sa serviette et en sortit ses carnets de notes. Le fait qu'il fût connu dans le monde entier et publié dans une douzaine de journaux n'avait pas encore fait son chemin en lui. Mais, de toute façon, il n'était pas homme à se reposer sur ses lauriers. La raison pour laquelle il avait quitté Gallipoli était dans les carnets qu'il poussa vers son interlocuteur.

Lord Trewe posa la main sur eux pendant un instant, puis les écarta.

— Je sais ce qu'il y a là, Rilke. Tout ce que les censeurs auraient biffé s'ils l'avaient lu. Je suis sûr que vous abandonnez le ton de la chronique pour vous livrer à des commentaires.

— Lord Trewe…

— Non, Rilke, pas Lord Trewe. Vous avez plus que mérité le droit de m'appeler Patron.

Il se pencha en avant et croisa les bras sur la table. Ses yeux avaient l'intensité directe du marin.

— Je sais ce qui se passe là-bas. Rien de ce que vous pourrez me dire ne saurait me scandaliser. Une idée remarquable exécutée n'importe comment. Les débarquements ont été une honte, un gâchis d'hommes courageux. Hamilton assis sur son cul dans un bateau de guerre en pleine mer, laissant deux mille soldats prendre tranquillement le thé sur la plage Y pendant qu'à quelques kilomètres de là leurs frères tombaient comme des mouches sur la plage de Sedd-el-Bahr. Et Hunter-Weston faisant la même chose avec la force de débarquement à Eski Hissarlik : il les a laissés traînasser au lieu de déverser davantage d'hommes, qui auraient pu avancer vers la plage V pour prendre les Turcs par le flanc. Tout a été salopé ! L'ensemble de l'opération a été un massacre. Et la folie des Australiens et des Néo-Zélandais ! Tous ces hommes entassés sur une falaise où des chèvres n'auraient pas pu grimper. Il faudrait une idée géniale du haut commandement pour sortir un lapin de ce chapeau-là, Rilke. Et il n'y a pas de génie au-dessus du grade de major. Eh bien, que va m'apprendre votre journal que je ne sache déjà ?

— Apparemment rien. Mais dites-moi, l'homme de la rue, que sait-il, lui ?

— Ce qui est imprimé dans son quotidien.

— Alors, faites-lui lire ceci, *patron*.

Il posa sur ses carnets un doigt tendu, obstiné.

— Passez ces textes en première page. C'est ce que j'ai vu ; et les commentaires des officiers et des hommes avec qui je me suis entretenu au cours des trois derniers mois. C'est la *véritable* histoire de Gallipoli : un état-major général qui croit que la meilleure façon de franchir un mur de brique, c'est de se lancer la tête la première ; un gouvernement qui joue à la politique avec le sang des combats, envoyant juste assez d'hommes pour que la lutte continue, mais sans dégager les effectifs nécessaires, pour éviter la colère des généraux du front de l'Ouest. C'est un désastre sanglant et le public a le droit de savoir à quel point il a été sanglant, à quel point la situation est sans espoir. Si vous voulez vraiment gagner cette guerre...

Le poing du lord de la presse tomba sur la pile de carnets comme un marteau de forge.

— Nous gagnerons. Parce que si nous perdions, nous cesserions d'exister en tant que nation, à plus forte raison en tant qu'Empire. L'homme de la rue veut que cette guerre soit gagnée. Il y est fermement résolu, et ni mon journal ni aucun autre ne publieront de textes susceptibles de saper cette résolution en fustigeant nos dirigeants militaires. Il faut que le peuple continue à avoir foi en notre armée, à croire qu'un jour ou l'autre elle vaincra.

Martin grimaça un sourire, sortit de sa poche la petite plume blanche et la laissa tomber sur la table.

— Ceci fait partie de la résolution que vous évoquez, je pense ? Une très jolie fille me l'a glissée entre les doigts devant la gare de Waterloo.

— C'est symptomatique, oui. Je n'approuve pas ce genre de tracasserie, mais elle révèle bien la façon dont les civils ressentent cette guerre. Ils veulent que l'effort soit intégral. Que tout jeune homme en âge de combattre soit en uniforme. Que les Boches et les Turcs soient écrasés coûte que coûte. Ils lisent les listes des pertes. Personne ne se voile la face devant ce bilan de sang. Ils savent combien de gars sont tombés sur la crête Aubers et à Neuve-Chapelle, combien de gars sont en train de crever en ce moment dans les Dardanelles, et ils pendraient en effigie tout journaliste essayant de leur raconter que ces hommes sont morts pour rien.

Il se pencha en arrière dans son fauteuil. Sa main se posa machinalement sur sa chaîne de montre et il se mit à en égrener les gros maillons d'or.

— Je vais vous dire une chose, Rilke. Des grands changements sont dans l'air. Le fiasco de Gallipoli va faire tomber beaucoup de têtes et des hommes nouveaux viendront au premier plan. A mon avis, Asquith ne fera plus long feu comme premier ministre. La carrière de Churchill est finie. Kitchener a perdu tout pouvoir. Ce sont Lloyd George et David Langham qui montent. La guerre va prendre un tournant décisif. Davantage d'hommes d'Etat et moins de généraux pour battre la mesure. Je ne sais si c'est un bien ou un mal. Chacun voit les choses sous son angle. Il n'y a jamais eu de guerre comparable à celle-ci. Aucune leçon à tirer du passé. Mais je sais une chose : la guerre continuera jusqu'à ce que l'un des deux camps s'effondre. Ce journal rendra compte de la guerre, et c'est *tout* ce que nous ferons. Les combats au jour le jour, les hommes et les faits, le drame humain dans son déroulement continu. Vous écrivez sur ces choses de façon remarquable, Rilke. Vous savez saisir la bravoure et la souffrance. Je veux que vous continuiez, dans les limites prescrites par les règlements de la censure. Etes-vous d'accord ?

Martin saisit la plume blanche posée sur la couverture de l'un de ses carnets et se mit à l'effilocher.

— C'est sûrement mon devoir. Il faut bien qu'il y ait des témoins, non ?

— Certes. Laissez-moi vous lire un article publié ce matin dans le *Telegraph*, daté de Mudros, mardi dernier, et signé par un certain Roger Allenworth, qui avait fait quelques reportages honorables sur la guerre des Boers.

Lord Trewe chercha le numéro du quotidien concurrent au milieu des papiers pêle-mêle sur son bureau.

— Je ne vous lirai pas tout l'article, seulement ces lignes : « Le lieutenant éclata d'un rire joyeux, un rire juvénile de plaisir pur… car ce n'était qu'un enfant, frais émoulu des terrains de jeu d'un grand collège vénérable. Quelle bonne blague ! s'écria cet enfant-soldat. Frère Turc ne peut pas digérer l'acier anglais. Ils détalent comme des lièvres quand nous les chargeons à la baïonnette. Ce fut une demi-heure épatante, et cela nous a aiguisé l'appétit pour un bon petit déjeuner. »

Il replia le journal avec soin, puis le laissa tomber dans la corbeille à papier.

— Je connais Allenworth, dit Martin les yeux fixés sur les débris de la plume blanche qui jonchaient le dessus de la table comme de la charpie. Jamais il n'a vu un combat de près. Il n'a quitté l'Égypte que trois jours, et il fabrique la guerre dans sa tête.

— Il y en a beaucoup comme lui. Et très peu comme vous. Peut-être n'écrivez-vous pas *toute* la vérité mais, bon dieu, vous en écrivez *assez* pour n'éprouver aucune honte. Votre description de l'attaque du 4 juin a fait pleurer tout Anglais qui l'a lue : tant de bravoure et quel crève-cœur ! Les censeurs n'en ont pas retranché un mot. C'était du bon reportage, Rilke. Un texte honnête. Et vous avez rendu service à tous les pauvres Tommies qui sont tombés sur ces foutues collines. Peut-être critiquez-vous dans vos carnets la façon dont le haut commandement a lancé cette offensive, je l'ignore, mais imprimer cette critique en ce moment ne ferait que renforcer nos ennemis.

Il poussa le petit tas de carnets vers Martin.

— Gardez tout ça pour vous. Et ne faites pas cette tête-là, mon garçon. Par les temps qui courent, personne ne peut faire davantage.

Il s'installa sur l'impériale d'un omnibus qui descendait Fleet Street vers le Strand. La foule qu'il dominait depuis la plate-forme n'avait pas perdu sa bonne humeur et son moral. On était en guerre, c'était manifeste : uniformes en grand nombre, affiches de recrutement sur toutes les boîtes aux lettres et filles distribuant des plumes blanches à la sortie des cinémas. Mais l'atmosphère de la ville était à la gaieté, comme si le problème le plus urgent en cet après-midi ensoleillé était de faire de bonnes emplettes dans les boutiques, et de trouver le meilleur salon de thé.

Sur les genoux de Martin, la serviette était soudain plus lourde. Lord Trewe… le *Patron*… avait raison. C'était évident. Il fallait que la guerre continue, même si elle s'enlisait pour l'instant en raison de l'ineptie et du manque d'imagination du haut commandement. Les choses changeraient à temps, se dit-il, des têtes nouvelles prendraient le relais. Et pourtant, le doute subsistait en lui. Il avait eu l'occasion d'observer de près la structure du commandement de l'armée, à Lemnos : au-dessus du rang de colonel, les officiers généraux formaient une clique qui se serrait les coudes, une fraternité secrète qui craignait les intrus et les écartait. Ils avaient refusé — poliment car la politesse était la moelle même de leurs os — aux correspondants de guerre l'autorisation de parcourir le front pendant les trois semaines suivant les débarquements. Et ensuite, leurs séjours avaient été très limités dans l'espace et le temps. Martin et Ashmead-Bartlett n'avaient pas tenu compte de ces directives et ils avaient atteint la péninsule par la méthode la plus simple qui consistait à aller directement dans les tranchées du front — où il était peu probable de rencontrer des officiers d'état-major ! Il existait une sorte de vide entre les hommes du front et ceux du quartier général. Les opérations étaient organisées sur la carte, depuis Lemnos, sans que les officiers d'état-major aient une idée précise de ce que ces opérations signifiaient pour les hommes chargés de les exécuter. Cinquante mètres ne sont presque rien sur une carte, quelques pas vite franchis, si l'on ne tient pas compte du fait que chaque centimètre est dénudé et exposé au feu de l'artillerie et des mitrailleuses turques. L'état-major ne parlait jamais d'*hommes* — c'est-à-dire des soldats, fatigués, sales, infestés de poux, accablés par les mouches, affaiblis par la diarrhée — mais toujours de *régiments*. « Les Royal Windsor peuvent faire ceci... » « On peut toujours compter sur les Lancashire Fusiliers... » comme si ces troufions couleur de terre, vivant à la manière des taupes, étaient des phalanges d'immortels drapés dans la pourpre.

Ses doigts se mirent à pianoter sur sa serviette. Le regard qu'il lança vers les trottoirs bondés n'était pas sans amertume. Cette atmosphère de vacances le hérissait. Pourquoi ? On était vendredi après-midi et ces gens qui avaient travaillé très dur pendant toute la semaine avaient bien le droit de profiter au mieux de leur week-end. La plupart d'entre eux avaient probablement des fils, des pères, des frères, des maris ou des amants sur le front, et ressentaient intensément l'existence de la guerre. Ils n'étaient pas obligés pour autant de se promener en faisant grise mine, ou de ne pas se promener du tout. Non, ce qui l'agaçait dans tout ça, c'était le sentiment de culpabilité qu'il ressentait : il était là, assis en parfaite sécurité sur l'impériale d'un autobus de Londres, avec sur ses genoux ses carnets d'angoisses et d'effroi. Les hommes sur lesquels il avait écrit — les Anglais, les Indiens, les Français, les Australiens et les Néo-Zélandais, les fantassins brûlés par le soleil, accablés par la soif, qui s'accrochaient à leur langue de terre et la mer Egée — étaient peut-être en ce moment même des cadavres en train de noircir sur un charnier au-dessous d'Achi Baba ou de Chunuk Bair (et Charles parmi eux). Ses paumes devinrent moites à cette pensée. Il avait cherché Charles lors de son premier passage de Lemnos à Gallipoli, ignorant s'il était vivant ou mort — il savait seulement que le bataillon de son cousin avait subi de lourdes pertes en quittant le *River Clyde*. « Pardieu, nous pouvons tous être fiers des Royal Windsor », avait dit un vieil officier d'état-major le lendemain des débarquements, assis à la terrasse d'un café de Mudros devant un verre de vin grec. « Ces gars-là savent mourir. »

Le visage d'une femme dans la foule, au moment où l'autobus quittait le Strand pour Charing Cross Road : un visage mince d'une pâleur d'ivoire, des traits fins, délicats, un nez mutin, des cheveux noirs... Elle portait un uniforme la dernière fois qu'il l'avait vue, et elle portait aussi un uniforme maintenant — un autre, bleu et rouge, celui d'une infirmière de l'armée. L'autobus ralentit pour laisser traverser la rue à un torrent de piétons qui se dirigeait vers Trafalgar Square. Il la repéra de nouveau : elle avançait lentement, comme si elle se laissait dériver au milieu de la foule. Inutile de crier : elle ne l'aurait pas entendu — et d'ailleurs il était bien possible que ce ne fût pas elle. Serrant sa serviette contre lui, il se précipita dans l'allée et tomba plus qu'il ne courut dans l'escalier en colimaçon de l'arrière. Puis, sous les yeux du contrôleur stupéfait, il bondit sur la chaussée.

— Il y a de meilleures façons de se faire tuer, mon pote ! lui cria l'homme.

Il la perdit de vue à Trafalgar Square, où il fut happé par l'attroupement qui se formait autour d'une parade de recrutement des London Scottish : les cornemusiers en kilt défilaient sous la colonne Nelson. Il monta sur les marches du monument pour essayer de l'apercevoir et repéra une silhouette bleu et rouge tout au bout de la place, marchant lentement en direction d'Haymarket. Un sergent recruteur lui agrippa le bras.

— Bravo, mon gars ! Il n'y a pas mieux que les London Scots !

— Désolé, répondit Martin en se dégageant. Je vous avais pris pour les Gardes Noirs.

Elle était immobile devant une boutique, ses yeux rêveurs fixés sur la vitrine. Il observa son profil pendant quelques secondes avant de s'élancer vers elle.

— Ivy Thaxton ?

Elle le regarda sans y croire, puis elle lui sourit.

— Mais... C'est M. Rilke... de Chicago, Illinois.

— Tout juste, répondit-il avec un large sourire. Abattoirs et chemins de fer. Je vous ai aperçue de l'impériale d'un autobus... Je savais que c'était vous, ou plutôt je l'espérais. Comment allez-vous ?

— Très bien. Et vous ?

— Epatant, épatant.

— Vous avez l'air en forme. Vous avez été sur le bord de la mer ?

Ses yeux violets étaient innocents, mais leur regard fixe le déconcerta.

— Ecoutez, dit-il d'un ton acide, vous n'allez pas me donner une plume blanche ou un truc comme ça, non ?

— Moi ? Mais... pourquoi ?

— Eh bien... une fois par jour suffit. Je crois que j'ai l'air en trop bonne santé pour ne pas porter l'uniforme.

— Vous auriez dû dire qui vous étiez, répondit Ivy avec chaleur. Quelle fille stupide !

Elle effleura la main de Martin et lui sourit.

— Je suis désolée de vous avoir taquiné. Je plaisantais, c'est tout. Nous avons tous lu vos articles dans le *Post*. Les hommes de mon service disent que vous êtes le seul à savoir par où passent les soldats. Je suis terriblement fière de vous, monsieur Rilke. Et je me suis vantée de vous connaître. Pensez donc ! Je faisais votre lit !

— C'était il y a bien longtemps.

Le visage de la jeune fille s'assombrit.

— Plus j'y pense, et plus je suis furieuse. Toutes ces filles sont des chipies avec leurs plumes blanches. Elles n'ont donc rien de mieux à faire que de traîner dans les rues et de faire honte aux jeunes gens !

Il effleura le tissu doux de la manche de son uniforme.

— Ce que vous faites, vous, est beaucoup mieux.

— Oui. Je me suis engagée au Service de Santé de la reine Alexandra en septembre dernier. Lady Stanmore m'a donné une lettre de recommandation. Je ne suis pas encore diplômée, bien sûr. La formation est tellement importante. Je suis stagiaire, détachée à l'hôpital de Holborn.

— Vous aurez votre diplôme, j'en suis certain.

— Oui, répondit-elle d'un ton pensif. Je l'aurai. Je sais travailler. Et, Seigneur ! on nous mène la vie dure. C'est mon premier après-midi de libre depuis des semaines. Et pour en avoir un autre, je crois qu'il me faudra attendre des mois.

— Vous devez être rentrée à quelle heure ?

— A huit heures.

— Il n'est que quatre heures et demie. Vous avez déjà pris le thé ?

— Non.

— Moi non plus. Vous venez avec moi ? J'ai beaucoup d'estime pour les infirmières. J'ai rencontré une dizaine de vos consœurs à Lemnos et je dois bien à chacune d'elles une bonne tasse de thé. Venez, il y a un White Manor à Charing Cross.

— J'ai entendu dire qu'il était très chic, dit-elle d'une voix hésitante. Je ne voudrais pas que vous fassiez des folies. Je crois qu'il y a un White Manor ordinaire dans Shaftesbury Avenue.

— Les endroits ordinaires sont pour les gens ordinaires. Vous êtes « particulière », Ivy. Et de toute façon, j'ai trois mois de salaire qui brûlent le fond de mes poches.

Ils se dirigèrent vers Charing Cross à pas lents, et il lui parla de Gallipoli. Il lui raconta comment il avait rencontré Lord Amberley dans les tranchées, près du cap Helles. Elle l'écouta gravement : elle avait une conscience claire de ce que représentaient la mort et les blessures.

— Je suis si heureuse que Sa Seigneurie aille bien. Ce doit être l'enfer là-bas. Nous n'avons reçu aucun blessé de Gallipoli. On les envoie surtout en Egypte et à Malte. C'est tout aussi bien, nous avons tellement d'hommes venant des Flandres...

— Vous enverra-t-on en France ?

— Pas avant que je sois qualifiée pour travailler dans une unité de chirurgie. C'est-à-dire dans neuf mois ou un an d'ici. J'espère que la guerre s'achèvera avant. Vous croyez qu'elle sera finie ?

— Non. J'ai bien peur que non.

— Oh, mon dieu ! soupira-t-elle. Et la plupart des soldats à qui j'ai parlé dans les salles pensent comme vous. Mais un homme a posé un petit écriteau derrière son lit ; il l'a fait lui-même avec beaucoup de soin, au crayon de couleur. Il a écrit : « La Paix soit avec nous en 1916. » Pour lui, cela ne changera pas grand-chose : il a perdu les deux jambes et un bras à Festubert.

Son humeur sombre et pensive se modifia dès qu'ils pénétrèrent dans l'atmosphère élégante du grand salon de thé, au premier étage du White Manor. L'orchestre jouait un tango et de nombreux couples dansaient.

— C'est magnifique !

Thé à profusion, petits fours et éclairs, tranches de cake et glaces — beaucoup trop abondant pour Martin. Il grignota un morceau de gâteau et regarda Ivy dévorer.

— Cela vous change de la cuisine de l'hôpital, je pense ?

Elle acquiesça et mordit dans un petit four.

— Oui. Ils font tout bouillir. Au début, Abington Pryory m'a manqué. Ils avaient de si bonnes cuisinières, n'est-ce pas ? J'aime beaucoup manger, au cas où vous ne l'auriez pas remarqué, mais je ne prends jamais un seul gramme. Ce doit être glandulaire.

— L'énergie de la jeunesse qui brûle toutes les calories. Quel âge avez-vous, Ivy ?

— J'ai eu dix-huit ans en mars. J'avance dans la vie. Mon dieu ! Il y a tant de choses que j'aimerais faire, tellement d'endroits que j'aimerais voir. Vous savez, c'est la première fois que je sors prendre le thé avec un homme. Vous vous rendez compte ?

— Alors il vous faut en profiter au maximum. Voulez-vous danser ?

— Je n'ai jamais appris. Je n'ai nullement envie de me ridiculiser devant tous ces gens.

— Regardez-les donc : ce ne sont pas de très bons danseurs. Ils prennent un peu de bon temps, c'est tout. Venez, on joue un fox-trot, justement. C'est facile à danser. Vous vous contenterez de marcher en arrière et je vous dirigerai.

— Ça n'a pas l'air facile du tout, dit-elle, sceptique. Mais je veux bien essayer.

Au premier contact du corps svelte de la jeune fille, il crut que les jambes allaient lui manquer. Elle était contre lui, et leurs deux êtres se correspondaient de façon presque incroyable. Cette révélation l'enchanta et il la serra plus fort.

— Est-ce que je fais ce qu'il faut ? demanda-t-elle.

— Oh oui ! répondit-il en appuyant sa joue contre celle de la jeune fille. Vous êtes épatante.

Ils dansèrent jusqu'à la fin du *thé dansant* *, à six heures trente, jusqu'au dernier air joué par l'orchestre. C'étaient les deux plus belles heures que Martin ait vécues depuis longtemps, les plus belles qu'elle ait jamais vécues dans sa vie — ce qu'elle n'hésita pas à lui dire sur le chemin du parc Saint-James.

— Oh ! Cela m'a tellement plu ! J'ai hâte de tout raconter aux autres filles. Et comme toutes ces femmes étaient belles dans leurs robes !

— Aucune n'était aussi belle que vous, Ivy.

Elle regarda droit devant elle comme si elle n'avait pas entendu le compliment.

— Est-ce que vous dansez avec beaucoup de filles, monsieur Rilke ?

— Martin. Je vous en prie, appelez-moi Martin. Mais la réponse à votre question est : non. J'ai eu trop de travail pour danser jusqu'ici.

— Et à Chicago, vous dansiez ?

— Parfois.

— Je ne suis jamais allée au bal. Pa était contre. Mon pa est un peu collet monté.

— Votre père, vous voulez dire ?

— C'est cela.

— Il fait quel métier ?

— Il travaille dans une usine de chaussures. Il s'en sort très bien en ce moment : sa maison fait des bottes pour l'armée. C'est étrange, non ? Les temps étaient si durs pour lui avant la guerre, et maintenant il gagne mieux sa vie que jamais. C'est vraiment étrange, quand on prend le temps d'y réfléchir.

Il ferait jour presque jusqu'à dix heures, et c'était le moment·le plus éclatant de la journée : le soleil caressait le haut des arbres et des immeubles en face de Whitehall, l'air devenait plus frais après la chaleur d'une longue journée. Le parc était peuplé de soldats accompagnés de leurs bonnes amies.

— Je me sens un peu idiot de trimbaler ma serviette comme un commis voyageur faisant du porte-à-porte.

— Je trouve que cela vous donne un air distingué. Je suis sûre que les gens pensent que vous venez de quitter le Parlement pour vous rendre auprès du Roi.

— En emmenant mon infirmière avec moi, n'est-ce pas ?

— Mais oui. Vous êtes sujet à des attaques et à des crises soudaines, comme mon oncle Arthur. Sauf que, d'après pa, ses seules crises, c'est quand il soupçonne le patron du bistrot d'avoir baptisé la bière.

Elle écarta les bras soudain.

— Oh, comme j'aime les jardins ! Londres serait une si belle ville si on laissait l'herbe pousser dans les rues.

Il lui prit la main et, quittant l'allée, il l'entraîna vers un bouquet d'arbres.

— Vous êtes une âme heureuse, Ivy.

— Vous croyez ? Non, pas vraiment. La plupart du temps je suis plutôt du genre sinistre. Il y a tellement de souffrances partout. Oh ! il faut qu'on reste gaies, l'infirmière en chef y tient beaucoup. Mais en dedans, autour du cœur, il y a toujours quelque chose qui vous fait mal.

— Vous le ressentez en ce moment ?

— Un peu, oui. Je veux dire... Je m'amuse et je suis terriblement heureuse d'être avec vous, mais il faut que je sois à mon poste dans une heure, et une partie de moi-même est déjà dans la salle. Je suis dans le service des amputés, vous comprenez, depuis neuf semaines à présent. Et il y a tellement de choses tristes...

Il lâcha sa serviette et la prit brusquement dans ses bras. Il la serra très fort, les mains à plat contre son dos. Il y avait des couples tout autour d'eux, assis ou allongés sur l'herbe, sous les arbres, ou bien se promenant le long des eaux vert sombre du lac. Aucun d'eux ne se retourna lorsqu'il l'embrassa très fort sur la bouche. Elle lui rendit son baiser. Toutes les horreurs de Gallipoli gisaient dans la serviette de cuir à ses pieds, mais pendant un instant leur image s'effaça dans la douceur de ses lèvres.

Hanna Stanmore faisait traîner l'heure du thé sur la terrasse d'Abington Pryory : un « grand thé » avec des sandwichs au cresson, du jambon en tranches fines et du saumon fumé d'Ecosse. Elle évitait les repas lourds pendant tout l'été, persuadée qu'à la longue ils engendrent la goutte. De l'autre côté de la balustrade de pierre, elle apercevait William et quatre amis en train de jouer. Non pas au tennis, mais à une caricature étrange : ils lançaient des balles sur le gazon bien tassé et tondu pour voir jusqu'à quelle hauteur elles rebondiraient ; ou bien, en se servant de leurs raquettes comme si c'étaient des battes de cricket, ils envoyaient les balles blanches dans les arbres. Des garçons de bonne humeur, ravis d'avoir quitté Eton pour la durée des vacances. Dix-sept ans. Un âge difficile. Ce n'étaient plus tout à fait des enfants et ce n'étaient pas encore des hommes. Elle savait que son fils et ses invités fumaient des cigarettes derrière les écuries et goûtaient au xérès : Coatsworth fermait les yeux sur ce dernier point, tout en gardant sous clé les meilleures carafes.

La chaleur continuait de s'élever des pierres de la terrasse. Elle s'éventa avec un éventail japonais de soie et regarda les garçons sauter par-dessus le filet — en avant, en arrière, d'un côté, de l'autre — comme des moutons par-dessus une haie. William était devenu si grand ! Il serait plus grand que Charles. Un garçon fin mais bien bâti, l'image même de son père. Tellement semblable à lui : bon cavalier et bon fusil.

Elle prit peur soudain en voyant le valet de pied sortir du jardin d'hiver et traverser la terrasse. Son âge même était inquiétant. Il se déplaçait si lentement et avec tant de peine sur ses vieilles jambes ! Habiller des septuagénaires en livrée était vraiment de la grosse farce. Le visage gris du pauvre homme la prévint du malheur. Et l'enveloppe bleu pâle qu'il portait sur le petit plateau d'argent ne faisait que le confirmer.

— Par exprès, Votre Seigneurie, dit le valet de pied.

— Merci, Crawshay.

Elle garda l'enveloppe dans sa main jusqu'à ce que l'homme eût disparu. Le papier à lettres du War Office. Adressée à elle-même, mais ils adressaient toujours la lettre aux mères. Elle coupa l'enveloppe avec un couteau, d'une main calme et sûre. Seul son cœur battait plus vite, au même rythme que la douleur, là, derrière ses yeux.

17 juillet 1915

Chère Lady Stanmore.
C'est avec le plus grand regret que j'ai appris aujourd'hui que votre fils le cap. vicomte Amberley, 2/RWF, a subi des blessures au cours des récents combats du cap Helles. Les rapports sur la nature et la gravité de ses blessures sont nécessairement succincts pour l'instant, mais nous savons qu'il a été évacué de la péninsule et qu'il se trouve à bord d'un bateau-hôpital.
Nous lui souhaitons un prompt rétablissement.

Sincèrement vôtre,
T. PIKE, *gén. de brig.*

Il y avait eu une énorme quantité de blessés ou de malades pendant les batailles de juillet, au cap Helles et à l'anse de l'Anzac. Obtenir des renseignements précis sur l'un d'eux était presque impossible. Lord Stanmore harcela le War Office et Martin envoya des messages par le canal de la presse à Alexandrie et à Lemnos. Rien. Le capitaine Lord Amberley n'était qu'un blessé parmi les milliers d'hommes évacués de la mer Egée sur les bateaux-hôpitaux. Nul ne savait au juste quel bateau l'avait reçu, et il n'y avait aucun moyen de le découvrir tant que le bateau n'accosterait pas ici ou là pour dégorger ses malades. A ce moment-là, les infirmiers des hôpitaux constateraient l'identité de chaque homme, et enverraient tous les éléments à Londres. Il faudrait attendre deux semaines : quatorze jours et quatorze nuits qui, pour Hanna, allaient être un cauchemar vide de temps. Son mari lui assurait que Charles allait sûrement très bien : *ce n'était*

242

probablement qu'une blessure superficielle, mais sa voix sonnait faux, son ton était forcé. Elle passait ses journées à des travaux d'aiguille pour essayer d'occuper son esprit, mais la nuit elle ne pouvait rien faire sinon penser, allongée dans son lit avec des sueurs froides, imaginer son fils gisant sur un lit d'une antiseptique blancheur, le corps mutilé, déchiqueté... Sans membres... Sans visage... une créature ayant à la place de la bouche un trou qui ne pouvait même plus hurler. Elle crut devenir folle. Puis vint l'après-midi où William bondit dans la salle de couture avec des cris de joie.

— Le vieux Charlie va bien ! Juste une fracture à la hanche et au bassin. On l'a conduit à Toulon sur un bateau français... Un copain de l'armée vient de téléphoner à papa !

Elle éclata en sanglots, et lorsque son mari entra dans la pièce, elle ne pouvait contrôler ses larmes. Le spectacle de l'hystérie de sa mère embarrassa William, et il fut d'humeur chagrine pour le reste de la journée.

9 août 1915

Mes chers Mère, Père, William et Alex,
Cette brève lettre est pour vous tous. J'ai été touché par un obus turc, presque à la lettre : ce gros truc affreux a atterri juste à côté de l'endroit où j'étais allongé, mais il n'a pas explosé. Cela m'a cassé la hanche droite et le bassin en plusieurs endroits, mais les os se réparent bien. Je suis complètement épuisé par la dysenterie mais les choses sont en bonne voie, je pourrai passer pour guéri dans quelques semaines — et bon pour le service actif dans trois ou quatre mois.
Je suis à l'hôpital de la marine française à Toulon, une sorte de grande grange de pierre construite par Napoléon, avec depuis les fenêtres de ma chambre une vue magnifique sur les docks. De longs couloirs frais, des infirmières très jolies, une cuisine de premier ordre et un médecin qui pense qu'un demi-litre de bon vin rouge par jour n'a jamais fait de mal à son homme. Bénissez-le dans vos prières ! Je ne pouvais pas souhaiter meilleur traitement et plus de sympathie. Je serai évacué vers un hôpital anglais dans trois semaines environ. Rentrer à la maison va me paraître étrange. Je ne sais comment l'exprimer, mais je ne suis plus le même homme qu'à mon départ, il y a quelques mois. Tant de choses ont changé. Tant d'autres changeront encore. Mais nous en parlerons à mon arrivée.
Mes sentiments les plus chaleureux à Coatsworth, à Mme Broome et à tout le personnel. Et dites aussi au vicaire, je vous prie, que Dieu a été clément à mon égard et que je regrette beaucoup d'avoir fauché des poires dans le jardin du presbytère quand j'avais onze ans. Tout mon amour...

Charles.

Le comte regarda d'un air sombre la calotte coupée de son œuf à la coque.

— Changé ? Que veut-il dire à votre avis ? C'est évident qu'il a changé. On ne peut pas être touché par un obus sans en être affecté d'une manière ou d'une autre.

— Je crois qu'il veut dire... beaucoup de choses, murmura Hanna d'une voix calme.

Elle relut la lettre entièrement à voix basse puis la reposa sur la surface cirée de la table du petit déjeuner.

— J'en pleurerais, dit-elle.

— Oh ! Mère, *je vous en prie !* murmura William.

Puis il lança un regard rapide à son père. Le comte ne le reprit pas. Ils avaient tous deux horreur des démonstrations sentimentales.

— La lettre me paraît assez gaie, chère amie, étant donné les circonstances.

— Je pensais au pauvre Roger, dit-elle. Si seulement Dieu avait montré un peu de clémence à son égard...

Elle n'était pas tout à fait sincère. Elle éprouvait beaucoup de chagrin pour Roger Wood-Lacy, mais ce qui lui brisait le cœur, en réalité, c'était la phrase de Charles assurant qu'il serait *bon pour le service actif dans trois ou quatre mois.* Un obus qui n'avait pas explosé. Dieu accorde-t-il deux miracles au même homme pendant le temps d'une vie ?

— J'aimerais que nous allions en France, Tony.

Le comte essuya ses lèvres avec sa serviette.

— Cela risque d'être très difficile. Les civils ne peuvent se rendre sur le continent qu'en nombre très limité. Je pourrais peut-être tout arranger, mais cela prendrait facilement plusieurs semaines et entre-temps Charles serait en chemin. Notre présence ne serait d'ailleurs d'aucune utilité réelle pour lui. En fait, je crois qu'il serait très inquiet s'il savait que nous traversons la Manche sur un bateau de passagers avec tous ces maudits sous-marins allemands qui rôdent partout. Il a sûrement entendu parler du torpillage du *Lusitania.*

— Vous avez certainement raison, soupira-t-elle. Cela l'inquiéterait, c'est vrai.

Son instinct qui la poussait à protéger et à chérir son premier-né était étouffé par les impératifs de la guerre. Le passage des civils en France était fortement découragé. Il faudrait des visas, remuer ciel et terre, obtenir des passe-droits. Tony avait raison, ce serait au mieux un coup d'épée dans l'eau. Charles rentrerait en Angleterre dans quelques semaines pour sa convalescence. Elle avait lu qu'on envoyait souvent les soldats aussi près que possible de leurs foyers et il y avait plusieurs hôpitaux militaires à une demi-heure de voiture d'Abington.

— Patience, chère amie, dit le comte d'une voix douce. Il vous faut prendre patience.

244

Dans la salle de musique, devant sa tapisserie, elle songea à l'attitude de son mari et à celle de William. Ses doigts s'agitaient sur les aiguilles et les nombreux fils de couleur qui jetaient des ombres et des lumières sur le clocher de la cathédrale de Salisbury — au petit point. William, elle l'écarta avec un sourire triste. Il était à un âge qui ignore absolument le tragique. Son frère avait eu un accident, rien de plus, comme une chute de cheval ou une automobile qui se renverse. La peur, la mort et le deuil ne faisaient pas partie de son vocabulaire. Quant à Tony... Le respect qu'elle ressentait n'était pas sans mélange. Elle savait à quel point il avait souffert au cours des deux semaines précédentes, elle avait remarqué ce qu'aucun autre regard que le sien n'avait vu — l'éclair de la souffrance dans ses yeux, la pâleur aux coins de ses lèvres. Une fois, incapable de trouver le sommeil, elle avait ouvert la porte de sa chambre et elle l'avait vu, debout dans le noir devant une fenêtre, le front posé contre la vitre. Il pleurait, en silence, et elle n'avait pas osé intervenir dans cette douleur solitaire.

Les hommes ne pleurent pas uniquement dans leurs cœurs et dans la solitude de leurs chambres au milieu de la nuit, loin des yeux indiscrets, loin du réconfort inacceptable des bras d'une femme. Elle le comprenait très bien mais cela ne l'empêchait pas de s'interroger sur la validité de ce code de l'honneur masculin. Une telle contrainte lui paraissait contre nature, mais elle supposait que c'était justement ce code qui avait permis à Tony de demeurer lui-même au cours de cette période de crise. Pendant toute l'épreuve de ces deux semaines où il ignorait si Charles était vivant ou mort, à peine blessé ou horriblement infirme, il avait suivi à la lettre sa règle de vie quotidienne : promenade à cheval le matin, inspection du domaine, déplacements à Londres pour les débats de la Chambre, passage à ses clubs.

— La vie doit continuer, Hanna, avait-il dit.

Pour l'observateur ordinaire, son attitude aurait pu paraître froide, détachée, mais elle comprenait ses tourments intérieurs et elle savait que, pour lui, le seul moyen de les affronter était de faire semblant qu'ils n'existent pas. Mais ils existaient bel et bien, et la douleur qu'il avait réprimée devait avoir laissé des traces profondes en lui, devait l'avoir modifié d'une manière ou d'une autre. Elle en avait eu le sentiment à la fin du petit déjeuner.

— Hanna, avait-il demandé d'un ton neutre, comment s'appelle ce libraire de Guilford où Charles se sert souvent ?

— Clipstone... Un petit magasin dans la Grand-Rue. Pourquoi ?

— Oh ! j'ai pensé qu'il saurait quels livres Charles aimerait lire. De la poésie, je pense, de l'histoire, des choses comme ça. Pour faire un colis à envoyer au petit.

Le dernier livre qu'il avait acheté à Charles était les *Récits des grandes chasses du capitaine Haxwell*, pour son seizième anniversaire — et le livre n'avait pas encore été ouvert.

— Miss Foxe au téléphone, Votre Seigneurie.

— Merci, Coatsworth, répondit-elle.

Elle prit le temps de terminer son point. De toute évidence Lydia avait reçu, elle aussi, une lettre et Hanna se doutait de ce que Charles lui avait écrit. Un changement. Oui, bien des choses changeraient.

— Je ne voudrais pas vous déranger, Lady Stanmore, dit la voix faible de Lydia au milieu du grésillement de la ligne. (Le téléphone entre Londres et Abington était un désastre.) J'ai pensé que vous aimeriez savoir que j'ai reçu ce matin une très longue lettre de Charles.

— Nous en avons reçu une, nous aussi.

— Oui, j'en étais certaine. Avez-vous l'intention, Lord Stanmore et vous, de vous rendre en France ?

— Nous aurions aimé le faire, mais si j'ai bien compris, c'est beaucoup trop difficile... Les visas, les autorisations spéciales des autorités militaires françaises...

— C'est justement pour cela que je vous appelle. Je peux tout arranger. Vous pourriez partir ce week-end par un transport de troupes qui quitte Portsmouth et ensuite gagner Marseille par le train.

La main d'Hanna se contracta sur le combiné.

— Comme vous arrangez facilement les choses, Lydia !

— En réalité, ce n'est pas difficile du tout, Lady Stanmore, mais cela peut devenir terriblement décevant si l'on essaie de passer par la voie normale. Nous disons donc, samedi matin ? Cela vous permettrait d'être à Toulon avec Lord Stanmore dimanche en fin d'après-midi.

— J'aimerais beaucoup en discuter avec vous. Pouvons-nous déjeuner ensemble demain ? Disons au Savoy. A une heure et demie ?

Il y eut un instant de silence. La ligne bourdonnait et crachotait. Puis ce fut la voix de Lydia : elle acceptait l'endroit et l'heure fixés. Une voix sûre d'elle-même, le ton d'un joueur d'échecs qui sait exactement combien de coups il lui reste à jouer pour obtenir le mat.

Elle n'était pas montée à Londres depuis des mois, depuis le début de l'hiver, et l'importance de la foule l'étonna — ainsi que les femmes porteurs de Charing Cross. Un vieux chauffeur de taxi la conduisit à quelque distance du Savoy.

— Tant de gens ! dit-elle. Et tant de femmes travaillant de façon bizarre.

— C'est la guerre, madame, lui répondit le chauffeur d'un ton acide en penchant la tête vers la cloison de verre derrière lui. Tous les jeunes gars prennent les cinq sous du roi, alors les filles les remplacent. Je ne peux pas dire que j'aime ça. On ne peut plus mettre le nez dans un bistrot sans voir des femmes lever le coude au milieu des hommes.

— Pas possible.

— Que Dieu m'écrase si ce n'est pas la pure vérité ! Je l'ai vu de mes yeux, et pas qu'une fois, madame.

— Les rues sont tellement bondées...

— Sauf votre respect, madame, c'est la guerre, vous savez... Il y a des usines de munitions du côté de Woolwich, et tout un tas de faiseurs de balles et de je ne sais quoi à Ilford et à Epping. Tout le monde se fait du bon argent, et le vieux Londres est le meilleur endroit pour le dépenser, pas vrai ?

Il y avait tout le long du Strand des compagnies entières de soldats avançant lentement vers la gare de Charing Cross. Les hommes étaient complètement équipés, avec leurs paquetages lourdement chargés et leurs fusils. Ils agitaient tous leurs casquettes avec des cris joyeux.

— Ils s'en vont de l'autre côté, dit le chauffeur d'une voix sombre. J'étais à Mafeking. La guerre n'est pas une partie de rigolade, je vous assure.

Les salons du Savoy avaient toujours été si paisibles, si reposants. Maintenant, c'était un vrai capharnaüm où papillonnaient sans cesse gradés et jeunes femmes. De nombreux officiers appartenaient aux divisions canadiennes. C'étaient de grands gaillards bruyants qui parlaient avec un accent étrange, presque américain. Pendant un instant, Hanna eut l'impression de se retrouver à Chicago. Elle aperçut Lydia enfin, et s'avança à travers la foule d'un pas impérieux, comme une comtesse qu'elle était.

— Comme vous êtes adorable, ma chère. Votre robe est très seyante, tellement chic. Sûrement pas de chez Ferris.

— Non, de chez Worth. Je suis ravie qu'elle vous plaise.

— Beaucoup. Les jupes courtes vous vont très bien.

Ses compliments étaient sincères. Elle n'était pas sans réserves à propos de Lydia mais elle reconnaissait son goût parfait en matière de vêtements.

— Comme il fait chaud ici ! C'est sûrement la foule.

— J'aurais dû vous prévenir, répondit Lydia en riant. Ces temps-ci, le Savoy ressemble à la gare de Waterloo un jour de congé mais j'ai pu retenir une table sur la terrasse : c'est relativement calme et il y a une petite brise qui monte du fleuve.

Les garçons se précipitèrent. Elles commandèrent un consommé et un homard froid, un plateau de fruits et une bouteille de *Liebfraumilch* — étiqueté désormais Blanc d'Alsace, comme le fit remarquer le *sommelier* * patriote.

Hanna prit la lettre de Charles dans sa pochette.

— J'ai pensé que vous aimeriez peut-être la lire. Si je me souviens bien, vous aidiez Charles à piller les poiriers du vicaire.

— J'avais presque oublié. Oui. Je faisais le guet pour Charles et Fenton.

Elle lut la brève lettre et la lui rendit.

— J'ai ma lettre avec moi. Vous pouvez la lire si vous le désirez.

— Vous avez envie que je le fasse, n'est-ce pas, Lydia ?

— Oui, répondit-elle d'une voix neutre. J'aimerais beaucoup que vous la lisiez. Je... Je crois qu'elle explique bien des choses.

— A propos de vous et de Charles ? Je ne le crois pas. Il vous aime et je suis sûre que sa lettre exprime cet amour. Les lettres de ce genre ne sont pas faites pour les yeux d'une tierce personne. Elles perdent une partie de leur intensité au passage.

Le consommé et les homards arrivèrent, et les deux femmes se mirent à manger en parlant de généralités — la chaleur, la guerre. Quand le café fut servi, Lydia versa deux tasses et reposa la cafetière d'argent.

— Lord Stanmore a-t-il été heureux à la pensée de voir Charles dimanche ?

— Je n'ai pas parlé de notre conversation, dit Hanna en prenant une gorgée de café. Profiter d'un traitement de faveur l'aurait simplement froissé. Non, nous attendrons que Charles rentre en Angleterre, mais je vous suis très reconnaissante de votre geste. Vous pouviez vraiment arranger les choses aussi facilement ?

— Oui.

— Puis-je vous demander comment ?

— Par l'entremise de David Langham.

Hanna se détourna et se mit à observer les péniches glissant sur le fleuve entre les piles de Waterloo Bridge. Un des bateaux était un yacht à vapeur, avec une cheminée blanche. Les cuivres astiqués, scintillants sous le soleil, lui rappelèrent soudain les régates de Henley avant la guerre. Un an plus tôt, pas davantage, et pourtant les choses de la vie avaient changé du tout au tout.

— M. Langham est devenu un homme très puissant, à ce que j'ai pu lire dans les journaux.

— Oui, dit Lydia. Son ministère est devenu vraiment vital.

— Quelle est exactement sa fonction ?

— L'approvisionnement de l'armée. La coordination des fournitures en fonction des besoins. Le manque d'obus à Neuve-Chapelle a souligné l'importance de ce ministère. Comme l'a fait remarquer mon père à l'époque, aucun White Manor n'a jamais manqué de petits pains à un moment crucial. Si les plans de l'armée exigent un million de cartouches de mitrailleuses en septembre, le ministère veille à ce que ce million de cartouches soit à sa disposition. La même chose est valable pour tout, depuis le ragoût en conserve jusqu'aux lacets de chaussures.

— Passionnant, murmura Hanna. Le ministère doit employer un personnel important.

— Oui, des civils et des militaires.

— Pourrais-je prendre un peu plus de café ?

Ses yeux quittèrent la scène paisible du fleuve et scrutèrent le visage de Lydia comme s'ils le voyaient pour la première fois. L'engouement de Charles pour cette femme était facile à comprendre, mais elle avait le sentiment qu'il n'avait jamais vraiment regardé au-delà de ses cheveux châtain clair et de sa peau magnifique. La beauté de Lydia ne faisait aucun doute, mais c'était un enchantement de surface, une beauté faite d'os et de chairs ivoirines. Dans ses yeux verts, il y avait des profondeurs insondables : les ténèbres d'un labyrinthe qu'Hanna jugea inquiétant. Mais elle était femme. Un homme pouvait plonger dans ce regard sans éprouver aucun pressentiment de malheur. C'était sûrement le cas de Charles. Et même de l'honorable David Selkirk Langham.

— Charles est résolu à vous épouser, Lydia, quoi qu'il advienne. C'est le sens profond de sa lettre, n'est-ce pas ?

— Oui.

— Je comprends ce qu'il ressent. Il a vu la mort de trop près. Et il a résolu de saisir la vie à bras-le-corps... Ne serait-ce que pour un temps très bref.

Elle baissa les yeux vers sa tasse et fit glisser son doigt sur le rebord de porcelaine.

— C'est une attitude presque universelle en ce moment, on dirait. Tellement de mariages. Les bureaux de l'état-civil sont assaillis par des jeunes gens en uniforme au bras de leurs amies. J'ai du mal à comprendre pourquoi un homme a envie de prendre femme aujourd'hui, si c'est pour en faire une veuve demain.

— Aucun homme ne croit que cela lui arrivera, *à lui*. Et s'il a une occasion d'être heureux avant de partir au front...

— Il la saisit à pleines mains. Je partage son point de vue, mais je ne peux oublier la détresse que je ressens à la pensée d'un jeune homme marié pendant une minute et déchiqueté par un obus la minute suivante.

— Je partage ces craintes, Lady Stanmore. Quand je songe à quel point Charles est passé près de...

Elle laissa sa pensée en suspens et prit une gorgée de café.

— Lord Stanmore et moi, nous tenons beaucoup à ce que Charles soit heureux. C'est ce qui nous préoccupe le plus. Je comprends très bien mon époux, et je sais qu'il accepterait de faire quelques concessions, d'adoucir certaines attitudes inflexibles qui étaient naguère les siennes à propos de vous et de Charles. Pour dire les choses carrément, je pourrais le convaincre d'accorder sa bénédiction.

— Et le ferez-vous ?

— Non. Jamais. Pas si cela signifie que Charles retournera au front trois ou quatre mois à peine après sa lune de miel. Je suis sûre que cette perspective est aussi pénible pour vous que pour moi.

— Oui, c'est vrai.

— Charles a versé son sang... Avec noblesse et dans l'honneur. Il a fait, comme on dit, *sa part*.

Lydia posa sa tasse et chercha des yeux un garçon.

— Désirez-vous un alcool, Lady Stanmore ? Papa a ici une réserve personnelle, un cognac merveilleux de plus de cinquante ans d'âge.

— Il doit dîner ici très souvent.

— Plutôt des soupers, très tard, avec M. Langham.

— Un cognac me ferait plaisir. Je trouve que l'alcool calme les nerfs.

Le garçon remarqua le regard de Lydia et s'avança vers la table d'un pas souple. Elle lui demanda de faire porter par le sommelier une bouteille d'Otard 1865 et de servir de nouveau du café.

— J'ai parlé à M. Langham ce matin, et j'ai fait allusion à Charles. C'était lui qui m'avait expliqué comment obtenir les autorisations et qui s'était proposé de me faciliter les choses.

— C'était très aimable à lui.

— Aujourd'hui, il m'a parlé d'un nouveau service de son ministère, en cours de création. Il s'appellera N.S.5. et il s'occupera des essais et de la fabrication du nouveau matériel de l'armée. Le général de division Sir Thomas Haldane sera à sa tête et il cherche justement des hommes de valeur pour son état-major. Sa préférence va aux officiers qui ont vu la guerre de près et qui comprennent les besoins de l'armée. J'ai aussitôt pensé à Charles.

— Oui, dit Hanna très lentement pour empêcher sa voix de trembler d'émotion. Il serait certainement qualifié pour cela, n'est-ce pas ?

— Bien sûr. Il n'a pas la formation scientifique que souhaiterait le général Haldane mais cet obstacle est assez facile à surmonter. Charles a l'esprit vif. Il apprendra ce qu'il faudra.

— Mais acceptera-t-il un poste comme celui-ci ? Il lui faudra quitter son régiment.

— Il n'aura pas le choix. M. Langham a accordé au général Haldane une priorité absolue dans son secteur. Il peut ordonner le transfert de n'importe quel officier de ligne qu'il désire avoir à ses côtés.

— L'objectif de ce nouveau service paraît intéressant et important.

— Très. Le Premier ministre et Lord Kitchener sont terriblement enthousiastes à ce sujet. Le matériel et l'armement utilisés en ce moment par l'armée sont désuets, dépassés. Charles ferait beaucoup plus pour son pays à Whitehall que dans les tranchées.

Hanna se sentit faible soudain : des semaines de tension sans fin abandonnaient son corps. Elle accueillit avec gratitude le cognac que lui servit le sommelier. Avant d'en humecter ses lèvres, elle huma son parfum. Capiteux.

— A Charles, dit-elle. Et à vous.

Lydia sourit et tendit la main par-dessus la table pour effleurer le bras d'Hanna.

— Merci, Lady Stanmore. Je suis sûre que tout ira pour le mieux. Je serai pour Charles une très bonne épouse.

— J'en suis certaine, ma chère, répondit Hanna avec l'ombre d'un sourire. Il a beaucoup de chance.

Et cela, elle le pensait au plus profond de son cœur.

6

L'hôpital numéro 7 de la Croix-Rouge à Chartres occupait un château de pierre de taille dominant la vallée de l'Eure. Il avait été conçu comme un centre de convalescence et de réadaptation pour les fractures graves, mais après les lourdes pertes de l'offensive de printemps en Artois il avait été submergé par des blessés de toute espèce. On avait construit des baraquements en planches dans les jardins (jadis magnifiques) et on avait transformé en salles de soins et en dortoirs pour les infirmières les écuries et les remises de voitures. Ces extensions avaient beaucoup de mal à se développer au même rythme que les admissions de blessés. Par bonheur, l'activité était restée réduite sur le front de l'Ouest pendant tout l'été, mais le médecin-chef, le Dr Gilles Jary, venait de recevoir une note de Paris lui demandant de se préparer à un accroissement sensible du nombre des blessés pour la troisième semaine de septembre. La note était arrivée par le courrier ordinaire et son contenu l'avait mis en fureur.

— Quelle bêtise ! cria-t-il en arpentant son petit bureau en désordre (une ancienne soupente qui servait autrefois de chambre aux laquais). Merde ! C'est tout ce que je peux dire : Merde !

Il prit le message offensant entre le pouce et l'index et le laissa tomber par terre. Son infirmière en chef, une Anglaise entre deux âges, carrée comme une tour, lui lança un regard impassible.

— Puis-je le lire, docteur ?

— Pourquoi pas ? Pourquoi feriez-vous exception ?

Il lança un coup de pied à la feuille de papier.

— Mais je peux vous éviter cette peine. Il faut nous préparer à recevoir de nombreux blessés pendant la troisième semaine de septembre. Des messages identiques ont dû être adressés à tous les autres hôpitaux. Peut-être en ont-ils même envoyé un au quartier général des Boches ! « Mon cher Fritz, comme vous pouvez le voir d'après la note ci-jointe, nous nous préparons à vous attaquer le vingt-deuxième jour du mois prochain, ou peu après. Cordialement. Maréchal Joffre. »

Le docteur alluma une cigarette au mégot qui ne quittait jamais le coin de ses lèvres.

— Un de ces jours votre barbe prendra feu, lui dit l'infirmière.

— Peut-être. C'est sans importance.

— Où mettrons-nous les nouveaux blessés ?

— Une question condamnée à rester sans réponse. Oui, sans aucune réponse possible. Il faudra dégager des lits, c'est tout. Tout blessé capable de tenir sur ses jambes devra être évacué, envoyé vers Moulins, Lyon, Valence, je ne sais pas, moi. Il faudra que je trouve des lits disponibles. Et puis il y a l'hôtel Marcel en ville. Nous pourrons le réquisitionner pour les blessures légères.

L'infirmière ébaucha un sourire.

— Vous voyez bien, docteur, qu'il y a réponse à tout.

— Ouais, grogna-t-il en passant la main dans ses cheveux en désordre. Et maintenant, *vous*, quels sont vos problèmes ce matin ?

— Aucun... Un petit plaisir. Trois auxiliaires volontaires sont arrivées d'Angleterre, très impatientes de se rendre utiles et attendant dans l'angoisse leur première rencontre avec le médecin-chef.

— Toutes blondes et maigrichonnes ?

— Une seule blonde — et plutôt voluptueuse que maigrichonne, si je puis me permettre.

— Ah ! soupira-t-il, les Anglaises ! Elles ont à peu près autant de saveur que leur thé. Mais elles attisent les cendres mortes de mes paillardises de jeunesse.

— Je vous trouve bien gaulois ce matin, docteur. Je les fais chercher ?

— Non, je les rencontrerai en salle D. Elles me suivront pendant ma tournée.

Alexandra Greville marchait lentement derrière le Dr Jary, l'infirmière en chef anglaise et une infirmière française. Les deux autres auxiliaires restaient aussi près du docteur que possible et griffonnaient sur leurs carnets de notes tout ce qui tombait de la bouche du Patron. Leur zèle plut au médecin et, à la fin de sa visite des salles D et F, il les complimenta de façon excessive. Puis il se tourna vers Alexandra.

— Vous ne prenez pas de notes, mademoiselle... ? Mademoiselle... ?

— Greville. Non, j'ai une excellente mémoire.

— Vous semblez un peu... pardonnez-moi... détachée. Quelque chose vous tracasse ?

— Non, je suis simplement un peu déçue.

Oui, songeait le Dr Jary, « voluptueuse » est bien le mot juste pour décrire cette blonde adorable. La plupart des Anglaises qu'il avait connues n'avaient ni poitrine ni hanches, mais celle-ci était parfaitement dotée sous ces deux rapports. Elle lui rappelait les nus opulents d'Ingres. Il lui était très facile de la visualiser toute nue, et il regretta pendant un instant de ne pas avoir trente ans de moins.

— Déçue ? Par notre petit hôpital ?

— Oh non ! docteur, répondit-elle aussitôt. Pas du tout. Seulement j'avais espéré être envoyée à Toulon, à l'hôpital de la Marine.

Il la regarda à travers les volutes de fumée de son éternelle cigarette.

— Ah… Vous avez peut-être un amoureux parmi les marins blessés. C'est ça ?

— Non, répondit-elle, le rouge aux joues. Mon frère, blessé à Gallipoli. Dès que j'ai su où il se trouvait, je me suis portée volontaire pour servir en France. J'ai demandé à la Croix-Rouge d'être envoyée à Toulon, mais j'ai échoué ici.

— Eh bien, il faudra en tirer le meilleur parti, n'est-ce pas ? *C'est la guerre* *. Venez avec moi, mon enfant, nous ferons la salle C ensemble.

La salle C était un service de fractures. Des rangées de lits. Cinquante hommes dans le plâtre, les membres suspendus par des poids au bout de fils de fer.

— La moitié d'une centaine. Tous gravement touchés, comme vous pouvez le voir. Tous loin de ceux qui les aiment.

Il s'arrêta près d'un lit.

— Voici le jeune Rialland, dix-neuf ans, blessé à Lens. Il est loin de son foyer, à Bordeaux. Pensez à *lui* comme si c'était votre frère.

Le jeune homme sur le lit fixait Alexandra comme s'il s'agissait d'une apparition de l'au-delà.

— *Un bel ange *,* murmura-t-il.

— *Merci* *, soupira-t-elle d'une voix timide.

— Vous voyez ! Vous êtes un ange pour lui, poursuivit le docteur en effleurant affectueusement son épaule. Et une belle infirmière française sera un ange pour votre frère. Vous serez heureuse ici, et nous serons certainement très heureux de vous avoir avec nous.

Elle paraissait plus âgée. Elle n'était en France que depuis deux semaines et pourtant, en examinant son visage dans le miroir de la coiffeuse, elle pouvait déceler des changements subtils dans son apparence. Elle avait vu de vraies souffrances — et cela s'était inscrit sur ses traits. Et elle avait travaillé dur, plus dur que jamais dans toute sa vie. Elle avait fait des corvées désagréables et même répugnantes — et cela s'était également inscrit dans son reflet.

— Oui, murmura-t-elle en se penchant plus près du miroir et en laissant glisser ses doigts sur ses pommettes. La guerre vous transforme…

Elle se sentit très fière d'elle-même. Il lui avait fallu s'accrocher mais elle s'en était tirée à son honneur. L'hôpital de Chartres était très différent du centre de convalescence pour officiers où elle avait servi en Angleterre. Le travail qu'elle faisait là-bas était, par comparaison, tout à fait ridicule : une dame de compagnie, rien de plus. Une jeune personne compatissante, qui plaisantait avec les convalescents, jouait aux cartes, les accompagnait au jardin pour la promenade, ou bien poussait leur fauteuil roulant. A Chartres, on attendait beaucoup plus des auxiliaires volontaires. Les effectifs étaient réduits et les infirmières qualifiées avaient assez à faire sans s'occuper de la toilette des grabataires et des soins que nécessitaient leurs fonctions naturelles. Au premier bassin qu'elle avait vidé, elle avait vomi. Au second, ce n'était plus qu'une simple nausée. Aux troisième, quatrième et cinquième, elle avait simplement pincé le nez de dégoût. Maintenant, c'était devenu une tâche banale et automatique. Et elle pouvait désormais laver des hommes sans être gênée au contact de leur chair nue avec le gant plein de savon.

— Je suis différente, murmura-t-elle. Je suis devenue une femme.

C'était comme si elle avait soudain franchi une porte, comme si elle était passée d'une pièce dans une autre sans avoir la possibilité de revenir en arrière. Elle se demandait si sa mère et son père comprendraient le changement survenu en elle, et les lettres qu'elle leur écrivait ne contenaient que des banalités du même genre que ses lettres de pension :

... Chartres est une vieille ville très belle et la cathédrale est vraiment magnifique, un joyau de l'art gothique. Je ne suis pas encore allée la visiter car nous avons eu beaucoup de travail, mais j'espère le faire bientôt. On peut voir les deux tours au-dessus des arbres. J'ai un après-midi de congé par semaine — exactement comme si j'étais femme de chambre — et j'ai le droit de réclamer (mais on me les refuserait sûrement) trois jours de « permission » par mois. Je suis très heureuse et la nourriture est abondante, bien que je commence à me fatiguer de la soupe de lentilles.

Elle réservait ses pensées plus intimes à Lydia Foxe, et elle remplissait des pages et des pages de griffonnages hâtifs en un jaillissement tumultueux de réflexions intimes. Elle écrivait ces lettres, entre chien et loup, dans la chambre baignée de lumière dorée qu'elle partageait avec quatre autres filles. Le soleil se couchait tard en ce début de septembre... et le sommeil était mesuré du crépuscule à l'aurore.

Très chère L,
Les blessés ne parlent jamais de ce qu'ils ont vécu. Pourquoi ? Je n'en sais rien, mais c'est un fait : ils sont complètement muets sur les circonstances de leurs blessures. Il leur arrive de citer des lieux, ce qui provoque des hochements de tête de la part de leurs voisins de lit : des noms de villages, de bois, de carrefours, de tranchées. Mais jamais un mot sur l'événement qui a fait d'eux des infirmes. Ils gardent secret cet instant horrible, craignant peut-être de choquer une jeune fille par la description qu'ils en feraient. Je voudrais tant pouvoir les réconforter, comprendre vraiment toute leur agonie, mais quand je leur demande de me parler des tranchées, ils secouent la tête et murmurent que je ne peux pas imaginer.
Oh ! Lydia, je sais maintenant pourquoi Dieu a placé des femmes

sur cette terre. C'est pour apporter un réconfort aux hommes... un baume, une consolation. Le contact frais de notre main sur un front enfiévré fait davantage que tous les médicaments du monde. J'aimerais donner beaucoup plus de moi-même que je ne le fais, corps et âme. Je sais que j'en suis capable. La collégienne stupide que tu as connue, la gamine pleine de rêves à la guimauve dansant dans sa tête, a été métamorphosée au tréfonds d'elle-même.

Jamais elle ne postait ces lettres quotidiennes à Lydia car elle n'avait nulle envie de partager ses sentiments avec les censeurs. Mais le fait de coucher ses pensées sur le papier lui donnait l'impression d'être en harmonie avec son amie. Elle n'avait personne d'autre à qui se confier. Les autres auxiliaires volontaires n'étaient pas inamicales avec elle, mais c'étaient de petits êtres ternes, réservés, et Alexandra avait le sentiment qu'elles lui en voulaient. Elle s'était liée d'amitié avec une des infirmières diplômées, une Normande qui avait fait ses études dans un hôpital de Londres, mais cette femme ne se faisait aucune illusion sur le rôle de l'infirmière.

— C'est un travail comme un autre. Nous ne sommes pas des anges de miséricorde, ma chère. Nous sommes des techniciennes, un point c'est tout.

Alexandra refusait cette définition. Son amie avait tort. Elle ressentait la justesse de ses propres sentiments chaque fois qu'elle traversait les salles et que les hommes l'appelaient doucement : leur « ange blond » qui pouvait les réconforter d'une caresse, d'un sourire, d'une parole joyeuse. Les blessés qui pouvaient marcher sur des béquilles ou avec des cannes lui apportaient des fleurs des champs ou des pommes du verger. Et après dîner, quand les convalescents s'asseyaient sur les bancs de la cour, ils se disputaient amicalement le privilège de jouer aux dames avec elle. Un grand Sénégalais au visage d'ébène, qui avait les deux bras dans le plâtre, la suivait partout. Oui, songea-t-elle, je suis aimée, aimée pour ce que je suis capable de donner... aimée (cette pensée était si terrifiante de présomption que le sang lui monta au visage) comme une sainte !

Ils virent tous l'aviateur tomber. C'était un samedi matin et l'aéroplane volait très bas au-dessus de l'hôpital. Son moteur avait des ratés et aboyait comme un chien malade. Les fenêtres s'ouvrirent et tous ceux qui pouvaient marcher se précipitèrent dehors pour voir la machine fragile accrocher le haut d'un arbre et tournoyer vers le sol comme un oiseau aux ailes brisées.

— Il est mort, le pauvre homme... dit l'infirmière en chef.

Les chauffeurs d'ambulance, les infirmiers et les soldats traversèrent les champs jusqu'au lieu de l'accident et ramenèrent l'aviateur à l'hôpital sur une civière. L'homme était inconscient à la suite d'un

255

choc à la tête, et ses deux jambes formaient un angle peu naturel. Mais il était bien vivant et le Dr Jary se mit aussitôt au travail avec un chirurgien orthopédiste.

— Les jeunes os font des miracles, fit observer Jary en sortant de la salle d'opération, deux heures plus tard.

Alexandra l'aida à ôter sa blouse tachée de sang et emplit une cuvette d'eau chaude. Le médecin-chef alluma une cigarette, puis se lava les mains.

— Oui, mademoiselle Greville, des miracles. Des cassures bien nettes, comme du bois de bonne qualité. Pas d'échardes pour compliquer les choses.

— Il pourra de nouveau marcher, docteur ?

— Marcher ? Courir ! Voler ! Un jeune veinard, par exemple ! Très malin de tomber à côté d'un hôpital. Mais vous, les Anglais, vous êtes une race de malins, non ?

— Il est anglais ?

— Royal Flying Corps. Ils ont un terrain d'aviation près de Maintenon. Il faut que je leur téléphone pour leur apprendre que leur lieutenant Dennis Mackendric est comme neuf. Peut-être auront-ils l'idée de m'envoyer quelques cigarettes et une bouteille de whisky.

Le lieutenant Mackendric partagea une chambre avec le capitaine Morizet, un officier mélancolique qui avait reçu une balle dans les poumons en mai. Il débarrassa bientôt le capitaine de sa dépression et, au bout de quelques jours, l'aviateur de vingt ans n'était plus que « le Joyeux Dennis » pour les infirmières anglaises et « le Fada » pour tous les Français. Il n'était pas anglais mais écossais, de Lochgelly. Cheveux de sable et teint rubicond. De taille moyenne avec un corps mince, filiforme. Des bras et des mains d'une force incroyable. Un torse d'athlète toujours à l'étalage car il refusait de porter des chemises de nuit. Il avait une voix pleine, mélodieuse, avec certain roulement de gorge dans les R qui la rendait encore plus séduisante. Alexandra tomba amoureuse de lui dans l'instant, de même que toutes les autres infirmières de l'hôpital de l'infirmière en chef jusqu'au bas de la hiérarchie. Il ne souffrit ni d'un manque d'attentions du personnel ni de l'absence de visites. Les officiers des aviations anglaise et française déferlaient sans arrêt, et les réserves de cigarettes et de whisky du Dr Jary se renflouèrent.

Un matin, une semaine après l'accident, Alexandra s'était assise au frais dans le hall d'entrée du château pour rouler des bandes Velpeau. C'était un travail monotone et ses pensées erraient dans une dizaine de directions plus agréables. Elle n'avait pas entendu les pas de l'homme sur le sol dallé et sa voix la surprit.

— Excusez-moi, dit-il en anglais. Je cherche le lieutenant Dennis Mackendric.

C'était un officier de grande taille, aux joues creuses, qui portait sur ses revers les insignes du corps médical. Il avait peut-être trente ans, mais rien ne permettait de l'affirmer. La bouche était jeune, mais les yeux marron foncé, profondément enfoncés dans des orbites sombres, étaient sans âge. Il souriait légèrement, d'un simple pincement de lèvres.

— *Parlez-vous anglais, mademoiselle * ?*

— Oui, bégaya-t-elle. Bien sûr. Je suis anglaise.

— C'est bien ce qu'il m'avait semblé. Je suis le major Mackendric, le frère du lieutenant. Il a été hospitalisé ici, n'est-ce pas ?

— Oui. Et vous dites que vous êtes son frère ?

Le ton de sa voix trahissait sa surprise. On ne pouvait imaginer deux hommes plus différents d'allure et de manières.

— Son demi-frère, pour être exact. Puis-je le voir ?

Les visites n'étaient pas autorisées le matin, mais un membre du corps médical n'entrait pas dans la catégorie « visiteurs ».

— Si vous voulez bien me suivre...

— Merci. A propos, qui est responsable de cet hôpital ?

— Le Dr Jary.

— Gilles Jary ? Corpulent, portant la barbe, fumeur invétéré ?

— C'est cela.

— Dieu merci ! Certains chirurgiens de la Croix-Rouge sont incapables de prendre un tour de garde, et encore moins de réduire une fracture.

— Nous sommes dans un hôpital extrêmement compétent, dit-elle d'un ton glacé. Peut-être le meilleur de France.

— Sans doute, sans doute.

Son regard erra un instant sur les murs de marbre et sur la courbe gracieuse de l'escalier d'honneur conduisant au palier du premier étage.

— Splendide, assurément. Je travaille sous une tente.

Il pouvait aussi bien travailler en plein champ, cela ne la touchait guère. Il avait l'air arrogant, caustique. Et même son propre frère ne parut pas ravi de le voir.

— Oh ! mon dieu, Robbie !

— Salut, Dennis. Tu as pris une gamelle, si je ne m'abuse.

— Oh là là ! Je n'ai pas eu l'idée de regarder la jauge d'essence.

Le major Robin Mackendric lui lança un regard furieux, puis se tourna vers Alexandra.

— Vous permettez à tous vos patients de rester à demi nus ?

— Non, balbutia-t-elle. C'est seulement que...

— Il fait foutrement chaud, vieux, protesta Dennis.

— On peut aussi bien attraper une pneumonie par temps chaud que par temps froid. Mettez-lui une flanelle, mademoiselle.

— Ecoute un peu, Robbie...

Le major, sans tenir compte de ses protestations, se dirigea vers le pied du lit pour regarder la feuille de température.

— Un peu de fièvre la nuit dernière. Il faut être fou pour rester découvert.

— J'ai foutu cette saloperie en l'air. Je ne supporte pas les trucs qui grattent. La fille n'y est pour rien.

— Si tu enlevais ta chemise dans mon service je te ferais lier les mains aux montants du lit par les infirmières.

Il adressa à Alexandra un petit signe de compréhension.

— Vous n'êtes pas en cause, bien entendu. Stagiaire ou auxiliaire volontaire ?

— Auxiliaire volontaire, répondit-elle d'une voix rageuse. Et il se trouve que nos infirmières sont les meilleures...

— Je sais, coupa-t-il. Les meilleures infirmières de France. Votre loyauté à l'égard de cet hôpital est admirable. Où puis-je trouver le Dr Jary ?

— Dans son bureau. L'escalier des communs est au fond du couloir à gauche.

— Pourquoi veux-tu le voir ? demanda Dennis. Tu ne vas tout de même pas faire un esclandre pour une foutue flanelle !

— Je veux voir les radiographies.

— Il a fait un foutu boulot, vieux.

— J'en suis persuadé.

— Si ce n'est pas le cas, tu es prêt à me recasser mes foutues jambes, c'est ça ?

— Exactement. Et cesse d'employer *foutu* à tout bout de champ. On te prendrait pour un traîne-savates des docks de Glasgow.

Dennis, exaspéré, se laissa retomber sur son traversin.

— Bon dieu ! Tu manquais d'occupations, à Ypres, ou quoi ?

— Non, répondit le major d'une voix tendue. Je n'en manquais pas.

Le jeune Mackendric avala sa salive et fixa son frère.

— Ce n'est pas ce que je voulais dire, Robbie. Tu le sais, n'est-ce pas ?

— Oui, je le sais.

— Et en réalité, je suis... *bougrement* heureux de voir ta sale gueule.

— Et moi la tienne. Mets ta veste de pyjama, allez. Je reviens dans deux minutes.

Il partit à grandes enjambées et ses bottes résonnèrent longtemps dans le couloir de marbre.

— Eh bien ! dit Alexandra, en mettant dans ces mots toute sa sensibilité outragée. Eh bien ! Quel homme exaspérant !

— Oh oui ! répondit Dennis avec un sourire. Il ferait damner un saint ! Mais l'ennui avec Robbie, c'est qu'il a toujours raison.

Il s'assit et tendit les bras :

— Passez-moi donc cette vieille flanelle puante. Il n'y a aucune raison de le *foutre* en rage.

Elle revit le major Robin Mackendric un peu plus tard, lorsqu'il fit le tour de la salle F avec le Dr Jary et le Dr Lavantier. Il lui sourit, mais elle s'appliqua à ignorer sa présence.

— Il y a deux ou trois cas pour lesquels vous pourriez nous aider, dit le Dr Jary. Des affaires abdominales, des abcès internes...

— Je n'ai que quelques jours de permission.

— Je peux les faire préparer tout de suite et vous passeriez en salle d'opération après le déjeuner. Vous étiez élève de Sir Osbert, n'est-ce pas ? C'est dans vos cordes, *your cup of tea*. C'est oui ?

— J'ai besoin d'un peu de repos, vous savez, mais... Et puis zut !

Le lendemain au petit déjeuner, l'infirmière en chef leur apprit qu'on n'avait ramené le dernier malade de la salle d'opération qu'à une heure du matin.

— Il est magnifique. Très sûr de lui. Il a enlevé trois mètres d'intestins au numéro quatre-vingt-sept, et encore plus au Turco et à Papa Céline. « Il vaut mieux avoir le boyau court que pourri », a-t-il dit !

— Ce que j'ai pu rire ! s'écria une infirmière irlandaise. Le Dr Jary était penché par-dessus son épaule et les cendres de son mégot sont tombées dans le ventre du type. J'y suis habituée, bien sûr, mais je me suis dit : « Oh-oh ! l'Ecossais va bondir », mais il a continué à tailler comme si de rien n'était et il a dit : « Eh bien, il y aura au moins quelque chose de stérile dans les tripes de ce pauvre homme ! »

— Il devait être éreinté à la fin, dit Alexandra.

L'Irlandaise acquiesça.

— Et comment ! Blanc comme un linge. Le Dr Jary lui a glissé dans la main une bouteille de whisky et l'a envoyé en ville dans une ambulance.

— Il aurait pu dormir ici.

— C'est sûr, mais il a dit : « J'aime mieux être damné que passer une nuit de permission sur un lit d'hôpital. »

L'Irlandaise lança à Alexandra un regard absent.

— Les Britanniques sont une race magnifique, dit-elle. Je me demande pourquoi je les déteste tant.

Alexandra eut envie de le revoir, et elle se porta volontaire pour travailler toute la journée afin de ne pas le manquer. Il arriva en fin d'après-midi, très pâle, les traits tirés.

— Votre frère dort, dit-elle quand elle le croisa en haut de l'escalier.

— Bien. C'est ce qu'il a de mieux à faire.

— Et en veste de pyjama, ajouta-t-elle.

— Désolé d'en avoir fait tout un drame.

— Vous aviez parfaitement raison. Seulement votre frère a le don de n'en faire qu'à sa tête.

Il sortit un mouchoir de sa poche et s'épongea le front.

— Auriez-vous quelque chose ressemblant à une boisson fraîche, Miss... Je suis désolé, je ne connais pas votre nom.

— Alexandra Greville, dit-elle simplement.

— Robin Mackendric, qui se présente en bonne et due forme.

Il fit passer son mouchoir dans sa main gauche et lui tendit sa main droite. La paume était moite, les doigts glacés.

— Vous vous sentez bien, major ?

— Un peu accablé par ce temps. Je prendrais avec plaisir cette boisson fraîche... et deux cachets d'aspirine.

— Bien sûr. Je vais vous chercher un verre de limonade.

Lorsqu'elle le lui apporta, il bavardait à mi-voix avec le capitaine français blessé, dans la chambre de son frère. Il prit les aspirines dans sa main et but la limonade presque d'un seul trait.

— Merci. C'est très rafraîchissant.

— Ici, le service est aussi bien fait qu'au Crillon, dit le Français.

— Et meilleur marché, ajouta le major.

Il rendit le verre à Alexandra et se leva.

— Je ne vais pas réveiller Dennis. Il dort d'un sommeil trop paisible. Dites-lui que je ferai un saut demain matin avant mon départ.

— Votre permission est déjà finie ? demanda-t-elle.

— Non. Je peux prendre encore quelques jours si je veux, mais je me sens un peu coupable.

— Où est votre hôpital, *commandant* ? demanda le capitaine Morizet.

— Centre d'évacuation des blessés numéro 20, près de Kemmel.

Le capitaine hocha la tête, et son sourire se figea.

— C'est l'enfer là-bas. Oui. Je sais ce qui s'y passe. Mon bataillon était en réserve à Messines au mois d'avril. Un mauvais coin pour les soldats, ce saillant-là, je peux vous le dire. *De la merde* * !

Elle l'accompagna jusqu'à l'escalier.

— Au cas où je ne vous reverrais pas, major Mackendric...

Il ne la laissa pas achever.

— Dites-moi, à quelle heure pouvez-vous quitter le service ?

Elle le regarda sans comprendre.

— Quitter le service ?

— On ne vous enchaîne pas à votre poste, non ? Vous avez bien des heures de liberté ?

— Oui, bien sûr. Mon tour de garde se termine à six heures et demie.

— Voulez-vous dîner avec moi en ville ? Disons, à sept heures ?

Elle ne sut que répondre. Cette invitation était tellement inattendue. Il avait au moins dix ans de plus qu'elle. Que pouvaient-ils donc avoir en commun ? De quoi allaient-ils parler ? Son instinct la poussait à refuser, à répondre d'un non poli mais ferme. Mais ce qu'elle lut sur son visage la fit hésiter : il y avait dans les yeux de cet homme beaucoup de souffrance, et un appel presque désespéré.

— D'accord. Vous viendrez me chercher, ou je vous retrouve quelque part ?

Elle avait l'impression que les mots sortaient de la bouche de quelqu'un d'autre.

— J'aimerais faire une promenade. Je vous attendrai près de la rivière.

Elle acquiesça sans sourire.

— Oui. Ce sera mieux que de venir ici.

Il marchait à pas lents sur le chemin de halage, dans la lumière orangée du couchant. Le soleil métamorphosait les peupliers en minces colonnes de cuivre. Des chalands remontaient la rivière, tirés par des percherons fatigués, tandis que les mariniers, jambes croisées sur le pont étroit des péniches, dévoraient du pain et des oignons et buvaient le vin de leurs bouteilles vertes.

— La France est un très beau pays, n'est-ce pas, major Mackendric ?

— Oui, très agréable.

— Et tellement chargé d'histoire. Chartres est une vieille ville si bien conservée. La cathédrale est certainement un des exemples les plus achevés de l'architecture gothique dans toute l'Europe. A l'âge de onze ans, j'avais la passion des cathédrales gothiques. Ça n'a pas duré, bien sûr, c'était une de ces étapes par lesquelles on passe. Mais je me souviens des vues stéréoscopiques de Chartres que je regardais alors. Nous avions des milliers de vues stéréoscopiques, sur tous les pays de la terre, toutes en couleurs... Je crois que celles de Chartres et de la cathédrale étaient mes préférées — oui, avec celles du Japon, les cerisiers en fleur et les geishas — mais j'aimais tellement Chartres... et maintenant, je vis dans son ombre. C'est étrange, n'est-ce pas ?

Elle parlait trop et trop vite. Lydia lui avait dit un jour que parler avec volubilité était une forme d'hystérie. Elle prit une inspiration profonde pour essayer de retrouver son calme. Le silence du docteur la déconcertait. Elle devinait en lui des sentiments trop complexes pour qu'elle pût les sonder. Et son humeur morose avait une intensité dont elle se sentait incapable de triompher. Il s'arrêta un instant pour allumer une pipe de bruyère à tuyau court. La main qui tenait l'allumette tremblait légèrement, et elle le remarqua. Cela ne fit qu'augmenter son désarroi et, de nouveau, sa langue se délia.

— J'aime beaucoup votre frère. C'est vraiment un... « joyeux » Ecossais.

— En réalité il est plus anglais qu'écossais, mais il peut parler avec l'accent des Highlands quand il en a envie. Dennis est un peu cabot.

— Et les farces qu'il fait ! Un jour, il a trempé son thermomètre dans son thé. Quand l'infirmière a lu la température, elle a failli tomber raide.

— Oui, remarqua-t-il sèchement, il est très drôle.

— Vous... Vous êtes plus âgé que lui, n'est-ce pas ?

— J'ai trente-deux ans. Dennis en a vingt.

— J'en ai dix-neuf.

— C'est un bel âge.

— Mais je me sens beaucoup plus vieille. C'est sans doute la guerre. Il y a longtemps que vous êtes en France, major Mackendric ?

— Depuis octobre dernier... D'abord à Ypres.

— Cela a dû être une bataille terrible. Et vous étiez affecté à un Centre d'évacuation des blessés ?

— Oui.

— C'est sûrement très dangereux d'être si près du front.

— Les canons de longue portée nous font des ennuis de temps en temps, c'est tout.

Il s'arrêta et la fixa avant d'ajouter :

— N'en parlons pas.

Il détourna la tête.

— On a beau écouter, quel que soit le silence, on n'entend pas les canons, n'est-ce pas ? Alors, oublions la guerre.

— De quoi aimeriez-vous parler ? demanda-t-elle.

— De vous, de bonne cuisine, de péniches et de percherons. A peu près dans cet ordre.

— De cuisine donc, dit-elle un peu trop vite. Le seul plat que j'ai mangé depuis des semaines est de la soupe de lentilles, et quelque chose de gris et de filandreux bouilli avec des navets. L'infirmière en chef assure qu'il y a de bons restaurants à Chartres.

— Il paraît. Vous avez dit à votre infirmière en chef que je vous emmenais dîner ?

— Non, bien sûr.

— Pourquoi *bien sûr* ? Elle aurait désapprouvé ?

— Je... Je ne sais pas, répondit-elle, décontenancée. J'ai pensé que cela ne regardait personne, c'est tout.

C'était un mensonge. Si le major Mackendric avait été l'un de ces beaux officiers d'aviation aux yeux rieurs qui venaient rendre visite à son frère, elle se serait sûrement vantée autour d'elle d'être invitée à dîner. Tout le monde aurait compris qu'elle fréquentât ces jeunes gens, et on l'aurait enviée. Le major Mackendric était plus difficile à justifier.

La ville possédait plusieurs restaurants élégants devant lesquels étaient garées des voitures d'état-major et des conduites intérieures. Il l'emmena dans une auberge derrière laquelle un jardin descendait en pente douce vers la rivière. Les tables étaient sous les arbres et des lanternes vénitiennes pendaient aux branches basses. Leur lumière douce lançait des reflets jaunes sur les eaux paisibles de l'Eure. Il commanda du canard rôti, une bouteille de montrachet et des fruits de saison. Il mangea peu. En fait il grignota tout en la regardant dévorer. Il but un peu de vin et picora distraitement quelques fraises.

— Vous ne mangez pas beaucoup, major Mackendric ?

— Cela m'arrive. En cet instant j'aime mieux vous regarder que baisser les yeux sur un canard rôti. Préférence momentanée... Vous êtes d'une beauté étonnante, Miss Greville. Tellement vivante, vibrante. Etes-vous toujours aussi pleine d'entrain ?

— On m'accuse souvent d'être trop bavarde, trop impulsive. Je ne suis pas sûre que ce soient des qualités souhaitables chez une femme.

— Cela révèle un enthousiasme pour la vie que je trouve captivant.

Il avait un visage *intéressant*, se dit-elle. Loin d'être beau, en tout cas par rapport à l'idée qu'elle se faisait jusque-là de la beauté masculine. C'était le visage d'un homme qui avait vu beaucoup de choses et qui devait avoir souffert plus que sa part.

— Vous avez toujours été chirurgien militaire, major Mackendric ?

— Non. Je suis membre de l'Ordre royal des chirurgiens et j'avais un cabinet à Liverpool. Je l'ai encore, je pense.

— Vous appartenez à une famille de médecins ?

— Mon oncle est professeur d'anatomie à Edimbourg. Et ça s'arrête là. Mon père dirigeait un chantier naval. Dennis ne montre aucune inclinaison pour la médecine — ni d'ailleurs pour tout ce qui exige des études.

— Mais je suis certaine que c'est un bon aviateur.

— J'ai du mal à croire qu'un bon aviateur puisse rentrer dans un arbre. Le problème de Dennis, c'est qu'il n'a aucune patience pour les détails mineurs — comme les jauges d'essence par exemple.

Ils revinrent vers l'hôpital en longeant la rivière. Des péniches continuaient de glisser et les lumières de leurs cabines clignotaient dans le noir.

— Merci, merci beaucoup, major Mackendric, dit-elle au bout de l'allée conduisant au château. Ce dîner m'a vraiment fait plaisir.

— Et j'ai beaucoup apprécié votre compagnie.

— Peut-être aurons-nous l'occasion de nous rencontrer une autre fois.

Il fit un pas vers elle et posa la main sur le haut de son bras. Ses doigts étaient fermes, sûrs d'eux-mêmes.

— Miss... Alexandra... Je crois qu'il est important d'être franc avec les gens. Je ne connais aucune autre façon d'agir. Depuis que je vous ai vue en train de rouler des bandes Velpeau dans ce hall sépulcral, votre image n'a pas cessé de m'obséder. J'ai perdu toute une nuit de sommeil à penser à vous, à essayer de conjurer votre visage.

— Major Mackendric... dit-elle d'une voix tremblante. Je suis sûre que...

Dieu sait que ce n'était pas son premier baiser ! Elle avait été embrassée bien des fois — la dernière étant un tendre effleurement de sa joue par Sir Carveth Saunders, baronnet, sur le quai de la gare Victoria le matin où elle avait quitté Londres pour la France (un baiser d'ailleurs trop fraternel, avait-elle songé sur le moment, étant donné qu'elle était pratiquement fiancée au jeune homme). Mais il n'y avait absolument rien de fraternel dans la façon dont elle était embrassée à présent. Les lèvres du major Robin Mackendric se pressaient contre les siennes et la main qu'il avait posée sur son bras se trouvait maintenant au creux de ses reins et serrait son corps. Elle sentait, comme une brûlure, ses seins pressés contre la poitrine de l'homme, mais elle ne fit aucun geste pour s'écarter. Une chaleur qu'elle n'avait jamais éprouvée auparavant se mit à glisser dans ses veines. Elle avait l'impression que ses jambes allaient lui manquer. Ses lèvres, jusque-là immobiles, sans réaction, se séparèrent légèrement et restèrent ainsi, pendant quelques secondes, après que les lèvres de l'homme les eurent abandonnées.

— Je pars à Paris demain matin. Voulez-vous venir avec moi ?

— Impossible, répondit-elle d'une voix sans force. Vous êtes fou, major Mackendric.

Il pencha légèrement la tête et lui embrassa la gorge.

— Fou comme un lièvre de mars, fou à lier. D'accord, pas demain matin, soit. Attendez une journée. Venez par le train de vendredi, celui qui part à midi. Je vous attendrai gare Montparnasse. Vous pourrez rentrer dimanche par le train du soir.

Elle essaya d'éclater de rire, mais il ne sortit de ses lèvres qu'un son étrange, enroué.

— Vraiment, c'est tout à fait impossible, major... Vraiment...

— Le Dr Jary encourage les permissions de temps en temps, il me l'a dit. On ne peut pas toujours travailler sans s'amuser un peu. Je suis absolument d'accord avec lui sur ce point.

Il lui prit de nouveau le bras, et pendant un instant il la serra entre ses doigts nerveux.

— Je vous demande seulement d'y réfléchir. Vous voulez bien ?

Ses yeux étaient brûlants de désir... Cette phrase, lue autrefois dans un roman, ne cessait de tournoyer dans sa tête tandis qu'elle fixait le major Mackendric. Mais elle ne voyait aucun désir brûler dans ses yeux — uniquement la souffrance qu'elle y avait déjà lue.

— Je... J'y réfléchirai.

Il lui lâcha le bras, comme à regret.

— Merci, Alexandra. Vendredi au train de midi. Je serai gare Montparnasse à son arrivée. J'espère beaucoup vous y trouver.

Le train parcourut les quatre-vingts kilomètres de Chartres à Paris en moins de trois heures, mais pour Alexandra ce fut comme un voyage sans fin. Elle se sentait fiévreuse et elle avait des nausées. Le train fit un arrêt imprévu à Rambouillet pendant quelques minutes et elle voulut sortir du compartiment. Elle fut aussitôt entourée par une mer de *poilus* * rentrant de permission, entassés dans le couloir, debout ou assis n'importe où, tous chargés de paquetages, de fusils et de capotes. Traverser la meute était impossible. Elle y renonça et se rassit, plus malade que jamais, le cœur battant la chamade et la gorge nouée. *Padam-padam... Padam-padam...* Les roues cliquetaient sur les rails, entraînant le train plus près de Paris, plus près du major Robin Mackendric qui se dressait dans ses pensées au centre d'une mosaïque d'émotions en conflit.

Elle avait essayé, aussi discrètement que possible, de découvrir le plus de choses possible sur lui. Elle avait posé à son frère des questions indirectes dont les réponses n'avaient fait qu'augmenter sa confusion et son désarroi.

— Robbie et moi n'avons jamais été très proches. Trop de différence d'âge entre nous, n'est-ce pas ? Il était à l'université quand j'étais à la communale... C'est plus un oncle qu'un frère. Mais après son mariage...

— Son mariage ?

— Oh oui ! avait poursuivi Dennis Mackendric sans remarquer à quel point Alexandra était consternée. Pauvre vieux ! Une foutue fille de hobereau écossais qui n'a pas vu d'un bon œil les idées de Robbie sur la médecine. Ça ne lui a pas plu qu'il aille travailler dans un hôpital de charité à Liverpool, mais alors pas du tout. J'étais à Liverpool moi aussi, à l'époque. Ejecté de mon lycée, et prêt à partir en mer. Le vieux Robbie m'a pris sous son aile et a essayé de m'enfoncer un peu de bon sens dans le crâne. Il voulait que je revienne au lycée, que je tente ma chance à l'université. Il m'a houspillé jusqu'à ce que j'en crève, ou presque. J'ai foutu le camp à Glasgow et je me suis fait inscrire. Il y avait un aéro-club, alors je n'ai pas complètement perdu mon temps. Non, jamais je n'aurai le cerveau de Robbie, mais j'ai davantage de sens pratique. Jamais je n'épouserai une femme d'Aberdeen au nez bleu et aux lèvres sèches, et jamais je ne laisserai cette foutue guerre prendre le meilleur de moi-même.

— Ce qui veut dire ?

— Eh bien, Robbie est presque au bout du rouleau. Tendu comme un ressort prêt à craquer. J'étais à Ypres en mai, avec l'escadrille 16. Un jour, j'ai fait un saut pour voir Robbie ; on aurait dit un cadavre réchauffé. Je lui ai dit de laisser choir et de rentrer un mois ou deux. Mais non, il n'a rien voulu entendre. Je croyais que c'était peut-être la perspective de retrouver Catherine qui le retenait...

— C'est son nom ? Le nom de sa femme ?

— Oui. La foutue Grande Catherine... Mais non, ce n'était pas ça. C'était l'idée de quitter ses malades. Je lui ai dit : « Vieux, tu n'es pas le seul scieur d'os en Flandres, tu sais. » Mais il a dit... Oh ! et puis merde, ça ne sert à rien ! Robbie est Robbie. Il a fallu que je me casse les deux jambes pour qu'il agisse comme un être humain. Et encore, il n'est resté qu'un jour et une nuit. Une personne normale aurait essayé de grignoter le plus de temps possible. Ça tombe sous le sens. Quand il sera mûr pour le cabanon, il ne fera plus rien pour personne, non ?

Padam-padam, padam-padam... les roues chantaient sur les rails, le sifflet lança son rire aigu, la banlieue de Paris défila derrière la vitre : les jardins, les terrains vagues et les maisons grises de Vanves et de Malakoff. Et puis l'immense ville... tentaculaire. Elle était allée à Paris plusieurs fois pendant son enfance — visiter le Louvre, le Luxembourg et les boutiques de la rue Saint-Honoré avec maman. Maintenant elle venait à Paris seule pour rencontrer un homme, un homme *marié* qui avait treize ans de plus qu'elle ! Son cœur cessa de battre et une fine rosée de sueur glacée perla sur sa lèvre supérieure.

Elle se laissa entraîner par la foule du quai comme une somnambule. Puis elle le vit. Il était adossé à un kiosque et ses yeux angoissés ne quittaient pas le flot des voyageurs. Elle comprit à ce regard qu'elle avait eu raison de venir. Qu'aurait-il fait si elle ne s'était pas trouvée dans le train ? S'il était demeuré là jusqu'à ce que le dernier voyageur ait quitté le quai, ne laissant derrière lui que des portières vides et des bouts de papier froissés soulevés par le vent ?

— Bonjour, major Mackendric.

Il ne l'avait pas vue s'avancer vers lui. Il baissa les yeux vers elle, surpris, puis il poussa un soupir et fit remonter sa casquette sur le haut de sa tête.

— Et un très bon jour pour vous. Je commençais à désespérer de vous voir.

— J'étais un peu coincée. Le train était plein à craquer.

— Oui, j'ai vu ça.

Elle portait un uniforme bleu pâle avec une petite cape d'un bleu plus soutenu, bordée de rouge — l'une des tenues qu'elle avait commandées chez Ferris — et elle avait l'air d'une actrice jouant le rôle d'une infirmière.

— Vous avez une allure folle, dit-il. Puis-je porter votre mallette ?

Elle lui tendit son petit sac de cuir.

— Ma venue ne vous a pas surpris ?

— Si, un peu. Mais j'en suis ravi.

— J'ai beaucoup hésité. Et j'ai eu une longue conversation avec votre frère.

— Ah ! Et qu'est-ce que Dennis vous a dit de moi ?

— Que vous étiez marié, entre autres choses.

Son regard parut se vider.

— Oui. Marié depuis plusieurs années.

— Dennis se fait beaucoup de souci pour vous. Il a le sentiment que vous... Eh bien, que vous êtes au bout du rouleau, pour parler franc. Et c'est aussi l'impression que j'ai eue la première fois que nous nous sommes rencontrés. Vous m'avez fait songer à un homme en train de grimper sur une falaise en s'accrochant du bout des doigts.

— Quelle métaphore pittoresque !

— Je crois que vous êtes surtout affreusement seul, que vous avez besoin de compagnie, de quelqu'un à qui parler, avec qui partager un bon repas.

— Un copain, en d'autres termes.

— Oui, quelque chose comme ça.

— C'est très aimable à vous.

— Oh ! mais cela ne m'ennuie pas du tout. Nous pouvons rester ensemble jusqu'à dimanche soir, visiter le Louvre, aller à Versailles. Je peux coucher à l'Association chrétienne des Jeunes Femmes.

— Oui, répondit-il, songeur. C'est sûrement faisable.

Pendant le trajet de Chartres à Paris elle avait répété tout ce qu'elle allait dire, elle avait étudié chacune de ses répliques et tenté de prévoir ce qu'il lui répondrait. Elle s'était attendue à une réaction plus violente : au moins de la déception, peut-être même de la colère. Son acceptation un peu narquoise la mit en porte à faux. La nausée la reprit.

— Est-ce qu'il fait excessivement chaud ? Je crois que j'ai de la fièvre.

Il posa la main sur son front puis lui prit le poignet, et ses doigts appuyèrent doucement sur son pouls.

— Un peu rapide, mais vous n'avez pas de fièvre. Il fait très lourd aujourd'hui... Il va peut-être pleuvoir.

— Peut-être qu'en marchant un peu, l'air frais...

— Exactement. Accrochez-vous à mon bras si vous vous sentez faible. Ce qu'il vous faut, c'est un verre de chablis frais avec une tombée d'eau de Seltz. Je connais un bon endroit pour ça.

Elle marchait près de lui doucement, la main posée sur son bras. Il paraissait plus grand que dans son souvenir. Avec les épaules légèrement voûtées. Le dos du chirurgien, comme disait l'infirmière en chef. Tous les docteurs sont comme ça. Cela venait du temps passé à se pencher sur des choses : des livres, des cadavres, des malades dans les salles d'opération. Son uniforme flottait autour de sa mince silhouette. Sa ceinture Sam Browne n'était pas astiquée, la visière de sa casquette était légèrement fendue. Il n'était officier que de nom, mais deux sergents anglais qui avançaient à grands pas sur le boulevard Pasteur se figèrent en un salut impeccable, les yeux fixés non sur ses galons mais sur les insignes du corps médical indiquant sa spécialité.

Il y avait rue de Vaugirard un café-terrasse avec des tables et des chaises. L'endroit était bondé de monde, mais trois jeunes gens qui portaient des blouses blanches sales par-dessus leurs chemises se levèrent avec leurs verres de bière et leurs soucoupes.

— Prenez donc notre table, docteur, dit l'un d'eux en mauvais anglais.

— Merci.

Il les regarda s'éloigner dans la foule entre les tables.

— Des étudiants, dit-il. Il y a un hôpital de premier ordre au coin de la rue de Sèvres. J'y ai suivi un séminaire. Sous la direction de votre Dr Jary, justement.

— C'est vrai ?

— Il était professeur d'orthopédie. Ce devait être au printemps 1910.

Cette remarque lui fit prendre conscience de leur différence d'âge. Au printemps 1910, elle n'était qu'une collégienne joufflue se battant avec les verbes latins, alors qu'il participait déjà à un séminaire de médecine.

— Vous fréquentiez ce café ? demanda-t-elle.

— Oh oui !

— C'est un peu comme un retour dans le passé, n'est-ce pas ?

Il tourna vers les étudiants un visage impassible.

— Un peu, mais depuis le mauvais côté du miroir.

Le chablis à l'eau de Seltz était glacé et pétillant et elle se mit à boire très vite.

— C'est du vin presque pur, vous savez, lui dit-il.

— Peu importe. Une quantité modérée de spiritueux est un stimulant du spirituel. C'est un calembour idiot de mon frère Charles. Vous aimez les calembours ?

— Pas particulièrement.

— Moi non plus.

Elle fit rouler le verre froid entre ses paumes.

— Pourquoi vous refusez-vous à partir en permission ? Votre frère dit que vous vous tuez à la tâche.

— Parce qu'il n'y a pas assez de chirurgiens pour soigner les blessés du front.

— Personne n'est indispensable, major.

— Moi, si.

Un gendarme qui passait devant le café leur apprit que le foyer de l'Association chrétienne se trouvait rue Poliveau près de la gare d'Austerlitz.

— Oh ! Seigneur, dit Alexandra. C'est assez loin d'ici, non ?

— Oui, répondit le major Mackendric. Mais nous pouvons prendre un taxi.

— Il fait tellement bon... J'espérais que nous pourrions nous promener. Cela vous ennuie beaucoup de porter mon sac ?

— Pas du tout. Il n'est pas lourd.

— Nous pouvons aller à la tour Eiffel ?

— Si vous voulez.

— Quand j'étais enfant, j'aimais beaucoup regarder le soleil se coucher depuis le premier étage. Vous voyez, on peut très bien remonter dans le temps.

Il était tellement différent de tous les hommes de sa connaissance qu'elle n'avait aucune chance de trouver des points de similitude. Pour commencer, il n'essayait pas de lui faire impression : pas de récits de ses exploits sur des terrains de cricket, dans des courses de clocher ou aux avirons contre Cambridge (ou Oxford, selon le cas). Et aucune histoire drôle pour la faire rire. Rien dans les mains, rien dans les poches : il était simplement... lui-même. Ombrageux, tourné sur lui-même, et pourtant capable de temps en temps d'interrompre le déroulement de ses pensées pour lui dire une chose ou une autre... l'histoire de tel monument, pourquoi telle ou telle rue qu'ils traversaient portait tel ou tel nom. Il avait de Paris la connaissance qu'en ont les étudiants, et il parlait un français sans faute mais avec un accent horrible qui faisait sourire tout le monde. Il savait des tas de choses en matière d'architecture, d'industrie, de musique, de littérature et de botanique, et il aborda tous ces sujets au cours de leur longue promenade dans les jardins du Champ-de-Mars, avant et après leur visite de la tour. A la nuit tombée, il l'emmena dans un restaurant des bords de la Seine, près du pont de l'Alma.

— La seule chose dont vous n'ayez pas parlé, dit-elle en plantant sa fourchette dans une truffe, c'est la médecine. On a l'impression que vous avez honte d'être docteur.

— J'ai honte de nos limites. J'ai honte du fardeau que l'humanité a jeté sur nos épaules depuis un an... Non ! Je retire ces paroles : ce n'est pas de la honte, c'est de la colère.

Oui, songea-t-elle en scrutant son visage à la lueur des chandelles, ce n'était pas seulement de la souffrance qu'elle avait lue dans ses yeux, mais de la rage — une fureur profonde qui le consumait. Cette découverte la bouleversa et la déconcerta — elle fut incapable de finir son repas.

— Vous ne mangez pas beaucoup, lui dit-il.

Elle le regarda dans les yeux, la colère qui couvait avait disparu — du moins pour l'instant. Elle se souvint de sa propre remarque à l'auberge de Chartres près de la rivière.

— Touchée ! dit-elle en baissant les yeux vers son assiette. Je me sens un peu fatiguée tout à coup.

— Partons, dans ce cas. J'appelle un taxi.

— Est-ce bien nécessaire ?

— Mon dieu, oui. La rue Poliveau est à des kilomètres d'ici, de l'autre côté de Paris.

Du bout de sa fourchette elle repoussa une tomate sautée, la faisant passer d'un côté de son assiette à l'autre.

— Je crois que je n'ai pas envie d'aller au foyer de l'Association chrétienne. Non, je n'en ai pas envie du tout. Je... Je suis sûre que l'endroit où vous êtes est beaucoup plus agréable... N'est-ce pas ?

— C'est... un vieil hôtel, un bon hôtel, oui.

— Nous pouvons y aller à pied ?

— Je pense. Il est sur la rive droite, rue Tronchet. Mais êtes-vous sûre d'avoir envie de marcher ? Et surtout, êtes-vous *absolument* sûre d'avoir envie d'y aller ?

Elle acquiesça d'un signe de tête puis leva les yeux, rencontra son regard et le soutint sans ciller.

— Oui. Tout à fait sûre. Mais pas en taxi. Il y a quelque chose de plutôt... *sordide* dans le fait de se rendre à un rendez-vous en taxi.

Il esquissa un sourire triste.

— Ce n'est pas un *rendez-vous* si nous sommes ensemble.

Elle sentit qu'elle avait le visage en feu et cela la contraria. Elle était furieuse d'avoir l'air aussi stupidement vierge.

— Oh ! très bien, dit-elle, appelez un taxi si vous y tenez.

— Non. Nous marcherons. Une promenade paisible et pas du tout *sordide*.

Comment aurait-elle su ce qui l'attendait ? Dans tous les romans qu'elle avait lus, la scène de séduction se terminait par des points de suspension. A l'école, l'ignorance des autres filles était égale à la sienne. Une fois, elle avait vu le dessin d'un pénis dans l'*Anatomie* de Gray — une chose tubulaire, comme une anguille écorchée. Elle avait toujours soupçonné Lydia de *savoir,* mais Lydia ne lui avait rien dit — hormis *Chaque chose en son temps.* Et « son temps », c'était maintenant. Elle était nue sur le grand lit, au quatrième étage d'un hôtel, dans l'ombre de la Madeleine. Nue, vulnérable à l'assaut violent d'un homme aussi nu qu'elle-même. Mais, bien sûr, elle ne subirait aucun assaut, et elle le savait depuis l'instant où elle était entrée dans la pièce. Il ne l'avait pas *étreinte passionnément dans ses bras,* comme l'aurait écrit Elinor Glyn. Il l'avait simplement regardée après avoir refermé la porte et il avait dit : « *Voilà, c'est ma chambre et je suis fabuleusement heureux que vous soyez venue.* »

Sa main d'homme glissa lentement sur son corps dans le noir. Ses doigts d'homme caressèrent le creux de sa gorge, s'attardèrent sur ses seins, son ventre, sur les pétales dans la douceur de ses cuisses.

— Comme vous êtes belle, Alexandra, murmura-t-il, émerveillé. Vous êtes un miracle.

Elle voulut dire qu'elle l'aimait pour sa gentillesse, et pour le plaisir qu'il lui donnait avec sa caresse ferme et sûre, mais elle fut incapable de parler. Rien ne sortit de sa gorge hormis de faibles gémissements, comme une plainte murmurée. Elle fit glisser ses mains sur ses seins. Ils lui parurent plus forts, gonflés, le bout épais et dressé. Elle toucha son corps d'homme, s'accrocha à lui, l'attira plus près et ses jambes se séparèrent pour l'embrasser totalement.

— Je ne te ferai pas mal, murmura-t-il.

Mais qu'importait ? C'est à peine si elle ressentit le coup de poignard qui la pénétra. La douleur remonta en elle, pour se dissoudre aussitôt et disparaître — remplacée par une agonie qu'elle n'aurait su décrire. Elle enfonça ses ongles dans le dos de l'homme qui se soulevait, et elle étouffa ses halètements contre son épaule. Elle brûlait, tous ses nerfs étaient mis à vif sous sa peau en feu, sa chair n'était plus qu'une cire molle. C'était une torture si exquise... S'il continuait pendant une seconde de plus, elle ne pourrait plus s'empêcher de crier. La fièvre parvint à son comble, puis céda... Elle se sentit infirme soudain, épuisée, dolente. Ses sens normaux lui revinrent. Elle remarqua une tache de lumière sur le plafond, elle entendit les klaxons retentir dans la rue. Ses mains s'attardèrent sur le corps du major Mackendric.

— Robbie, murmura-t-elle, Robbie.

La pensée de le quitter l'emplissait de terreur. Le monde entier était si triste en ce dimanche matin. Et le soleil qui entrait à flots dans la chambre ne pouvait rien y changer. Il ne fallait pas qu'il se lève : elle s'accrocha à lui, impudique, et la chemise de nuit transparente, outrageusement séduisante (elle l'avait achetée le samedi après-midi), glissa sur son épaule comme pour le défier.

— Emmène-moi avec toi.

— Non, dit-il en lui embrassant les seins à travers la soie. C'est impossible.

— Pourquoi ? insista-t-elle, boudeuse. Je suis infirmière, je peux travailler à tes côtés.

— Tu es auxiliaire volontaire. Pour arranger les coussins et éponger la sueur des fronts enfiévrés.

— Et pour vider les bassins et faire marcher l'autoclave. Je me rendrai utile.

Elle l'embrassa sur le haut de la tête, puis ébouriffa ses cheveux.

— Et il y aura des nuits que nous pourrons passer ensemble dans de charmantes auberges de campagne.

Il s'éloigna d'elle et s'assit, le dos appuyé contre la tête du lit.

— Il n'y a pas de charmantes auberges de campagne sur le saillant d'Ypres. Il n'y a rien, hormis des villages écrasés par des obus, des bois déchiquetés par les obus, des routes défoncées par les obus. Et des soldats, partout des soldats, qui montent en ligne ou qui en reviennent. Il n'y a là-bas aucune vie privée, pour personne. Non, tu rentreras à Chartres et je prendrai le train de nuit pour Saint-Omer.

Il saisit le menton d'Alexandra entre ses deux mains et se pencha en avant pour l'embrasser doucement sur les lèvres.

— Tu vas me manquer, Alex. Ces deux jours ont été les plus merveilleux de ma vie. Quand les choses iront trop mal, le souvenir de toi m'aidera à ne pas devenir fou.

C'était fini. Elle savait déjà qu'il ne pouvait en être autrement. Elle en avait pris clairement conscience le samedi, lorsqu'ils avaient quitté l'hôtel pour quelques heures. Un choc... Elle marchait avec une fierté nouvelle, tête en arrière, menton haut, et son pas désinvolte semblait crier au monde entier qu'elle n'était plus vierge. Son achat d'une chemise de nuit dans une petite boutique élégante de la rue des Petits-Champs — le major Mackendric attendant patiemment au-dehors — avait été un geste rituel : l'acquisition d'un talisman destiné à l'attacher à elle par la magie de la soie et de la dentelle. Mais au moment même où la vendeuse avait plié la chemise vaporeuse dans sa boîte, elle avait compris qu'elle ne la porterait pas plus d'une nuit et que le lendemain ils se sépareraient, très probablement pour toujours.

— Je pourrai t'écrire ? J'écris des lettres magnifiques.

— Je ne peux pas t'en empêcher, Alex. Mais crois-tu que ce soit raisonnable ?

Il lui prit les deux mains et les serra tendrement.

— Alex, tu es une femme de dix-neuf ans, jeune et passionnée. Quand tu descendras du train à Chartres, tu rencontreras probablement un jeune homme de vingt ans, courageux et beau. Tu te marieras à l'église et tu oublieras tout de moi. C'est comme ça que cela doit être. Tu as partagé avec moi deux jours de ta vie, et jamais tu ne pourras comprendre à quel point c'était important pour moi. Je disais que l'on ne peut jamais revenir en arrière. J'avais tort. Pendant quelques heures j'ai pu revivre un monde où tout n'était plus horreurs sans fin. Et de cela je te serai reconnaissant à jamais.

— Oh ! Robbie, murmura-t-elle en lui embrassant les mains. Il faut que nous nous rencontrions encore.

— Ce sera presque impossible. Il se passera peut-être des mois avant que je puisse obtenir une autre permission.

— Oh ! maudite soit cette guerre idiote. Peut-être va-t-elle finir demain ?

— Oui, dit-il d'une voix blanche. Peut-être demain.

Elle ne parvenait pas à le chasser de son esprit. Si seulement elle avait eu quelqu'un à qui se confier, avec qui partager ses pensées, cela aurait été à moitié supportable, mais il n'y avait personne. Même son unique lien avec lui était brisé : Dennis Mackendric avait été muté à l'hôpital sédentaire numéro 11 à Rouen. Les jours n'en finissaient pas et les nuits devenaient des éternités. Elle se plongeait de tout son être dans son travail pour noyer l'image de Robin Mackendric dans l'eau savonneuse et les montagnes de bandes Velpeau à enrouler. Mais l'hôpital était maintenant presque désert, des salles entières s'étaient vidées et le personnel s'était accru : sept auxiliaires volontaires anglaises de plus, et trois infirmières françaises. La grande offensive allait commencer en cette dernière semaine de septembre, les Anglais frappant d'Ypres à Loos et les Français attaquant en Champagne avec trente-cinq divisions.

— Il faudra un certain temps avant que les blessés descendent jusqu'à nous, dit le Dr Jary au personnel. Depuis les postes de secours jusqu'aux hôpitaux de base, en passant par les centres d'évacuation et les centres de soins des corps d'armée. Mais nous aurons notre part, n'ayez crainte.

Elle partit sur un coup de tête : le train de cinq heures du matin vers Paris, puis la correspondance pour Saint-Omer. Un homme de la police militaire l'aborda à sa descente du train et lui demanda ses papiers. Le temps s'était gâté et avec sa grosse cape d'hiver elle pouvait très bien passer pour une infirmière de l'armée. L'homme jeta un regard distrait à sa carte d'identité et la lui rendit.

— Vous allez à l'hôpital général 14 ?

— Non, au centre d'évacuation des blessés numéro 20, près de Kemmel.

Il siffla doucement entre ses dents.

— Vous êtes déjà montée là-haut ?

— Non. Effectivement, c'est la première fois.

— Ce sera... un peu difficile. Les routes sont terriblement encombrées. Il y a un train-hôpital qui remonte demain matin jusqu'à Bailleul. Ou alors, tentez votre chance avec l'officier responsable des ambulances... (il tendit son bâton dans la direction de la ville). Il est rue Héricat, une petite maison de pierre blanchie à la chaux. Vous ne pouvez pas vous tromper.

Les rues étroites et sales étaient envahies par des soldats anglais remontant de Calais vers le front — des fleuves silencieux de drap kaki trempé par la pluie, des dos courbés sous le poids des paquetages. Elle songea à des colonnes de bétail se déversant dans une ville-marché.

Il y avait un convoi de trente ambulances vides en partance vers les Flandres. Six d'entre elles étaient prévues pour le centre d'évacuation de Kemmel. L'officier responsable des transports, un capitaine entre deux âges, aux joues creuses, ne se soucia pas de savoir si elle avait le droit de monter là-bas et il tamponna ses papiers sans lui dire un mot. L'ambulance dans laquelle elle entra empestait l'acide phénique, et le conducteur, un petit Gallois taciturne, luttait contre l'odeur insupportable en fumant des cigares bon marché à la chaîne.

Elle commença de connaître la peur — un sentiment glacé, de plus en plus violent, qui s'installa au creux de son ventre avant d'envahir progressivement tout son être à mesure qu'ils s'approchaient des collines basses, sans arbres, de la crête de Messines. La campagne était grise, détrempée, misérable. Ce soir-là, du haut d'une colline, elle aperçut le front à l'horizon — une lueur et des éclairs se détachant sur le ciel — et quand ils s'arrêtèrent dans un village pour prendre un thé et des sandwichs au bœuf bouilli froid, elle entendit le grondement continu de l'artillerie. Ils n'étaient qu'à quelques kilomètres de

273

Kemmel, mais un officier du génie, pataugeant dans la rue boueuse du village, vint dire aux conducteurs que la route de Kemmel et d'Ypres, lourdement bombardée pendant la matinée, serait impraticable avant l'aurore. Elle se pelotonna dans un coin de l'ambulance, incapable de trouver le sommeil. Toute la nuit elle écouta les ronflements du Gallois et le tonnerre assourdi des canons. Son état dépressif s'aggrava.

Il était huit heures du matin lorsque les ambulances entrèrent dans le centre d'évacuation. « Je travaille sous une tente », lui avait-il dit. Elle l'avait imaginé entouré de toile blanche, peut-être dans un bois ou au milieu d'une prairie. Mais elle n'avait devant les yeux que de longues rangées de bâtisses de bois avec des toits sales de toile brune : un demi-arpent de cabanes bancales reliées entre elles par des caillebotis posés sur une mer de boue. De l'autre côté de la clôture de fil de fer barbelé en ruine, on apercevait les restes d'un verger — quelques troncs d'arbres déchiquetés entre les trous d'obus. Un décor de misère.

Une grande infirmière anglaise au visage mince lui lança un regard glacé.

— Une volontaire ! Que faites-vous ici, bon dieu ?

— Je... Je désire voir le major Mackendric. Il est affecté ici, n'est-ce pas ?

Elle avait l'air complètement désemparée, debout devant le bureau de l'infirmerie. Le regard de celle-ci, une femme entre deux âges, s'adoucit. Elle se leva et son uniforme empesé fit un petit bruit sec, comme un crissement d'insecte.

— Il est en chirurgie pour l'instant. Vous avez pris votre petit déjeuner.

— Non.

— Venez, je vous accompagne à la tente du mess. Vous êtes venue de Saint-Omer en voiture ou par le train ?

— En voiture.

— Vous devez être sur les genoux ! Nous allons arranger ça avec une bonne tasse de thé. Vous êtes une amie du major, si je comprends bien ?

— Oui. Je... J'étais l'infirmière de son frère.

Un mince sourire se dessina sur les lèvres de la femme.

— Vraiment ? Eh bien, je n'ai pas eu cette chance.

Un officier blond, portant une blouse blanche par-dessus son uniforme, faillit les bousculer dans le passage étroit desservant le bureau de l'infirmière.

— Salut ! s'écria gaiement le médecin en lorgnant du côté d'Alexandra. Qui donc nous arrive ?

— Une amie du major, répondit l'infirmière.

— Oh, je vois ! Une amie de Mac ? C'est absolument formidable. On vous a affectée ici ?

— C'est une auxiliaire volontaire, dit l'infirmière. On ne nous envoie jamais ce genre de personnel, capitaine. Et vous le savez très bien.

— Oui, oui... Manque de pot. On n'a jamais que des vieilles biques...

Il embrassa l'infirmière sur la joue.

— Veillez bien sur elle, chef, et dites-lui que le capitaine Ronald David Vale est de loin le type le plus chic de toute l'armée.

Elle avala son thé en tenant fermement la grande tasse à deux mains pour l'empêcher de se renverser. A moins de deux kilomètres de là une batterie de canons lourds anglais ne cessait de tirer, et la salière et la poivrière sautaient sur la table à chaque coup de canon. Le bruit lui usait les nerfs, mais dans la longue tente où se trouvaient une dizaine d'infirmières, de brancardiers et de médecins, personne ne semblait y prêter attention.

Et soudain, il fut devant elle — la veste d'uniforme boutonnée à la hâte, la cravate de travers. Il croisa les bras sur la table et lui lança un regard indécis.

— Que vais-je faire de toi, Alex ?

Elle baissa les yeux sur les brins de thé au fond de sa tasse. Elle n'avait pas assez confiance en elle pour le regarder en face ; elle était au bord des larmes.

— Je ne repartirai pas.

— Mais tu ne peux pas rester ici. Tu t'en rends bien compte...

Elle secoua la tête comme un enfant entêté.

— Je me rendrai utile.

— Toutes les infirmières du centre sont diplômées. Certaines ont quinze et vingt ans de service. Même les stagiaires ont suivi au moins un an de formation dans un hôpital-école. Il n'y a pas d'auxiliaires volontaires au-delà de Saint-Omer et on n'en a pas besoin. Tu n'as pas la moindre idée de ce que nous faisons ici.

Elle posa son thé et le regarda pour la première fois. Le besoin qu'elle avait de lui était si évident dans ses yeux qu'il sentit sa fermeté faiblir.

— Oh ! Alex... Alex... Tu me rends les choses si difficiles !

Il tendit le bras et lui effleura la main.

— Je ne voulais pas, Robbie. Vraiment, je ne voulais pas. Mais c'est en partie de ta faute. Je n'ai aucune... *expérience* de ce genre de choses. Peut-être y a-t-il des jeunes filles qui peuvent avoir une... une aventure avec un homme et tout oublier ensuite. Moi pas, j'ai essayé très fort. Crois-moi, Robbie, j'ai essayé. Peut-être que si tu avais été moins gentil... moins affectueux et amoureux avec moi... Oui, peut-être aurais-je pu oublier. Mais le fait est...

Il lui serra le poignet et jeta un regard autour de lui. Deux spécialistes de radiographies, assis à la table voisine, les regardaient à la dérobée. Un centre d'évacuation de blessés est comme un petit village.

Tout le monde sait tout sur tout le monde, et la moindre chose sortant de l'ordinaire devient l'occasion de spéculations sans fin. L'arrivée soudaine d'une jeune et belle auxiliaire peu de temps après la permission du major allait faire jaser tout le monde ; et si elle éclatait en sanglots au milieu du mess, on en ferait des gorges chaudes pendant des mois.

— Ne pleure pas, dit-il d'une voix ferme. Je t'en supplie, ne pleure pas.

— Je ne pleure pas. Seulement, je suis tellement heureuse de te voir, et j'ai tellement envie de rester. Je sais que je peux être utile, j'en suis sûre — je ne te gênerai en rien, en rien.

Il fit signe à un des serveurs du mess de lui apporter du thé, puis il prit sa pipe et se mit à la bourrer, d'un geste délibérément très lent pour se donner le temps de réfléchir.

— J'ai eu vraiment tort de faire l'amour avec toi, Alex. Et je le regrette. Faire l'amour, tomber amoureux... ce sont des actes pleins de douceur, des émotions tellement fragiles. Il n'y a pas de place pour *ça* en ce moment. Je regrette que tu aies été malheureuse. J'ai eu, moi aussi, de mauvais moments à passer. Je suppose que je suis comme toi. Je ne peux pas avoir une aventure et puis disparaître et tirer un trait. Je *croyais* pouvoir. Les adieux auraient été beaucoup plus faciles...

— Je ne peux pas dire adieu, Robbie.

— Mais il le faut. Nous avons passé ensemble un fragment de nos vies et il est impossible de le prolonger davantage. Un instant, rien de plus. Tu connaîtras d'autres instants, Alex. Tu as toute une vie devant toi.

— Je ne peux pas y penser, Robbie. Je ne peux pas penser à l'avenir. Je suis avec toi et c'est tout ce qui compte. Pour la première fois depuis des jours et des jours, mon cœur bat dans ma poitrine.

— Ecoute, Alexandra, sois raisonnable. Tu dis que tu veux être utile...

— A toi, Robbie, oui... oui, je le veux.

— En jouant à l'infirmière aux côtés de son docteur ? Tu vois les choses de façon tellement romantique... Ton ingénuité m'a séduit à Chartres, mais ici tout est différent. Il n'y a pas d'oreiller à arranger ni de limonade à préparer. Si tu veux sérieusement devenir infirmière, engage-toi dans le Service de Santé : dans dix mois, tu seras assez qualifiée pour être envoyée ici comme stagiaire. Il faut du temps. Comme pour devenir médecin. C'est une étude de chaque jour, l'acquisition lente d'une compétence, d'une... Oh, Seigneur ! Voilà Vale.

Le capitaine Ronald David Vale s'avança vers leur table en lissant sa moustache du bout du doigt. Il prit une chaise de bois et s'assit sans y être invité.

— A tout à l'heure, major. Parsons a besoin de votre talent tout de suite pour le numéro 6. C'est le sergent Gurkha. Gangrène de gaz dans la jambe droite.

— Zut !

— Jenny lui parle en népali, mais cela n'avance pas à grand-chose, j'en ai peur. On n'y peut rien, n'est-ce pas ? Il faut faire coupe-coupe, vite-vite, sinon le pauvre type est foutu.

Robin se leva, sans dissimuler sa contrariété.

— Je suppose que vous désirez être présenté dans les règles ?

— Oui, répondit Vale en souriant à Alexandra. Si vous n'y voyez pas d'inconvénient, mon vieux.

— Alexandra Greville, le capitaine Vale. Capitaine Vale, Alexandra Greville.

Il secoua sa pipe dans une coquille Saint-Jacques servant de cendrier.

— Je reviens dans une heure. Montrez donc les lieux à Miss Greville, Vale, vous voulez bien ?

— Vous m'en voyez ravi, mon cher, absolument ravi.

Il prit une gorgée de thé dans la tasse du major et alluma une cigarette.

— Des types curieux, ces Gurkhas. Des combattants de premier ordre. Ils donnent aux Boches des sueurs froides, mais nous avons avec eux des ennuis à n'en plus finir. Ils préfèrent mourir que se faire amputer. Ils croient en la réincarnation, vous comprenez. Ils ne tolèrent pas l'idée d'entrer dans leur nouvelle vie avec un membre en moins. Vous savez que vous êtes une fille sensationnelle ? Ça ne vous froisse pas que je le dise, n'est-ce pas ?

— Non.

Il lui rappelait Carveth Saunders. Sauf que dans son cas le ton snob ne devait être qu'une attitude factice.

— Vous avez envie de voir notre petit carnaval ?

— Oui, j'aimerais beaucoup, merci.

— Un peu vide en ce moment. Nous avons plié boutique à six heures ce matin, en attendant la nouvelle fournée. C'est un peu comme la gare Waterloo. Un va-et-vient permanent.

— Où vont-ils ?

— Oh ! à Saint-Omer, à Calais, à Rouen, par les trains-hôpitaux — ou bien un peu plus bas, sur la route du cimetière. Nous faisons l'impossible, mais nous en perdons pas mal.

Une agitation violente, lancinante, s'empara d'elle de nouveau lorsque le capitaine Vale lui fit visiter les services. Ils étaient strictement fonctionnels. Pas de lits pourvus de draps blancs mais de simples brancards de toile alignés, avec des couvertures marron de l'armée soigneusement pliées au pied de chacun d'eux. Il y avait tous les cinq lits un chariot roulant encombré de pansements, de bouteilles de sérum anti-tétanique, d'aiguilles hypodermiques et de capsules de morphine. Les infirmières et les infirmiers du Service de Santé la regardèrent avec une curiosité non dissimulée.

— C'est votre uniforme, dit le capitaine Vale. De toute évidence, il n'est pas réglementaire. Faites confiance aux infirmières pour l'avoir remarqué. Quant aux hommes, c'est surtout ce qui se trouve *dans* l'uniforme qui les intéresse.

Il ouvrit une porte et suivit un caillebotis jusqu'à un bâtiment de pierres sèches qui avait dû jadis être une étable.

— C'est là que nous opérons. Les gars entrent et sortent... et nous coupons, coupons, coupons. Les Tommies appellent cet endroit Coupeville. Le centre d'évacuation numéro 15 du côté de Neuve-Eglise est Panseville. L'hôpital français d'Hazebrouck est Crèveville. Les Tommies ont un drôle de sens de l'humour.

— C'est le major Mackendric qui dirige le centre ?

— Oh ! mon dieu, oui. C'est lui le grand chef en blanc. En fait, c'est un boulot de colonel, mais les chirurgiens se font bigrement rares ces temps-ci. Il paraît même que des Yankees vont venir nous aider, frais émoulus de Harvard. Ils devraient être ici d'un jour à l'autre — Dieu bénisse la trace de leurs pas.

Une cloche tinta : quatre coups forts... un arrêt... et quatre coups de plus.

— Qu'est-ce que c'est ?

L'expression du capitaine Vale se durcit légèrement, ses lèvres se serrèrent.

— Appel du personnel. Pour donner des nouvelles de ce qu'on va nous servir aujourd'hui. Les tirs n'ont pas cessé depuis l'aube. Ce ne sera pas un après-midi de tout repos, j'en ai peur. Hé oui ! on ne peut pas avoir du soleil et des fleurs tous les jours que Dieu fait, n'est-ce pas ?

Alexandra resta tout au fond de la tente du mess, à l'écart de tout le monde. Les docteurs, les infirmières de chirurgie et celles des services, les garçons de salle et divers autres assistants s'étaient regroupés en silence. Mackendric entra enfin dans la tente, une blouse de chirurgien par-dessus son uniforme.

— Très bien, dit-il. La brigade vient de téléphoner. Les Bedford et les Suffolk ont attaqué ce matin du côté du Drap-Blanc. Ils ont été massacrés. La moitié de leurs blessés est en chemin vers nous. Trois ou quatre cents. Des ambulants et des civières — surtout des civières, je pense. Ils ont été salement bombardés, aussi préparez-vous à de nombreuses fractures multiples. Les brancardiers ont trouvé trente et quelques Cameroniens gisant entre les barbelés depuis mercredi. Nous savons ce que cela signifie, alors gardez votre chloroforme à portée de la main.

Il regarda sa montre.

— Ils devraient arriver vers seize heures, débarrassez-vous de votre appétit tout de suite et préparez-vous pour une longue nuit. Je veux que nous en mettions le plus possible dans le train de l'aube.

Elle avait espéré qu'il trouverait le temps de lui parler, et peut-être même de prendre son repas avec elle, mais elle eut beau errer longtemps à travers l'hôpital, elle n'eut même pas l'occasion de l'apercevoir. Découragée, elle alla s'asseoir dans la tente du mess. L'infirmière entre deux âges qui l'avait accueillie le matin s'avança vers elle.

— Un peu perdue, hein ?

— Oui, un peu.

— Bon, on va essayer d'y remédier. On vous a appris quelque chose d'utile ?

— Oui, dit-elle en redressant la tête. Bien sûr.

— Vous savez insérer une sonde ?

— Non..., répondit-elle d'une voix hésitante.

— Si je vous dis de faire à un homme une injection de cinq cents unités d'antitétanique, est-ce que vous pourrez-vous en sortir ? Saurez-vous combien de morphine donner à un homme sans le tuer ? Ou monter un goutte-à-goutte ?

— Non... Je...

Elle avait le visage en feu. Les yeux gris de la femme la traversaient de part en part.

— Je suis infirmière en chef ici, poursuivit-elle non sans aménité. Le major Mackendric m'a demandé de vous utiliser si j'en avais la possibilité. Je ne crois pas que ce soit le cas. Il faudra que vous retourniez à Saint-Omer demain. Mais vous avez l'air d'une fille musclée et en bonne santé, et je peux sûrement vous trouver quelque chose d'utile à faire cet après-midi. Nous allons recevoir les blessés sous peu, et vous pourrez donner un coup de main aux garçons de salle. Trouvez-vous une blouse pour protéger un peu votre bel uniforme, ce serait dommage de l'abîmer. Vous vous présenterez au caporal Hyde à l'admission numéro 5. C'est le bâtiment là-bas avec une croix *verte* sur le toit. Le soldat qui nous a fait la peinture était très gentil, mais malheureusement il ne distinguait pas les couleurs.

Les brancardiers étaient nerveux mais aimables. Ils lui offrirent du thé au lait très doux et quelques conseils pratiques.

— La clé, c'est la vitesse, lui dit le caporal Hyde, la cigarette collée à la lèvre inférieure. Quand ça commence, c'est comme à la chaîne.

— Que faisons-nous au juste ?

— On passe les gars aux infirmières aussi propres que possible, pour qu'elles puissent se mettre au travail dessus. Ils ont toutes sortes de chiffons et de saletés autour de leurs blessures. On coupe les vieux pansements et on les fiche dans un seau. S'il y a de la boue, on lave au savon noir, avec une solution antiseptique. Il y aura trois infirmières avec nous pour donner les piqûres antitétaniques et la morphine. Et elles ne sont pas commodes quand ça traîne. Vite et bien, c'est la devise dans le secteur.

A trois heures quarante-cinq les premières ambulances et les premiers camions de l'armée arrivèrent en zigzaguant et en cahotant le long de la route défoncée qui venait de Wytschaete et du front. Les boîtes de vitesse craquèrent, les véhicules pénétrèrent dans l'enceinte et vinrent s'immobiliser devant la tente des admissions. Les brancardiers coururent ouvrir les portes des ambulances et se mirent à décharger les blessés allongés à l'arrière des camions, tandis que d'autres ambulances (certaines tirées par des chevaux) continuaient d'affluer sur la route.

Alexandra entendit alors un son qu'elle ne put associer à aucun autre dans son souvenir — un murmure, une plainte, un gémissement sourd provenant des véhicules couverts de boue garés devant la tente. Elle se tourna vers les infirmières debout près de deux chariots de pansements. Leurs visages étaient impassibles, leurs yeux dénués de toute expression. Des *civières* et des *ambulants* : ces mots s'expliquaient d'eux-mêmes. Les « civières » étaient les hommes que les brancardiers devaient porter ; les « ambulants » étaient capables de se traîner jusqu'à la tente avec un minimum d'aide. Le même son les accompagnait tous — un râle continu, un cri étouffé, des sanglots profonds qui convulsaient leur corps. Tous avaient été pansés à la hâte aux postes de secours de leur régiment, et ils avaient reçu des cachets de morphine, mais la drogue ne faisait plus d'effet. La plupart d'entre eux étaient saisis par des douleurs dépassant l'entendement, et ils se débattaient sur leurs brancards ou bien se mettaient à genoux et s'agrippaient aux bancs disposés le long du mur de la tente.

— Allez, au trot ! dit une des infirmières d'une voix tendue.

Alexandra s'était déjà trouvée au milieu de blessés. Tous les soldats soignés à Chartres avaient été touchés, mais ils n'étaient arrivés à l'hôpital numéro sept de la Croix-Rouge qu'au bout de plusieurs semaines. Elle n'avait vu que des hommes propres, aux pansements nets. Certains savaient que d'autres interventions seraient probablement nécessaires. Mais elles ne provoquaient en eux aucune terreur. Les plâtres et les pansements étaient peut-être inconfortables, mais leurs lits étaient propres, la nourriture saine, et il y avait des fleurs dans les salles.

— Hémorragie artérielle, infirmière ! cria un des brancardiers.

Alexandra vit un flot de sang jaillir d'un tas de drap kaki détrempé, allongé sur un brancard. L'infirmière s'agenouilla aussitôt près du blessé qui râlait et enfonça sa main dans les nippes pour arrêter l'hémorragie. Les hommes arrivaient, de plus en plus nombreux, sous la vaste tente et Alexandra demeurait figée, les yeux écarquillés par l'horreur qui grandissait : un homme avec les yeux arrachés, les orbites garnies de coton hydrophile sale ; des bras et des jambes déchiquetés, les moignons blessés enveloppés de bandes couvertes de sang ou bien enduits de boue immonde ; un homme qui se tordait comme un animal pris au piège, sans cesser de hurler à la mort, les mains convulsées contre un tas d'intestins qui lui glissaient entre les doigts. Les jambes d'Alexandra se mirent à trembler, un froid glacial envahit sa tête et elle sentit que la peau de son crâne frissonnait.

Le caporal Hyde glissa une paire de ciseaux entre ses doigts paralysés et elle entendit sa voix impatiente :

— Ne lanternez pas, bon dieu.

Elle tomba à genoux près d'une civière — non de son propre chef, mais parce que les jambes lui manquèrent. Elle vit devant elle un pansement noir de boue recouvrant le haut de la cuisse et la hanche de l'homme, avec de la chair grise et sale sous la jambière de pantalon déchirée. Lorsqu'elle coupa la toile d'une main hésitante, l'homme se mit à hurler et à jurer, tout en essayant de s'asseoir. Le caporal Hyde lui maintint les épaules sur la civière.

— Coupez-moi ces putains de chiffons, miss !

Elle coupa. Sa main tremblait si fort qu'elle faillit lâcher les ciseaux. Sous le pansement, il y avait une masse sanglante, avec des morceaux d'os du bassin qui jaillissaient du caillot de boue. Elle sentit une gorgée de vomi remonter de sa gorge et elle serra les dents pour la refréner. Les vomissures la brûlèrent et l'étouffèrent lorsqu'elle tenta de les avaler.

— N'arrêtez pas, nom de dieu, cria une infirmière exaspérée. Ils commencent à s'entasser dehors.

Les nausées se succédèrent par vagues. Ses mâchoires lui faisaient mal et sa gorge était en feu. La sueur glissait en perles glacées sur son visage livide. Elle eut l'impression que ces créatures qui gémissaient et se tordaient comme des bêtes ne cesseraient jamais de défiler devant elle. Les brancardiers arrivaient, repartaient. Le seau de pansements sales qu'elle avait arrachés débordait et on lui en apporta aussitôt un autre — et puis un autre et encore un autre. Et chaque guenille, chaque pansement qu'elle enlevait lui révélait une horreur nouvelle : morceaux d'os éclatés, tripes à l'air, trou rouge à l'endroit où se trouvait la veille une mâchoire. Chaque blessure semblait pire que la précédente. Le cauchemar ne faisait que s'amplifier.

— Un Cameronien ! lui murmura un brancardier en déposant devant elle une forme tout enveloppée de boue sèche. Un infirmier posa sur les planches près d'elle une bouteille marron foncé de chloroforme et une poignée de coton.

— Endormez-le, c'est tout.

C'était un sergent des Cameroniens, resté quatre jours dans un trou d'obus entre les lignes. On avait tracé la lettre T à la teinture d'iode sur son front : une piqûre de sérum antitétanique, c'était tout ce qu'on lui avait fait au poste de secours. Le pansement adhésif sous son bras droit semblait boursouflé : la blessure au-dessous devait être infectée. Elle eut du mal à couper la toile adhésive, le sang séché collait les bords comme du goudron. Du pus jaune-vert jaillit des profondeurs putréfiées de la cavité déchiquetée par l'éclat d'obus. Une masse de choses vivantes, une boule de graisse grouillante, bouillonnante : des asticots blancs. Ils remontèrent sur les lames des ciseaux jusque sur ses doigts puis se tortillèrent, aveugles, sur le dos de sa main.

Elle hurla. Sans pouvoir s'arrêter de hurler. Et toujours hurlant, elle se redressa et son pied renversa la bouteille de chloroforme. Toujours hurlant, elle s'éloigna vers la porte en chancelant, et elle vomit. L'infirmière la saisit par le bras et la gifla à toute volée sur le visage... une fois... deux fois... les doigts raides. Elle ne sentait plus rien, elle ne voyait plus rien, elle s'était enfoncée dans une sorte de brouillard obscur qui la soulageait enfin.

Tout était paisible à l'arrière de l'ambulance. Autour d'elle, dans le noir, les formes silencieuses, droguées, étaient aussi immobiles que la mort. Elle fit remonter sa cape chaude par-dessus son menton.

Quelqu'un l'appela par son nom. Elle l'entendit. C'était très doux, très faible... « *Alex, Alex...* ». Une voix au-dehors dans la nuit. Mais ses yeux ne pouvaient se détacher de la toile de la civière accrochée sur ses supports au-dessus d'elle.

Alex... Alex...

L'ambulance se mit en route en grinçant, puis s'éloigna lentement du centre d'évacuation. Le départ des blessés. Oui, songea-t-elle dans sa demi-conscience. Le départ des blessés, et elle était l'un d'eux... Rien d'autre qu'une blessée parmi les blessés. Peut-être même une morte parmi les morts.

LIVRE TROIS

Dieu sait que je serais bien mieux, enfoncé
Dans les coussins de soie et baigné de parfums,
Là où l'amour se mue en bonheur endormi,
Cœur contre cœur, haleine contre haleine,
Là où les réveils en sursaut sont délices...
Mais j'ai un rendez-vous avec la Mort,
A minuit dans une ville en flammes,
Le jour où le printemps s'en revient vers le nord...

Allan Seeger (1888-1916)

1

Lady Winifred Sutton remontait lentement de Sloane Square. Son terrier Bedlington ne tirait plus sur sa laisse, il marchait pesamment devant elle, les yeux mi-clos pour éviter les flocons de neige que le vent balayait du trottoir. C'était une matinée lumineuse mais froide, avec des rafales de vent. Les arbres sans feuilles de Cadogan Place étaient agités de frissons fous. Elle se promenait depuis plus de deux heures à travers Chelsea et le long du fleuve. C'était un jour de décembre : brise polaire et soleil pâle sans énergie. Le vent gémissait à travers les grilles de fer du jardin, le long de Sloane Street. Aucune nourrice ne pousserait son landau dans les allées ce jour-là. Sous les arbres en bataille, les pelouses balayées de neige fondue resteraient désertes.

Le chien redressa joyeusement la tête, devinant la maison toute proche — et son coussin au coin du feu de la cuisine. Mais Winifred ne pouvait s'approcher de chez elle sans ressentir à chaque fois le même sentiment d'appréhension. Elle détestait Londres, mais son père avait fait don de Lulworth Manor à la Croix-Rouge pour la durée de la guerre. La vie lui avait toujours semblé moins compliquée à la campagne, et les problèmes plus faciles à résoudre. Elle était certaine qu'à la campagne sa mère s'en serait mieux tirée ; elle aurait été beaucoup moins nerveuse et elle aurait mieux accepté le caractère définitif de la mort. A Londres la guerre était trop envahissante : les journaux quotidiens avec leurs interminables récits de batailles et la liste des pertes, des soldats partout, les raids peu fréquents mais démoralisants des Zeppelins... Elle aurait aimé retrouver les champs paisibles et le paysage bien ordonné du Dorset.

Elle avait espéré éviter le « groupe » de sa mère, mais la porte s'ouvrit quand elle arriva en haut de l'escalier du perron. Elles étaient là, toutes les six, peu pressées de partir, très excitées et parlant haut, papillonnant autour de la silhouette exotique de Mme Nestorli, Princesse Perle.

— Oh ! Winifred, s'écria la duchesse d'Ascombe sans cesser d'essuyer ses yeux encore pleins de larmes avec son mouchoir de dentelle. Oh ! ma chère, ce fut une journée tellement magnifique. Trop merveilleuse pour qu'on puisse l'exprimer par de simples mots.

Winifred s'écarta et tira le terrier près de sa jambe pour éviter que ces dames ne lui marchent dessus en descendant vers le trottoir. Le maître d'hôtel de la famille Dexford se précipita devant elles pour siffler leurs chauffeurs, garés ici et là dans la rue. Enfin, il ne resta plus que Princesse Perle en grande conversation avec Lady Dexford dans le vestibule. Sa voix n'était qu'un murmure doux ; une douzaine de bracelets d'or cliquetaient chaque fois qu'elle agitait les mains pour donner plus de relief à ses paroles — que Winifred n'avait aucun désir d'entendre. Elle aurait voulu pouvoir passer devant les deux femmes sans être vue et se réfugier dans sa chambre, mais c'était manifestement impossible. Lady Mary lui bloqua le passage vers l'escalier, et les serres d'oiseau de ses mains agrippèrent la fourrure froide du manteau de sa fille.

— J'aurais tellement aimé que vous soyez là, Winifred. Nous avons fait une brèche tellement importante. Mes chers fils étaient tous les deux dans la pièce, et le jeune George de Clarissa a fait bouger le guéridon pour dire qu'il était content.

Elle évita le regard passionné, enflammé, de sa mère. Les yeux de Princesse Perle étaient des pierres indéchiffrables. Le médium le plus recherché de Londres fouilla dans son sac incrusté de perles et en sortit un porte-cigarettes d'or et de jade, puis une cigarette. Une Capstan, remarqua Winifred. Faire revenir les esprits à vingt livres sterling le cadavre avait fait de la Nestorli une femme riche, mais elle n'en avait pas moins conservé ses goûts plébéiens.

— Nous avons eu de la réussite, oui, murmura Princesse Perle avec son accent étrange, difficile à définir (roumain ? grec ? gallois, peut-être...). Mais non, nous n'avons pas encore pénétré à travers le voile. Nous n'avons pas atteint les frontières extrêmes du vide.

— Mais nous le ferons, nous le ferons ! s'écria Lady Dexford. Je sais que vous n'êtes pas sans réserves, Winifred, mais si seulement vous aviez été avec nous aujourd'hui !

Elle parvint à s'écarter et se hâta de gagner le premier étage. Son terrier, la laisse traînant derrière lui, fila dans le couloir conduisant à la cuisine.

Sa chambre était son refuge privé. Elle s'adossa un instant à la porte après l'avoir refermée, comme pour résister à toute tentative d'assaut. La colère et l'amertume lui coupaient le souffle et elle dut faire effort pour respirer profondément. Sa mère assistait à trois ou quatre « séances » par semaine, le plus souvent dans la salle à manger lambrissée d'acajou au rez-de-chaussée — une pièce que Mme Nestorli, la grande Princesse Perle, avait trouvée extraordinairement favorable pour l'entrée en contact avec son esprit personnel, son messager au royaume de la mort, un prince nubien du nom de Ram qui avait été enfermé vivant dans le mur d'un temple de Thèbes, mille ans jour pour jour avant la naissance du Christ. Ram parlait d'une voix étrangement semblable à celle de Mme Nestorli, mais personne n'avait l'air de s'en soucier le moins du monde.

— Mon dieu ! Une telle ineptie...

Elle ôta son manteau et le jeta sur le dossier d'une chaise, puis elle se laissa tomber sur le lit, les yeux fixés sur le plafond. Sa rage se transforma peu à peu en une pitié mitigée de tristesse, pour sa mère et pour toutes ces autres femmes malheureuses qui tentaient désespérément de rappeler à elles leurs chers disparus. Deux de ses frères étaient morts. Andrew enterré quelque part en France, et Timothy dans le caveau de famille, au cimetière de Lulworth. Elle pouvait comprendre jusqu'à un certain point pourquoi sa mère refusait de considérer le trépas d'Andrew comme définitif. Elle ne l'avait pas vu mourir, et elle n'avait parlé à aucun témoin de sa mort. Elle ne possédait pour toute preuve qu'une courte lettre de son colonel. Mais pour Timothy, il en allait autrement. Il avait été touché à la gorge par un éclat d'obus en juin, et il était mort dans un hôpital de Londres en septembre, après avoir été maintenu en vie quelque temps à l'aide de tubes en caoutchouc insérés dans son cou mutilé. Mais ce n'était pas le *corps* qui comptait, selon Mme Nestorli. Le corps n'était rien, une simple écorce d'argile ordinaire contenant l'esprit intangible. L'esprit ne mourait jamais. Il était simplement libéré lorsque le corps trépassait, et il pouvait être incité à revenir de l'éternité si l'on savait comment procéder. Ce n'était qu'une question de temps, de patience, de foi fervente — et d'argent.

On frappa doucement à la porte de son boudoir et une des servantes passa la tête.

— Je vous ai préparé un bain chaud, milady.

— Merci, Daphné.

Elle ne pouvait absolument rien faire pour l'obsession de sa mère. Celle-ci avait toujours eu une tendance vague au mysticisme, et la guerre n'avait fait que développer cet élan. Elle s'allongea dans l'eau chaude et passa ses mains savonneuses sur sa lourde poitrine. Son corps lui plaisait. Les longues marches d'un pas vif et l'abstinence complète de bonbons, de gâteaux, de crèmes et de toute alimentation riche avaient affiné ses hanches, aplati son ventre et donné de la fermeté à ses jambes. Seuls ses seins laissaient encore à désirer. Ils étaient si gros, si ronds, avec leurs bouts si roses... Peut-être Robert Herrick les aurait-il trouvés enchanteurs, songea-t-elle avec une grimace, en se rappelant l'hymne d'amour du poète aux aréoles roses de sa Julia.

> *Avez-vous vu (ô quels délices !)*
> *Rose rouge bourgeonnant sur le blanc ?*

Mais les seins généreux n'étaient plus de mode. Maintenant, certaines femmes les aplatissaient pour se soumettre aux nouveaux styles venus de Paris. Elle s'était aperçue qu'il était très désagréable de les écraser ainsi. Et d'ailleurs ce n'était nullement efficace.

Elle venait de se sécher et elle se glissait dans une robe de chambre de soie lorsque Daphné frappa à la porte.

— Le colonel Wood-Lacy au téléphone, milady. Doit-il rappeler ?

Elle enveloppa son corps dans la robe de chambre et noua la cordelière.

— Dites-lui que je... suis souffrante et que... Oui, il peut me rappeler dans une demi-heure.

Fenton à Londres. Elle ne l'avait pas vu depuis le début de la guerre... quinze mois. Il n'avait jamais pris de permission en Angleterre mais John (son propre frère qui s'était engagé dans la Rilfe Brigade) lui avait affirmé que les militaires de carrière ne rentraient en Angleterre que sur des civières... Elle avait reçu une lettre de temps en temps.

Elle s'assit devant sa coiffeuse et se brossa les cheveux d'une main distraite. De douces boucles brunes effleuraient ses épaules. La pile, plutôt maigre, des lettres de Fenton se trouvait dans le tiroir de droite. C'étaient des lettres que toute la famille aurait pu lire. Des lettres d'information...

Aujourd'hui nous sommes montés en ligne et nous avons pris position dans des tranchées récemment occupées par les Français. Un vrai désordre, j'en ai peur, les barbelés sont dans un état de délabrement choquant...

Des lettres d'amour ? Sûrement pas, et pourtant elle les avait conservées aussi précieusement. Elles commençaient toutes par *Chère Winifred* et étaient signées *Affectueusement, Fenton*. Comme les lettres d'un oncle en voyage à l'étranger.

Le portrait de Fenton au fusain rehaussé de pastel la regardait depuis la cloison, à côté de son propre portrait. Il y avait si longtemps ! Et ce n'était pas seulement une question de temps, bien que un an et demi soit une longue période (elle venait d'avoir dix-huit ans à ce moment-là). En fait ce passé appartenait à une autre ère. Chez Mario, dans King's Road, en juillet 1914 : des peintres et des écrivains, des acteurs et des poètes, des bougies sur des bouteilles de Chianti... Tout cela s'en était allé. Volets clos et cadenas aux portes. Fermé par la police : on soupçonnait des pacifistes et des extrémistes de s'y réunir. Le capitaine Fenton Wood-Lacy la regardait, en costume civil... un blazer à rayures, avec un canotier dans sa main droite. Maintenant, c'était le lieutenant-colonel Fenton Wood-Lacy, médaille militaire. Elle avait appris sa promotion et la nouvelle de sa décoration dans le *Times*. On lit toujours les listes : les morts, les blessés, les disparus — et les promus. Le lieutenant-colonel F. Wood-Lacy rappellerait dans une demi-heure. De quoi allaient-ils parler ?

Sa voix était exactement la même que dans son souvenir, un timbre profond aux sonorités de gorge.

— Ah ! Winifred, j'espère que mon appel ne vous dérange pas.

— Pas du tout, Fenton. Comme c'est agréable d'entendre votre voix !

— Je suis arrivé la nuit dernière... Je suis au club de la Garde.

— Oh ! Vous avez abandonné votre appartement ?

— Oui, il y a longtemps. Je l'ai cédé à un général de brigade du War Office. Il est général d'armée maintenant, et je vois mal comment je pourrais lui faire évacuer les lieux, n'est-ce pas ?

— Evidemment, dit-elle en se forçant à rire. C'est difficile. Vous êtes en permission pour longtemps ?

— Plusieurs semaines.

— Et vous retournerez en France ?

— Non, dans le Yorkshire. (Un léger silence.) J'ai pensé que nous pourrions prendre le thé quelque part, ensemble... C'est-à-dire si vous êtes libre cet après-midi.

— J'en serais ravie.

— Disons à quatre heures et demie ?

— Ce serait parfait.

Toujours correct et plein de tact, songea-t-elle amèrement en raccrochant le téléphone. Son sens de l'honneur l'obligeait au moins à la voir. Après tout, c'était lui qui avait fait le premier pas au mois de juillet précédent — si lointain — et qui s'était livré aux premiers rites de la cour d'amour. Aujourd'hui, ce rituel était aussi désuet que la pavane, un des disparus les moins graves de cette guerre, mais Fenton était trop *gentleman* pour n'en tenir aucun compte. Alors il l'invitait à prendre le thé — pas à dîner et au spectacle, avec une fin de soirée au bal du Café Royal, non : *à prendre le thé !* Des glaces et des petits fours, avec une caresse sur la main pour se faire pardonner, comme un oncle.

Le club de la Garde était plein à craquer et Fenton se sentit déprimé à la vue de tant d'officiers inconnus de lui. Ses amis et ses compagnons d'armes étaient tombés en si grand nombre sur le front de l'Ouest que le fait de se trouver encore là, bien vivant, le mettait mal à l'aise : il tranchait sur la foule. Il était, semblait-il, l'unique survivant de quelque catastrophe horrible, que l'on montrait du doigt en murmurant : « *Wood-Lacy, vous savez ? Le dernier des officiers sortis de Sandhurst en 1908.* »

Enfin, presque. Il rencontra au bar un nombre suffisant de ses pairs pour constater que sa survie n'était pas unique. Mais il trouva leurs conversations morbides. Ils avaient tous vécu les mêmes choses, à peu près, aux mêmes endroits et aux mêmes moments — rue du Bois et Festubert, Auchy et les environs sinistres de Loos. Leurs paroles trahissaient leurs anciennes souffrances, et leurs nerfs restaient à vif.

— Il faut que je sorte, dit-il en avalant son whisky and soda après avoir consulté sa montre.

Il traversa la salle à grands pas et sortit dans le Pall Mall en direction de la station de taxi de St-James Square. Des nuages gris lacérés comme des haillons glissaient au-dessus de sa tête. Ces bouffées de vapeur lui rappelèrent les explosions des shrapnels et il eut soudain devant les yeux sa dernière action : la compagnie B fonçant sur un champ parsemé de trous d'obus, les sifflements, les explosions, les balles de mitrailleuses fauchant les hommes, la première section bondissant vers la crête, arrêtée en pleine course par les barbelés allemands — et les soldats suspendus par douzaines aux buissons rouillés, comme des gousses sèches décortiquées, tas de matière noircie se détachant sur le ciel...

La porte du taxi se referma avec un claquement sourd, rassurant. Protégé du contre-barrage par les fortifications massives de l'Austin, il demeura assis sur le bord de la banquette jusqu'à Cadogan Square.

La guerre avait touché un demi-million de foyers anglais. Une avalanche de lettres et de télégrammes avait glissé dans les boîtes aux lettres pour annoncer la mort, les blessures, les disparitions, les soldats faits prisonniers. Le numéro 24 de Cadogan Square n'avait pas été épargné. Deux fils tués. Et deux fils vivants impatients de partir en France et de...

— Bouffer du Boche ! fit observer Lord Dexford plein d'enthousiasme en versant du whisky dans les deux verres. Pardieu, Fenton, John et Bramwell ne pensent qu'à ça : monter en ligne et tuer ces chameaux !

Il ne les avait jamais rencontrés, mais ils étaient probablement comme Andrew et Timothy de leur vivant : d'un courage indomptable. Les fils de leur père. Il regarda par-dessus l'épaule de cet homme, aujourd'hui empâté, le visage rougeaud. Sur l'un des murs de la bibliothèque trônait son portrait en pied : le jeune marquis en uniforme de hussard. Le peintre avait saisi son regard plein d'ardeur et d'arrogance, la flamme qui avait lancé les hommes de la reine Victoria dans un galop insouciant à l'assaut des canons — *dans les mâchoires de la mort... dans la gueule de l'enfer.*

— En France, dit Fenton à mi-voix, c'est la prudence qui est efficace.

Lord Dexford l'avait peut-être entendu mais il ne prêta aucune attention à sa remarque.

— Juste une tombée d'eau de Seltz. C'est du trop bon whisky pour qu'on le gâte. Du pur malt, mon cher. De ma distillerie de

Kinlochewe. Aucun de ces *alcools neutres* détestables avec lesquels je ne voudrais même pas frictionner un cheval.

Il tendit un verre à Fenton, et leva le sien.

— A votre décoration et à votre promotion. Vous allez sûrement commander un bataillon, maintenant, hein ?

— Oui, monsieur. Un de ces ramassis de la Nouvelle Armée. Je dois les entraîner avant de les emmener en France au printemps prochain.

— Dans le cadre de quel régiment ?

— Les Green Howard.

— J'étais au 11e Hussards, le régiment même du prince Albert... Surnommé les Pique-cerises, mon cher !

En portant le whisky à ses lèvres, Fenton se rendit compte que le marquis ne le regardait pas vraiment. Ses yeux étaient de verre, fixés sur un point lointain du passé. C'étaient les yeux d'un homme ayant le bonheur de posséder sa distillerie personnelle... Il parla sans arrêt, sautant du coq à l'âne, mais dès que Lady Dexford entra dans la pièce, il s'assit brusquement et s'enfonça dans un silence morose.

— Ah, mon cher Fenton ! Quel noble cœur !

La mère de Winifred s'avançait vers lui comme un oiseau de proie décharné. Ses mains ne cessaient de s'agiter. De longs colliers de jade et de perles de jais tressaillaient sur sa gorge.

— Notre chère petite Winifred va être prête dans un instant. Elle a du mal avec sa coiffure, la pauvre enfant. Je suis très fâchée contre elle aujourd'hui... Très vexée vraiment. Ses frères, ses propres frères qui crient dans ce vide horrible, tellement impatients de revenir à la maison, et elle ne lève même pas le petit doigt pour les aider. Vous me comprenez, j'en suis sûre.

Il écouta avec une appréhension croissante Lady Dexford parler du monde des esprits, de oui-ja et de Ram le Nubien. Il eut pitié de Winifred, obligée de vivre au milieu de tant de sottises. Elle avait toujours été sous la coupe de sa mère, et son refus de prendre part à ce genre de délire devait avoir eu des répercussions. Il s'attendait à voir entrer dans la bibliothèque une petite souris martyrisée, mais la personne qui survint était une vraie femme, grande et belle.

— Hello, Fenton.

Il ne put détacher ses yeux de Winifred pendant tout le trajet en taxi jusqu'à Mayfair. Le changement qui s'était produit était stupéfiant. Il se souvenait d'elle (non sans quelque honte) comme une collégienne touchante par son souci de plaire. Il avait été presque gêné de la reconnaissance avec laquelle elle avait répondu à ses attentions. Et pourtant, il avait deviné en elle une qualité qui l'avait intrigué. Il avait éprouvé un réel plaisir à se trouver avec elle, et il en était de même à présent.

— Pourquoi me fixez-vous ainsi ?

— Pardonnez-moi, dit-il. J'essayais de me souvenir de la Winifred que je connaissais.

— J'ai tellement changé ?

— Vous êtes plus âgée, bien sûr.

— Vous aussi.

— Oui, plus âgé d'un siècle.

Il n'avait nulle envie de paraître vulgaire, aussi se détourna-t-il d'elle pour fixer la nuque du chauffeur.

— Vous êtes une jeune femme vraiment adorable, Winifred.

— Merci. Et vous êtes toujours... (un léger sourire erra sur ses lèvres)... j'allais dire que vous êtes un homme vraiment *adorable*. Mais le mot n'est pas juste, n'est-ce pas ? Pour un colonel, il vaut mieux employer l'adjectif *distingué*. Oui, vous êtes vraiment distingué, Fenton.

Elle détourna son regard vers la portière. La nuit tombait et la foule traversait Hyde Park Corner vers la station de métro de Piccadilly.

— Sommes-nous obligés de prendre le thé ? demanda-t-elle.

— Vous n'en avez pas envie ?

— Pas spécialement.

— Qu'aimeriez-vous faire ?

— Oh ! Aller au musée de cire de Mme Tussaud. J'ai toujours eu envie de voir le cabinet des horreurs... Sweeney Todd en train de couper des gorges et Jack l'Eventreur. Père n'a jamais voulu m'accompagner dans cette salle, mais j'avais une amie de collège — Rose Collins — qui l'avait vue plusieurs fois. Son oncle l'y emmenait.

Son oreille n'avait pas été suffisamment insensibilisée par le bruit des obus pour qu'il ne pût déceler l'ironie lorsqu'il l'entendait. Il se pencha en avant et frappa contre la vitre.

— Arrêtez-vous, ici, chauffeur.

Ils marchèrent le long de Piccadilly sans parler. Ils avaient bien des choses à se dire, mais le vent qui s'était levé lançait des grains de glace sur leurs visages. Il lui saisit fermement le bras et l'entraîna dans Half Moon Street. Ils pénétrèrent dans le hall spacieux et chaud du Torrington Hotel.

— Est-ce que l'oncle de votre amie offrait à l'enfant du gin à la grenadine ?

— Peut-être, répondit-elle, songeuse. Mais c'est peu probable.

— Puis-je vous en offrir un, ou bien cela risque-t-il d'arrêter votre croissance ?

— Vous êtes furieux, n'est-ce pas ?

— Ne me croyez-vous pas en droit de l'être ?

— Oui et non. Disons, pour rester équitable, que nous en avons tous les deux le droit.

Le bar-salon était plein d'officiers et de femmes trop bien vêtues. Il y avait un petit parquet de danse — comme dans tous les bars d'hôtel depuis la guerre — et un orchestre de quatre musiciens jouait la Castle

Walk. Winifred lança un regard de glace aux femmes et à un sous-lieutenant canadien qui gigotait comme un fou au rythme du ragtime.

— Ne pourrait-on trouver un endroit plus paisible ?

Il la conduisit à l'étage, dans le grand salon où des couples plus calmes prenaient le thé ou des cocktails. Un maître d'hôtel âgé, en livrée, les précéda jusqu'à une table, sur le balcon entouré de vitres qui offrait une vue splendide sur Green Park. Fenton commanda un gin à la grenadine et un whisky and soda. On leur apporta aussitôt les boissons sur un plateau d'argent.

— Vous avez l'impression que je suis trop protecteur à votre égard, c'est cela ? demanda-t-il.

— Non. Je crois simplement que vous êtes noble... et que vous faites ce qui correspond à votre code d'honneur. Un homme moins délicat se serait borné à oublier complètement la situation, et ne m'aurait pas invitée du tout.

Elle prit une gorgée de gin.

— C'est très bon. Etrange. Nous voici tous les deux en train de « prendre un verre » ensemble dans un lieu public. Tout à fait impensable il y a un an et demi, mais *tempora mutantur* et ainsi du reste.

— Oui, les temps changent, mais les émotions humaines demeurent. Si je vous ai blessée, Winifred, je le regrette du fond du cœur.

— Ne vous excusez de rien. La guerre a modifié les projets de tout le monde. Je suppose que nous serions mariés en ce moment si l'Allemagne n'avait pas envahi la Belgique. Je me demande si nous aurions été heureux ? Probablement. J'aurais eu un beau mari, et vous auriez eu... quoi ? Pourquoi m'aviez-vous choisie, Fenton ? Ce n'était pas de l'amour. Je ne me suis jamais fait d'illusions à cet égard. Une affaire d'argent à la base, je crois. Peut-être préférez-vous laisser cette question en souffrance ?

— Non. Vous méritez de savoir pourquoi. Il est exact que j'avais besoin d'argent pour rester dans le régiment. Il fallait, soit que je fasse un bon mariage, soit que je démissionne. Votre père comprenait mes raisons, ainsi qu'Andrew. Et ils avaient le sentiment que je serais pour vous un bon mari. J'en étais persuadé moi aussi. Et c'est ce qui se serait passé... Mais il ne s'agissait pas uniquement d'argent... Il n'y avait pas seulement du calcul dans l'affaire. Sinon j'aurais recherché une de ces filles milliardaires de Sheffield qui ne cessent de minauder. Dieu sait qu'il y en a toujours des quantités en train de rôder autour des bals de Mayfair. Vous me plaisiez, Winifred. J'appréciais votre compagnie. Et je l'apprécie encore aujourd'hui.

Elle jouait distraitement avec son verre, le faisant tourner entre ses doigts.

— Que feriez-vous si je vous rappelais que vous avez au moins l'obligation de me demander en mariage ?

— Je ferais cette demande, bien sûr.

— Bien sûr... Ma question était presque inutile, n'est-ce pas ?

Elle posa son verre sur la table et le regarda. Son regard était indéchiffrable.

— J'ai eu parfois beaucoup de mal à me souvenir de mon visage de cet été-là. Et aussi du vôtre, avoua-t-elle. Nous sommes des gens différents à présent, ne croyez-vous pas ? Pas seulement au sens physique. Je veux dire, il s'est passé trop de choses dans nos vies pour que la transformation en nous ne soit pas radicale. Mais je me rappelle à quel point j'étais entichée de vous, comme prise de vertige. Je savais au fond de moi que vous n'étiez pas amoureux : c'était impossible. Mais je désirais désespérément être fiancée à la fin du mois de juillet. Je croyais que je devais bien cela à ma mère : elle se dépensait tellement pour me marier. Elle me faisait sentir que si Charles n'était pas tombé à mes genoux, c'était entièrement de ma faute... D'une manière ou d'une autre, j'avais tout gâché. Mais elle n'avait jamais été contrainte d'aller dans le jardin avec Charles, comme moi, parfaitement consciente qu'à chacun de ses regards il me comparait à Lydia Foxe. C'était cruel. Je ne pouvais pas supporter la comparaison. Je me sentais tellement mal fagotée. Et c'est juste à ce moment-là que vous êtes tombé du ciel dans ma vie, avec une boîte de chocolats sous le bras. Aucun instant n'aurait pu être mieux choisi, ou calculé avec plus de soin.

Il repoussa brusquement son verre puis chercha sa boîte de cigarettes dans sa veste.

— J'espère que la fumée ne vous dérange pas.

— Pas du tout.

— J'ai l'impression d'entendre parler deux étrangers sans intérêt. Vous êtes une femme excessivement belle. Le fait qu'un homme lève les yeux vers vous ne devrait désormais susciter en vous aucun sentiment de reconnaissance.

— Et vous n'avez plus besoin d'être riche pour rester dans l'armée. L'ardoise a été effacée, Fenton. C'est comme si nous nous rencontrions pour la première fois.

— C'est exactement ce que je ressens. Et si nous en faisions une soirée mémorable ? Un dîner au Romano's ou bien au premier étage du Café Royal... Qu'en dites-vous ?

Elle dissimula son sourire en prenant une gorgée de gin.

— C'est une bonne idée, mais en fait je ne me sens pas d'humeur à faire la fête. Resterez-vous à Londres longtemps ?

Il se sentit déçu soudain, il eut l'impression qu'elle coupait délibérément les ponts. Il se demanda jusqu'à quel point elle lui en voulait. Il laissa filtrer une bouffée de fumée au coin de ses lèvres.

— Je serai libre pendant les deux semaines qui viennent. Je descends à Abington pour le week-end. Puis-je vous téléphoner la semaine prochaine ?

Elle le fixa sans trahir la moindre émotion : un regard prudent, hésitant.

— Oui, dit-elle en hochant légèrement la tête. Si vous en avez vraiment envie.

Il y avait dans le paysage une tristesse que Fenton n'avait jamais ressentie au cours des nombreux hivers qu'il avait passés dans les South Downs et le Weald. Une atmosphère sinistre et négligée que le mauvais temps ne suffisait pas à expliquer. L'absence d'hommes dans la force de l'âge, songea-t-il, tandis que le train serpentait lentement entre des villages à l'aspect abandonné : Effingham et Horsby, Clandon et Merrow. Les toits avaient besoin de réparations, les murs manquaient de chaux, les vergers n'étaient pas taillés. Le train fut retardé à Abbotswood Junction pour permettre à un bataillon de la Nouvelle Armée de traverser la voie. Les West Surrey : il y avait un mouton portant un étendard brodé sur la casquette de l'officier. Ce dernier avait les cheveux gris et il montait son cheval de façon très raide, avec une sorte de rage sourde. On sentait qu'il pestait en son for intérieur contre cette masse de traîne-savates, manifestement au premier stade de leur entraînement militaire. Ils ne pouvaient franchir une ligne de chemin de fer au pas de gymnastique sans tomber les uns sur les autres ou sans trébucher sur les rails. L'officier des West Surrey ne voyait en eux qu'un millier de « bleus » amalgamés à son vieux régiment vénérable pour faire face aux nécessités de la guerre. Fenton, lui, devinait sous les uniformes un millier de maçons, de peintres en bâtiment, de menuisiers, de puisatiers, d'horticulteurs, de bouchers, de fils de bouchers et de Dieu sait quoi d'autre. Le sang des veines de ce comté courant le long du remblai avant de s'enfoncer dans la brume, plus loin, sur les champs couverts de gelée blanche.

Charles l'avait averti qu'il ne trouverait sûrement pas de taxi à Godalming : il lui suffirait de téléphoner au Pryory à l'arrivée de son train. En fait, il y avait une voiture, à condition d'attendre une heure. Mais, M. Pearson, le brasseur, montait à Abington avec son camion pour livrer six tonneaux de bière et il offrit à Fenton de l'emmener.

— Comme quand vous étiez petit, lui dit M. Pearson, toujours jovial. Vous, le jeune Lord Amberley et votre frère — Dieu ait son âme ! Vous sautiez dans le chariot quand mes vieux percherons ralentissaient pour monter Burgate Hill...

Des champs d'été, des chevaux de roulage — encore tout frais dans la mémoire du vieux Pearson mais au-delà du souvenir pour Fenton... Il descendit devant la grille de fer, au bout de la route de près de deux kilomètres conduisant au manoir, et il franchit à pied le reste du chemin, son sac d'officier sur l'épaule. Le Pryory avait l'air aussi triste et délabré que tout le reste, la maison se dressait dans la pénombre de l'après-midi comme une relique abandonnée. Le rectangle du jardin italien, autrefois si impeccable, était un fourré de cyprès échevelés. Les mauvaises herbes poussaient sur la terrasse. Les écuries, il le savait sans avoir besoin de le vérifier, devaient être vides : le comte avait dû donner ses chevaux à la cavalerie. Ils auraient aussi bien pu rester dans leurs boxes chauds et confortables, car en France ils ne servaient vraiment à rien.

Mais la maison n'était abandonnée qu'en apparence. Il y avait plusieurs voitures garées au bout de l'allée et, lorsque Coatsworth ouvrit la porte, il était en grande livrée.

— Eh bien, monsieur Fenton ! C'est un plaisir de vous voir.

— Merci, Coatsworth. Est-ce que j'arrive au milieu d'une fête ?

— Seulement quelques amis de Sa Seigneurie. La dernière soirée avant bien longtemps, monsieur.

Il prit l'imperméable et le sac de Fenton, tout en ajoutant en confidence :

— On ferme le Pryory après Noël, monsieur. Nous allons tous à la maison de Park Lane. Il n'y a que quarante pièces, ce sera beaucoup plus facile à entretenir.

Seulement quarante pièces, songea Fenton avec une grimace. Hé oui, en temps de guerre, tout le monde devait faire des sacrifices... Il suivit le corridor jusqu'à la bibliothèque.

Les bougies des chandeliers d'argent se réfléchissaient sur la surface parfaitement cirée de la longue table. Malgré le manque de valets de pied — trois seulement, des vieux, plus âgés que Coatsworth lui-même —, on pouvait encore organiser un grand dîner à Abington Pryory à n'importe quel moment. La guerre fut vite oubliée lorsque Lord Stanmore se mit à découper le mouton rôti tandis que Coatsworth débouchait les vins. Fenton avait l'impression que, s'il fermait les yeux pendant une seconde, Roger serait là lorsqu'il les rouvrirait, en train de discuter avec Charles des dernières tendances de la poésie moderne. Oui, et Alexandra bavarderait de robes de Paris et du film qui passait au cinéma de Guilford. Mais on ne pouvait remonter le temps, si familier que fût le décor. Roger était mort. Charles était un homme marié et Alexandra n'avait pas ouvert la bouche de toute la soirée, sauf pour lui dire bonsoir. Certaines choses, pourtant, ne changeaient jamais. M. Cavendish, le maître de Delton Hall, second propriétaire terrien du district, continuait d'invectiver le parti libéral — bien que la présence de Lydia à la table lui eût imposé de réduire ses commentaires à des grognements presque inaudibles.

Lydia Amberley. Fenton était assis en face d'elle et il était impossible que leurs regards ne se rencontrent pas. Que pouvait-il lire dans ses yeux ? Un éclair de triomphe ? Une satisfaction de soi à peine voilée ? Peut-être. Il avait toujours été difficile de déchiffrer les pensées de Lydia. Au moment des toasts, il avait levé son verre dans sa direction et elle lui avait souri d'un air de dire : « Tu vois, je t'avais bien dit que j'y parviendrais. » La future comtesse de Stanmore. Cela semblait incroyable, mais elle était là, comme si elle avait fait partie de la famille depuis toujours — et presque trop belle.

— Les combats se sont donc ralentis à cause de l'hiver, mais j'aimerais savoir ce que nous avons gagné, dit le général de brigade Sir Bertram Sturdee (depuis longtemps à la retraite) en frappant son verre de vin avec une petite cuillère. 1915 n'est pas une année que je voudrais vivre deux fois.

— Sommes-nous obligés de parler de la guerre, Bertram ? demanda Hanna.

— Elle est dans la tête de tout le monde, chère amie. Une conversation qui ne porte pas sur la guerre est toujours condamnée à s'enliser d'une manière ou d'une autre. Et avec le ruban de Fenton qui me regarde dans les yeux, je n'arrive pas à concentrer mes pensées sur la chronique locale.

Hanna se leva, très digne.

— Vous parlerez de la guerre autant que vous voudrez autour de votre porto. Nous autres femmes préférons être épargnées.

Alexandra se leva en même temps que les autres, fit le tour de la table et embrassa son père sur la tempe.

— Bonne nuit, papa. Je vais me coucher.

— Toujours grippée ? demanda-t-il.

— Oui, un peu.

Elle se retourna vers Fenton et posa une main sur son épaule.

— Bonne nuit, Fenton. Quelle joie de vous revoir...

Il lui effleura la main, elle était glacée. Et son visage avait l'aspect d'un masque de cire.

— Alexandra ne va pas bien ? demanda-t-il après le départ des femmes.

— Les crises de grippe se succèdent, dit le comte en présentant les cigares sur sa gauche. Elle a attrapé quelque chose en France, je ne sais comment, et elle ne parvient pas à chasser le mal.

— Alex était en France ?

— Je vous croyais au courant. Oui. Elle est allée là-bas avec la Croix-Rouge. Elle est rentrée en octobre, dans un état lamentable.

— De la moutarde et du vinaigre, dit M. Cavendish. Vous l'étalez en couche épaisse sur la poitrine de l'enfant, vous enveloppez avec une flanelle, et vous lui faites garder le lit. Ça fait des merveilles.

Le général de brigade Sturdee alluma un cigare et attendit que Coatsworth verse le porto.

— Voilà donc Sir John French sur la touche, et Sir Douglas Haig sur le terrain. Bonsoir à la politique du haut commandement. Vous êtes à Whitehall ces temps-ci, Charles. Quels sont les derniers bruits qui courent dans les couloirs du War Office ?

— Très peu de choses filtrent jusqu'à mon bureau, répliqua Charles sans lever les yeux de son verre de porto. Je suis nouveau dans la maison et pas encore branché sur le téléphone arabe. Mais, si j'ai bien compris, Haig aimerait terminer la guerre l'an prochain en frappant un grand coup à la fin de l'été, du côté d'Ypres. Joffre préférerait que notre offensive soit lancée plus près des points forts français de Champagne, peut-être le long de la Somme. De toute façon il y aura une pression très énergique, et 1916 risque d'être l'année de la victoire.

— Ne pariez pas un shilling là-dessus, dit Fenton. Ils sont en train de se monter la tête au G.Q.G. en voyant naître tous ces bataillons de la Nouvelle Armée. Un million d'hommes sous les armes ! Les chiffres les hypnotisent, mais cela ne change pas pour autant la formule. Même si l'assaut de la crête de Loos avait été tenté par *dix* millions d'hommes, les barbelés et les mitrailleuses boches les auraient arrêtés. La formule de défense des Allemands est fondamentalement simple, mais elle fonctionne comme par magie. Il nous faut opérer des changements radicaux dans notre stratégie, et Haig n'est pas l'homme de la situation. Il croit encore que la seule fonction de l'infanterie consiste à se frayer un chemin à travers les barbelés et à creuser quelques brèches dans le système des tranchées pour permettre à la cavalerie de se déverser à travers et de gagner la guerre avec le sabre et la lance. C'est de la démence, et tous les Tommies le savent.

M. Cavendish s'éclaircit bruyamment la gorge.

— Vertudieu, Fenton, cela rend un son défaitiste ! Comme les articles imprimés sur ces sales tracts pacifistes que l'on trouve dans les gares ou dans la rue. Je suis très surpris de votre attitude, monsieur.

Sturdee ne put retenir un rire amer.

— Vous m'avez déjà dit la même chose, Tom, quand je suis rentré du Transvaal. J'affirmais que Buller était un âne, et vous avez failli me faire avaler l'Union Jack avec sa hampe.

Lord Stanmore ne put retenir un rire amer.

— Ouvrons une bouteille de whisky et faisons une partie de billard. Je suis du même avis que ma chère épouse : sommes-nous donc obligés de parler de la guerre ?

Le vieux général s'avança lentement, d'un pas raide, vers la salle de billard. La balle boer qui avait mis fin à sa carrière était toujours profondément enfoncée dans sa hanche droite. Il demeura aux côtés de Fenton.

— Votre oncle a pris le temps de m'écrire une lettre. Vraiment très aimable. Il est diablement fier de vous, Fenton. Il prévoit que vous commanderez une brigade avant l'été. Je suppose que vous avez l'intention de rester dans l'armée, de faire carrière ?

— Je ne connais pas d'autre métier.

— Vous avez toutes les qualités requises pour être maréchal un jour. C'est-à-dire toutes les qualités sauf une : vous avez tendance à exprimer vos opinions trop vite. Vous risquez de caresser les vieilles badernes à rebrousse-poil, or il y a beaucoup de vieilles badernes au-dessus de vous, dans les cadres. Croyez-moi, j'en sais quelque chose. J'aurais pris ma retraite avec le grade de général d'armée et non de simple général de brigade si j'avais été plus discret sur la débâcle des gués de la Tugela. Permettez à un vieil homme de vous rappeler une vieille rengaine : le silence est d'or, mon cher, le silence est d'or.

A minuit, il ne restait plus que Fenton et Charles dans la salle de billard. Ils jouaient sans suite, sans conviction. Fenton versa deux whiskies et regarda Charles manquer un coup facile.

— Tu n'as pas beaucoup parlé de Whitehall.

Charles regarda le cuir de sa queue.

— En fait, je ne suis pas à Whitehall, mais dans un petit immeuble à nous, sur Old Pye Street. Nous formons un groupe disparate, des officiers et des sous-officiers, des pontes de la mécanique et de la chimie, des professeurs à l'université de Londres, des savants cinglés avec l'accent de Vienne, toute une gamme d'excentriques réunis à d'autres excentriques mâtinés d'illuminés. Et nous recevons la visite de gens très étranges, tu sais, avec des idées folles sur la façon de gagner la guerre : des rayons de la mort, tu vois le genre.

Fenton blousa la boule bleue et observa la disposition des autres boules sur le tapis vert.

— Tu exagères, dit-il.

— Oh ! ils ont apporté tout de même quelques bonnes idées : les casques d'acier, par exemple. Tous les soldats en auront au printemps. Et puis un masque à gaz vraiment efficace, un mortier de tranchées amélioré et des grenades plus puissantes, qui explosent toujours. Ils ont tout de même justifié leur existence...

— Tout cela me paraît important. C'est un endroit où l'on ne perd pas son temps, non ?

— Certainement. A Gallipoli nous faisions nos grenades nous-mêmes : des boîtes de confiture garnies de fulmicoton chipé à la marine. Une sur six explosait, pas plus. Seulement... Eh bien, bon dieu, je crois que je devrais être avec les Windsor. Le régiment est rentré en Angleterre — enfin, ce qu'il en reste. Taux de pertes : soixante-quinze pour cent, presque tous les officiers sont morts ou à l'hôpital. Je devrais être sur le terrain de manœuvre en train de former de nouveaux bataillons au lieu de bavarder avec des paysans sur leurs essais de tracteurs à chenilles. Figure-toi que quelqu'un, je ne sais où, a eu l'idée fantasque de faire un cuirassé terrestre, une sorte d'énorme tracteur blindé avec des canons de marine dans des tourelles, et des mitrailleuses dissimulées dans ses flancs de fer. Cela va être un fiasco complet. Nous ne possédons pas les techniques nécessaires pour mettre au point un engin aussi insolite. Et même si nous parvenions à le construire, aucun général ne saurait se servir de cette satanée machine. Les généraux détestent toutes les mécaniques, tu le sais. Ils ne veulent pas sous leurs ordres des choses qu'on ne peut ni seller ni manœuvrer à coups de botte dans le cul. J'ai le sentiment désespérant que je consacre mon énergie à une entreprise condamnée à l'échec.

— Si tu le ressens de façon aussi nette, tu n'aurais pas dû te porter volontaire pour ce service.

Charles manqua un autre coup et regarda d'un œil dégoûté la boule blanche tomber dans la poche de l'angle.

— J'ai été affecté d'office, dès l'hôpital. On m'a ordonné de me présenter au général Haldane dès que je pourrais marcher sans béquilles. Il m'a dit qu'il désirait que je vienne travailler au N.S.5., il m'a tendu une poignée de journaux techniques et c'est tout. Ce n'est bien sûr qu'une affectation provisoire. Lorsque le bureau médical finira par me considérer comme bon pour le service actif, je pourrai dire bonsoir à tout ça. Finies les parlotes avec les paysans du Hampshire et les projections de films représentant de vieux tracteurs boueux rampant dans de vieux fossés boueux.

— Certes. En tout cas, tu as une jeune femme adorable qui t'attend à la maison tous les soirs. N'oublie pas la chance que tu as.

— Je ne l'oublie pas, répondit-il d'une voix grave. En fait je me sens coupable d'avoir autant de chances réunies.

— Je t'enverrai un cilice, tu m'y feras penser... Allons, allons, mon vieux, sois un peu raisonnable ! Je t'ai bien regardé. Tu as encore beaucoup de mal à marcher.

— Toutes les fractures se sont ressoudées, dit-il sur la défensive.

— Peut-être, mais tu crois que tu serais vraiment plus utile en train de tourner en rond pendant des heures pour apprendre le « reposez-armes » à des troufions d'occasion ? Le premier corniaud venu peut faire ça. Continue de travailler à ton rayon de la mort, ou à ton cuirassé terrestre, et souviens-toi qu'il y a à Berlin un type comme toi en train d'essayer de te damer le pion.

Il s'éveilla avant que la première lueur pâle ne colore les fenêtres de sa chambre. La force de l'habitude : l'appel du matin dans les tranchées, les hommes tendus, baïonnette au canon, attendant que le soleil se lève derrière les lignes allemandes. Une ou deux mitrailleuses lanceraient quelques cartouches, une fusée de signalisation sifflerait vers le ciel dans l'aube naissante, puis une rafale de coups de fusils quand les hommes croiraient voir des formes bouger dans le *no man's land* voilé de brume, entre les deux ceintures de barbelés. Le moment de la plus grande tension. Ensuite le jour se lèverait, et une fois de plus les Allemands n'attaqueraient pas. Les hommes redescendraient au fond des boyaux pour écouter le tintement rassurant des gamelles de thé qui arrivaient des cuisines de l'arrière par la tranchée de communication. Son cœur battit plus vite, il se sentit en sueur sous l'édredon. Il s'assit sur le bord du lit et alluma une cigarette, se demandant s'il serait encore capable, un jour, de profiter de l'aurore — et d'ailleurs de profiter pleinement du sommeil. Il avait fait de mauvais rêves. Rien de précis. Pas de visages, pas d'images saisissantes de la guerre, de simples impressions d'épouvante et de terreur sourde. Sa main droite tremblait : un mouvement spasmodique du pouce. Il l'insulta à mi-voix, prit sa cigarette dans sa main gauche et fit claquer sa main droite contre sa cuisse. Il vivait dans la crainte qu'un jour son corps le trahisse et se mette à trembler soudain de partout, ou bien qu'il perde l'usage de ses jambes, ou qu'il se mette à hurler au milieu des gerbes de terre soulevées par le tir de barrage — comme l'avait fait le sergent-major de sa compagnie à Auchy, au moment où l'on s'y attendait le moins.

Les cuisinières avaient mis du thé sur le feu et préparaient le petit déjeuner des domestiques — ils n'étaient plus que douze, et non quarante comme autrefois. La salle de service était fermée, et tout le monde était installé dans la cuisine lorsque Fenton entra. On lui donna un copieux petit déjeuner de campagne : harengs, œufs, jambon et pain grillé. Il plongea le personnel dans l'émerveillement en racontant le genre de récits de bataille que les civils aiment entendre. Quand il eut achevé, une des clochettes du panneau tinta et un petit disque blanc apparut, révélant que Lord Stanmore était éveillé et réclamait son thé. Coatsworth poussa un soupir résigné et enfila une paire de pantoufles de feutre.

— Je vais dire à Sa Seigneurie que vous êtes levé et habillé, monsieur. Il n'a pas monté, ces temps derniers. Il n'en a pas le cœur, je pense.

— Je croyais que les chevaux étaient partis.

— Certainement, monsieur, sauf Jupiter et une des juments, Rose O'Fen, un bon sauteur en son temps, et encore pleine de feu.

— Oui, dites-lui que je suis levé. Je serai aux écuries.

Le vieux palefrenier était ravi d'avoir de la compagnie et les chevaux semblaient impatients de se faire seller. Tout fringants soudain, ils tapaient du pied et reniflaient. La compagnie des autres chevaux leur manquait, Fenton en était certain. La ligne des boxes vides et fermés avait quelque chose de sinistre. Les deux hommes achevaient de serrer les sangles des selles lorsque le comte arriva d'un pas vif, sa veste encore à demi boutonnée.

— Pourquoi diable ne m'avez-vous pas dit que vous tomberiez du lit aux aurores ? Je croyais que les soldats en permission faisaient la grasse matinée.

— Pour être franc, j'aurais aimé la faire. Mais me voici. Que dois-je savoir sur cette jument ?

— Elle va sur ses quinze ans et elle a la bouche sensible.

— Je serai gentil avec elle si elle est patiente avec moi. Je n'ai pas monté depuis dix-huit mois.

La joie de la course semblait avoir effacé le temps. Les souvenirs du passé remontaient soudain en surface, rappelés à la vie par le bruit clair et rythmé des sabots sur le sol gelé. Mais l'illusion ne tarda pas à s'évanouir. Rien n'était susceptible de la prolonger. Son cheval était

vieux et en mauvaise forme. Le comte était vieux et aigri. Ils avancèrent lentement sans mot dire, dépassèrent l'orée d'un bois dénudé,
puis suivirent un sentier sillonné d'ornières qui revenait vers Abington
Pryory. En apercevant les toits du manoir, le comte arrêta son cheval et
alluma une cigarette.

— Nous l'abandonnons, Fenton, dit-il en tendant sa cigarette vers
la maison au loin. Nous partons à Londres.

— Oui. Coatsworth me l'a dit.

— Je cède tout ça à l'armée. Je ne sais même pas ce qu'ils en
feront ; un centre d'entraînement pour officiers, sans doute. Bah !
elle ne me manquera pas. Ce n'est plus qu'*une* maison maintenant,
vous comprenez. Ce n'est pas *la* maison que j'aimais, oui, que
j'aimais autant que la vie que j'y menais. Cette vie est morte, et tout
ce qui me reste c'est une fichue bâtisse trop grande, impossible à tenir
en état. Je ne reviendrai pas ici avant la fin de la guerre, avant de pouvoir repeupler mes écuries, faire de nouveaux jardins. J'aménagerai
peut-être le champ tout plat près d'Heron Copse en un terrain de polo
de premier ordre.

Il fuma pendant un instant en silence, fixant de l'autre côté des
prairies les bois toujours verts qui formaient écran autour de sa
demeure.

— Je suis en train de me raconter des histoires, Fenton. Une porte a
été fermée, et elle ne se rouvrira jamais.

— C'est ridicule, monsieur.

— Non, Fenton. Tout ceci est aussi mort qu'un diplodocus. Même
si la guerre s'achevait demain, plus rien ne serait comme avant.

Le comte entra prendre son petit déjeuner et Fenton se promena à
pas lents sur la terrasse, en faisant claquer sa cravache contre sa botte
droite. Revenir à Abington avait été une erreur de sa part. La simple
force de l'habitude, ou peut-être le désir de ressaisir une chose que
dans son for intérieur il savait irrémédiablement perdue. A quoi bon
dire au comte que l'abandon de sa demeure et de son style de vie ne
serait pas la perte la plus douloureuse subie en 1915. Il en aurait sûrement convenu, mais sans y croire vraiment. Après tout, c'était la plus
grande perte *pour lui*, et visualiser deux cent mille tombes n'est pas
chose facile.

La porte du jardin d'hiver s'ouvrit et Charles sortit d'un pas vif. Il
était en uniforme, avec un imperméable jeté sur l'épaule. Il avait l'air
épuisé et irascible.

— Il faut que j'attrape le huit heures quarante pour Salisbury. Mon
prétendu commandant vient de me téléphoner. Il m'envoie dans le
Wiltshire voir je ne sais quel paysan qui possède un gros tracteur à
vapeur.

— Un quoi ?

— Un tracteur à vapeur ! Il l'a acheté au Canada avant la guerre. Il

302

faut que je réquisitionne cette saloperie et que j'organise son transport jusqu'à Newbury.

— Tu veux que je t'accompagne ?

— Non. Conduis-moi à la gare, c'est tout. Le dernier chauffeur de Père ne peut pas sortir de son lit. Rien d'étonnant, il a soixante-seize ans.

Charles parti, à quoi bon rester jusqu'à la fin du week-end ? Tout en ramenant la Rolls-Royce à la maison, Fenton réfléchit à plusieurs prétextes.

Lydia et Hanna prenaient le café dans la salle du petit déjeuner.

— Est-il arrivé à temps ? demanda Lydia.

— De justesse. Il m'a demandé de vous dire qu'il rentrerait à Londres dans l'après-midi de lundi.

Il regarda ostensiblement sa montre.

— Et à propos de Londres, je prendrai le trois heures quarante-deux pour Charing Cross. Je regrette d'abréger mon séjour, mais j'ai toute une montagne de choses à faire. En voyant Charles se précipiter, je me suis senti coupable de négliger la guerre.

Hanna prit une gorgée de café.

— Nous aimons vous avoir près de nous, même si ce n'est que pour quelques heures.

— Inutile de prendre le train, dit Lydia d'un ton neutre. C'est de plus en plus horrible. Le trois heures quarante-deux se transformera en quatre heures trente-cinq et vous serez forcé de rester debout dans le couloir. Je remonte en voiture dans une heure.

— Oh ? dit Hanna.

— Oui. Je croyais que Charles vous l'avait dit. Le tapissier doit venir cet après-midi pour mesurer les fenêtres et apporter des échantillons pour les rideaux.

Elle regarda Fenton par-dessus sa tasse.

— Charles et moi avons acheté une maison, Bristol Mews. Je suis en train de refaire la décoration. Des tracas par-dessus la tête, je dois dire.

Et ce fut tout. Il était ravi de fuir. Lydia de même. Elle n'avait plus l'audace de rouler dans une voiture allemande, mais sa Napier Six était puissante et élégante à souhait. Elle conduisait comme un casse-cou à son habitude, et elle n'ouvrit la bouche que lorsque la maison fut loin derrière eux.

— Je ne peux pas supporter d'être là-bas sans Charles.

— Pas de tapissier ?

— Petit mensonge de politesse, mais je ne pouvais pas rester seule avec eux. J'aurais pu si Alex était en forme, mais elle est pratiquement clouée au lit.

— Que lui arrive-t-il ?

— Ils disent que c'est la grippe. Je n'en suis pas si sûre. Il s'est passé quelque chose au cours de son séjour en France, mais je n'ai pas pu lui tirer un mot. Elle qui me submergeait toujours de ses confidences...

Elle se concentra sur la route. Il y avait très peu de civils mais beaucoup de véhicules de l'armée, la plupart tirés par des chevaux. Elle dépassa les longues colonnes à vitesse réduite pour ne pas effrayer les bêtes.

— Je t'ai trouvé un peu étrange, toi aussi, dit-elle. Tu n'as rien dit. Pas un mot.

— A quel sujet ?

— Charles et moi.

— Vous avez l'air d'un couple heureux. Qu'aurais-je dû dire ?

— Tu étais persuadé que ce mariage n'aurait jamais lieu, tu devrais donc faire preuve d'une certaine curiosité, poser des questions.

— J'ai cessé de poser des questions sur les choses qui se produisent en ce moment. Je n'aurais même pas sourcillé si tu avais épousé le prince de Galles.

— Ne joue pas les blasés avec moi, Fenton. Nous nous connaissons depuis trop longtemps.

— Très bien, je serai fraternel. Comme il se doit... Es-tu heureuse ?

Il décela une légère hésitation.

— Oui.

— Est-ce que tu l'aimes un peu ?

— Il m'aime, lui. C'est tout ce qui compte.

— C'est toi qui lui as fait obtenir son poste au N.S.5. ?

Elle se raidit.

— Pourquoi me demandes-tu ça ?

— Parce que je sais comment les choses se font dans l'armée. Le général Haldane est un officier du génie. Il aurait pu prendre des dizaines d'officiers du génie beaucoup plus qualifiés que Charles sur le plan technique. Je soupçonne donc que quelqu'un a tiré les ficelles en coulisse, toi ou Archie.

— C'est vrai. J'ai parlé à quelques personnes. Y a-t-il du mal à ça ?

— Non. J'aurais été heureux de faire de même. Il en a sûrement conscience mais il croit que c'est en attendant son rétablissement complet. Il compte repartir au front : c'est prévu comme ça, ou bien y a-t-il autre chose qu'il ignore ?

— Il est bouclé pour la durée de la guerre, dit-elle d'une voix ferme.

— Il te détestera lorsqu'il l'apprendra.

— Comme tu es service-service, Fenton ! Il me remerciera de lui avoir épargné les tranchées, non ?

— La plupart des hommes réagiraient ainsi, mais pas Charles. Puisque tu l'as épousé, tu pourrais tout de même te donner la peine de comprendre la classe à laquelle il appartient.

— Seigneur ! Les pairs d'Angleterre ont aussi leurs bassesses, non ?

Le devoir, le sens du sacrifice, la résistance farouche à tout changement... On se demande parfois s'ils sortiront de cette guerre avec leurs couronnes intactes.

— Je suppose qu'ils survivront, répondit-il d'un ton calme. Ils ont toujours survécu.

— Charles survivra. Pour moi, c'est l'essentiel.

— Avec sa couronne sur sa tête ?

Elle repoussa une mèche de cheveux qui tombait sur son front. Son sourire était amer.

— L'Angleterre sera toujours l'Angleterre. Il est possible que le pouvoir repose un jour entre les mains d'un ancien avocat de Liverpool, mais le peuple s'inclinera toujours devant les couronnes, ternies ou non.

Bristol Mews était une petite rue pavée de briques près de Berkeley Square. Lydia rangea sa voiture devant une maison étroite de deux étages construite sous le règne de George II. Les appuis des fenêtres avaient été récemment peints en blanc, les volets et la porte d'entrée en noir vernissé.

— L'endroit a belle allure, dit Fenton.

— L'intérieur est adorable. Tu prends quelque chose ?

— Un whisky ferait bien mon affaire, oui.

Il y avait des échelles de peintre dans le vestibule. Une forte odeur de térébenthine, de colle à papiers peints et de copeaux de bois envahissait le rez-de-chaussée.

— Il faut un temps fou, dit Lydia. On a tellement de mal à trouver de bons artisans. Et quand on en trouve, ils sont insupportables. On ne peut plus compter sur personne. Les étages sont davantage en ordre.

Elle le précéda jusqu'à un bel escalier courbe conduisant au palier du premier, et elle entra dans une grande pièce meublée à l'orientale, avec des commodes et des tables de laque noire et rouge, un énorme paravent chinois et des divans bas recouverts de soie vert pâle.

— Tu aimes ?

— Oui, répondit-il après un instant de réflexion. Cela change de Burgate House.

— Papa m'avait dit de puiser dans les meubles de son vieux repaire, mais il n'y avait que du Sheraton et de l'Hepplewhite. Je voulais quelque chose de différent.

— Très exotique. Je me sens déplacé avec mon uniforme kaki.

— Il y a du whisky et de l'eau de Seltz dans le meuble de teck. Sers-toi pendant que je me change.

Une vieille servante entra pour allumer le feu pendant que Fenton se versait un whisky. Pas d'*alcools neutres*... ce qui le fit songer à Winifred. Et il pensait toujours à elle lorsque Lydia revint dans la pièce. Son costume de voyage en gros tweed avait fait place à une robe d'hôtesse vague, en soie bleue avec des ombres vert sombre. Oui, songea-t-il, comparer Winifred à Lydia était cruel de la part de Charles. La différence entre elles était aujourd'hui moins marquée que par le passé mais Lydia avait un chic que Winifred ne pourrait jamais acquérir. Elle ferma les portes et s'avança vers le feu. La lueur des flammes lançait des reflets de cuivre dans sa chevelure défaite. Il lui versa un cognac et s'assit près d'elle sur le divan en face de la cheminée.

— Combien de temps resteras-tu en Angleterre ? demanda-t-elle.

— Quatre ou cinq mois. Je dois monter à Leeds après le Nouvel An pour entraîner un bataillon. Un de ces ramassis de copains et compagnons qui s'engagent en groupe. Je vais faire figure d'intrus au milieu de mes hommes.

— Je suis sûre qu'ils seront fiers d'avoir un officier de la Garde à leur tête. Moi, je le serais.

— Je ne te vois pas en train de m'obéir.

— Pourquoi pas ? dit-elle d'une voix rauque. Cela dépendrait des ordres que tu me donnerais.

Elle posa son verre sur une table basse et se tourna vers lui. Il referma les bras autour d'elle et sentit la chaleur de son corps de femme à travers la robe de soie.

— Je te désire, Fenton.

— Tu as Charles.

Elle défit les boutons du milieu de la chemise kaki et glissa la main contre la peau de Fenton.

— Son amour est éthéré. La passion le choque.

— C'est à toi de lui enseigner la passion. On n'apprend pas grand-chose sur les femmes à Winchester et à Cambridge. Sois patiente.

Elle l'embrassa sur la bouche et sa langue glissa contre les dents de Fenton.

— Je ne me sens pas très patiente en ce moment, murmura-t-elle. Je t'en prie, Fenton...

Il pouvait l'emmener dans sa chambre. Ou bien la prendre sur le divan. Une étreinte agréable en plein après-midi dans la maison de Bristol Mews, le premier pas vers le statut d'amant. Elle parlerait à quelques personnes et ses ordres seraient mystérieusement changés. Une affectation d'état-major, à Whitehall. Aucune honte à avoir. Ses compagnons d'armes diraient qu'il l'avait drôlement méritée après Mons, la Marne, Festubert et Loos. Il sentit la langue de Lydia fouiller au plus secret de sa bouche. S'attarder... repartir.

— Je t'en prie...

Sa peau était chaude, vibrante, passionnée. Infiniment désirable. Mais il y avait un goût de cuivre dans sa bouche. Un goût de souillure.

— Non.

Il la repoussa doucement et se leva.

— Il est beaucoup trop tard pour ça, Lydia chérie. Nous avons complètement raté le coche.

Elle s'allongea sur les coussins et le fixa. Le feu se réfléchissait dans ses yeux.

— Tu n'es pas sérieux.

— Si. Le plus sérieux du monde.

— Pourquoi ? Charles ne le saura jamais. Il ne pourra pas en souffrir et cela ne portera aucun tort à son mariage.

Il boutonna sa chemise et redressa sa cravate.

— Je ne pensais pas à Charles, en fait. Cet aspect des choses ne m'a pas traversé l'esprit. Je songeais à moi-même. Tout devient tellement mesquin en ce moment. Un tel manque de sens des valeurs. Je n'ai pas envie de hurler avec les loups.

— Salaud, dit-elle à mi-voix lorsqu'il quitta la pièce.

2

Martin Rilke avançait dans Oxford Street. Le vent retourna son parapluie, qui faillit lui échapper des mains. Une femme entre deux âges qui attendait l'autobus lui lança un regard dénué de sympathie.

— Tire-au-flanc ! dit-elle avec un accent cockney prononcé. Un gars solide comme ça...

Il était habitué aux insultes et aux plumes blanches. La plupart des hommes dont le travail était essentiel à l'effort de guerre, ou qui avaient été jugés médicalement inaptes au service armé, mettaient des brassards pour éviter d'être harcelés. Il avait envisagé d'en porter un lui aussi, avec un petit drapeau américain. Mais il y avait renoncé. Cela n'aurait provoqué que des remarques perfides d'un autre ordre : « Trop fier pour vous battre, hein ? »

Il entra dans le White Manor de Marble Arch, ôta son manteau de pluie et son chapeau et les confia au vestiaire avec son vieux parapluie. L'orchestre de la salle à manger du premier étage jouait une valse dont les échos assourdis étaient syncopés par les bruits d'assiettes et de tasses du rez-de-chaussée, réservé à la plèbe. Il parcourut la salle des yeux et découvrit enfin Ivy Thaxton assise à une petite table près d'une colonne de travertin. Il eut envie de crier à sa vue — cela faisait trois semaines et demie qu'ils ne s'étaient pas rencontrés — mais il réprima son élan.

— Ivy !

Il se glissa sur la chaise en face d'elle et tendit la main par-dessus la table pour lui toucher le bras.

— Bon dieu, comme c'est bon de vous voir ! J'espère que vous n'attendez pas depuis trop longtemps ?

— Quelques minutes à peine.

Elle lui adressa un sourire plein de chaleur et leurs mains s'étreignirent.

— Vous allez bien ? lui demanda-t-elle.

— Mais oui.

— Vous avez l'air pâle.

— Je me porte à merveille.

Elle fronça légèrement les sourcils.

— Je suis sérieuse. Vous avez des cernes blêmes sous les yeux.

— Je sais que vous avez réussi votre examen, alors inutile de jouer à l'infirmière avec moi. Si je suis faible, c'est que j'ai faim.

— Moi aussi.

Il regarda autour de lui. Les tables étaient très serrées et deux énormes Highlanders en kilt se trouvaient presque sur leurs genoux.

— Ne préférez-vous pas aller en haut ? On pourrait avoir une meilleure table. Et danser...

— Il y a autant de monde en haut qu'en bas. Et d'ailleurs la nourriture est la même. Prenons le thé, nous parlerons de danser après.

Elle avait toujours le même coup de fourchette ! Il se sentait presque paternel en la regardant dévorer tout ce que l'on posait devant elle — pâté de porc, sandwichs au jambon-cresson, une tranche de cake de Dundee, des tasses et des tasses de thé. Et pourtant elle demeurait aussi mince qu'un enfant abandonné. Elle le stupéfiait.

— Cessez de me regarder comme ça.

— J'aime vous regarder manger.

— C'est impoli.

— Bien sûr, mais vous savez comme nous sommes, nous autres Yankees.

Il prit un cigare dans sa poche mais ne l'alluma pas. Elle n'aimait pas qu'il fume en mangeant.

— J'ai un petit quelque chose pour vous, dit-il, un cadeau de Noël.

Elle lui lança un regard sévère.

— Ce n'est pas bien. Nous avions promis de ne pas nous faire de cadeaux.

— D'accord, j'ai triché. Mais j'ai vu l'autre jour à Regent Street quelque chose que vous aimerez, j'en suis sûr. Je l'ai acheté.

— Vous n'auriez pas dû.

— Non, mais je l'ai fait et je ne le rapporterai pas à la boutique.

Il se mit à jouer avec son cigare, puis il ajouta :

— Vous partez en France, n'est-ce pas ?

— Oui.

Elle baissa les yeux vers son assiette et écrasa un petit morceau de cake entre ses doigts.

— Mon groupe part le 3 janvier... Hôpital Permanent numéro 9 à Boulogne.

Il chercha une allumette et alluma son cigare.

— Si tôt que ça ?

— J'en ai bien peur.

— Je pourrai vous revoir avant votre départ ?

— Je ne crois pas. Nous descendrons à Portsmouth pour un cours d'orientation tout de suite après Noël. Le vingt-sept sans doute. Je suis désolée, Martin, mais c'est notre dernier moment ensemble.

— Notre dernier rendez-vous, dit-il avec un sourire forcé.

— Oui... *rendez-vous*. C'est un mot tellement nouveau pour moi.

— Je pourrai vous rejoindre. Ecrire un ou deux articles sur l'hôpital permanent numéro 9 de Boulogne, et sur l'infirmière Ivy Thaxton des Services de Santé de la reine Alexandra en particulier.

— Non, je vous en supplie. Je vais avoir des moments difficiles, il faudra que je m'adapte aux cas que nous aurons là-bas. Si vous étiez dans les parages, cela me distrairait beaucoup trop de mon travail.

Cette fois-ci, le sourire qu'il lui adressa était sans mélange.

— Vraiment ?

— Ne soyez pas si faraud.

Elle baissa les yeux vers les miettes de son gâteau. Son visage s'assombrit.

— Vous me manquerez, Martin. Vous me manquerez beaucoup.

— Vous me manquerez aussi, bon dieu ! C'est drôle quand on y pense. Nous nous voyons à peine, une fois par mois environ, et pourtant le fait de vous savoir à Londres était pour moi d'un grand réconfort. La dernière fois que je suis rentré de France, mon train a fait pas mal de détours depuis Folkestone et nous sommes arrivés à la gare d'Euston au lieu de Waterloo. J'ai descendu Gower Street en taxi et, après l'université, j'ai vu l'hôpital All Souls. Il y avait avec moi deux types du *Journal American* et je leur ai montré l'endroit. J'ai dit : « C'est le meilleur hôpital pour la formation des infirmières et des médecins militaires existant en Angleterre. » L'un d'eux m'a répondu : « Seigneur, on dirait la plus grande et la plus vieille briqueterie du monde. » Evidemment, je n'avais pas la même opinion que lui : quelque part dans ce labyrinthe de bâtiments se trouvait ma jeune fille préférée.

Ivy rougit et se versa une autre tasse de thé.

— C'est vraiment ce que je suis pour vous, Martin ?

— Avez-vous besoin de le demander ? Je vous l'ai dit assez souvent, non ? Vous êtes ma préférée, Ivy, c'est évident. Bon dieu, je ne connais que vous.

— Vous devez rencontrer beaucoup d'autres filles à... Paris, dans des endroits comme ça.

— A Paris, je ne rencontre que des généraux en train de prendre du porto à l'hôtel Crillon.

— Et au Caire ? On dit que les femmes égyptiennes sont les plus exotiques du monde.

— Qui vous a raconté ça ? On ne peut même pas les voir. Elles portent des voiles noirs sur la tête.

La fumée dérivait vers son visage et il éteignit son cigare.

— Ecoutez, dit-il. Vous êtes une fée et mon cœur bondit dans ma poitrine chaque fois que je vous regarde. D'accord ? Vous me croyez ?

— Si vous le dites, oui.

— Ça n'a pas l'air de vous faire plaisir. Quelque chose vous tracasse ?

— Non. Je ne crois pas.

Il tendit la main par-dessus la table et lui effleura la joue.

— Vous avez le cafard parce que vous partez bientôt. J'éprouve le même sentiment, mais ce ne sera pas pour toujours. Quand vous serez habituée à l'hôpital et que vous vous sentirez sûre de vous, je viendrai vous rejoindre. Vous pourrez peut-être prendre quelques jours de permission et nous irons à Paris. Je vous montrerai tout ce qu'il y a à voir. De toute façon, je vous écrirai tout le temps. Rien ne nous séparera, ne serait-ce que pour une minute.

— Peut-être vaudrait-il mieux nous séparer carrément. Au moins jusqu'à la fin de la guerre.

— Je n'en vois pas la raison, Ivy.

Il se pencha en arrière et ralluma son cigare avant de poursuivre :

— J'ai le sentiment que la guerre est au contraire un moment où il faut s'accrocher à ses amitiés. Ne pas les abandonner. Finissez votre thé et montons à l'appartement. Je vous donnerai votre cadeau de Noël, d'accord ?

Quelque chose inquiétait la jeune fille, il ne savait quoi. Une angoisse banale, un peu de dépression — du moins il l'espérait. C'était bien normal. Elle n'avait jamais quitté l'Angleterre et l'idée de traverser la Manche, de travailler comme infirmière en titre dans un énorme hôpital de l'armée devait la troubler. Lorsqu'ils quittèrent le restaurant, il lui serra la main très fort, mais elle parut insensible à son geste. Dans le taxi qui les conduisit à Soho elle ne prononça pas un mot.

L'appartement était pour une fois en ordre car Jacob n'y venait presque plus. La première fois qu'Ivy l'y avait accompagné, elle avait été épouvantée par le désordre et, malgré ses protestations, elle avait passé une demi-heure à ranger.

— Un verre de xérès ?

— Non, merci. Le xérès me fait tourner la tête.

Elle s'assit sur le bord du divan, très raide.

— Et pourquoi pas ? Cela vous détendrait un peu.

— Je suis tout à fait détendue, merci.

— Très bien, dit-il à mi-voix. Comme vous voudrez.

Il battit des mains et s'écria avec une gaieté un peu forcée :

— Le Père Noël est descendu par la cheminée. Fermez les yeux jusqu'à ce que je vous dise de les ouvrir.

Il se précipita dans le vestibule et prit dans le placard un gros paquet recouvert de papier brillant, attaché par un ruban rouge. Il le déposa près d'elle, sur le coussin.

— Vous pouvez regarder.

Elle n'avait jamais reçu de cadeaux de sa vie, en tout cas rien qui soit présenté sous forme de cadeau. Une poupée en haillons et pour trois sous de sucre d'orge dans son sabot de Noël, un point c'est tout. Elle regarda le beau paquet, émerveillée, puis elle effleura le ruban du bout des doigts.

— Ouvrez-le. Allez...

Elle le défit avec soin, pour ne pas déchirer le papier. Une grande boîte blanche apparut ; le nom de la boutique était gravé sur le couvercle.

— C'est un magasin tellement élégant, dit-elle. Mais que m'avez-vous donc acheté ?

— Pour le savoir, il faut soulever le couvercle. C'est un cadeau utile, je l'avoue à regret. J'aurais aimé vous offrir tout un tas de choses... Vous savez, des objets féminins, mais je me suis dit qu'il était inutile de vous combler de fanfreluches dont vous ne pourriez pas vous servir en ce moment.

— Bien sûr, dit-elle en caressant le dessus du couvercle. C'est juste.

Elle ouvrit le couvercle avec précaution et regarda, éblouie, un grand sac en cuir souple portant IVY THAXTON inscrit en lettres d'or sur l'un des nombreux compartiments. Il était aussi robuste qu'une selle de cavalerie, mais d'une légèreté étonnante.

— Oh ! mon dieu, murmura-t-elle en caressant le cuir. Il a dû coûter une fortune.

— Et comment ! Je me suis mis sur la paille.

Il s'assit près d'elle et lui prit la taille.

— Il y a des choses à l'intérieur, vous savez. Une brosse et un peigne, un nécessaire à ongles. Vous pourrez y mettre toutes vos affaires.

— Il est beau. Vraiment beau.

Il l'embrassa dans le cou.

— Vous êtes belle, Ivy.

Elle se tourna à demi, sur le point de dire quelque chose, mais il l'en empêcha en l'embrassant sur les lèvres. Au début elle résista, sa bouche était dure, inflexible. Puis elle répondit soudain avec une passion si intense qu'ils en furent tous deux un peu secoués.

— Oh ! Ivy, Ivy... murmura-t-il d'une voix rauque, les lèvres près de sa joue, tandis que sa main caressait doucement la courbe d'un sein à travers la serge épaisse de son uniforme d'hiver.

Elle repoussa la main de Martin, presque à contrecœur.

— Non, il ne faut pas...

— Epouse-moi, Ivy.

Elle s'écarta de lui en secouant énergiquement la tête.

— Non. Tu ne dois pas me demander ça.

— Pourquoi ? Tu sais ce que je ressens pour toi et tu savais que je te le demanderais un jour. J'ai tout fait pour te dire mon amour — sauf de la publicité dans le journal.

— Je t'aime moi aussi, Martin. Vraiment. Mais ce ne serait pas bien. Au bout d'un certain temps, tu regretterais.

Il essaya de lire dans ses yeux violets ce que signifiait sa remarque. Son regard, toujours si expressif, demeurait à présent insondable.

— Je ne comprends pas ce que tu veux dire. Pourquoi le regretterais-je ? Il y a des fous dans ta famille, ou quoi ? Cela n'a pas de sens, Ivy. Il faudrait être le plus grand idiot de la terre pour regretter d'épouser une fille comme toi.

— Et que penserait ta famille ?

Elle avait détourné les yeux et il décela dans sa voix une certaine amertume. Elle fixa le sac de cuir.

— Ma famille ? Dieu ! Je sais bien ce que mon oncle Paul dirait en te voyant. Il dirait que pour une fois j'ai fait quelque chose de vraiment intelligent.

— Et que dirait... Lady Stanmore ?

Ainsi donc, c'était cela. Il comprenait tout, maintenant. La femme de chambre de l'étage. Il passa le bras autour de ses épaules et la serra très fort.

— Tante Hanna t'aimera autant que moi. C'est une femme sensée. Ne te laisse pas influencer par ses grands airs britanniques. Sous le vernis, elle reste Hanna Rilke de Prairie Avenue, Chicago. Elle ne cillera même pas quand je lui dirai que tu es l'épouse qui me convient.

— Je l'ai vue ce matin, dit-elle d'une voix douce. Le duc et la duchesse de Brendon sont venus rendre visite à la salle des convalescents, dans l'aile D, avec des cadeaux pour les soldats. Il y avait plusieurs personnes avec eux : Lord ceci et Lady cela... Et puis Lady Stanmore. Accompagnée de Lady Alexandra. Je me suis faite toute petite, mais Sa Seigneurie m'a repérée au premier coup d'œil.

— Et ?

— Oh ! elle a été très aimable, elle m'a serré la main et elle m'a demandé comment j'allais... des choses comme ça... comment je m'en sortais et tout... et puis elle m'a dit qu'elle était contente de me voir. Mais je n'étais pas à mon aise. Et Lady Alexandra restait debout derrière sa mère, les yeux fixés sur moi, sans dire un mot. Je crois qu'elle devait être choquée de me voir, moi, Ivy Thaxton, en train de serrer la main de sa mère. Elle n'a pas cessé de me regarder tandis qu'ils passaient entre les lits. Il y avait quelque chose dans ses yeux, une froideur... Je ne sais pas comment l'expliquer, Martin. Tu ne comprendrais pas.

Il tenta de l'attirer vers lui, mais son corps demeura rigide.

— Regarde-moi, Ivy. Cela n'a rien à voir avec nous. Si nous nous marions, nous ne vivrons pas dans la même maison qu'Alexandra.

— C'est peut-être vrai, mais tu n'en épouserais pas moins sa femme de chambre. Tu crois que je pourrais regarder M. Coatsworth en face, s'il était obligé de me servir à table ?

— Le maître d'hôtel, tu veux dire ?

— Oui. Et tous les fichus valets de pied. Je suis sûre que l'un d'eux trébucherait exprès pour me renverser de la soupe sur la tête.

Elle sourit, puis se tourna vers Martin et appuya sa tête contre son épaule.

— Oh ! je sais, dit-elle. Je suis idiote. Je ne devrais pas me soucier

de tout ça. Nous pourrions vivre en Amérique, n'est-ce pas, Martin ?
A Chicago, Illinois, sur le lac Michigan.

— Partout où tu désireras vivre, dit-il en lui caressant les cheveux.
N'importe où au monde. L'*Associated Press* veut que je quitte le *Post*
et que je travaille exclusivement pour eux. Ils me font miroiter beaucoup d'argent et j'y pense très sérieusement. Les gens de l'A.P. vont
dans le monde entier : en Chine, au Japon, dans les mers du Sud. Et
partout où l'on m'enverra, tu serais près de moi.

Elle se blottit contre lui et garda le silence, heureuse de s'appuyer
contre lui tandis qu'il lui caressait les cheveux.

— Je pars en France, Martin, dit-elle soudain. Je ne pourrai pas
t'épouser avant la fin de cette horreur.

— Je sais, dit-il doucement. Je le sais bien.

— Je me suis occupée de gazés au cours des cinq dernières semaines. Je ne t'en ai pas parlé. C'est effrayant d'être près d'eux. On peut
faire si peu de chose. On les assoit dans le lit, on les cale et ils se mettent à tousser jusqu'à la mort. Ils ont tellement peur...

— Chut ! murmura-t-il en la serrant plus fort. N'en parle pas.

— Nous en avons perdu soixante pour cent. Et ce n'étaient pas les
cas les plus graves : ils restent à Boulogne. Mon équipe va les prendre
en charge là-bas. En ce moment ils ont plus besoin de moi que toi,
Martin.

— Je comprends, dit-il en songeant aux hommes qu'il avait vus à
Hulluch fin septembre : ils ne tenaient pas sur leurs jambes. Des spas-
mes les secouaient. Des gaz de chlore : les boutons de cuivre de leurs
uniformes devenaient vert clair, la terreur insurmontable de la mort
luisait dans leurs yeux... Il attira Ivy plus près de lui.

— Je comprends...

Elle avait envie de marcher, bien qu'il fît nuit et que le vent fût
glacé. Ce n'était pas tellement loin et la pluie s'était arrêtée. Ils
étaient heureux d'avancer à grands pas côte à côte le long d'Old
Compton Street, de Charing Cross Road et de Great Russell Street. Ils
dépassèrent la masse noire, menaçante, du British Museum puis
remontèrent Gower Street jusqu'à l'immense hôpital All Souls. Des
lumières brillaient à des milliers de fenêtres — pas de couvre-feu ce
soir, les zeppelins ne se risqueraient pas sur Londres avec ce vent. Le
sac de cuir pendait, au bout de sa large courroie rembourrée de peau
de mouton, sur l'épaule droite d'Ivy. Martin l'observa du coin de
l'œil : elle était si fière de porter un aussi bel objet. Il ne lui aurait pas
fait plus plaisir en lui offrant un anneau de diamant — bien qu'il eût
préféré, lui, faire cette dépense-là.

— Voilà, nous y sommes, dit-elle en se tournant vers lui.

La façade de brique du bâtiment principal se dressait derrière elle
comme une falaise.

— Dès que je serai installée, je t'écrirai pour te donner mon adresse.

— Hôpital numéro 9 à Boulogne.

— En principe, mais ce sera peut-être le numéro quatre à Salonique. On n'est jamais sûr de rien à présent, n'est-ce pas ?

— Non.

Il eut envie de l'embrasser, mais il y avait trop de monde autour d'eux, entrant et sortant de l'hôpital. Il se pencha en avant et lui effleura le bout du nez.

— Prends bien soin de toi.

Il partit. Elle le regarda s'éloigner pendant un moment, puis elle se détourna et entra dans le bâtiment. Un groupe d'infirmières qui sortaient la croisa dans l'entrée. Une grande rousse s'arrêta pour admirer le sac.

— Oh, Oh ! Thaxton. Où as-tu pris ça ?

— C'est un cadeau. De mon bon ami.

La rousse s'approcha et se pencha vers son oreille.

— L'Amerloque ? murmura-t-elle.

— Oui. Il est magnifique, hein ?

— Vraiment chou ! Le mien m'a donné une boîte de bonbons plutôt riquiqui — tu parles, un Gallois ! Oh ! à propos, ton amie t'attend depuis des siècles. Dans la salle des infirmières de l'aile D, je lui ai dit de s'asseoir.

— Une amie ? Quelle amie ?

— Une fille blonde, très jolie.

— Oh ! répondit Ivy stupéfaite. Merci beaucoup.

Elle ne connaissait aucune autre « fille blonde », mais c'était impossible, n'est-ce pas ? Pourquoi diable… ? Elle se mit à courir le long de couloirs interminables. Elle atteignit enfin l'aile D et regarda par le panneau de verre de la porte. Elle était là : Alexandra Greville, assise sur un divan de cuir misérable, au fond de la pièce vide.

— Bonsoir, milady.

Elle s'avança, le visage en feu. Alexandra avait les yeux fixés sur ses genoux, elle les releva et Ivy fut saisie de voir à quel point ils semblaient vides. Alexandra ébaucha un sourire.

— Bonsoir, Ivy. Vous êtes surprise de me voir, n'est-ce pas ?

— Oui.

Elle demeura debout, très raide, sans savoir quoi dire.

— Vous attendez depuis longtemps ?

— Plusieurs heures, je crois.

— Je n'étais pas de service.

— C'est ce qu'on m'a dit.

— Je commence à neuf heures.

Alexandra regarda la pendule accrochée au mur.

— Cela nous laisse presque une heure. C'est-à-dire, si vous pouvez me consacrer ce temps-là.

— Mais... Pour quoi faire, milady ?

— Parler.

Elle tendit le bras et prit doucement Ivy par la main. Ses doigts manucurés étaient de glace.

— Et je vous en supplie, Ivy, cessez de m'appeler « milady ». Vous n'êtes plus ma femme de chambre.

Non, elle n'était plus femme de chambre depuis longtemps. Et pourtant, comme elle se sentait mal à l'aise ! Elle pouvait presque entendre Mme Broome lui souffler par-dessus l'épaule : « Tenez-vous droite, Ivy, et, pour l'amour du Ciel, ne vous tortillez pas et cessez de bégayer. Une bonne femme de chambre est toujours à l'aise et toujours pleine de respect quand elle parle à ses maîtres. » Elle sentit son estomac se nouer. Comme Martin avait tort ! Mais comment un Américain aurait-il pu comprendre ?

— Asseyez-vous, Ivy.

— Oui, madame.

Elle s'assit, très raide, sur le rebord du divan. Alexandra ne lui avait pas lâché la main et il lui fut impossible de s'asseoir aussi loin qu'elle l'aurait voulu.

— J'ai été très étonnée de vous voir ce matin, Ivy. J'avais complètement oublié que vous étiez entrée dans le Service de Santé. Comme vous êtes élégante dans votre uniforme ! Vous êtes infirmière diplômée à présent, n'est-ce pas ?

— Oui.

Elle lâcha Ivy et croisa ses mains sur ses genoux.

— J'ai été souffrante, poursuivit-elle, et je n'avais guère envie de visiter l'hôpital, mais ma mère a insisté pour que je l'accompagne.

— Souffrante ?

— Une grippe qui n'en finit pas.

— Je vois.

Elle leva les yeux vers la pendule. Jamais la grande aiguille ne s'était déplacée aussi lentement.

— Vous demeurez toujours à Abington ? dit-elle.

— Non. Nous venons de nous installer dans la maison de Park Lane.

— C'est très agréable.

— J'ai toujours aimé la vie de Londres.

Ce n'était pas la même Alexandra Greville, songea Ivy en l'observant à la dérobée. Aussi jolie qu'autrefois, vêtue avec la même élégance, mais sa façon d'être avait changé. La jeune fille pétillante et bavarde s'était métamorphosée en une femme sombre, tournée vers elle-même. Ses yeux paraissaient inquiets. Ses mains échappaient à son contrôle : ses doigts ne cessaient de se crisper et de se détendre — exsangues, froids et blancs.

Ivy s'éclaircit la gorge.

— C'était une surprise de vous voir, ainsi que Sa Seigneurie. Et une heureuse surprise, je dois dire.

— Vraiment ? C'est gentil. J'étais heureuse de vous voir moi aussi. Ainsi que mère. Elle l'a dit à Mme Broome dès que nous sommes arrivées à la maison.

— Comment va Mme Broome.

— Son neveu a été tué à Cambrin en septembre. Elle a été bouleversée, mais elle a repris le dessus. Toujours aussi indomptable, Mme Broome.

— Oh ! oui.

Il faisait une chaleur étouffante dans la pièce mais Ivy résista au désir de se lever et d'ôter sa grosse cape. Alexandra portait un manteau avec un col et des poignets de zibeline. Elle avait l'air glacée comme du marbre.

— Mère et la duchesse de Brendon étaient très émues après la visite des salles. Nous avons déjeuné au Claridge et elles ont pleuré jusqu'au dessert.

Elle adressa à Ivy un regard amer.

— Bizarre qu'elles soient si bouleversées. Ce n'était qu'une salle bien anodine, n'est-ce pas ?

— Une salle... anodine ?

— Vous savez ce que je veux dire, Ivy. Une salle pour la galerie. Tous les hommes avaient l'air heureux en dépit de leurs blessures. Et toutes les blessures étaient insignifiantes. Et si bien pansées...

— Le chef de groupe... Enfin, on n'aime pas en haut lieu que les visiteurs importants soient choqués.

— Je le comprends aisément. Mère et la duchesse auraient été épouvantablement gênées si on leur avait montré un homme avec le visage arraché. Surtout avant le déjeuner.

Ivy sentit que sa bouche était soudain très sèche.

— Il faut avoir l'habitude, dit-elle avec difficulté.

— Peut-on vraiment s'y habituer ? Est-il possible d'affronter une chose comme celle-là ?

L'intensité du regard d'Alexandra était inquiétante. Ivy s'agita légèrement sur son siège et frotta le dos de sa main sur ses lèvres.

— Cela prend du temps.

Un jeune docteur portant une blouse blanche sur un uniforme manifestement neuf pénétra dans la pièce.

— Pardon, êtes-vous de service, Thaxton ?

— Non, monsieur. Pas avant neuf heures.

— Avez-vous vu l'infirmière Jones ?

— Quelle Jones, monsieur ?

— Jones numéro 16.

— Elle a été affectée aux abdominaux cet après-midi par le capitaine Mason.

— Mason ? Je le connais ?

317

— Militaire de carrière, monsieur, l'armée des Indes... Le nez violet.

— Ah oui ! dit-il comme si cela résolvait son problème immédiat. Merci, Thaxton.

— Ils sont de plus en plus jeunes, dit Ivy après le départ du docteur. Tout de suite après leur examen de chirurgie. Mais ils font du très bon travail malgré leur manque d'expérience.

Cette brève interruption avait été la bienvenue.

— On acquiert de l'expérience très vite en ce moment, je pense ?

— Les patients ne manquent pas ici.

— Ni en France, ajouta Alexandra à mi-voix.

Une douzaine de stagiaires portant des carnets de notes descendirent le couloir à la suite de leur infirmière-instructrice et pénétrèrent dans la pièce. Les stagiaires étaient toutes très jeunes et harassées de fatigue. Elles fixèrent Alexandra comme s'il s'agissait d'une créature appartenant à un monde inconnu. L'instructrice était une grande femme joviale d'une quarantaine d'années qui faisait tout marcher à la baguette.

— Bonsoir, Thaxton ! On a des visites, je vois. Eh bien, pas ici, mon petit. Nous sommes au milieu des pansements humides et les gueules cassées viennent de nous chasser de la salle 56.

Les deux jeunes femmes sortirent dans le couloir.

— Y a-t-il un endroit où nous puissions parler en privé ?

— Non, répondit Ivy, très raide. L'hôpital est plein à craquer.

— Vous m'en voulez d'être venue, n'est-ce pas ?

Ivy jugea qu'une question franche méritait une réponse franche.

— Oui. Je n'ai pas envie de blesser vos sentiments, mais je n'ai pas de temps à perdre à des bavardages. Et en fait nous n'avons rien d'important à nous dire.

— Si je suis venue, Ivy, c'est simplement pour vous poser quelques questions. Voilà, j'ai envie de m'engager au Service de Santé comme vous.

Le regard d'Ivy, franchement incrédule, était à peine poli.

— Vous ?

Alexandra fit une grimace douloureuse.

— Pourquoi pas moi ?

— Je ne sais pas au juste. Je ne parviens pas à vous imaginer en train de suivre les cours. Le travail est dur, sale, épuisant. Les femmes de chambre d'Abington Pryory ne travaillaient jamais autant. Il y a une unité d'auxiliaires volontaires de la Croix-Rouge pour les demoiselles de bonne famille — les matinées ou les après-midi, elles écrivent des lettres, font la lecture aux hommes, enroulent les bandes. Pourquoi n'entrez-vous pas là-dedans ?

— Oh ! Seigneur, s'écria Alexandra, le souffle coupé. Quelle horrible petite prétentieuse vous êtes devenue !

Et elle partit au pas de course dans le corridor. Ivy la suivit des yeux, stupéfaite. Sa colère et son agressivité secrète se muèrent en honte.

— Attendez ! cria-t-elle, les joues en feu.

Elle se mit à courir, bousculant les infirmières et les garçons de salle. Elle rattrapa Alexandra presque au bout du couloir, lui saisit le bras et la poussa vers une petite porte verte qu'elle ouvrit et referma derrière elle avec la vivacité furtive d'un conspirateur. C'était une petite salle de stockage de couvertures, éclairée par une ampoule nue tombant du plafond. Ivy tira le verrou et s'adossa à la porte.

— Je ne suis pas une petite prétentieuse, dit-elle en reprenant son souffle.

Alexandra était très raide en face d'elle, le visage tiré, très pâle.

— Si, vous l'êtes. C'était comme si j'avais dit, moi, que *vous* ne seriez jamais capable de faire autre chose que de porter des plateaux de thé et border des lits.

— Je ne faisais qu'exprimer mon avis. Je ne peux pas vous imaginer en infirmière stagiaire, c'est tout. Si ce que vous désirez, c'est faire votre devoir...

— Je me suis engagée dans la Croix-Rouge au début de la guerre. Dans un centre de convalescents pour officiers à Wimbledon — des lettres à écrire, des coussins à arranger, tout ce que les demoiselles de *bonne famille* font en tant que volontaires.

— Elles font souvent davantage.

— Je le sais : je suis allée en France quand mon frère a été blessé. Je suis passée maître dans l'art de vider les bassins !

Elles se regardaient comme deux étrangères. Mais il y avait entre elles une espèce de lien. Et Alexandra Greville avait toujours été aimable.

— Je suis désolée, dit Ivy. Je suis sûre que vous n'avez pas attendu des heures pour me dire simplement que vous aviez envie de vous engager. (Elle montra de la main la pièce pleine de couvertures.) Vous m'avez demandé un endroit où l'on puisse parler en paix...

— Merci, Ivy. Quelque chose m'est arrivé en France — je me suis effondrée, c'était plus affectif que physique — et tout en désirant plus que tout devenir infirmière militaire, je conserve une certaine appréhension, vous comprenez... un sentiment de panique au fond de moi : j'ai peur de m'effondrer de nouveau dans les mêmes circonstances. Ce n'est pas une crainte que je puisse expliquer au directeur des recrutements.

Le placard était tellement silencieux qu'Ivy pouvait entendre battre son cœur.

— Racontez-moi, dit-elle.

Elle ne quitta pas des yeux le visage d'Alexandra, fasciné par la douleur, la droiture et la sincérité qui s'y reflétaient. Elle imaginait sans peine l'Alexandra qu'elle avait connue, romantique et pleine de vanité, jouant à l'infirmière dans ses uniformes élégants et coûteux de chez Ferris. *Alexandra Nightingale, sainte Alexandra* — qui se moquait maintenant d'elle-même sans la moindre pitié. Ivy comprit l'aboutissement inévitable de sa folie, lorsqu'elle lui raconta son voyage en ambulance de Saint-Omer au centre d'évacuation des blessés de Kemmel. Elle prit la main d'Alexandra et la serra très fort.

— Inutile de me dire ce qui s'est passé là-bas. Je le devine sans peine.

— Ils avaient tellement besoin d'aide, murmura-t-elle. Des centaines d'hommes, Ivy, des hommes sans bras, sans jambes, sans visage. Je ne pouvais faire que très peu de chose pour eux, et ce peu, j'ai commencé à le faire...

Elle s'arrêta. Sa langue glissa un instant sur ses lèvres sèches.

— Je les ai complètement trahis...

— Vous n'avez trahi personne, lui dit Ivy d'une voix ferme. On ne peut pas tenir pour un échec une tentative pour laquelle vous n'étiez nullement préparée.

Elle se tourna vers la porte et l'ouvrit.

— Pour l'amour de Dieu, sortons d'ici avant d'étouffer.

Elles suivirent lentement le couloir conduisant à l'entrée principale. Des infirmières, des garçons de salle et des médecins les dépassèrent. Certains reconnaissaient Ivy et lui faisaient un signe de tête ; tous regardaient Alexandra avec plus ou moins de curiosité.

— Je n'ai pas l'air à ma place, dit Alexandra.

— Est-ce que vous vous *sentez,* vous, à votre place ? C'est cela qui compte, vous savez.

— Je ne comprends pas bien ce que vous voulez dire.

— Est-ce que vous serez à l'aise au Service de Santé ? Est-ce bien ce que vous voulez faire *vraiment*. Où êtes-vous seulement en train de vouloir vous prouver quelque chose à vous-même ?

— Je veux être utile, dit-elle d'une voix neutre.

— Bon. Nous avons besoin de toute l'aide que nous pourrons obtenir. Et pour vos craintes...

Elle s'arrêta et lui fit face.

— Nous avons toutes une certaine appréhension chaque fois que nous entrons dans une salle d'hôpital. Vous voyez ces deux filles debout près de la fenêtre du dispensaire ? L'une d'elles est la fille d'un pasteur de Ludlow et l'autre était institutrice au Pays de Galles. Avant de venir ici, les pires blessures qu'elles avaient vues étaient une coupure au bout du doigt ou une cheville foulée. Maintenant, elles travaillent dix heures par jour et plus avec des hommes qui crachent leurs poumons en petits morceaux. Elles ne possèdent pas une espèce spéciale de bravoure dont vous seriez privée. Non, ce qui fait leur force, c'est l'assurance que leur ont donnée douze mois d'entraînement. La seule bravoure dont vous ayez besoin, c'est le courage de commencer cet entraînement et, bien sûr, celui de le poursuivre jusqu'au bout.

Les cloches de la chapelle de l'University College sonnèrent le premier coup de neuf heures.

— Il faut que je parte, dit Ivy. Peut-être pourrons-nous reprendre cette conversation demain ?

Alexandra se pencha vivement près d'elle et l'embrassa sur la joue.

— Je m'engagerai demain. Bonne nuit, *infirmière* Thaxton.

— Mais... Jamais je ne... murmura Ivy en portant la main à sa joue.

Debout au milieu du couloir, elle regarda Alexandra traverser l'immense hall d'entrée plein de visiteurs sur le départ. Il y avait sur les murs des fresques représentant des médecins célèbres et, au-dessus de la porte, un panneau de six mètres de hauteur peint par les malades convalescents : PAIX SUR LA TERRE AUX HOMMES DE BONNE VOLONTE.

> *Minuit, Chrétiens, c'est l'heure solennelle*
> *Où l'Homme-Dieu descendit jusqu'à nous*
> *Pour effacer la tache originelle*
> *Et de son Père apaiser le courroux...*

— Les chœurs de Noël ne sont plus ce qu'ils étaient, soupira Lady Wood-Lacy. Jim Penny, Will Adams... Oui, tous les bons barytons sont dans l'armée...

Ils étaient assez mélodieux pour Fenton, en tout cas. Il invita les chanteurs à prendre un whisky chaud ou un punch, mais ils refusèrent aimablement et descendirent l'avenue vers la maison des Shaw, où M. et Mme Shaw, avec leurs cinq enfants, les attendaient impatiemment.

> *Il est né le divin enfant*
> *Jouez hautbois, résonnez musette...*

Fenton ferma la porte de la rue et suivit sa mère dans le vestibule. Ils entrèrent dans le salon. Le parfum de l'oie rôtie emplissait toute la maison.

— Il vaudrait mieux que j'aille voir comment Jinny s'en tire, dit Lady Wood-Lacy. Il lui arrive d'avoir des oublis.

Jinny avait quatre-vingts ans et c'était la seule et unique servante que Sir Harold et Lady Margaret eussent jamais eue. Ils avaient vécu la majeure partie de leur vie de famille sur les lieux même où l'architecte travaillait : Balmoral, Sandringham, Abington Pryory. Mais leur petite maison adorablement aménagée du Suffolk — une maison d'architecte, après tout — avait toujours été prête à les accueillir, avec Jinny s'affairant dans la cuisine devant ses casseroles.

Il se versa un whisky et s'avança vers la vaste fenêtre. La dernière lueur du pâle soleil d'hiver se réfléchissait sur les eaux froides, ridées par le vent, de la Deben. A la maison pour Noël... Mais ses pensées étaient bien loin des cantiques sacrés, du gui, du houx et de l'oie rôtie. Le second hiver de la guerre, très différent du premier. Il avait fêté le Noël précédent en France, dans un château près de Béthune. Au mess, on n'avait parlé que de paix — peut-être pas sur la terre, mais en tout cas en France. Tout le monde croyait alors que la guerre serait finie un mois plus tard. Ils avaient eu des échos étonnants : des soldats anglais et allemands s'étaient rencontrés dans le *no man's land* pour échanger des cadeaux et chanter des cantiques.

— Vous savez ce que cela signifie ? avait fait observer le capitaine Jarvis d'un ton sentencieux. C'est la fin. Nos gars ont perdu le moral nécessaire au combat et les Boches sont aussi épuisés que nous. C'est à leurs politiciens de mettre au point quelque chose avec notre brigade à pantalons rayés. Il y aura un cessez-le-feu général dans une semaine. Souvenez-vous de ce que je vous dis.

Il avait enterré le capitaine Jarvis à Neuve-Chapelle trois mois plus tard, avec cent soixante de ses hommes.

Une année...

Et il n'était pas mort que des hommes. La guerre n'avait pas détruit seulement des vies humaines. Elle avait grignoté les esprits, rongé les sensibilités, tourné en ridicule l'ancienne hiérarchie des valeurs. La guerre c'était ce qu'un officier de liaison français, à Laventie, dans la sagesse née des brumes du cognac, avait appelé *le cafard* *. C'était des écuries vides et des ifs échevelés à Abington. C'était mille hommes en kaki, trempés comme des soupes, qui auraient pu faire mille choses plus utiles que patauger le long d'une voie ferrée avec des fusils à la main. C'était Lydia Amberley à demi nue devant son feu de cheminée.

Avant de se coucher, il jeta un coup d'œil à l'ancienne chambre de son frère. Elle était exactement comme Roger se serait attendu à la trouver s'il avait surgi soudain dans la maison. Le lit fait. Un carnet de notes et un crayon sur la table de chevet. Ses livres, bien époussetés, sur les étagères.

— Ce n'est pas un mausolée, dit sa mère à mi-voix en le voyant dans l'embrasure de la porte. Et je ne me fais aucune illusion : je sais bien qu'il n'est pas prisonnier des Turcs. Mais je ne pouvais pas jeter tout ce qu'il a aimé, n'est-ce pas ? Il n'aurait pas voulu que son Wordsworth et son Shelley soient enfermés dans une caisse de bois.

Il devait y avoir des poèmes inachevés dans le carnet de notes, Fenton en était certain. La signature d'une vie inachevée.

Le cafard *.

Sa mère faisait partie d'une douzaine de comités divers à Woodbridge, et elle ne manquait certainement pas d'amies. La présence de son fils lui faisait plaisir mais ce n'était pas une condition de son bonheur.

— Tu ne tiens pas en place, Fenton, lui fit-elle observer le jeudi précédant la Saint-Sylvestre. C'est ta nouvelle affectation qui te tracasse ?

— Entre autres choses, oui.

Il prit le train le jour même, dans l'après-midi, un omnibus bondé de marins de Harwich allant en permission à Londres. Il faisait nuit noire quand le train arriva à King's Cross. Il partagea un taxi avec cinq officiers de marine qui insistèrent pour lui offrir un verre à l'Army and Navy Club. La conversation près du bar, lancée sur les mérites du mazout par rapport au charbon pour les machines des bateaux, passa bientôt aux cabrioles des femmes françaises sur l'oreiller. Il avala son verre, s'excusa et partit.

Il suivit un itinéraire qui lui était familier : Pall Mall jusqu'à Buckingham Palace, puis Lower Belgrave Street, et il traversa Pavilion Road pour parvenir à Cadogan Square. Numéro 24.

Si le maître d'hôtel fut surpris de sa visite à une heure aussi tardive, il ne le montra pas : un battement de paupières, sans plus.

— Lady Winifred, monsieur ? Je crois qu'elle s'est retirée pour la nuit.

— Qui diable est à la porte, Peterson ? cria une voix irascible au fond du corridor.

Lord Dexford surgit de la pénombre, en veste d'intérieur marron et pantoufles de tapisserie.

— Fenton, pardieu ! Que diable faites-vous ici à cette heure ?

— J'étais... non loin d'ici, balbutia-t-il. Je suis désolé d'éveiller toute la maisonnée.

— Des bêtises !

Le marquis congédia le maître d'hôtel d'un geste.

— Cela fait du bien d'avoir un peu de compagnie. Fermez donc la porte avant que nous soyons gelés jusqu'aux os.

— Je ne m'étais pas rendu compte qu'il était si tard.

Un mince rayon de lumière venu des étages supérieurs tomba sur l'escalier sombre. La tache claire s'élargit : la porte entrebâillée s'ouvrit tout à fait. Fenton leva les yeux vers la silhouette debout près de la balustrade du premier étage.

— Bonsoir, dit-il.

— Nous avons encore le téléphone, répondit Winifred.

— Je suis désolé. J'avais l'intention d'appeler mais j'ai été bousculé, et puis je suis parti dans le Suffolk pour Noël...

— Vous n'avez pas à vous justifier, Fenton.

— Je crois que si.

Lord Dexford lança un regard perplexe à Fenton puis leva les yeux vers sa fille.

— Descends ou rentre dans ta chambre, Winnie. Quant à moi, je vais dans la bibliothèque et je ferme la porte.

— Eh bien ? demanda Fenton quand le marquis eut disparu.

Elle descendit l'escalier, vêtue d'une longue robe de chambre de satin brodé, les cheveux défaits sur ses épaules. Elle s'arrêta avant d'arriver dans le vestibule et s'assit sur la troisième marche à partir du bas.

— Quel homme étrange vous êtes, Fenton !

— Impulsif... mais réfléchi cependant.

Il se pencha sur la rampe au-dessus d'elle et enfonça ses mains dans les poches de son imperméable.

— Oui, j'ai beaucoup réfléchi pendant ces derniers jours. Vous avez dit que nous étions maintenant des êtres différents. Je sais que je ne suis plus le même, mais je ne peux pas en dire autant de vous. Vous êtes plus âgée et plus sage, certes, mais pour l'essentiel, vous n'êtes pas différente. Je crois que rien ne vous fera jamais changer de façon radicale, Winnie.

— Tout le monde change.

— J'en suis persuadé. Mais c'est une question de degré, n'est-ce pas ? Des gens ternissent plus vite que d'autres. Vous, vous aurez toujours un éclat, un certain lustre.

Elle enveloppa ses genoux de ses bras.

— Vous êtes venu me demander en mariage, c'est cela ?

— Oui.

— Père va en être très heureux.

— Ce n'est pas votre père que je me soucie de rendre heureux.

— J'en serai très heureuse moi aussi. Je vous aime, Fenton. Je suis tombée amoureuse de vous à seize ans, quand Andrew vous a invité à Lulworth pour ma réception d'anniversaire. Ou bien est-ce de votre tunique écarlate que je suis tombée amoureuse ce jour-là ? Difficile à dire. Aujourd'hui, en tout cas, je ne vous aime plus pour votre tunique. En fait, je vous aime *malgré* elle. Je déteste cette guerre. Si vous m'épousez, vous serez dans une position inconfortable : vous aurez pour femme une pacifiste.

— L'épouse du général Davenport est une suffragette. Un jour, elle s'est même fait enchaîner à une boîte aux lettres. Cela n'a gêné en rien la carrière de son mari.

— Je prie que vienne le jour où *votre* carrière deviendra inutile.

— Moi aussi.

Elle le regarda longuement sans rien dire, puis serra davantage ses genoux contre sa poitrine.

— Nous n'avons pas parlé d'une chose. Père sera heureux, je serai heureuse. Mais vous-même ? M'aimez-vous ?

— Si désirer être près de vous est aimer, si se sentir en paix près de vous est aimer, alors oui, je vous aime.

Elle hocha la tête sans sourire.

— Comme vous êtes franc et droit. Entrons-nous dans la bibliothèque parler à père ?

— Si vous le désirez, oui.

— Nous marierons-nous à Londres, ou bien préférez-vous le Suffolk ?

Il se frotta la joue.

— La vérité, c'est que je n'ai plus que dix jours de permission. J'ai pensé que nous pourrions... eh bien, monter en Écosse demain et nous marier à Gretna, en rang avec les autres couples. C'est-à-dire... si vous n'y voyez pas d'inconvénient.

— Oh, Seigneur ! s'écria-t-elle en riant. Gretna Green ! Que va dire ma mère ?

— Elle n'aura pas l'occasion d'ouvrir la bouche, dit Lord Dexford en entrant dans le vestibule avec une bouteille de champagne sous chaque bras. Je savais comment le vent tournerait dès que vous avez frappé à la porte, Fenton. Mettez ces bouteilles dans votre barda, mon vieux. C'est du Mumm 1910. Le rapide de Glasgow quitte la gare d'Euston à minuit. Vous avez tout le temps de le prendre si tu ne mets pas une éternité à faire ta valise, Winnie.

Elle se leva lentement.

— Nous pouvons encore rater le train, Fenton, si vous avez le moindre doute, le moindre regret...

— Et pourquoi aurait-il des doutes, explosa son père. Je vais téléphoner à un taxi.

— Je ne voudrais pas... commença-t-elle.

Fenton posa la main sur celle de la jeune femme et la regarda dans les yeux.

— Pas le moindre regret, Winnie.

Elle se détourna aussitôt et bondit dans l'escalier.

Le marquis la suivit des yeux, puis tendit les bouteilles de champagne à Fenton.

— J'aurais aimé vider l'une d'elles avec vous, mais le temps manque. Je suis ravi de la voir quitter ce toit, Fenton. Et je crois que vous savez pourquoi. C'est un excellent cœur. Intelligente. Forte de corps et d'esprit. Et c'est une Dexford : elle aura des garçons.

Le vent soufflait en rafales de la mer d'Irlande, soulevant au passage les eaux de la baie de Luce avant de faire trembler les vitres de l'auberge. En mettant la main sur le verre, Fenton pouvait sentir la violence glacée de la tempête. Le brouillard s'était dispersé et les collines du Cumberland, de l'autre côté du Solway Firth, ressemblaient à des nuages verts amoncelés. Il resserra sa robe de chambre autour de son corps puis alluma une cigarette. Le courant d'air venu de la fenêtre entraîna la fumée derrière lui.

— A quoi penses-tu ? lui demanda-t-elle au bout d'un instant.

— Oh ! à rien en particulier. C'est le Jour de l'An, une belle journée ensoleillée et glaciale.

— Un bon commencement.

— Oui. Voir le soleil le premier janvier dans le Wigtownshire mérite une fête.

— Tu es déjà venu ici, n'est-ce pas ?

— A Port William ?

— Dans cette auberge.

— Oh oui ! Plusieurs fois. Un de mes amis avait un bateau à Stranraer, et nous avons souvent sillonné ces eaux : Islay, Mull, les Hébrides, et le Solway en tout sens, bien sûr. Des mers traîtresses, et parfois bougrement dangereuses.

— Tu as déjà sailli une fille ici ?

Il tira sur sa cigarette.

— Quelle question ! Et dans le plus pur style shakespearien. La réponse est non. Je n'ai jamais « sailli » de fille… *ici.*

— Je t'aime, Fenton. Je crois que tu es parfaitement incapable de mentir. Même tes mensonges de politesse ont un accent de vérité.

Il avait les pieds engourdis par le froid. Il écrasa sa cigarette dans une soucoupe et se remit au lit. Winifred ouvrit sa robe et blottit son corps chaud contre celui de son mari.

— Je ne t'ai pas déçu, non ?

— Tu es une révélation stupéfiante, Winnie.

— Je suis une fille de la campagne, répondit-elle en lui caressant la hanche. Je connais tous les actes naturels.

Il se tourna sur le côté et lui embrassa le front.

— Et quelques autres, un peu plus polissons. Une belle nonnain.

— Qui emploie le style de Shakespeare à présent ?

Elle l'enveloppa de ses bras.

— Puis-je te poser une question à laquelle tu n'es pas forcé de répondre ? murmura-t-elle.

— Oui.

— Y a-t-il quelqu'un que tu aurais préféré emmener ici à ma place ? Quelqu'un que tu n'as pas pu avoir.

— C'était il y a une éternité, dit-il à mi-voix.

— Tu nous as comparées ?

— Il n'y a rien à comparer. Tu es Winifred. Tu es toi-même, unique.

— Madame la colonelle.

— Oui, et une dame jusqu'au bout des ongles.

Les mains de la jeune femme glissèrent doucement le long de son dos.

— Pas tout le temps, dit-elle.

Il ne pensait pas à Lydia, et il n'avait pas pensé à elle quand ils avaient fait l'amour au cours de la nuit. Leur union à ce moment-là était au-delà de toute comparaison objective d'une femme à une autre, d'un corps à un autre. Elle s'inscrivait même au-delà de la recherche du plaisir. Oui, ce qu'il recherchait en Winifred, c'était la vie, et la création. La guerre exerçait son emprise sur lui, même au lit.

Les assauts contre le corps chaud et vivant de la jeune femme, ses halè-tements et ses cris étaient devenus pour lui l'antithèse de la mort et de la souffrance. Il sentait qu'elle comprenait cela, qu'elle avait cons-cience de ce besoin en lui, et cela la rendait unique, à part, différente de toutes les autres femmes qu'il avait connues. Le vent se précipitait sur les fenêtres et les faisait trembler dans leurs cadres, il sifflait et gémissait dans les gouttières et cela lui rappelait le bruit affolant des obus. Il blottit son visage dans le nid doux entre ses seins, et elle le serra très fort contre sa peau — comme pour le protéger, en ce premier jour de l'année, de toutes les journées à venir.

3

Charles quitta le War Office et descendit Whitehall d'un pas vif en direction de Charing Cross. C'était une journée d'avril presque trop parfaite, le genre de journée qui porte un poète au comble de l'exaltation. Le vent d'ouest, très doux, charriait un parfum enivrant de giboulée printanière. Des nuages vaporeux d'une blancheur immaculée dérivaient dans un ciel bleu roi, et un rayon de soleil — mis en place, semblait-il, par la main du Tout-Puissant — tombait directement sur l'amiral Nelson, debout sur sa colonne. Au pied du monument, ébouriffées comme des pigeons, des vieilles femmes vendaient des violettes.

Il traversa Trafalgar Square et remonta St. Martin's Lane à grands pas, comme s'il était en retard. Il s'arrêta devant un bâtiment de quatre étages, sans aucun style, au milieu de Shelton Street. Il arrangea sa tenue, épousseta ses chaussures avec un mouchoir et attendit que son cœur reprenne son rythme normal. Il entra enfin et monta lentement l'escalier conduisant au premier étage. Il y avait une demi-douzaine d'officiers avant lui, debout dans le couloir ou assis sur deux bancs de bois, de part et d'autre de la porte où l'on pouvait lire : INSPECTION MÉDICALE N° 7. Un ou deux officiers avaient des cannes, mais la plupart d'entre eux paraissaient en forme — sans pour autant s'en réjouir.

— Je vous connais ? lui demanda un major de la Rifle Brigade entre deux bouffées de sa cigarette.

— Je ne crois pas, répondit Charles.

— Je me suis trompé. Désolé. Je m'appelle Merton et je suis en pleine forme. Quelle malchance ! Ils vont me renvoyer sur le saillant d'Ypres, c'est sûr. Et ce serait bien le diable si j'avais de la veine une deuxième fois, vous pouvez me croire.

Charles s'éloigna de l'homme et se mit à faire les cent pas dans le couloir. Enfin, on appela son nom. Un première classe à cheveux gris, assis derrière un bureau, raya son nom sur une liste dactylographiée.

— Major Lord Amberley ? Le colonel Beaumont voudrait vous voir dans son bureau. Troisième porte au fond du couloir.

Le colonel Beaumont était avant la guerre un éminent chirurgien de

Harley Street. A l'âge de soixante-dix ans, il se retrouvait colonel des services de santé, affecté à une inspection médicale dont la tâche consistait à vérifier l'état de santé des officiers blessés avant de les renvoyer au front.

— Ah ! Amberley, dit-il avec chaleur lorsque Charles pénétra dans son petit bureau encombré. Comment va ce bassin ?

— Comme neuf.

— Et la jambe ?

— De même. Cinq sur cinq. J'ai marché très vite au long du chemin depuis Whitehall, et je n'ai pas senti la moindre douleur.

— Bien, bien. Et toutes les petites bestioles d'Asie sont sorties de votre intestin ?

— Je l'espère.

Il sourit pour prévenir le vieil homme qu'il allait faire une plaisanterie.

— Je n'en ai pas vu une seule depuis des semaines.

— Parfait.

Le colonel baissa les yeux vers son bureau et disposa quelques paperasses.

— Votre venue dans ce bureau aujourd'hui est de pure forme. Je suis personnellement ravi d'apprendre que vous vous portez comme un charme, mais ce bureau n'est plus responsable de vous.

— Je ne suis pas certain de vous comprendre, colonel.

— Nous avons reçu hier une note du général Haldane nous informant que votre nom devait être rayé de la liste des officiers blessés attendant d'être reconnus bons pour le service actif. Il semblerait que vous soyez partie intégrante d'un certain N.S.5. et de quelque chose qui porte le nom de Commission des vaisseaux de terre. Ce qu'est au juste un vaisseau de *terre* dépasse mon entendement, mon cher, le fait est là.

Il se pencha par-dessus la table et lui tendit la main.

— Bonne chance, Amberley. Je suis ravi de ne pas vous renvoyer dans les tranchées.

Il prit un taxi jusqu'à son bureau d'Old Pye Street. Le bâtiment abritait divers services du gouvernement depuis l'époque où Samuel Pepys était lord de l'Amirauté. La sentinelle ouvrit la porte principale sans vérifier l'identité de Charles. Tout le monde le connaissait maintenant, songea-t-il non sans amertume. Il était l'un des anciens du N.S.5. Il monta l'escalier étroit quatre à quatre et entra dans le bureau du deuxième étage qu'il partageait avec trois autres officiers (dont deux de la marine) et deux ingénieurs civils. Seul le capitaine de corvette Penhope était à son bureau, vautré dans son fauteuil, en train de lire l'édition du soir du *Daily Post*. La manchette clamait : CONTRE-ATTAQUE A VERDUN — LES FRANÇAIS GAGNENT DU TERRAIN.

— Fisher vous cherchait, Amberley, dit l'officier de marine sans lever les yeux de son journal.

Charles s'assit sur le bord du bureau et alluma une cigarette.

— Ah ! Que désirait-il ?

— La routine. Gros-Willie n'a pas réussi à faire impression sur je ne sais quelle grosse légume. Manque de puissance. Il veut que vous partiez dans le Yorkshire, dans je ne sais quel trou perdu, pour vérifier les essais d'un nouveau moteur. Vous emmenez Bigsby avec vous.

Charles écrasa sa cigarette, furieux.

— Pourquoi diable ne peut-il envoyer Bigsby tout seul ?

— Vous le savez bien, gémit Penhope.

Algernon Bigsby était un civil, un homme entre deux âges à l'aspect maladif, qui avalait les *h* en parlant. Il mâchonnait aussi ses cigares et crachait à tout bout de champ. Algernon Bigsby savait tout ce qu'un homme peut savoir sur les moteurs, mais à sa vue tous les officiers d'état-major se hérissaient. Ce serait Bigsby qui vérifierait les essais du moteur dans le Yorkshire, et Charles qui transmettrait les données aux officiers supérieurs responsables — dans le jargon du N.S.5, il « vendrait » le projet.

— A-t-il précisé où, dans le Yorkshire ?

— Sa secrétaire a tous les renseignements et les ordres de mission.

Un garçon de course. Rien de plus. Sa contribution au cuirassé de terre à chenilles — qui portait maintenant le nom de tank MK1, ou Gros-Willie, par opposition à Petit-Willie qui avait été un fiasco complet — était très limitée : elle se bornait à prononcer les h de façon correcte et à se faire admettre dans tous les mess sans réserves. Algernon Bigsby avait peut-être toutes les connaissances requises, mais il ne portait pas les insignes des Royal Windsor Fusiliers cousus sur les revers d'une tunique bien coupée.

Quand il rentra à la maison, le cocktail battait son plein. Il avait promis à Lydia d'être là, mais cela lui était complètement sorti de l'esprit. Archie estimait que l'atmosphère chaude et élégante de Bristol Mews était excellente pour ses affaires : elle permettait de réunir des éléments disparates et sa fille était une hôtesse parfaite. Des gens étranges conversaient dans le salon du premier étage — un propriétaire de minoteries de Manchester, au coude à coude avec un député travailliste et avec le général Sir William Robertson, qui hochait la tête à tout ce que David Langham lui disait ; des savants, des ingénieurs, des officiers de Whitehall avec leurs insignes rouges, des hommes politiques, des capitaines d'industrie et, bien sûr, des belles femmes, le tout en un mélange soigneusement dosé. Archie vint au-devant de Charles en haut de l'escalier et lui glissa un verre dans la main. Archie Foxe, l'hôte parfait, se considérant partout comme chez lui.

— Langham est en train de parler à « Wully » Robertson, murmura-t-il. Le général aimerait vous rencontrer. Il accroît les effectifs de son état-major et Langham lui parle du bon travail que vous avez fait au N.S.5.

— C'est très aimable à M. Langham de s'occuper de mes intérêts, répondit-il sèchement. Mais je ne suis pas compétent pour une fonction d'état-major à un niveau aussi élevé.

Archie lui lança un regard acide.

— Vous avez tendance à vous effacer de trop, Charles. Bombez le torse une fois de temps en temps, bon dieu, et les gens vous remarqueront un peu.

A quoi bon essayer d'expliquer à Archie qu'il n'avait pas envie de se faire remarquer ? L'ambition était l'étendard sous lequel Archie Foxe avait toujours combattu. Il l'avait fièrement brandi depuis les taudis de Shadwell jusqu'aux marbres de l'antichambre du pouvoir, comment aurait-il pu imaginer que tous les autres hommes ne partageaient pas sa foi dans la réussite ? Sir William « Wully » Robertson la partageait sans nul doute. Il était sorti du rang dans l'armée de la reine Victoria pour devenir chef d'état-major général de l'Empire britannique. Et il n'avait pu faire une telle carrière en restant modeste. Robertson aimait les ambitieux parce qu'ils avaient davantage tendance à réussir leurs missions que les hommes de routine.

Une affectation à l'état-major général. Des insignes rouges sur ses revers... Et peut-être une promotion de lieutenant-colonel par-dessus le marché. Il lui suffisait de demander — et de faire impression sur le général par son zèle et son impatience d'aller de l'avant.

... « Oui, général, j'aime beaucoup le N.S.5., mais je m'y trouve un peu à l'étroit. Mon travail tourne souvent à la routine, et j'aimerais avoir une tâche plus active dans l'effort de guerre »...

Langham resterait sur la réserve, avec son petit sourire ironique habituel, hocherait la tête et dirait en substance : « Puis-je vous faire confiance ? Ferez-vous ce que je vous demanderai ? M'aiderez-vous à faire disparaître Lord Horatio Herbert Kitchener de Khartoum dans un haut-de-forme truqué ? » La politique de la guerre se jouait dans les salons de Londres : la déposition de Sir John French, la montée de Sir Douglas Haig ; les batailles entre le ministre de la Guerre, Lord Kitchener, et le chef d'état-major général de l'Empire — « Wully » pour les intimes. Tout se jouait dans ce salon particulier de Bristol Mews, en cet après-midi particulier. Si Kitchener devait être détrôné — avec des gants, bien sûr — il y aurait une place libre dans le cabinet et David Langham serait probablement l'homme le mieux placé pour occuper le fauteuil vide. Il s'entendrait bien avec Robertson et les gros bonnets de l'armée, mais avoir un ami à l'état-major général ne ferait aucun mal.

Un bon calcul, songea Charles en prenant une gorgée de whisky. Son seul défaut c'est qu'il n'aimait pas du tout David Langham et qu'il n'avait pas la moindre intention de faire des avances au général Robertson. Il se dirigea vers l'autre bout de la pièce, tourna le dos à la foule et regarda par les hautes fenêtres la petite rue pavée de briques au-dessous de lui.

— Tu n'es pas très sociable, murmura Lydia en se glissant à ses côtés. Tu ne te sens pas bien ?

— Je me porte à merveille. Comme un charme, en fait.

Il prit une autre gorgée d'alcool avant de poursuivre.

— L'inspection médicale m'a appris que je ne suis pas apte pour servir en France. Mais non pas pour des raisons physiques. Je suis beaucoup trop important pour me consacrer à des choses aussi vulgaires que tirer sur des Allemands. Je suis vissé au N.S.5.

— Oh ! mon chéri, dit-elle en lui effleurant la joue de ses lèvres, j'avais le pressentiment que cela se passerait ainsi : tu t'es révélé trop utile.

Elle l'embrassa de nouveau et fit glisser sa main le long de son dos.

— Ne ronge pas ton frein ainsi, mon amour. Papa t'a parlé du général Robertson ?

— Il m'a dit quelque chose, oui.

— Un poste d'officier de liaison entre l'état-major général et le Q.G. de Haig en France. Tu serais à Montreuil-sur-mer aussi souvent qu'à Londres. Et, connaissant Wully comme je le connais, je suis sûre qu'il voudra que tu mettes ton nez dans les quartiers généraux des divisions pour rechercher les renseignements dont il a besoin. Tu serais en plein dans l'action au lieu de perdre ton temps avec les fous furieux d'Old Pye Street.

— Ce ne sont pas de mauvais bougres.

— Bien sûr, chéri, bien sûr. Mais tu n'es pas vraiment à ta place au milieu de tout ça. A l'état-major, tu seras beaucoup plus intégré à l'armée. Et traverser la Manche de temps en temps sera plus agréable pour toi que patauger dans des fermes et visiter des usines.

Elle avait un parfum exquis. Sa robe de soie effleura la main de Charles et elle se blottit contre lui. Sa main s'attarda le long de son dos. Il songea à Algernon Bigsby éjectant du jus de tabac sur le socle graisseux d'un tour à décolleter.

— Je crois que tu as raison.

Elle enfonça ses ongles dans sa peau.

— J'en suis sûre. Viens parler à Wully un instant. Un petit bonjour.

Il eut du mal à ne pas éclater de rire : le général Sir William Robertson avalait ses *h* exactement comme Algernon Bigsby.

Ils avaient des chambres séparées. Celle de Lydia était d'une élégance toute féminine, crème et or ; celle de Charles d'une richesse virile, acajou et cuivre. Il allait dans la chambre de sa femme, tout comme son père dans la chambre d'Hanna.

Il s'effondra près d'elle. Il était en sueur dans sa chemise de nuit. Il n'avait pas pu lui faire l'amour. Il se sentait trop tendu, sous pression. Il s'était borné à relever son déshabillé de satin sur ses hanches, et à caresser la moiteur tiède de ses cuisses.

— Je regrette, dit-il. J'aurais dû te laisser tranquille.

— Peu importe.

Elle se pencha au-dessus de lui et lui embrassa le front.

— Pauvre soldat fatigué.

— J'ai tellement honte, Lydia. Trop important pour être envoyé en France alors que n'importe qui pourrait faire ce que je fais.

— Peut-être. Mais personne ne pourra te remplacer dans l'état-major de Robertson. Fais confiance en son jugement. Tu sais qu'il a dit au duc de Chatsworth que son fils n'était même pas capable de ferrer un cheval ? Et c'est vrai ! Percy ! tu le connais, il est capitaine de cavalerie. Son père a pu lui obtenir ses épaulettes, mais pas un poste auprès de Wully.

Elle lui caressa la poitrine en effleurant légèrement la flanelle de la chemise de nuit. Rien de plus, car il se serait révolté si elle avait fait preuve de plus d'audace. C'était aux hommes de prendre l'initiative. Pas aux femmes.

— Il faut que j'aille dans le Yorkshire demain, dit-il après un long silence. A Huddersfield, voir des moteurs. Je prendrai le sept heures dix à St. Pancras.

— Je me lèverai tôt pour te conduire à la gare.

— Non. Une voiture passera me prendre.

Il se détourna et s'assit sur le bord du lit.

— J'ai pensé que je pourrais faire un saut jusqu'au camp de Flockton Moor pour voir Fenton. Ce n'est pas très loin de l'usine où je vais.

— Fais-lui mes amitiés, dit-elle, les yeux fixés sur le plafond.

— Bien entendu.

Il était debout maintenant, prêt à regagner sa chambre. Il se pencha au-dessus du lit et l'embrassa.

— Quand je rentrerai, nous nous libérerons pendant quelques jours. Nous descendrons à Lyme Regis. Nous louerons une villa, nous nous baignerons. Cela te plairait ?

— Beaucoup.

— Et je vais songer sérieusement à ce poste à l'état-major... enfin, si je suis sollicité.

— Tu le seras. Tu lui as fait une forte impression.

— Après un petit coup de pouce de Langham, non ?

— Absolument pas, dit-elle d'une voix blanche. C'est toi qui as tout fait.

Elle rangea la voiture et suivit l'Embankment à pied. La Tamise était à son niveau le plus bas et des oiseaux picoraient sur les tas de vase. Elle entra dans le ministère par la porte donnant sur le fleuve.

L'unique sentinelle de garde téléphona au bureau de Langham avant de lui permettre de monter. Le labyrinthe des couloirs et des escaliers lui était familier. Elle pénétra dans le bureau privé de Langham par une porte latérale. C'était une pièce sombre, sentant le renfermé, tapissée d'ouvrages juridiques et d'énormes volumes reliés de toile contenant des statistiques économiques et démographiques, les ressources charbonnières, le tonnage transporté par voie ferrée, la production d'acier, et toutes les données chiffrées de la nation. Elle s'assit sur un divan de cuir. Dix minutes plus tard, David Langham quitta son bureau officiel et entra dans la pièce. Il referma la porte à clef.

— Je suis ravi de votre visite, dit-il sans prendre la peine de la regarder.

Il ôta sa veste et commença à retrousser ses manches en se dirigeant vers le petit cabinet de toilette.

— Le général m'a appelé ce matin. Charles lui a fait bonne impression... D'ailleurs comment pourrait-il en être autrement ? C'est le type même du jeune pair d'Angleterre. Wully admire la noblesse, mais nous l'admirons tous, n'est-ce pas ?

— Quant à vous, j'en doute un peu.

— Vous avez tort, ma chère. Je suis fermement convaincu de la nécessité de conserver les reliques et les trésors en tout genre de la nation.

Il revint du lavabo en s'essuyant les mains avec une serviette.

— Donc, bonne matinée pour vous. Le jeune Charles pourra porter des insignes rouges sur ses revers et deviendra sans doute général de brigade avant la fin de la guerre. Et après la guerre ? Ma foi qui sait ? Gouverneur dans quelque parcelle lointaine de l'Empire, une main ferme mais juste sur la gorge des indigènes. Et Lady Gouverneur à ses côtés, vêtue d'un blanc impérial avec un parasol pour protéger son adorable visage.

— Vous aimez blesser les gens, n'est-ce pas ?

— J'aime lire dans leur avenir. Vous serez immensément heureuse. Et ce sera un endroit charmant. Les Bermudes, peut-être, ou bien Malte.

Il roula la serviette en boule et la lança par la porte ouverte du cabinet de toilette.

— J'ai passé toute la matinée à lire dans le futur, et personne n'avait d'avenir aussi agréable que le vôtre. Les Français se font saigner à blanc à Verdun et ils nous demandent de lancer sans délai notre offensive sur la Somme. Le Premier ministre est ulcéré par leur requête, et Kitchener a la tremblote. Sir Douglas Haig crie à tous les vents qu'il ne sera pas prêt à foncer avant la fin du mois d'août, mais les Français risquent de s'effondrer bien avant. Nous attaquerons donc fin juin, compromis qui ne plaît ni à Haig ni à la France. J'ai envoyé une lettre très dure à Poincaré pour lui suggérer que la meilleure façon d'éviter des pertes serait de battre en retraite de l'autre côté de la

Meuse et de laisser les Allemands prendre Verdun. De toute façon, Verdun n'a aucune importance stratégique. Pourquoi le considérer comme un temple sacré ? Mais, bien sûr, Poincaré n'y est pour rien. Après tout, il n'est que président. Joffre et les généraux se soucient des pertes comme d'une guigne. Les hommes ne sont pour eux que des pions. Quatre-vingt-neuf mille *poilus* * morts jusqu'ici. Et Dieu sait combien de mutilés — pour un petit bout de terre complètement inutile. Bagatelle, au regard de la gloire de la France immortelle. *Ils ne passeront pas ! Tout pour la gloire ! La voie sacrée !* * Des raisonnements de gamins en culotte courte.

Il était debout devant elle, mains sur les hanches, son corps frêle bandé comme un arc. Un petit homme ardent, dont les yeux noirs lançaient des flammes.

— Comme vous savez tenir vos auditeurs sous le charme, monsieur Langham. Je n'aimerais pas être à la place des Français qui négocient avec vous.

Il tendit l'index sentencieusement devant son visage.

— La guerre est une chose beaucoup trop complexe pour qu'un esprit militaire puisse la comprendre — mais vous avez déjà entendu ce discours, n'est-ce pas ? Pourquoi faut-il que je me lance toujours dans des discours quand vous venez ? Quelle affreuse perte de temps.

Il s'assit près d'elle sur le divan. Prenant son menton entre ses doigts, il tourna le visage de Lydia vers lui.

— Vous êtes beaucoup trop belle, Lady Amberley. Si ma femme avait eu votre visage, je serais encore un avocaillon de Liverpool.

— Est-ce la raison pour laquelle les hommes politiques qui réussissent ont des épouses sans intérêt ?

— C'est vital pour les élections. Jamais un homme ne votera pour un candidat ayant une femme très belle. On a l'impression qu'il est assez comblé comme ça. Pourquoi lui donner un bonheur de plus ?

— Je pourrais me poser la même question en ce qui nous concerne.

Il laissa glisser ses doigts sur le haut de sa robe et se mit à défaire les boutons d'une main preste.

— On se demande lequel de nous deux est le plus comblé par ces brèves rencontres. Vos appétits pour les plaisirs de la chair correspondent aux miens point par point.

Sa main, à l'intérieur du corsage, pressa très fort son sein nu.

— Vous voyez ? Votre cœur bat la chamade, votre souffle bondit dans votre gorge.

— Je vous en prie, vite.

— Il faut nous hâter lentement, ne vous en déplaise. Savourer chaque chose en son temps...

— Vite...

— Mon dieu, mon dieu ! Quelle petite pute passionnée nous sommes aujourd'hui !

— Je vous en prie...

Il avait plu sans cesse dans tout le Yorkshire et l'usine des environs d'Huddersfield gisait au milieu d'un lac de boue et d'eau croupie. Une haute clôture de grillage surmontée de fils de fer barbelés entourait le terrain et aucune pancarte n'indiquait la nature des installations ou le nom du propriétaire. C'est seulement lorsque la voiture de l'armée venue les chercher à Leeds s'arrêta devant le bâtiment principal que Charles aperçut un petit écriteau sur l'une des portes : MOTEURS ROLLS-ROYCE — ESSAIS.

Un jeune homme dégingandé, vêtu d'un bleu de travail, sortit à leur rencontre.

— Lord Amberley ? Monsieur Bigsby ?

— Oh là là ! grogna Bigsby en envoyant un jet de salive brune dans une flaque. Le Yorkshire, quel bled dégueulasse !

— C'est effectivement humide, répondit le jeune homme en se tournant vers Charles. Je m'appelle Wilson. Je suis chef de centre ici. Notre M. Ross est à l'atelier numéro 4, près de la voie ferrée.

— Le colis est arrivé, j'espère ? dit Charles.

— Oh oui ! Il a été livré très tôt ce matin. C'est d'une laideur ! Nous avons déjà sorti le moteur.

Il tendit le bras vers le rideau de pluie fine.

— Suivez les caillebotis. Inutile d'essayer de rouler en voiture, votre moteur s'enfoncerait dans la boue.

Gros-Willie était à l'intérieur du grand hangar de tôle ondulée. Les lampes électriques lançaient des reflets sur ses flancs d'acier. C'était un monstre en forme de rhomboèdre, et des canons de marine tirant des obus de six livres jaillissaient des ailerons de chaque côté. Des hommes en combinaison rampaient partout sur sa carcasse et l'on entendait des coups de marteaux assourdis venant de l'intérieur. Charles et Bigsby grimpèrent à l'arrière du tank et jetèrent un coup d'œil dans la cavité béante du moteur.

— M. Ross est là ? cria Charles.

Le bruit de marteau cessa, un ouvrier leva vers eux un visage plein de cambouis.

— Ouais, il est ici. M'sieur Ross, il y a du monde qui vous demande.

Un homme aux cheveux en broussaille, vêtu d'une combinaison tachée de graisse émergea de l'ombre au fond de la carcasse. Charles n'en crut pas ses yeux.

— Mais... Vous êtes *notre* Ross.

Jamie Ross sortit de la cavité du moteur, le sourire aux lèvres.

— Pas exactement *votre* Ross, maintenant.

Il s'essuya les doigts et tendit la main droite.

— Sincèrement ravi de vous voir, milord. C'est vrai.

— Les bras m'en tombent, Ross. Je savais que vous étiez parti chez Rolls Royce, mais vous trouver ici !...

— Oh ! ils m'ont fait beaucoup circuler. Je ne suis dans cette usine que depuis trois mois.

Il croisa les bras et regarda Charles de la tête aux pieds.

— Vous voilà major. Mon dieu, mon dieu ! Quelle élégance en uniforme. Vous êtes un des types responsables de cette espèce de dragon de ferraille ?

— Pas vraiment. Une sorte d'inspecteur, c'est tout.

— J'ai parlé à quelqu'un de votre bande à Londres... Je lui ai téléphoné l'autre jour. Il a dit que l'engin manquait de puissance. C'est de la pure rigolade, vous savez. Ce truc-là doit peser trente tonnes au bas mot et on lui a mis dessus un moteur de cent cinq chevaux. Je ne crois pas qu'il puisse faire plus de cinq kilomètres à l'heure sur une route pavée et plate comme la main.

— C'est à peu près ça, répondit Bigsby en crachant sur la chenille de gauche.

Ross descendit sur le sol et leva les yeux vers le moteur du tank suspendu à un palan par des chaînes.

— Un Daimler. Bon moteur, mais pas pour ce machin-là.

— Vous en avez un meilleur ? demanda Charles en descendant du tank à son tour.

— Oh oui ! Deux cent cinquante chevaux, prêt à entrer en production. Une vraie beauté. Nous avons également un trois cent cinquante chevaux au stade des essais. Des moteurs d'avion. Mais comme j'ai tenté de l'expliquer à cette bourrique de Londres, ils ne sont pas encore en fabrication. Ils ne seront pas disponibles avant au moins quatre mois. Pour l'instant, il faudra se contenter des cent cinq chevaux Daimler existant en magasin.

— Exact, dit Bigsby. C'est là que ça démange.

— Nous pouvons adapter un de nos prototypes Falcon sur cette carcasse pour que vous vous rendiez compte de ce qu'elle donnera avec cent chevaux de plus dans le ventre, mais s'il y a une question de temps, je n'en vois guère l'utilité.

— Moi non plus, répondit Charles. Ils sont prêts à construire cinquante carcasses tout de suite, et on ne pourra pas attendre les moteurs quatre mois.

— Si nous pouvions extraire un peu plus de puissance de ce moteur-là... dit Bigsby en montrant le Daimler.

Ross ferma les yeux et mit les mains derrière son dos. Il se balança lentement sur ses talons pendant une minute, puis il dit :

— Le rapport des vitesses me paraît de toute façon mal adapté. Les systèmes de carburation et d'échappement ne conviennent pas aux efforts que le moteur sera amené à supporter. L'essence n'arrivera pas assez vite et elle se vaporisera dans la cuve, aussi sûr que les pêcheurs vont en enfer.

Bigsby éjecta un autre filet de jus brun.

— La boîte de vitesses est une horreur. Je le leur ai dit dès le début. Je sais ce qu'il faudrait faire.

— Oui, dit Ross, je crois le savoir moi aussi. Si vous pouvez accorder à mes gars trois jours pleins...

— Bien sûr, dit Charles.

— Des modifications avec des pièces détachées disponibles. Cela ne devrait pas retarder votre programme de plus d'une ou deux semaines, et les performances seraient drôlement plus intéressantes.

— Tout cela me semble parfait, répondit Charles.

— Bon. On va s'y mettre. Une tasse de thé ?

— Oui... avec plaisir.

— Et vous, monsieur Bigsby ?

— Je ne suis pas tellement pour le thé. Cette saleté d'eau chaude est mauvaise pour le cœur.

Il suça son cigare et cracha vers le moteur qui se balançait au bout de ses chaînes.

C'était étrange de marcher ainsi aux côtés de Jamie Ross. Plus étrange encore de s'asseoir en face de lui dans le petit bureau des ingénieurs. Ross versa deux grandes tasses de thé au lait sucré, puis s'assit derrière un bureau bancal.

— C'est drôle de se rencontrer comme ça, pas vrai ?

— Oui, plutôt, répondit Charles.

— J'ai appris par les journaux la mort de M. Wood-Lacy à Gallipoli. Désolé. C'était un brave type. Comment vont Sa Seigneurie et la Lady ?

— Très bien, merci.

— Et Lady Alexandra ?

— Elle prend des cours d'infirmière... A l'hôpital All Souls de Londres... Le Service de Santé de l'armée.

Ross secoua la tête, incrédule.

— Difficile à avaler. La dernière fois que je l'ai vue, elle ne rêvait que de tango. Le vieux monde change un peu, non ?

Charles baissa les yeux vers son thé.

— Oui, certainement.

— Il a changé pour moi aussi. J'ai sept brevets sur le nouveau moteur. C'est vraiment une idée à moi, et je suis responsable de sa production en série. La compagnie m'envoie en Amérique à la fin du mois, à Cleveland et à Detroit. Les Yankees vont nous les construire sous licence. La plupart, en tout cas. Seigneur, vous vous rendez compte : moi, Jamie Ross, en Amérique !

Il avala une gorgée de thé, le regard songeur.

— Cet Algy Bigsby est un as, oui. Je lisais tout le temps ses articles dans *Mechanics and Journeymen*. Ça m'a beaucoup inspiré quand j'étais mouflet. Je ne savais pas que vous vous intéressiez à la mécanique.

— Eh bien, je ne m'y intéresse guère en fait.

Ross sourit.

— Je vois le topo. J'ai déjà eu à traiter avec des types de l'armée, plusieurs fois. Ils deviennent sourds dès qu'un homme ayant de la graisse sur les mains leur adresse la parole. Je suppose que ce vieux cracheur de Bigsby vous raconte sa salade, et c'est vous qui parlez aux huiles. C'est bien ça ?

— A peu près !

Ses joues étaient plus brûlantes que le thé.

— Sacrés militaires, va ! Ils croient encore qu'ils se battent en Crimée ou sous le soleil des Indes. Vous devez avoir du mal. Enfin, du moment que le boulot est fait, c'est tout ce qui compte, pas vrai ? Il faut fournir à nos gars le meilleur matériel possible. Il y a quelque chose à tirer de cette forteresse de chenilles?

— Certains en sont persuadés mais la plupart des généraux sont sceptiques. L'un d'eux l'a traité de joli joujou. Mais je suis sûr que c'est une idée à suivre.

— Il devrait écraser les barbelés et dévier les balles sans peine. A condition, bien sûr, d'avoir suffisamment de puissance pour se déplacer dans le *no man's land*.

— C'est à vous de jouer, maintenant.

— Oui. C'est faisable. Ce ne sera sûrement pas parfait. Il faudra s'attendre à au moins vingt pour cent de pannes. Le rapport puissance-poids est ridicule. Il faudrait au moins trois cents chevaux pour lui donner une poussée suffisante : treize à quinze kilomètres-heure en plat, huit kilomètres-heure au milieu des trous d'obus. Vous pourrez le leur dire.

— C'est mon travail, dit-il d'une voix sans timbre.

— Exact, répondit Ross en avalant son thé. Votre travail, et nous vous en sommes reconnaissants.

Il se sentait trop exclu. Bigsby, Ross, les mécaniciens crasseux, tout le monde parlait un langage mystérieux qui les plaçait dans un univers à part. Tous semblèrent soulagés lorsqu'il les pria de l'excuser. Il regagna la voiture et demanda au chauffeur de le conduire à Flockton Moor. Quinze minutes de route à travers des collines détrempées, puis, sur une lande complètement nue, des rangées de baraquements de bois, de cabanes de tôle ondulée et de tentes coniques. Une hampe, l'Union Jack claquant dans le vent, une guérite sur le bord de la route, des hommes en train de faire l'exercice, une ligne de tirailleurs avançant au milieu des broussailles. Il éprouva un sentiment de bien-être et de paix. Il était dans son élément. Il songea aux Windsor, à la première section de la compagnie D du second bataillon... *Aussi raides que la pluie, lieutenant !*

Le mess des officiers était une cahute de bois et de papier

goudronné qui prenait l'eau de partout. Aucun trophée de bataillon exposé, tout simplement parce qu'il n'y en avait pas. Aucun honneur acquis, sauf l'honneur d'avoir été formé le premier. Tous des volontaires — sauf une poignée d'officiers de carrière et de sous-officiers détachés d'autres unités dans ce bataillon. Pour de vagues raisons administratives, le War Office avait rattaché ce bataillon d'amateurs au régiment du Yorkshire du prince de Galles, les Green Howard, mais pas un homme sur cent ne connaissait le passé de cette vénérable institution.

— Et ils s'en fichent, dit Fenton en serrant son verre de whisky entre ses deux mains. Des ouvriers pour la plupart. Ils travaillaient dans les filatures mais ce sont de vrais durs et ils ont envie de tuer des Boches.

Il était mince, dans une forme parfaite, songea Charles non sans un pincement d'envie.

— L'effectif est au complet ?

— Plus qu'au complet, en fait. Sauf en ce qui concerne les officiers et les sous-officiers. Je devrais avoir trente-cinq officiers, je n'en ai que vingt-six. C'est la même chose partout, mais les gars en veulent et ils n'ont pas peur de travailler dur. Les sous-officiers de carrière sont de premier ordre. J'en ai séduit deux des Coldstream et un des Middlesex, le sergent-chef Ackroyd, qui était avec moi pendant la retraite.

— Il faut jouer des coudes on dirait.

— Il faut ce qu'il faut. Il n'y a pas tellement d'hommes qui ont une expérience réelle des combats, et je veux que mon bataillon ait sa part. C'est la connaissance des tranchées qui compte, pas l'envie de tuer des Allemands. Les gars du Yorkshire aiment la bagarre, mais ce qui me manque ce sont des têtes froides pour indiquer aux hommes le moment de tirer et celui de baisser leur museau.

Charles prit une gorgée de whisky et leva les yeux : deux sous-lieutenants aux joues roses jouaient aux fléchettes. A eux deux, ils n'avaient pas quarante ans.

— Ils sont de plus en plus jeunes...

— Oui, répondit Fenton. Ils sortent tout droit du lycée. On les aurait faits lieutenants à part entière s'ils avaient fait une année d'école d'officiers de réserve.

Il vida son verre.

— Winnie est avec moi, tu sais. Nous avons trouvé une grande baraque sur la route d'Highbury. Reste avec nous ce soir. Tu n'es pas obligé de rentrer à Huddersfield ?

— Non. On se passera très bien de moi.

Les Royal Windsor Fusiliers et les Green Howard avaient combattu au coude à coude à Inkerman pendant la guerre de Crimée et ils partageaient depuis toujours la même musique de parade : *The Bonnie English Rose,* la jolie rose d'Angleterre. Rien ne pouvait mieux définir Winifred, songea Charles tandis qu'ils se promenaient sur la lande après le dîner. La pluie avait cessé et le soleil couchant embrasait le ciel. Debout près de Fenton, il regardait la jeune femme avancer à grands pas au milieu des ajoncs. Ses bottes étaient pleines de boue et elle sifflait son bedlington parti à la poursuite d'un lapin.

— Je suis content pour Winnie et toi. Vous avez l'air heureux ensemble.

— C'est une bonne épouse.

— Et vraiment adorable.

Fenton alluma une cigarette et souffla la fumée par le nez.

— Je décèle une certaine amertume dans ta voix, Charles. Est-ce que vous vous entendez bien, Lydia et toi ? Ma question est peut-être grossière...

— Oh ! nous nous entendons très bien, compte tenu des circonstances.

— Quelles circonstances ?

— Mon affectation. Je déteste ce que je fais, Fenton. J'ai l'impression d'être manipulé, entraîné sur une mauvaise voie par des fils invisibles. D'ailleurs, pas si invisibles que ça, quand on y songe. Jusqu'ici, j'avais fermé les yeux, c'est tout.

Fenton laissa tomber à ses pieds sa cigarette à demi fumée et l'écrasa avec le talon de sa botte.

— Si Lydia tire quelques ficelles en coulisse, c'est uniquement pour ton bien. Tu as été à deux doigts de la mort à Gallipoli, mon vieux. Elle ne serait pas humaine si elle n'y pensait pas. Et tu n'es pas en train de tirer au flanc dans une planque, tu le sais. Pour chaque homme qui monte au front, il y en a une dizaine d'autres dont le rôle est utile... que dis-je ? *vital* à l'arrière. Seuls des amateurs peuvent se croire obligés de charger l'adversaire l'épée à la main. Les professionnels prennent le billet de logement qu'on leur donne, juste ou injuste, bon ou mauvais. Et ils s'efforcent d'en tirer le meilleur parti.

— C'est plutôt une question de respect de moi-même, Fenton.

— Des sottises, dit Fenton d'un ton de colère. Tu es l'un des rares hommes de l'armée revenu vivant du débarquement du *River Clyde*. C'est du même ordre que la charge de la Brigade légère ou le massacre d'Albuera. Tous les soldats vivants te doivent le respect. Cesse de t'enfoncer des aiguilles dans la peau.

— Un homme doit faire ce qu'il estime juste *à ses yeux,* répondit Charles d'une voix pleine d'intensité contenue. S'il ne le fait pas, il doit payer d'une façon ou d'une autre. C'est peut-être un paradoxe étrange, Fenton, mais jamais je ne me suis senti aussi vivant, aussi nécessaire, qu'à Gallipoli. J'avais un rôle simple : diriger et aimer mes hommes. Je l'ai rempli comme il le fallait. J'étais un très bon officier et...

Sa voix s'estompa, presque inaudible.

— ... j'étais heureux.

Fenton ne parvenait pas à trouver le sommeil. Cela n'avait guère d'importance. Il avait dit à son ordonnance de le réveiller à quatre heures, comme toujours. Un coup de rasoir rapide, un petit déjeuner éclair, et au camp avant la sonnerie du réveil. En général, il se couchait vers dix heures et demie, mais il était resté avec Charles jusqu'à deux heures du matin. Plus de conversation sur Lydia ou sur les problèmes de son ami, Dieu merci ! Ils avaient simplement évoqué le bon vieux temps d'Abington Pryory. Mais Charles était demeuré d'une humeur sombre — comme une ombre noire sous la surface.

Winifred s'agita et se serra contre lui. Sa main chercha une ouverture dans son pyjama et traça lentement sur sa poitrine une caresse amoureuse.

— Je croyais que tu dormais, murmura-t-il.

— Non. Ce n'était qu'un silence respectueux. Je pouvais presque t'entendre penser. Des affaires militaires sans intérêt, j'en suis sûre. Combien de boîtes de singe par tête de pipe, combien de chaussures, de chaussettes de rechange. Je me demande si Napoléon pensait à ce genre de choses.

— Probablement.

— Mais ce n'était pas à cela que tu réfléchissais, n'est-ce pas ?

— Non. Je pensais à Charles. J'ai le sentiment qu'il va faire un coup de tête.

— Charles ne fait jamais de coup de tête.

— Il ne t'a pas épousée. Mais c'était une sottise plutôt qu'un coup de tête, à mon sens.

— Certains pourraient dire que c'était une chose sensée.

— Certains croient encore que la terre est plate.

Elle demeura allongée près de lui, sans rien dire. Le vent de la nuit soupirait et gémissait dans la cheminée.

— Est-ce que Charles sait que Lydia était amoureuse de toi ? dit-elle enfin.

Il se leva sur le coude.

— Qu'est-ce qui t'a mis cette idée dans la tête ?

— Les femmes sentent ces choses-là. Je n'ai jamais oublié son regard quand tu m'apprenais à danser le tango. Elle dansait avec Charles, mais c'était nous qu'elle regardait. Je n'avais que dix-sept ans, mais les femmes naissent avec l'instinct de comprendre les autres femmes. Etais-tu amoureux d'elle ?

— Est-ce important ?

— Non. Même si tu l'as été, tu ne l'es plus à présent. Les femmes sentent cela aussi.

Il se pencha et l'embrassa.

— Tu es la seule femme que j'aime, la seule que j'aimerai jamais. J'ai une chance insultante, Winnie.

— Comme Napoléon ?

— Davantage. Sa chance a tourné. Et, de toute façon, il était plus petit que moi.

Charles resta à l'usine les deux jours suivants. Quarante-huit heures sans sommeil passées à observer ce que Ross et Bigsby faisaient faire aux mécaniciens. Il prit des notes méticuleuses et dessina des diagrammes pour chaque opération. Quand le travail s'acheva, à la satisfaction de Bigsby, les hommes du centre d'essais d'Hatfield Park qui avaient amené le tank le firent sortir du hangar et le chargèrent sur un wagon. Ils le recouvrirent d'une bâche qui dissimula entièrement sa carcasse métallique.

— Et voilà ! dit Ross. Qu'allez-vous faire à présent ?

— L'accompagner au centre d'essais et organiser une démonstration pour quelques généraux et pour les fonctionnaires du ministère de la Guerre. C'est comme essayer de vendre une voiture hors de prix à des gens qui n'ont aucune envie réelle de l'acheter.

— C'est vous qui dirigez l'essai ?

— Oh non ! Je ne m'occupe que de la partie « vente ». Je me mêle aux gros bonnets, je réponds aux questions, je fais une ou deux plaisanteries et je parle boutique. Surtout, je garde le sourire, même si cette fichue mécanique capote ou si le moteur explose. Toujours le sourire, n'est-ce pas. Prendre à la légère tous les problèmes d'un air de dire : « Eh bien, messieurs, nous ferons beaucoup mieux la prochaine fois. »

Ross secoua la tête, rêveur.

— Une drôle de manière de faire la guerre, non ?

— Oui. C'est bien ce que je crois.

Il lui tendit la main.

— Bonne chance en Amérique, Ross. C'était formidable de vous revoir, et je le pense du fond du cœur. Vraiment formidable. Vous savez ce que vous pouvez faire, et vous le faites à la perfection. C'est une chose que j'admire. Vous devez être un homme très heureux.

Ross fronça légèrement les sourcils.

— Enfin... Je ne sais pas mais... Je suis content, quoi. C'est ça que vous voulez dire ?

— Oui, je crois que c'est ça, Ross. Je crois que c'est ça.

Il y avait plus de monde que Charles ne s'y attendait. Le terrain était relativement sec, à l'exception d'une fosse pleine de boue qui constituait l'un des obstacles de l'épreuve. L'absence de pluie et l'air vif du mois d'avril mettaient tout le monde de bonne humeur. Ils allaient et venaient au soleil devant la tente des rafraîchissements, en dégustant leur whisky à l'eau de Seltz et en grignotant des sandwichs au jambon. Des officiers de l'armée et de la marine, des hauts

343

fonctionnaires civils en redingote et des ministres. La foule habituelle. Le général Haldane ne fréquentait aucun d'eux. Officier du génie, chef du N.S.5., Haldane restait aussi loin que possible, les yeux braqués sur le tank comme pour passer en revue tous les écrous, les boulons et les rivets. Il avait soixante-deux ans. En quarante ans de service en Inde et en Birmanie, il avait construit des voies ferrées et des ponts métalliques de Mysore aux Salween. Il n'avait absolument aucun talent pour la conversation de société. Il attendait que le conducteur de l'engin lui fasse signe que l'équipage était prêt, et aussitôt après, il se tourna vers Charles.

— Dites-leur de regarder, gronda-t-il dans sa barbe. Et gardez le sourire, hein ?

Quand il rentra, mal rasé, les bottes couvertes de boue séchée, elle était en train de s'habiller pour dîner en ville. Son apparition dans le boudoir de sa femme était presque une indécence.

— Charles ! Tu aurais tout de même pu téléphoner.

Il se laissa tomber sur un petit fauteuil de velours et leva les yeux vers elle. Il était étourdi de fatigue.

— Comme tu as l'air fragile, dit-il.

Elle se retourna vers le miroir de sa coiffeuse pour passer un voile de rouge sur ses joues.

— C'est le cas de la plupart des gens quand ils sont nus.

— A demi nue, corrigea-t-il. Comment appelles-tu ces bouts de chiffon minuscules ?

— Des dessous.

— Ce devrait être plus précis que ça. Un peu à la manière de l'armée, non ? Guimpe, type 23 adapté. Porte-jarretelles, modèle 1916-712 H.

Elle le regarda par-dessus son épaule blanche, poudrée.

— Tu as bu ?

— Seigneur, non. Je suis simplement fatigué jusqu'à la moelle. Gros-Willie a fait le fier pour une fois. Il a même renversé un petit arbre. Il a roulé à six à l'heure pendant plus de dix kilomètres sans tomber en panne une seule fois. Pas de boîte de vitesses coincée, pas de carburateur qui s'étouffe. Le général Haldane était si heureux qu'il en a souri. En tout cas, j'ai pris sa grimace pour un sourire. Si un iceberg pouvait sourire, cela ressemblerait au sourire d'Haldane. Il m'a remercié et je lui ai dit que je plaquais tout, que je lâchais le N.S.5. Il n'a pas montré la moindre surprise.

— C'est parce qu'il avait déjà reçu les instructions. L'état-major général l'a informé ce matin.

— J'ai donc été nommé..., dit-il d'une voix lasse.

— Bien entendu. Tu as fait sur le général Robertson une impression très favorable, pour ne pas dire plus.

— Je plaque ça aussi. Je n'ai pas envie de faire partie de l'état-major de *Wully*.

Elle examina un de ses sourcils dans le miroir.

— Ah ? Et que veux-tu donc faire ?

— Allez à Windsor, reprendre ma place dans mon bataillon.

Elle arracha un poil solitaire de ses sourcils avec sa pince à épiler.

— C'est ridicule. Tu n'as pas été reconnu apte par l'inspection médicale et tu fais partie de l'état-major. Ce serait un beau geste inutile, Charles.

— Ce n'est pas un beau geste. Je veux faire quelque chose qui corresponde pour une fois à mes capacités — et à mon tempérament. Je ne suis pas l'homme qu'il faut pour travailler dans l'état-major de Robertson. Il y a trop de politique dans tout ça, trop d'espionnage, trop de dérobades. Haig est la marionnette de Robertson et tous les murmures des commandants de division à son propos doivent être étouffés. C'est le rôle qu'on voudrait me faire jouer : je traînerais, ainsi que d'autres officiers, dans les divers Q.G. de France en gardant mes oreilles ouvertes. Ce genre d'emploi ne me convient pas. Je veux quelque chose de propre, de viril. Je veux être commandant de compagnie et courir les hasards du front comme tout le monde.

— *Tout le monde* n'est pas au front.

Elle posa la pince à épiler avec un soin extrême, comme si elle risquait d'exploser en tombant sur la coiffeuse. Puis elle pivota sur son tabouret et le regarda.

— Je ne vois rien de *viril* dans le désir de se faire tuer.

— Je ne cherche pas à me faire tuer. Ce que je veux c'est monter dans les tranchées à mon tour, puis être muté au début de l'hiver pour avoir un nouveau bataillon à entraîner. Exactement comme Fenton.

— Fenton est officier de carrière, dit-elle en choisissant ses mots. Ce qu'il a fait en France, ce qu'il fait à présent, c'est ce que l'on attend de lui. Tu as rempli tous tes devoirs militaires à Gallipoli. On n'attend plus rien de toi, sauf que tu portes un uniforme et que tu te rendes utile. Comme officier d'état-major par exemple. Il ne s'agit pas de *dérobade,* comme tu dis, Charles. C'est un travail qui exige de l'intelligence et du tact — deux qualités dont tu as à revendre. Ecoute, prends un bain, rase-toi, mets des vêtements propres et viens avec moi. J'ai rendez-vous avec quelques amis au Claridge et nous irons ensuite au théâtre.

— Non, je vais dormir un peu. Je veux être à Windsor demain matin à la première heure.

Elle se leva et s'appuya sur le rebord de la coiffeuse.

— Viril... dit-elle doucement. C'est le nœud du problème, n'est-ce pas ? Tes accès périodiques d'impuissance te brisent le cœur.

Il détourna les yeux. Elle lui rappelait une illustration qu'il avait vue jadis dans un roman érotique que quelqu'un avait oublié dans un wagon de chemin de fer, *La Passion de Marie :* la guimpe presque transparente, le porte-jarretelles qui tendait les bas de soie noirs.

— Ce n'est qu'un symptôme, dit-il. J'en connais la cause.

— Et tu espères que les tranchées te guériront ? répondit-elle d'un ton de raillerie. Je pourrais te guérir en une seule nuit ! Tu me fais vraiment rire, Charles. Tes conceptions de l'*honneur,* du *devoir,* du *fair-play* et des *formes* à respecter datent d'un autre siècle ! Et tes devoirs à mon égard ? Je ne parle pas de tes devoirs au lit : tes échecs au lit ne traduisent qu'une simple ignorance, pas une maladie. Non, je veux parler de tes devoirs à l'égard de ton épouse. Il y a assez de veuves ces temps-ci sans que tu te précipites pour en faire une de plus !

— Inutile d'en parler plus longtemps, dit-il en se levant. Tu ne comprendrais pas de toute façon.

— Pourquoi ? Parce que je n'appartiens pas à ta classe ? Parce que je n'ai pas été initiée de naissance au code de *noblesse oblige * ?* Pour l'amour de Dieu, Charles, ne travestis pas ton *noble héritage* en farce sanglante !

Il sortit sans répondre. Il ne claqua pas la porte mais il y avait quelque chose de définitif dans son départ, et elle comprit qu'il ne renoncerait pas. Elle s'assit et se regarda dans le miroir. Lydia Amberley, future comtesse de Stanmore si les balles allemandes le permettaient, maîtresse d'Abington Pryory et de tout ce qui s'y trouvait. Le rêve de son enfance. Le rêve d'une époque qui disparaissait de plus en plus vite. Non, songea-t-elle en lissant ses sourcils du bout des doigts, une époque déjà disparue.

4

Le général de division Sir Julian Wood-Lacy aimait parler aux correspondants de guerre. Il sentait qu'il leur devait bien ça pour la façon
dont ils l'avaient traité après Mons. Cette débâcle avait fait de lui une
sorte de héros, bien qu'il n'ait rien fait de particulier pour mériter ce
titre : il s'était borné à faire manœuvrer sa division avec sang-froid et
intelligence dans des circonstances adverses, combattant quand il le
pouvait, battant en retraite dès que la prudence le conseillait. Un travail de général compétent, rien de plus, mais la presse de Londres
avait décidé, pour sauvegarder le moral des civils, de tirer toute la
gloire possible de cette défaite. On accola l'adjectif « glorieux » au
mot « retraite », et le vieux général au visage et aux manières de John
Bull fut porté au pinacle. On l'éleva au grade et on le mit à la tête
d'un corps d'armée.

— Je voudrais proposer un toast à la mémoire de Lord Kitchener,
dit le général en levant son verre de xérès. La pensée que le corps du
pauvre K est en train de flotter dans la mer du Nord me fait frémir.
Sincèrement. Ce n'est pas une mort de *soldat*. J'ai servi sous ses ordres
au Soudan, vous savez. C'était un véritable tyran, mais *de mortuis,*
etc. A votre santé, mes amis.

Le xérès était trop doux au goût de Martin, et il se borna à lever
jusqu'à ses lèvres le cristal taillé. Fenton Wood-Lacy, qui se trouvait au
milieu d'un groupe de chefs de bataillon, croisa son regard et lui fit
un signe de tête en direction des portes de la terrasse. Martin acquiesça
d'un geste, et lorsque le général se mit à aller et venir dans la salle de
bal en racontant une anecdote éculée sur une bataille depuis longtemps oubliée de la vallée du Nil, il quitta discrètement la salle déco-
rée pour rejoindre Fenton dans les jardins.

— Eh bien, lui dit celui-ci en souriant, vous avez l'air de savoir
habilement vous faufiler.

— Presque autant que vous. Comment allez-vous, Fenton ?

— Aussi bien qu'on peut l'espérer. Surchargé de travail et sous-
payé, comme on dit dans la troupe.

— Vous faites partie du corps d'armée de Sir Julian ?

— Difficile à dire. Notre brigade ne cesse de changer d'affectation.
Nous sommes pour l'instant dans les tranchées de Thiepval, et je

suppose que cela fait partie du domaine du Vieux. Quoi qu'il en soit, j'ai reçu une invitation à dîner, et me voici. Est-ce qu'il vous a déjà présenté le tableau ?

— Il a dit simplement que la IVe Armée a l'intention de faire une brèche dans les lignes allemandes en vingt-quatre heures, et d'être à Bapaume avec la cavalerie en deux jours. La *Grande Offensive*. Rien de bien neuf dans tout ça. C'est sûrement le secret le plus mal gardé de la guerre. Mais il n'a pas expliqué la formule magique.

Il s'avança vers la balustrade de pierre et son regard, au-delà des jardins bien entretenus du château, se posa sur l'Ancre, rivière étroite et boueuse qui serpentait au milieu des vergers.

— Quinze divisions sur trente kilomètres de tranchées. Il paraît qu'en face il n'y a pas plus de six divisions boches, dont deux de réserve. Nous devons les battre à plate couture — sur le papier.

Martin sourit et s'accouda à la balustrade.

— Toujours aussi pessimiste.

Fenton leva les yeux vers le ciel pour suivre le vol d'un biplace anglais. Son moteur avait des ratés.

— Je me souviens avoir fait le même genre de remarque avant Loos. N'est-ce pas ? Au Café Bristol, à Béthune : vous étiez avec ce type du *Daily Telegram,* et vous m'avez dit que j'avais tort, parce que les Allemands étaient quatre fois moins nombreux que nous. Les mitrailleuses et les barbelés ont rétabli l'équilibre.

— Le bruit court que Haig a trouvé une solution à ça.

— Il n'y a pas de mystère : de l'artillerie, et encore de l'artillerie. Un canon tous les dix-sept mètres de tranchée allemande et une semaine de bombardement jour et nuit avant le jour J.

— Bon dieu ! s'écria Martin, à mi-voix.

Fenton esquissa l'ombre d'un sourire.

— Cela paraît irrésistible, n'est-ce pas ? La pulvérisation totale des positions boches, la destruction des barbelés. Mais j'ai de sérieux doutes à ce sujet, et je ne suis pas le seul à ronchonner. Vous avez vu une grande partie du front, Martin ?

— Non, pas assez. Et la visite était « organisée ». Nous ne sommes pas allés au-delà d'Albert. Un ou deux obus allemands ont dégringolé et on nous a aussitôt ramenés à l'arrière. Trois d'entre nous ont pris des chambres d'hôtel à Amiens. Nous y resterons tout au long de l'offensive. C'est là que nous recevrons les communiqués officiels — en tout cas, si nous ne parvenons pas à nous faufiler en première ligne pour voir les choses de plus près.

— Cela risque de ne vous servir à rien, non ?

— Evidemment, les censeurs n'autorisent aucun article trop différent des rapports officiels. Mais j'ai toujours réussi à faire passer un bon texte de temps en temps.

— Vous êtes encore au *Post* ?

— Non, à l'Associated Press. J'ai rompu avec Lord Trewe. A l'amiable. Je suis en poste à Paris, et je préfère de beaucoup.

— Vous devez manquer à Jacob.

— Il n'a plus personne pour lui relever le moral.

Un canon lourd de campagne tira un obus dans un bois voisin. La déflagration fit vibrer les vitres du château.

— Un tir de mise en service, dit Fenton. Tous les canons neufs doivent tirer quelques obus avant de se mettre en batterie. Pour vérifier leur portée. Quand les choses se mettront en route, on entendra le tir de barrage jusqu'en Angleterre. Vous aimeriez être aux premières loges, n'est-ce pas ? Je peux extorquer un laissez-passer spécial au Vieux...

— Rien ne me ferait plus plaisir.

— Je doute que votre plaisir dure plus d'une semaine... répondit Fenton.

Mesnil-Martinsart, 23 juin 1916. Ce village est à peu près au centre de la ligne d'assaut britannique, qui commence au saillant de Gommecourt, à onze kilomètres au nord, pour s'achever à treize kilomètres au sud, à l'endroit où les Anglais rejoignent le flanc des Français, dans les marais de la Somme. L'objectif de l'offensive britannique est la ville de Bapaume, à quatorze kilomètres au nord-est, à cheval sur la route d'Amiens — droite comme une flèche, à l'emplacement même d'une ancienne voie romaine. Le plan d'attaque prévoit la rupture complète du système de tranchées allemand le jour Un, et la prise de Bapaume par la cavalerie le jour Deux. Des routes et des voies ferrées partent de Bapaume vers Arras et Cambrai, et une percée réussie en cet endroit placerait les Anglais à l'arrière des armées allemandes, avec de grandes chances de les encercler et de les obliger à battre en retraite. L'optimisme des troupes — Fenton et les vieux briscards exceptés — frise le délire.

— On va les hacher menu, mon pote ! m'a dit un première classe du 13e Yorkshire et Lancashire.

Ce sont pour la plupart des hommes de la Nouvelle Armée, des volontaires, des copains qui s'engagent en groupe, des bataillons d'amis et de camarades de travail. Les Commerçants de Hull, le Bataillon de la Ville de Sheffield, les Amis de Grimsby, les Traminots de Glasgow, les Irlandais de la Tyne, les Frangins de Liverpool. Copains et compagnons, des employés des postes... Il y a même tout un bataillon constitué par des joueurs de football, de cricket et de rugby ! On les a rattachés à des unités traditionnelles de l'armée, mais chaque groupe est soudé par des liens particuliers, uniques en leur genre. C'est une armée du peuple s'il en fut jamais, semblable à l'armée que Grant a conduite sur le Mississipi jusqu'à Vicksburg, et ils sont là, sur la Somme, bien résolus à gagner la guerre. Leur enthousiasme est électrique.

24 juin. Le tir de barrage a débuté aujourd'hui. Les oiseaux, surpris, volent en désordre au-dessus du bois d'Aveluy. Impossible de décrire la puissance du tir. La terre tremble et l'air sent la poudre — cliché de reportage de guerre numéro 346 — mais, bon dieu ! c'est *vrai* que la terre tremble et que l'air sent la poudre. Les oiseaux traversent la route Aveluy-Hamel et s'éloignent en zigzag vers le bois de Thiepval. Pas l'ombre d'un nuage et la chaleur est intense. On peut voir (j'en suis certain) des petits points de cuivre scintiller dans le ciel au loin lorsque les obus de mortier s'immobilisent au plus haut de leur parabole avant de plonger vers la terre.

27 juin. Dans un poste d'observation de première ligne, avec Fenton et plusieurs autres officiers. Ils vérifient les effets de bombardement sur les barbelés allemands. Fenton et les autres très déçus. En certains endroits les ceintures de barbelés, avec leurs épines de trois centimètres, s'enfoncent sur une centaine de mètres. Une jungle de ronces d'acier. L'artillerie essaie de couper ces ronciers avec des obus à mitraille de dix-huit livres. Pas très efficace. Il y a des brèches ici et là, mais Fenton m'a expliqué que les Allemands laissent volontairement des espaces libres de façon à canaliser les attaques : les soldats qui se regroupent pour pénétrer dans ces brèches sont alors des cibles faciles pour les mitrailleurs. Pour tout arranger, un orage exceptionnel pour la saison vient d'éclater, et le sol, transformé en boue liquide par les pluies torrentielles, sera un handicap de plus pour l'infanterie.

28 juin. Château Querrieux. Q.G. de Sir Henry Rawlinson, général commandant en chef de la IVe Armée. Il a convoqué une réunion de ses commandants de corps d'armée, et je m'y suis rendu en voiture avec Sir Julian — d'excellente humeur. Je lui ai parlé des inquiétudes de Fenton au sujet des barbelés.
— Au cul, les barbelés ! m'a dit Sir Julian.

29 juin. Q.G. du bataillon de Fenton. Vieille ferme confortable. Repas excellents. Whisky à gogo. Exposé sans ambages de Fenton à ses commandants de compagnie. On lancera l'attaque le 1er juillet au matin. Le fait que Sir Julian ne se soucie nullement des barbelés devient évident à la lecture de son message à tous les chefs de bataillons :

Il n'y aura rien en face de vous, hormis des Allemands morts ou blessés et quelques retardataires affolés. Les troupes pourront traverser le no man's land l'arme à la bretelle si elles le désirent. Le bombardement déferlera devant vous et détruira toute velléité de résistance.

— Nous conserverons une prudence extrême, dit Fenton sèchement. Nous avancerons prêts à tirer, et le plus vite possible.

Le tir de barrage augmente en intensité. Les flammes des bougies oscillent à chaque déflagration. Quand on regarde au-dehors, on ne voit que des gerbes de feu, comme si les lignes allemandes entraient en éruption. Il semble inconcevable qu'il puisse rester encore un seul rat vivant de l'autre côté.

— Le colonel est de nature inquiète, non ? me souffle un jeune capitaine au creux de l'oreille.

1er juillet. Bois de Thiepval. Des hommes entassés dans les tranchées de première ligne à cinq cents mètres de l'endroit où je suis — dans ce qui fut autrefois une belle futaie. La plupart des arbres coupés, soit par les obus allemands soit par les artilleurs de la brigade pour donner à leurs canons de meilleurs postes de tir. Feu de barrage continu toute la nuit. A cessé soudain à 7 h 30. Le silence vous prend au cœur et j'entends les hommes siffler d'un bout à l'autre de la ligne. Cent cinquante mille Anglais sortent de leurs tranchées et commencent à traverser. Baïonnettes scintillantes sous le soleil, à perte de vue dans les deux sens. De nombreux hommes ont l'arme à la bretelle. Ils sont lourdement chargés et ils marchent lentement, presque comme à la promenade, en longues lignes, épaule contre épaule. Je crois voir une illustration sur un livre d'histoire — souvenir de l'école primaire ? —, les Tuniques Rouges marchant sur Bunker Hill. Sur ma droite, un bataillon des Highlands avance au son de la cornemuse.

Entendues de loin, les mitrailleuses ne font aucun effet : un simple crépitement métallique, comme si l'on secouait une bille dans une boîte de conserve. Il ne se produit rien de dramatique comme pour l'artillerie : pas de sifflements d'obus, pas d'explosion faisant jaillir des tonnes de terre. Non, rien de tel avec une mitrailleuse : un simple cliquetis, et la mort invisible. Les lignes commencent à fondre. Certains hommes se mettent à courir vers les barbelés allemands. Ils ne vont guère loin. D'autres hésitent, se détournent, désemparés, puis tombent. La deuxième vague s'avance, non sans mal. La troisième suit. Peut-être les Allemands restés en vie dans les ruines de Thiepval ou dans les tranchées pulvérisées par les obus ne sont-ils pas nombreux, mais ils sont *assez*. Leurs mitrailleuses fauchent le terrain découvert et les Tommies meurent debout. Difficile d'écrire... Mains tremblent trop. Les généraux avaient tort... Bataille de la Somme ne sera pas gagnée aujourd'hui — ni demain, ni après-demain...

Alexandra Greville attendait avec son groupe sur le pont du petit vapeur qui avait remonté la Seine jusqu'à Rouen. Elles étaient quatre-vingts, enveloppées dans leurs capes de laine, et elles se serraient les unes contre les autres sans dire un mot tandis que des rafales de pluie balayaient le fleuve, entraînées par le vent glacé de septembre.

— Tout est parfait, mesdames, s'écria joyeusement un sergent du Service de Santé en s'élançant sur la passerelle. Tout le monde débarque, et il y a une bonne tasse de thé qui vous attend à la cantine.

Le quai était encombré d'hommes, de mules, de pièces d'artillerie, d'énormes tas d'obus non amorcés, d'ambulances neuves, et de toute espèce de fournitures diverses. Les infirmières se donnèrent la main pour éviter de se perdre et suivirent le sergent le long des grands hangars ouverts des docks. Elles dépassèrent les entrepôts géants et s'enfoncèrent dans les rues de la ville.

— On est presque arrivés, les filles ! s'écria le sergent ravi, en leur souriant comme si elles étaient toutes à lui. Et ne vous égarez pas, hein. C'est la France ici, et vous savez ce qu'on dit des Français !

La France. Alexandra sentit sa gorge se serrer. Les souvenirs affluaient. C'était (semble-t-il) il y a si longtemps... Et la guerre même était différente. Avec leurs casques d'acier et leurs capotes de pluie, les soldats étaient devenus pour elle des étrangers — des hommes d'armes du Moyen Age semblables à ceux qui avaient brûlé Jeanne d'Arc dans cette même ville (combien de guerres plus tôt ?). Des camions chargés de soldats bouchaient les rues qui montaient des docks. Des Australiens, des anciens de Gallipoli. L'un d'eux se pencha par-dessus la ridelle et cria :

— Dans un mois, tu seras en train de laver mes moignons pleins de sang...

Les soldats du camion éclatèrent de rire. Les infirmières continuèrent de regarder droit devant elles sans broncher.

Dans la cantine de la Croix-Rouge, un capitaine de petite taille, complètement chauve, leur adressa quelques mots.

— Je suis le capitaine Jenkins, et me voici plutôt loin d'Harley Street, n'est-ce pas ? Vous êtes toutes loin de quelque chose : de vos maisons, de vos parents, des êtres qui vous sont chers. Tous les membres du corps médical de l'armée royale souhaitent la bienvenue aux belles jeunes femmes du Service impérial des Infirmières militaires de la reine Alexandra.

Il s'arrêta pour ménager son effet.

— Mon dieu, mon dieu, c'est presque aussi long que la traversée de la Manche, non ?

Les infirmières, épuisées et énervées, éclatèrent de rire beaucoup trop fort.

Le capitaine Jenkins attendit patiemment que les rires s'éteignent.

— Eh bien, donc, vous voici. Finis les stages, vous êtes des infirmières diplômées, qualifiées. Je sais bien que votre formation a dû être écourtée en raison du nombre croissant de blessés sur la Somme tout au long de l'été, mais vous rattraperez très vite ici ce que vous n'avez pu faire à Londres. Nous avons de vous un besoin urgent. Nous vous ferons travailler dur, et je sais que vous ferez toutes de votre mieux. Je vous salue, et que Dieu vous accorde sa bénédiction.

Elle s'allongea sur un châlit, dans les quartiers des infirmières de l'un des hôpitaux des environs de Rouen, et elle s'enfonça dans une vague somnolence... Elle était à l'arrière d'une ambulance et Robbie, à genoux près d'elle, lui tenait la main.

— Alex, Alex, Alex...

— Quoi ? Quoi ?

De la lumière fouettait son visage. Quelqu'un était à genoux près du châlit, quelqu'un *la* touchait.

— C'est moi, Ivy.

Elle s'assit et serra Ivy dans ses bras de toutes ses forces.

— Ivy ! Comment avez-vous pu ?...

Ivy Thaxton posa sa torche allumée par terre et lui rendit son étreinte.

— J'ai reçu votre lettre la semaine dernière, et j'ai aussitôt vérifié toutes les listes d'arrivées.

— Vous êtes descendue de Boulogne ?

— Non. Je suis ici, maintenant. Dans l'unité des trains-hôpitaux. Vingt infirmières de chez vous doivent être affectées chez nous, et j'ai veillé à ce que votre nom soit sur notre liste.

Elle se recula et prit dans son sac une feuille de papier pliée.

— Nous partons à cinq heures trente. A vide jusqu'à Amiens. Voici la liste des filles. Vous pouvez m'aider à les trouver ?

— Je suis heureuse que vous ayez fait ça, Ivy. Heureuse que nous soyons ensemble.

— C'est plus facile quand on a une amie, dit Ivy.

L'estafette du Q.G. de la brigade arriva par la tranchée Bière Blonde, s'arrêta pendant une seconde au croisement de Bière Brune et de Malt, puis tourna dans Malt. Il avançait très vite, le dos courbé, comme un gros rat rusé. Une balle claqua très fort lorsqu'il franchit l'étroite tranchée. Le coin des tireurs embusqués, mais il avait déjà fait ce chemin bien des fois et il connaissait tous les points chauds. Malt était une tranchée horrible, les obus l'avaient à moitié détruite, elle était pleine de bourbiers profonds et de caillebotis brisés. Elle serpentait à l'orée du Bois-Haut en direction de Martinpuich au milieu de troncs d'arbres brisés et noircis. Il y avait des cadavres plantés dans le parapet, des doigts et des jambes se mêlaient aux racines noueuses des arbres. Par temps chaud, la puanteur vous asphyxiait, mais il pleuvait pour l'instant, et il faisait froid : l'odeur restait supportable. Il dépassa quatre Néo-Zélandais accroupis dans un trou d'observation, les visages maculés de boue. Seuls leurs yeux brillaient, lumineux comme des yeux de furets.

— T'as le feu au derrière, mon pote ?

Sans prendre le temps de répondre, il s'élança de plus belle. La sacoche de cuir contenant son message ballottait contre sa hanche. Le fracas d'un obus de cinq pouces neuf le jeta au sol la tête la première, et il s'accrocha à la paroi croulante. L'obus explosa à dix mètres derrière la tranchée. Quatre autres obus suivirent le premier, de plus en plus loin. Le tir, peu précis, partait dans la mauvaise direction. Il se leva et courut jusqu'au croisement de Clapham, puis il tourna à angle aigu sur sa droite dans la tranchée Watling. Il s'arrêta et alluma une cigarette. Watling était profonde et les sacs de sable en bon état. Plus loin dans la tranchée, des hommes dormaient dans des niches taillées dans les parois. Une sentinelle était à genoux contre le parados, juste au-dessus de lui. Il était si crotté de boue qu'il se confondait avec la tranchée, et l'estafette ne le vit que lorsque l'homme tourna la tête et baissa les yeux vers lui.

— T'as pas une pipe de trop, vieux ?

— Ça peut se faire, répondit l'estafette.

Il lui tendit sa cigarette et en alluma une autre pour lui.

— C'est le 2e Windsor ? demanda-t-il.

— Tout juste, vieux. Quelle compagnie tu cherches ?

— Le chef de bataillon.

— Première tranchée de liaison, et tu files cinquante mètres en arrière. Tu ne peux pas te gourer. Merci pour la sèche.

— Pas de quoi, mon pote, répondit l'estafette en s'éloignant.

Il ne fut pas surpris de trouver un major à la tête du bataillon. Il avait déjà vu des capitaines faire office de colonels, et l'on disait même qu'un caporal-chef avait pris le commandement du West York après l'attaque du bois de Delville. L'estafette n'en avait rien à faire. Il remit le message de la brigade et attendit.

Le major Charles Amberley déchira l'enveloppe mince avec son pouce et lut le contenu à la lueur de la lampe à acétylène qui se balançait au plafond de la cagna.

— Pas de réponse, dit-il sèchement. Tu diras au cuistot de te donner une double rasade de rhum.

L'adjudant s'accouda sur sa couchette de fils de fer croisés.

— Qu'est-ce qui se passe ?

Charles baissa les yeux vers le message.

— Nous devons attaquer la redoute Hanovre demain matin à huit heures, avec la A, la C, et la D. Pas une chance de prendre cette foutue redoute. Je crois qu'on nous envoie au casse-pipe pour détourner le tir pendant que les Néo-Zélandais attaqueront sur notre gauche.

L'adjudant se rallongea en grognant.

— Quel gâchis !

— Essayez de téléphoner à la brigade.

— Inutile. Les fils doivent être coupés cent fois après la dégelée

354

d'hier. Ils n'auraient pas envoyé ce pauvre type porter un message s'ils avaient pu nous joindre au téléphone.

Charles s'assit devant la table et prit une gorgée de thé. Il était glacé et il avait le goût de pétrole. La stupidité de l'ordre faisait trembler sa main de rage. Le bataillon avait perdu neuf officiers et deux cent soixante hommes au cours de l'attaque précédente. Et la moitié des pertes s'étaient produites au moment où les hommes traversaient leurs propres barbelés ! Un caporal était arrivé assez près des positions allemandes pour lancer une bombe Mills, et il était mort avant d'avoir baissé le bras. Pendant la nuit, on leur avait envoyé cinq officiers et cent cinquante hommes de la réserve, mais les forces du bataillon n'étaient pas suffisantes, et voilà que l'on exigeait d'eux une autre attaque, contre une position parfaitement imprenable, en plein jour de surcroît ! Il n'avait aucune chance d'enflammer ses hommes en leur racontant qu'ils allaient prendre la redoute et nettoyer ce coin du bois une fois pour toutes. Non, ils allaient simplement monter sur le parapet pour offrir aux Boches quelque chose sur quoi tirer pendant que les Néo-Zélandais s'élanceraient le long du ravin Guinness. Aucun soutien d'artillerie mentionné dans l'ordre. Une nouvelle théorie de l'état-major : l'artillerie prévient l'ennemi de l'imminence des attaques. Une théorie comme une autre, songea Charles non sans amertume. Toutes les théories étaient dans l'erreur...

L'adjudant lança ses jambes hors du lit et se gratta la poitrine.

— Vous vous rendez compte, Charles ? Nous avons repoussé les Allemands de six kilomètres depuis le 1er juillet. Le jeune Baker a vérifié ça hier soir. Selon ses calculs, nous les flanquerons dans le Rhin au cours de l'été 1938. Qu'est-ce que vous en pensez ?

— Je pense que Baker est un idiot, dit-il d'un ton rageur. S'il m'avait dit ça à moi, je l'aurais mis aux arrêts.

— C'est un brave type. J'ai bien connu son frère à Harrow. On a pas mal chahuté ensemble.

Charles se leva, prit son casque pendu à une cheville des poutres de soutènement et s'engagea dans le boyau remontant de la cagna vers la tranchée. La compagnie B était en réserve : les hommes, accroupis dans leurs trous individuels, mangeaient leur dîner, la capote sur la tête. En tout cas, le repas était chaud : de la vapeur s'élevait du ragoût en conserve versé dans leurs gamelles. Les trois compagnies de première ligne n'avaient pas cette chance. Pour eux, c'était du bœuf et des biscuits, avec peut-être un peu de thé chaud après le coucher du soleil, s'il n'y avait pas de tir de barrage.

— Un brancard qui descend ! cria une voix plus loin dans la tranchée.

— Attention aux barbelés ! Faites gaffe à vos têtes !

Il s'avança vers la voix. Les porteurs traînaient non sans peine un gros bonhomme qui ne cessait de geindre. Ils étaient de petite taille et

355

il leur avait fallu se mettre à quatre pour transporter le brancard dans la boue.

— Qui est-ce ? demanda Charles.

— Le caporal Thomas, commandant, grogna l'un des porteurs. Une grenade à fusil a rebondi sur le parados et lui a arraché la main.

— Merde !

Le caporal Thomas était un des meilleurs sous-officiers de la compagnie D. Il allait être bougrement difficile à remplacer.

Le moignon de la main droite du caporal était grossièrement enveloppé de bandes sanglantes. Il y avait aussi du sang sur son visage, mais la pluie l'avait délayé.

— Est-ce que ma gueule est partie ? murmura-t-il soudain, affolé, en se débattant pour s'asseoir. Est-ce que ma gueule est partie ?

Les porteurs posèrent le brancard à terre pour se reposer un instant. L'un d'eux s'agenouilla près du caporal et lui mit la main sur l'épaule.

— Non, Bert. Des égratignures, c'est tout. Juste ta main droite. Tranchée net, propre comme un sou neuf. Tu as du pot, Bert, c'est la Bonne Blessure : tu rentres au pays.

— Dieu soit loué ! sanglota le caporal. Que Dieu soit loué de m'avoir tiré de là !

— A partir de maintenant, il va falloir que tu pelotes ta vieille avec ta main gauche, Bert. Ça va lui faire un peu de changement.

— Dieu soit loué, dit le caporal en se laissant aller sur le brancard. Une main en sang, qu'est-ce que c'est ?...

Le porteur se releva et adressa à Charles un sourire d'excuse.

— C'est la morphine, commandant. On lui a donné deux cachets et il perd la boule. Faut pas faire attention à ce qu'il raconte.

— Descendez-le au poste de secours, répondit Charles très raide.

Il ne voulait témoigner aucune sympathie pour un homme qui se félicitait d'être blessé. Il fit une inspection rapide de la tranchée et rentra dans sa cagna après s'être arrêté un instant pour observer, sur les pentes derrière lui, la carcasse brûlée d'un tank MK1 — un Gros-Willie. Le tank était arrivé en grondant, pétaradant et crachant le feu la semaine précédente, sur la route de Bazentin. Il avançait à trois kilomètres à l'heure, titubant dans les fossés et les trous d'obus comme une grosse bête à l'agonie. En l'apercevant ce jour-là, il avait songé à Jamie Ross et à la façon dont celui-ci aurait hoché la tête en murmurant quelques phrases sur le manque de puissance, sur l'insuffisance de cette saloperie de moteur pour faire ramper le mastodonte dans la boue. La brigade avait téléphoné pour lui dire d'envoyer deux compagnies derrière le tank sur la colline du Bois-Haut. Le tank n'était même pas parvenu à cinq cents mètres du bois. Les Allemands l'avaient canardé avec des obus explosifs et Gros-Willie avait sauté. Ne sachant pas ce qu'ils avaient mitraillé et brûlé, les artilleurs allemands, pris de folie, avaient fait un barrage de couverture pendant plus de deux heures : soixante morts, cent soixante-dix blessés.

Ce soir-là, les commandants de compagnie vinrent avec leurs lieutenants dans le poste de commandement pour recevoir leurs ordres et partager une bouteille de whisky. Ils écoutèrent en silence Charles leur expliquer l'ordre d'attaque.

— Compagnie D à huit heures juste. La A suit à huit heures dix. La C les couvre avec les Lewis, puis sort à son tour à huit heures vingt-cinq.

Cela n'avait aucun sens et dans la cagna tout le monde le savait. Les Allemands verraient les premiers hommes sortir de la tranchée et le barrage débuterait avant qu'ils aient pu trouver les passages prévus à travers leurs propres barbelés. La compagnie D serait rayée de l'effectif. Si la compagnie A avait un peu de chance, les Allemands repéreraient les Néo-Zélandais en train de remonter dans Guinness, et détourneraient leur tir vers eux. La A n'affronterait plus que les balles des mitrailleuses tirant depuis les redoutes de béton à demi enfouies dans la terre, les ceintures enchevêtrées de fils de fer barbelés, et une demi-douzaine de *minenwerfer* qui projetteraient des explosifs puissants au-dessus de leurs têtes. La compagnie C avait tiré la bonne carte. Ils avaient la possibilité de ne pas passer à l'attaque si les deux premiers assauts subissaient plus de cinquante pour cent des pertes — ce qui était à peu près certain : soixante-dix pour cent paraissait plus probable. Si les deux bataillons néo-zélandais remontaient Guinness à partir de la tranchée Malt et prenaient la redoute Hanovre de flanc, forçant les Allemands à battre en retraite, le sacrifice en vaudrait la peine — il transmit cette observation patriotique aux capitaines et aux lieutenants, mais ses paroles furent accueillies par des sourires ironiques à peine dissimulés. Ils accepteraient le sacrifice parce qu'ils n'avaient pas d'autre choix, mais ils étaient persuadés que l'attaque n'aboutirait à rien.

L'aurore se leva dans la brume et le crachin. Les Néo-Zélandais devaient avoir quitté Malt avant l'aube profitant du brouillard pour ramper aussi loin que possible dans le ravin Guinness, au milieu des arbres déchiquetés. Ils passeraient à l'assaut de la crête du Bois-Haut quand ils entendraient les Royal Windsor attirer le feu de l'ennemi. Charles glissa le sifflet entre ses dents et regarda sa montre-bracelet — 7 h 57... 58... 59... Il savait que s'il survivait à cette guerre, il ne pourrait plus jamais porter une montre-bracelet. Huit heures. Il souffla brusquement dans le sifflet. Le capitaine et les chefs de section sifflèrent à leur tour et deux cents hommes grimpèrent sur les échelles, groupés pour franchir le plus vite possible les passages préalablement coupés dans leurs barbelés. Dix mètres, vingt. Ils s'enfonçaient puis remontaient dans les anciens trous d'obus, et leurs baïonnettes brillaient dans la brume. Trente mètres maintenant, puis quarante. Presque arrivés aux barbelés allemands qui s'étendaient sur cinquante mètres de profondeur. Des fusées de signalisation sifflèrent au-dessus des lignes ennemies, puis éclatèrent en gerbes jaunes et vertes au milieu des nuages bas.

— Merde !... Oh, merde ! murmura Charles en entendant le grondement assourdi des obus de mortiers.

Le grondement devint hurlement, puis tonnerre. Des geysers de terre et de feu explosèrent. Les salves étaient réglées à la limite des barbelés allemands. Des mottes de terre et des membres d'hommes déchiquetés semblèrent s'immobiliser dans le ciel gris pendant une fraction de seconde. Ce qui restait de la compagnie D s'éloigna des barbelés et s'enfonça dans des trous d'obus fumants.

Huit heures dix. La bouche sèche, Charles siffla une seconde fois. La compagnie A fut très lente à quitter la tranchée. Les coups de sifflet étaient rageurs et les chefs de section juraient et criaient. Une douzaine d'hommes grimpèrent sur les échelles et traversèrent les barbelés, courbés en deux tandis que les Lewis de la compagnie C se mettaient à tirer par-dessus leurs têtes. Les mitrailleuses lourdes allemandes se mirent à crépiter à travers les meurtrières des parapets de béton, en croisant le feu : elles prenaient les hommes de la compagnie A à hauteur de poitrine et balayaient le haut des parados de sacs de sable. Les chefs de section continuaient de crier, et d'autres hommes montèrent sur les échelles. Certains ne parvinrent en haut de la tranchée que pour culbuter en arrière. C'était un massacre, et Charles cria aux signaleurs d'envoyer des fusées pour réclamer l'artillerie. Les hommes de la compagnie D, pour l'instant pris au piège, pourraient revenir en arrière sous le feu de couverture du contre-barrage. Sinon, il leur faudrait s'enterrer dans les trous d'obus jusqu'à la nuit.

— Espèce d'ordure ! Lâche ! criait la voix du lieutenant Baker, au bord de l'hystérie. Je devrais vous brûler la cervelle, nom de dieu !

Charles sortit du trou d'observation et se précipita dans la tranchée de première ligne. Un homme mort pendait la tête en bas, un pied pris dans les barreaux de l'échelle. Il dépassa le cadavre et se dirigea vers le jeune Baker qui brandissait son revolver d'ordonnance.

— Que se passe-t-il ? cria Charles.

Le lieutenant montra du bout de son arme un simple soldat roulé en boule contre l'échelle d'assaut, le fusil près de lui, la baïonnette plantée dans la boue. Le visage du soldat était couleur mastic, et du sang coulait de sa botte droite.

— Il s'est tiré dans le pied ! Je lui ai ordonné de monter sur l'échelle, et il s'est retourné, il m'a regardé, il a renversé son fusil et il s'est fait une Bonne Blessure. Volontairement.

Il secoua le revolver sous le nez de l'homme.

— C'est le peloton qui t'attend. Tu n'y couperas pas.

— Renvoyez-le au poste de secours, commanda Charles.

— Sous bonne garde ?

Il regarda le soldat tapi contre la paroi de la tranchée. Ses yeux étaient vides, insouciants, indifférents même à la douleur de sa blessure. Il n'avait guère plus de dix-huit ans.

— Oui, répondit Charles d'une voix sans timbre. Sous bonne garde, évidemment.

On l'attacherait au poteau, c'était plus que probable, et le peloton d'exécution le fusillerait. Ou bien la police militaire lui ferait sauter la cervelle sans cérémonie. Bon sang ! songea-t-il, en serrant convulsivement les poings, pourquoi ce type avait-il fait la bêtise de se tirer une balle sous les yeux de son lieutenant ? Mais un cadavre de plus ou de moins, quelle importance ? A présent, l'artillerie de la brigade tirait à mitraille contre le béton allemand, et les mitrailleuses boches s'étaient tues. Le tir des shrapnels s'interrompit après quelques coups épars. La fumée dériva dans le vent à travers un bosquet de squelettes d'arbres. Un mitrailleur boche tira quelques rafales, pianotant un peu au hasard sur sa détente. Il y eut ensuite un tir d'artillerie lourde en direction du ravin Guinness — et ce fut tout. Les hommes de la compagnie A, le visage blême et tendu, étaient au pied des échelles d'assaut.

— Ne bougez pas, ordonna Charles.

Continuer l'attaque serait plus que futile.

Au-dehors, quelque part entre les barbelés, dans un trou d'obus ou dans une sape abandonnée, un homme hurlait — des cris de rage et des sanglots. Le son n'en finissait pas, plus fort soudain et puis plus faible, ne s'interrompant que pour reprendre aussitôt de plus belle. Huit heures trente. A la nuit tombante, il enverrait des brancardiers. Il se mit à prier avec ferveur pour que la mort soit accordée sans attendre à l'homme qui hurlait.

Le colonel Robin Mackendric acheva sa première vacation de chirurgien de la journée et, malgré l'heure tardive, il se dirigea vers la tente du mess pour prendre une tasse de thé et un petit déjeuner. Indifférent à la hiérarchie, il ne portait pas la couronne et les étoiles de son grade. Sa promotion n'était que routine — l'éternelle obsession de l'armée d'avoir à chaque poste un officier du grade prévu par le règlement. Les responsables des centres d'évacuation des blessés étaient censés avoir le grade de colonel, et les papiers du War Office lui étaient enfin parvenus au moment où son équipe quittait Kemmel pour la Somme. Etre colonel au lieu de major n'avait absolument rien changé à ses fonctions, et il ne s'était pas soucié d'enlever ses anciens galons et de coudre les nouveaux sur les épaulettes de son uniforme. Le capitaine Ronald David Vale, promu major, n'avait pas fait autrement. Il ne portait ses galons que sur ses sous-vêtements — en tout cas c'était le bruit qui courait.

— Je viens d'en voir une drôle, Mac, s'écria Vale en s'asseyant près de Mackendric. Un sillon dans le crâne, jusqu'à l'os et tout le tour de la tête. Un cercle parfait. La balle a pénétré dans le casque du type et a fait le tour à l'intérieur comme une scie à détourer. Pendant le restant de ses jours il va avoir une jolie petite rainure pour poser son chapeau.

Mackendric lui adressa un regard désabusé et avala une gorgée de thé.

— Tu réunis des histoires extraordinaires pour le jour où tu deviendras gâteux ?

Vale sourit et tendit la main vers l'assiette de petits pains.

— Eh bien, à vrai dire, la balle n'a pas réellement fait *tout* le tour. Mais c'est quand même un miracle.

— Un miracle de temps en temps ne fait pas de mal.

— Non, répondit Vale, abattu soudain. J'ai vu plus que ma part d'horreurs, hier soir. Tu as eu de la chance d'aller à Amiens.

— Je suis au courant.

— Je m'en doute. Mais le problème, Mac, c'est que je ne vois pas comment les choses pourraient s'améliorer. C'est de mal en pis. Vont-ils continuer à se lancer la tête la première contre les murs de béton, ou bien vont-ils enfin siffler pour réclamer la mi-temps ?

— Ils continueront de foncer.

Il trempa un petit pain dans son thé et se mit à le mâcher lentement.

— C'était l'objet de la réunion d'hier. Les services médicaux français, écrasés de travail à la suite de Verdun, sont complètement désorganisés. Haig et Rawlinson ont peur que le même surmenage nous mette sur les genoux. Nous leur avons affirmé le contraire, alors ils nous ont laissé entendre qu'il fallait nous préparer à ce que le nombre des blessés augmente jusqu'en novembre.

— Trois cent mille ! Haig n'en a donc pas encore assez ?

— Ne sois pas ironique, Vale. En un sens, il me fait pitié. Il a Joffre sur le dos comme le vieux marin du poème : Attaquez ! Attaquez ! Attaquez !... Nous livrons maintenant une guerre d'usure, c'est évident. Nous avons perdu trois cent mille hommes et les Allemands quatre cent mille. Pour certains esprits, cela représente une victoire.

Vale repoussa l'assiette de petits pains comme si l'idée d'en manger lui faisait horreur.

— Le dernier homme debout sera le vainqueur, c'est ça ?

— Quelque chose dans ce genre. N'essaie pas de trouver un sens à ce qui se passe. Fais ton boulot, c'est tout ce qu'on te demande.

— Oh ! je fais mon boulot, Mac, je fais mon boulot. Et en fait j'adore l'armée, c'est le plus drôle de l'histoire. J'aime mieux être médecin de bataillon que chirurgien à Harley Street tous les jours que Dieu fait. C'est justement pour ça que je suis plus amer que toi devant tout ce gâchis — mais peut-être ne suis-je pas plus amer en fait : je parle davantage, alors que tu dissimules tout sous ton fichu stoïcisme écossais. Si cela te permet de ne pas perdre les pédales, après tout, pourquoi m'en soucier ?

Les après-midi étaient pires que les matinées. Les ambulances transportant les blessés des attaques de l'aube arrivaient à Corbie depuis les postes de secours des bataillons et les centres de soins d'Albert, de Ginchy, de Mametz et de Bazentin. Le centre d'évacuation numéro 80 recevait plus que sa part.

Mackendric prit son tour d'officier de *triage*. Aidé de trois infirmières, il examinait chaque brancard qu'on lui apportait, et séparait les hommes dont une intervention chirurgicale immédiate risquait de sauver la vie, ceux qui auraient eu besoin d'une intervention urgente mais qui n'avaient aucune chance de survie et ceux que l'on pouvait envoyer *tels quels* dans les trains-hôpitaux, vers les services sanitaires permanents de Rouen. Le premier groupe était transféré aussitôt dans les tentes de chirurgie ; le second à la salle des moribonds où on les maintiendrait sous sédatifs, dans des lits propres, jusqu'à une mort sans souffrance ; le dernier groupe enfin était ramené dans les ambulances et transporté jusqu'à la gare de triage de Corbie, non loin de là. Ce n'était pas un travail que les médecins recherchaient, mais aucun d'eux n'y échappait. Le nombre des hommes envoyés à la salle des moribonds semblait augmenter chaque jour.

— Les hommes deviennent téméraires, avait dit un jour un des médecins du bataillon. Ils ont perdu tout sens de la prudence. C'est comme s'ils s'en fichaient d'être touchés ou non.

Il vérifiait son soixantième blessé lorsque le capitaine O'Fallon se précipita vers lui.

— Je te remplace, Mac. Vale a des pépins. Il vaut mieux que tu jettes un coup d'œil. Tente 6.

— Quel genre de pépin ?

— Police militaire.

Deux sergents M.P. et un capitaine entre deux âges se trouvaient dans la tente de chirurgie numéro 6. Ils regardaient, le visage blême, le major Vale en train de fermer une large blessure à l'aisselle. Les deux sergents continuèrent d'observer le travail du chirurgien mais l'officier, furieux, se tourna vers Mackendric dès qu'il s'approcha.

— C'est vous qui commandez ce centre, major ?

— Colonel, en fait, répondit Mackendric en montrant les revers de sa tunique. Je n'ai pas eu le temps de rajouter les galons. Mais c'est moi qui dirige ce centre, oui.

Le vieux capitaine parut légèrement confus.

— Oh ! je vois. Eh bien, *colonel*, je suis obligé de faire un rapport. J'ai conduit un prisonnier pour confirmer officiellement qu'il s'est infligé lui-même une blessure, et ce type, ce *docteur*...

La rage et le mépris semblaient l'étouffer.

— Vous voulez dire le major Vale ?

— Oui, si c'est son nom.

— Foutez-moi le camp ! murmura Vale en fixant une ligature autour de l'artère axillaire et en se préparant à ôter de la cavité les échardes de l'humérus brisé.

— Quel est exactement le problème ? demanda poliment Mackendric.

Le capitaine tourna le dos à l'opération et sortit dans le couloir du bâtiment de planches et de papier goudronné.

— Je n'ai pas besoin de vous dire, colonel, qu'une blessure volontaire est une chose très grave. L'*individu* sur cette table est soupçonné de s'être tiré un coup de revolver dans l'aisselle.

— Soupçonné ?

— Personne ne l'a vu faire, mais son chef de section nous a dit que les bords de la blessure n'étaient pas nets. Des brûlures de poudre, colonel.

Mackendric se frotta la joue.

— A présent, c'est difficile à dire. C'était peut-être de la terre, vous savez.

Le capitaine se raidit.

— C'est exactement ce que votre major Vale a dit quand il a découpé la peau. Il a jeté la preuve dans un seau ! Cela fait vingt-trois ans que je suis dans l'armée, colonel. Je sais faire la différence entre de la terre et des brûlures de poudre.

— Le major Vale est un chirurgien de premier ordre. Je peux difficilement remettre son jugement en question. S'il affirme que c'était de la terre, je suis obligé de respecter son opinion. Je vous suggère de ne pas poursuivre plus longtemps dans cette voie.

— Vraiment ! répondit le capitaine en lançant à Mackendric un regard glacé. Puis-je rappeler au colonel que le service médical a le devoir de signaler au bureau de la police militaire tous les cas de blessures volontaires ? Cette *épidémie* des Bonnes Blessures doit être arrêtée. C'est un comportement anti-Anglais, colonel, et une honte pour notre patrie. J'ai combattu en Afrique du Sud, et au cours de ce conflit je n'ai pas entendu parler une seule fois d'un soldat assez lâche pour se blesser lui-même.

Le capitaine sortit à grands pas et les deux sergents M.P. le suivirent. Leurs visages étaient sinistres à souhait. Mackendric se tourna vers la table d'opération.

— Tu crois qu'il perdra le bras ?

— Absolument pas, grogna Vale, irascible. Mais il ne vaudra plus un clou. Se faire éclater l'aisselle avec un Webley ! Quel connard !

— Prenez votre après-midi, Vale. Allez à Corbie : un ou deux cognacs vous feront du bien.

— C'était mon intention. Et il m'en faudra peut-être trois.

La nuit tombait lorsque le major Vale rentra au centre. Il n'était pas ivre mais il avait sûrement beaucoup bu. Son haleine avait l'odeur d'un parquet de brasserie.

— Tu as renoncé au cognac, on dirait.

Le jeune chirurgien entra dans la chambre de Mackendric et se laissa tomber sur un fauteuil de toile, le sourire aux lèvres.

— J'ai rencontré des Australiens. Des types formidables. Ils connaissent un *bistrot* près du chemin de fer, où l'on sert de la vraie bière anglaise. Pas de cette pisse de chat française. On s'est assis, on a parlé, on a regardé passer les trains.

Mackendric, en pyjama sur son châlit, était en train de lire.

— Je suis ravi que tu te sois amusé.

— Un des Australos, un colonel, était avocat à Melbourne. Il affirme qu'il peut démontrer par *a* plus *b* que toute cette foutue guerre est illégale. Qu'est-ce que tu en dis ?

— Passionnant. Et si tu allais te coucher ?

— Oui, c'est dans mes possibilités — un bon petit roupillon pour une fois. Mais je suis venu ici pour une raison bien précise... Je suis sûr que j'avais quelque chose à te dire.

— L'illégalité de tout ça. En tout cas en Australie.

— Non, autre chose...

Il se releva, non sans peine, bâilla et se frotta l'oreille.

— Ah oui ! J'ai repéré une infirmière absolument ravissante à la gare. Elle est sortie d'un train-hôpital pour acheter des pommes au buffet. Une blonde épatante... que j'avais déjà vue.

Mackendric baissa son livre et le regarda par-dessus les cercles de fer de ses lunettes.

— Ah ?

— Ouais. Il ne peut pas y avoir deux visages comme le sien. Ni deux silhouettes, quand j'y pense. Je l'avais déjà vue, affirmatif. Mais je n'en étais pas sûr et certain, tu vois, et je n'ai pas voulu avoir l'air idiot. Mais je jurerais que c'était la fille qui est montée à Kemmel l'an dernier. Celle qui a perdu les pédales, tu te souviens ?

— Oui.

— Une amie à toi, je crois ?

— Si l'on veut.

Il demeura éveillé très tard dans la nuit, essayant de lire mais oubliant de tourner les pages. Il était entouré de bruits — le cliquetis des chariots à pansements dans les salles au fond du couloir, le grondement des canons du côté du bois de Delville — mais il n'entendait rien. Il était à des kilomètres de là, en train de marcher rue Saint-Honoré avec elle, main dans la main, en léchant les vitrines. C'était le lendemain de leur première nuit. Etait-ce vraiment lui ? Il se sentait vieux et las. Des mèches grises commençaient à transformer son visage. Ses yeux lui posaient des problèmes : trop de fatigue dans la mauvaise lumière de la salle d'opération. A force de se crisper sur les instruments de chirurgie pendant un trop grand nombre d'heures chaque jour, et pendant trop de jours à la suite, ses doigts lui faisaient mal sans cesse. Il se consumait. A trente-trois ans, il se faisait l'effet d'un vieil homme. Quel âge avait-elle à présent ? Vingt ans ? Ainsi donc, elle avait suivi son conseil ! Elle avait fait ses études d'infirmière. Peut-être avait-elle également suivi son *autre* conseil ; peut-être avait-elle rencontré un bel homme de son âge et décidé d'oublier toute son aventure. C'était possible. Mais jamais il ne le saurait s'il ne lui posait pas la question. C'était le plus simple du monde. Détachement des trains-hôpitaux. Un coup de téléphone au capitaine Frazier, à Rouen. Frazier organisait les horaires complexes des trains et il savait le nom des personnes affectées à chacun, jusqu'au dernier des brancardiers. Il connaissait les lieux et les heures de chaque voyage. C'était son petit bout de guerre.

— Greville, Alexandra, infirmière diplômée. Train 96. De Rouen à Corbie, via Amiens, les mardis, jeudis et dimanches. Vous connaissez cette femme, Mackendric ?

Oui, il la connaissait. Et il avait besoin d'elle. Mais avait-elle besoin de lui ?

L'infirmière Pilbeam fit tomber des gouttes d'éther sur le cône nasal. Vale tenait les écarteurs de côtes pendant que Mackendric excisait un poumon écrasé par un éclat d'obus. Il ne cessait de lever les yeux vers la pendule murale.

— Tu es pressé ? Un train à prendre ? se moqua Vale.

— Oui, répondit-il à mi-voix. Tout juste.

Elle avait beaucoup à faire mais il le savait. Les trains arrivaient vides à Corbie, on les détournait sur une voie de garage à l'intérieur de la gare, où les attendaient les ambulances et les blessés pouvant marcher. Il la reconnut au milieu d'une vingtaine d'infirmières et il s'avança le long du quai où deux cents Néo-Zélandais gisaient patiemment sur leurs civières. Les brancardiers et les infirmières allaient et venaient parmi eux, allumant des cigarettes, aidant les blessés à remplir les cartes postales officielles :

Rayer la mention inutile :
Je vais très bien
Je suis entré à l'hôpital
Malade et je vais mieux
Blessé et j'espère être vite rétabli.

— Et comment vais-je dire à ma mère que j'ai perdu un pied ?

— Ne lui dis pas, mon pote. Tu lui feras la surprise.

Elle faisait les piqûres antitétaniques avec un sang-froid parfait. Elle vérifiait les pansements, indiquait aux brancardiers dans quel wagon transporter les hommes qu'elle avait examinés et « étiquetés ». La pluie martelait le toit de tôle ondulée qui recouvrait tout le quai. Le train, vert olive, brillait. Les croix rouges se détachaient sur des carrés blancs.

— Votre efficacité est exemplaire, infirmière.

Ses mains s'immobilisèrent au milieu de son geste, mais elle ne leva pas les yeux vers lui.

— Bonjour, Robbie.

— Je n'ai pas l'intention de vous déranger dans votre travail, Alex. Quelle surprise de vous revoir ! Une heureuse surprise.

Elle acquiesça d'un geste et se pencha au-dessus d'un brancard posé sur deux chevalets. Elle posa ses mains sûres et expertes sur un bout de chiffon sale que recouvrait une jambe pleine de boue séchée.

Il se pencha à son tour près du blessé.

— Des égratignures du mollet. Ce n'est pas grave.

— Ça brûle comme l'enfer, dit l'homme.

— Je m'en doute, mais vous pourrez taper dans un ballon de football dans trois semaines.

Il regarda Alexandra laver au savon noir une zone de peau autour des chairs déchiquetées couvertes de sang coagulé. Elle enroula une bande propre autour de la jambe et fit un geste de la main. Les porteurs soulevèrent la civière et la transportèrent dans le train.

— Au suivant, dit-elle en se redressant.

Ses yeux rencontrèrent ceux de Mackendric pour la première fois. Ce fut comme une étreinte.

— Quel bonheur de vous revoir, Robbie !

— Vous le pensez vraiment, Alex ?

Sa voix était presque solennelle. Elle hocha la tête avec vigueur.

— Oui, oh oui ! Mais partez à présent, sinon je ne parviendrai pas à me concentrer. Si... si vous pouvez vous libérer samedi prochain...

— Je me libérerai, dit-il simplement.

— A Rouen... Train numéro 52. Je vous attendrai à la gare.

— J'y serai.

— Et pas de sermons cette fois, Robbie. Inutile de me dire ce qui est le mieux pour moi.

— Vous savez, j'ai cessé de donner des conseils.

« *Et nous pourrons passer des nuits ensemble, dans de charmantes auberges de campagne.* »

Il se souvenait de cette phrase, qu'elle lui avait dite un dimanche matin à Paris. Pas d'auberge de campagne, charmante ou non, sur le saillant d'Ypres. Mais ils étaient en Normandie. Des pommiers, de la terre riche entre les larges boucles de la Seine. Des villages aux maisons de pierre serrées les unes contre les autres. Des auberges avec des chambres donnant sur des vergers ou sur les berges du fleuve. Du linge propre et des lits de plume. Il la serrait très fort, les yeux perdus sur le soleil couchant, de l'autre côté des fenêtres. Une de ses mains errait au hasard sur son dos nu. Elle se retourna dans ses bras et laissa glisser ses lèvres sur la poitrine de Robin.

— Jamais je ne t'abandonnerai, murmura-t-elle.

— Je sais que je ne pourrai pas t'en dissuader, mais je dois au moins essayer...

— Ce serait parfaitement inutile, Robbie. Tu as envie de moi ?

— Oui. Je te désire.

Il la serra doucement et caressa son dos et la courbe de ses hanches.

— Je ne t'ai pas parlé de Dennis, dit-il. Il est à Ottawa... Pilote instructeur. Son appareil a été abattu près d'Abbeville en avril dernier. Il est sorti vivant des décombres, mais il n'aurait peut-être pas eu autant de chance la fois suivante. Je suis ravi qu'il soit au Canada.

— Moi aussi, murmura-t-elle.

— Il m'a écrit une longue lettre sur le Canada, sur les gens — c'est un monde très différent. Tu sais, j'ai déjà décidé de ne pas retourner en Angleterre. Si jamais cette guerre finit un jour, j'ai envie d'un nouveau genre de vie. J'irai à Toronto, ou plus à l'ouest, à Vancouver. Je l'écrirai à ma femme et je lui demanderai le divorce. Ce serait bien mieux pour elle aussi. Ce dont elle a besoin en fait, c'est d'un homme respectable qui reste à la maison, gagne des tas d'argent et vote conservateur. Nous n'avons jamais été assortis.

Elle s'éloigna légèrement de lui. Ses seins effleuraient la poitrine de Robin.

— Acceptera-t-elle de divorcer ?

— Je ne sais pas.

Il se mit à caresser sa gorge et, du bout des doigts, suivit le contour de ses mamelons dressés.

— Je prie Dieu pour qu'elle l'accepte, mais Catherine est capable de refuser uniquement par dépit.

— Cela ne changera rien pour nous, dit-elle d'une voix altérée par l'émotion. Ça m'est égal. J'irai avec toi, Robbie, je vivrai avec toi, que nous soyons mariés ou non.

— Tu risques de le regretter un jour, Alex.

— Jamais.

Jamais... Jamais, songea-t-elle en déplaçant son corps lentement, au même rythme que le sien. Et pas seulement à cause de ça, pas seulement pour le sentir en elle tandis que le plaisir montait en douces spirales. C'était au-delà de toute passion. Leurs vies s'étaient accrochées et ne faisaient plus qu'une. Elle le suivrait partout où il irait, et elle vivrait avec lui sans honte. Maman et papa ? Ils ne comprendraient jamais pourquoi. Non, jamais ils ne comprendraient à quel point le besoin qu'elle avait de lui était inextricablement mêlé au besoin encore plus fort qu'il avait d'elle.

— Je t'aime, Alex.

— Oui, dit-elle, oui... oui.

Lorsqu'il arriva au quartier général de la brigade, au village de

Bazentin, Martin remarqua une certaine froideur. Un des officiers, qui avait toujours été amical avec lui et qui lui avait fourni de nombreux renseignements, feignit d'être trop occupé pour le saluer. Le Q.G. était situé dans l'une des profondes galeries allemandes prises au mois d'août précédent : des tunnels et des salles taillés dans une colline calcaire, derrière les ruines du village. Deux brigades y avaient établi leur poste de commandement, ainsi qu'une compagnie de transmissions et un poste de premier secours ; on y entreposait des munitions et des provisions de toute espèce. C'était un endroit animé et bruyant. Dans les salles et les tunnels les lampes électriques étaient allumées jour et nuit.

— Le colonel est-il trop occupé pour me recevoir ? demanda Martin.

L'officier, d'habitude très communicatif, retourna les feuilles de papier posées sur son petit bureau.

— J'en ai peur, oui.

— Je voudrais simplement un laissez-passer pour monter en première ligne.

— C'est hors de question. Désolé. Peut-être demain.

— Je suis sûr que vous savez tout le mal que j'ai eu pour venir aussi près du front. Du moment que je suis ici...

L'officier lui tourna presque le dos et posa la main sur un téléphone de campagne.

— Ecoutez, monsieur Rilke, je suis désolé, mais...

Le lourd rideau qui divisait la pièce s'entrouvrit et Fenton passa la tête.

— Nom d'un chien, dit-il d'un ton las. Même à coups de balai, vous ne pourriez pas chasser M. Rilke ! Entre, Martin.

La partie occupée par Fenton dans ce trou de rat était meublée d'un bureau, de cartes fixées sur les murs de pierre, d'une chaise et d'un châlit. Fenton referma le rideau puis s'assit sur le bord du lit et se frotta les yeux.

— J'essayais de dormir un peu.

— Désolé, dit Martin en s'installant à califourchon sur la chaise. Je n'avais pas l'intention de te réveiller.

— J'ai dit que *j'essayais*. Tu ne m'as pas réveillé. Tu veux remonter au bois de Delville, c'est ça ?

— Si c'est possible.

Fenton hocha lentement la tête et chercha sa boîte de cigarettes au milieu des couvertures en désordre.

— Je crains que tu ne sois devenu soudain *persona non grata*. J'ai reçu du corps d'armée une note de service très sèche à ce sujet, pas plus tard qu'hier. Si l'on te repère dans une zone de combats, on doit t'escorter à l'arrière. Au-delà d'Albert, tu es interdit de séjour, mon vieux.

Martin alluma un cigare puis se pencha en avant pour allumer la cigarette de Fenton.

— Il n'y a aucun sujet d'article pour moi à Albert, Fenton. L'Armée du Salut organise des cantines, à Albert. Et pour écrire sur la guerre, je n'y serais pas mieux qu'à Biloxi, au fond du Mississipi.

— A Biloxi, Mississipi ? Ce ne serait pas une mauvaise idée, après tout. Certaines chroniques signées Rilke dans des journaux américains ont attiré l'attention de nos attachés militaires à Washington. Ils ont câblé aussitôt à Londres, outragés : des descriptions macabres des attaques anglaises du mois d'août...

— Ce n'étaient pas des descriptions macabres.

— Non, j'en suis certain. C'étaient uniquement les attaques de Thiepval vues par les yeux de Martin Rilke.

— Tout juste.

— Comment as-tu passé la censure ?

— Je les ai données à un copain de l'Associated Press qui rentrait aux Etats-Unis.

Fenton esquissa un sourire amer et secoua les cendres de sa cigarette à ses pieds.

— Vilain garçon ! On ne joue pas le jeu, hein ? Les articles ont mis l'état-major en pelote. Thiepval aurait dû être pris le 1er juillet. Et il tient toujours, fin septembre ou presque — un abcès sur notre flanc. Très humiliant de voir souligner ses échecs. Et tu étais censé ne mentionner aucun nom de lieu. *Quelque part sur la Somme,* un point c'est tout. Est-ce exact ?

— Je crois, oui, répondit Martin en haussant les épaules.

— Et les soldats ne sont pas *déchiquetés,* ils ne sont pas *volatilisés par les obus,* ils ne restent pas *assis en train de hurler dans des trous d'obus.* Les soldats *tombent au champ d'honneur,* c'est tout.

— On dirait que tu as lu les articles.

— Non. Inutile. J'y étais, souviens-toi. Sir Julian m'a lu au téléphone les passages les plus croustillants. Il était plus furieux qu'une guenon violée. Je ne saurais l'en blâmer. Wully Robertson a passé un savon à Haig, qui a passé un savon à Rawlinson, qui est tombé à bras raccourcis sur le pauvre oncle Julian.

— Et tu me passes un savon à ton tour.

— Oui. Et je ne vois pas à qui tu pourrais rendre la pareille.

Martin posa les yeux sur la cendre de son cigare. Cinquante pour cent Havane. Un des rares luxes qu'il se permettait. Il ne secoua pas la cendre, elle tomba d'elle-même.

— Une tempête dans un verre d'eau, Fenton. C'est de propos délibéré que j'ai envoyé ces articles sans passer par la censure. Pour le public américain exclusivement. J'ai essayé de leur faire sentir, dans leurs foyers, la réalité de la guerre qui se déroule ici. Ils risquent d'être entraînés dans ce conflit un jour ou l'autre et ils ont le droit de savoir ce qu'est une bataille au XXe siècle. Et la vérité, c'est que les journaux américains n'en ont pas fait grand cas. Aux Etats-Unis, on s'intéresse plus aux incursions de Pancho Villa dans le Nouveau-Mexique qu'à quelques milliers de Tommies mourant pour cinquante mètres de terre française. Je crois que pour les Américains tout ça n'a aucun sens.

Le tir de barrage était très dense. Les huit pouces anglais et les cent-cinq français bombardaient Delville et le Bois-Haut, à moins de deux kilomètres de là. On sentait les explosions volcaniques plus qu'on ne les entendait : les murailles de calcaire tremblaient et un fin brouillard de chaux emplissait la pièce.

— Cela n'a pas beaucoup de sens pour moi non plus, Martin. C'est bien le diable ! Je ferai comme si je ne t'avais pas vu mais, à partir de maintenant, tiens-toi à l'écart de mon secteur. Je fais office de chef de brigade maintenant et j'ai été nommé général par intérim en attendant qu'ils en trouvent un dans la réserve et qu'ils me l'envoient dare-dare — il y aura des cris et des coups de pied en vache, c'est sûr. Mais de toute façon j'ai cinq bataillons sous mon commandement (plutôt vague d'ailleurs) : les Royal Windsor, les Green Howard, et quelques bataillons disparates qui comprennent de tout, sauf des filles de bonne famille. Nous attaquerons à l'aube, du côté de l'ouest du Bois-Haut, avec trois autres brigades. Derrière les tanks. Objectif : Flers.

— J'en ai entendu parler. C'est pour ça que je suis ici.

— Je m'en doutais, figure-toi, dit Fenton d'une voix amère. Tu en as « entendu parler ». Personne n'est capable de fermer sa gueule dans cette armée. La dernière pute d'Amiens en sait plus que moi-même sur la stratégie du haut commandement.

Il écrasa sa cigarette sur le sol calcaire et en prit une autre dans la boîte.

— Il reste quelques tanks sur les cinquante qu'on nous a envoyés, alors ils font une nouvelle tentative. Le terrain est pourri. En pente raide, boueux, parsemé d'anciens trous d'obus. Et ces tanks sont diablement fragiles. Au moindre regard de travers, ils tombent en panne. Mais leur potentiel est intéressant. S'ils pouvaient avancer aussi vite qu'un homme au pas de course et s'ils avaient assez de puissance pour grimper les collines, nous serions sur le Rhin dans quinze jours.

— Les Américains s'intéressent aux tanks, dit Martin d'une voix timide. C'est un Américain qui a inventé le tracteur à chenilles... l'oncle Benjamin Holt.

— Bravo pour l'oncle Ben, répondit Fenton sans le moindre enthousiasme.

Observations et réflexions. Sur la Somme. 21 septembre 1916. Journée froide et humide. Mon point d'observation : une cagna recouverte d'une bâche goudronnée camouflée. Relativement protégé de la pluie, mais je suis dans la boue jusqu'aux genoux. Feu intense de l'artillerie anglaise et française. Bois-Haut haché menu. Les impacts des obus, réfléchis par la pluie, forment une espèce d'aurore boréale sur la crête de la colline parsemée de troncs déchiquetés. Même spectacle vers l'est, au bois de Delville et à Longueval. On dirait qu'au moins quatre brigades participent à l'assaut. J'ai vu la cavalerie sur la route de Contalmaison à Bazentin. Soldats et chevaux noirs sous la pluie. Ils souffrent beaucoup par ce temps. La théorie expliquant la présence de ces hussards anglais et de ces lanciers indiens prêts à intervenir à l'arrière des lignes doit sûrement être liée au maintien du moral : il faut donner aux fantassins montant en première ligne l'impression qu'ils vont faire une percée importante... Qu'il·leur suffira de creuser quelques brèches à travers le système de tranchées allemand pour que des hordes de cavaliers jaillissent comme des fusées et se précipitent « dans l'azur », comme l'a dit Haig de façon si poétique. Pas d'« azur » devant moi, des flammes dansantes et un sol bourbeux plein de pustules. Aucune riposte de l'artillerie allemande. Ils resteront, comme toujours, enfouis au fond de leurs bunkers, à l'abri des coups derrière des tonnes de béton armé et de sacs de sable. Et quand le tir de barrage s'arrêtera, quand l'infanterie anglaise avancera, ils referont surface, comme toujours, et ils tailleront l'attaque en pièces. Tel a été le scénario depuis le premier jour de la guerre et personne n'a encore trouvé un plan susceptible de modifier son déroulement immuable. A vous briser le cœur.

Dans la tranchée, avec le 2e Royal Windsor. L'expression *sang-froid* ne correspond pas au tempérament américain — en tout cas au tempérament *militaire* américain. Lee avait peut-être du sang-froid, mais pas Grant ni aucun autre général dont le nom me vienne à l'esprit. Les militaires américains ont toujours été des cabochards, des brandisseurs de sabres, des cracheurs de chiques et des grandes gueules. Charles, lui, a du sang-froid. Il est debout, exposé aux balles sur le parados, en train de scruter le Bois-Haut avec ses jumelles. Froid comme de la glace. J'ai envie de crier : « Regardez, c'est mon cousin qui est là-haut. » Brave mais sot. Les Allemands commencent à lancer des trucs vers nous à présent. Les balles de mitrailleuses crépitent en passant au-dessus de la tranchée. Charles a du sang-froid. Il descend dans la tranchée et griffonne des notes pour les estafettes. Deux compagnies de plus traversent, selon les ordres du Q.G. de la Brigade. L'horaire prévu doit être respecté. Il écrit les notices nécrologiques de plus de cent hommes. Sa main ne tremble pas, son visage n'exprime rien. Il faudra que je lui demande un jour à quoi il pense en cet instant.

Contre-barrage allemand plus intense que l'on ne s'y attendait. La tranchée est ébranlée. Les sacs de sable volent. Des morceaux de barbelés, des morceaux d'hommes pris dans les barbelés. Quelqu'un crie : « Les tanks s'en sortent au poil. » Une voix de cockney, presque heureuse. Ma sténo devient illisible. Inutile de...

Paris (AP), 12 décembre 1916. Martin Rilke des bureaux de l'Associated Press à Paris vient de quitter l'hôpital Saint-Antoine où il a été soigné après les blessures graves subies sur le front de la Somme en septembre. Il poursuit sa convalescence à Saint-Germain-en-Laye, dans les environs de Paris.

5

Jacob Golden traversa les Champs-Elysées au milieu de la circulation intense, adressa un sourire affable aux chauffeurs de taxi qui hurlaient, et fit semblant de ne pas entendre les coups de klaxon. En remontant sur le trottoir, il redressa son melon, lissa les revers de moleskine de son imperméable et entra d'un pas vif dans le hall de l'Hôtel Monceau, en agitant sa canne avec l'aisance crâne d'un *boulevardier* * de naissance. Il commanda du Dubonnet au bar, sans la moindre trace d'accent. Un colonel anglais en train de boire un whisky près du comptoir lui demanda, dans un français tiré de son manuel de conversation, s'il connaissait un endroit de Montmartre où l'on pouvait voir « *les jeunes filles dansant... à nu... don't you know ?* »

Il répondit en mauvais anglais, et donna à l'homme une adresse boulevard de Clichy où les seules choses nues de sexe féminin étaient des poulettes suspendues à des crochets dans la vitrine : le meilleur volailler de Paris. Il espéra que le colonel serait ravi de sa visite.

Il avait presque fini son apéritif lorsqu'il vit entrer dans le bar la silhouette massive de Claude Lénard. L'homme s'assit à une table dans un coin sombre. Le verre à la main, Jacob s'avança vers lui le plus naturellement du monde et s'assit.

— Bonjour, Claude.

Claude Lénard, journaliste socialiste, ami de toujours de Keir Hardie et de Jean Jaurès, voyait sa cause ruinée et sa liberté même en danger constant. Il prit le temps d'étudier toutes les personnes présentes dans la salle avant de grommeler une réponse.

— Je t'offre un verre, Claude ?

— Ce n'est pas nécessaire, Golden.

— Peut-être, mais ça me paraît normal. Personne ne vient ici simplement pour s'asseoir.

Ses yeux minuscules se perdaient presque dans son visage grossier. Sa barbe et sa moustache en broussaille tremblaient. Il hocha la tête.

— Je prendrai une bière.

— Un cognac, Claude, voyons. Nous ne sommes pas dans un bar syndicaliste. Il faut hurler avec les loups...

Le journaliste français lança un regard amer aux lambris de merisier, au bar en bois de rose sculpté avec élégance, au comptoir de cuivre et non de zinc.

— Je n'appartiens pas à ce genre d'endroits capitalistes.

— Non, répondit Jacob d'un ton narquois. Et la police spéciale ne pensera jamais à te chercher ici. C'est l'endroit le plus sûr où nous puissions parler. Peut-être vas-tu avoir un choc en l'apprenant, Claude, mais tu es le portrait même de Ravenot, le milliardaire des munitions.

— On me l'a déjà dit, répondit sèchement le vieil homme. Très bien... Du moment que je suis Ravenot, d'accord pour un alcool mais tant qu'à faire, un *armagnac* *.

Jacob claqua des doigts pour appeler le garçon. Les deux hommes gardèrent le silence jusqu'à ce que les boissons fussent servies.

— Tout va bien, dit Lénard, je t'ai trouvé un imprimeur qui accepte, moyennant finances bien entendu, de réaliser ce que tu désires. Il ne s'agit pas seulement d'argent ; il a perdu ses trois fils à Verdun. Et il est assez amer — ça se comprend. C'est un homme de confiance, mais le prix sera chaud.

— L'argent n'est pas un problème. Mais je veux un journal de qualité.

— Il en est capable. C'est un maître imprimeur.

Jacob retira une épaisse enveloppe de la poche intérieure de son manteau, et la posa en face de l'autre homme.

— Ceci devrait témoigner de ma bonne foi. Prends pour toi tout ce dont tu as besoin.

Lénard pianota sur l'enveloppe avec ses doigts courts.

— J'espère que tu comprends bien les risques qu'il y a dans tout ça, Golden. Le climat est mauvais pour une entreprise de ce genre. Ils sont très sensibles au sujet de Verdun. Ils veulent que la vérité sur cet abattoir soit enterrée avec les cadavres. Et les Anglais de même, pour leur débâcle de la Somme. Toute critique de la guerre est considérée comme une trahison.

— Je le sais.

— Mais il y a tout de même des journalistes à Paris, des hommes qui ont travaillé avec moi dans le temps. Des hommes passionnés, sans peur et sans reproche, prêts à aller en prison pour leurs opinions.

— Je ne veux pas d'un journal passionné, Claude. Il ne s'agit pas d'un tract pour la Seconde Internationale.

— Tu ne parles pas en bon socialiste.

— Je ne suis pas socialiste, répondit Jacob d'une voix nonchalante. Ni bon, ni mauvais. La politique, quelle qu'elle soit, me tape sur les nerfs. Non, Claude, je suis simplement Jacob Golden en train de nager à contre-courant.

Une valise à la main, Jacob quitta son appartement de la rue

Pigalle, prit le métro jusqu'au pont de Neuilly et demanda à un taxi de le conduire à Saint-Germain-en-Laye. Le chauffeur ronchonna : la course était longue et l'essence rare, il aurait pu gagner davantage et consommer moins de carburant en faisant plusieurs petites courses. Jacob plongea de nouveau la main dans sa poche et paya d'avance le double du prix normal. L'argent n'était pas un problème — en tout cas pas encore. Il le deviendrait dès que le journal entrerait en fabrication, mais il trouverait bien le moyen d'en faire venir d'Angleterre. Inutile de s'en soucier pour l'instant... Il s'enfonça dans la banquette arrière et regarda défiler les bois dénudés par l'hiver. Le troisième hiver de la guerre. Les arbres eux-mêmes avaient l'air fatigués.

La maison que Martin Rilke avait louée se trouvait au milieu d'un jardin bien entretenu, entouré de bosquets denses de bouleaux et de pins. C'était une petite maison de un étage en pierre de taille, construite à la fin du siècle pour la maîtresse d'un banquier parisien. Elle était restée vide depuis que les Allemands avaient menacé Paris, au cours des premières semaines de la guerre.

Une grande femme revêche, aux cheveux gris acier, lui ouvrit la porte. Elle portait un uniforme couleur d'ardoise avec une minuscule croix rouge brodée sur son ample poitrine.

— Les visites ne font pas de bien à M. Rilke, dit-elle avec un fort accent breton. J'espère que vous ne resterez pas longtemps.

— Oh non ! répondit Jacob d'un ton léger en ôtant son chapeau et en le lançant sur un perroquet. Pas plus d'une semaine ou deux.

Martin était allongé sur un divan dans une petite pièce meublée avec goût, à l'arrière de la maison. Ses cannes restaient à portée de sa main. Il fut à la fois surpris et ravi de voir Jacob s'élancer dans la pièce. Il posa le livre qu'il lisait et chercha ses cannes.

— Jacob ! C'est à ne pas croire.

— Comme la mémoire est fragile ! J'étais à ton chevet après ta deuxième opération, à moins que ce ne fût après la troisième, peu importe. J'étais là à l'heure des souffrances, et je vois que tu ne t'en souviens même pas.

— C'est vrai. Je ne me souviens de rien.

Il fit un effort pour se redresser, mais Jacob l'arrêta d'un geste.

— Ne te lève pas pour moi, je t'en supplie. Où mets-tu ton champagne ?

— Dans le placard.

— Parfait. On fera sauter un ou deux bouchons plus tard.

Il ôta son manteau et rapprocha une chaise du divan.

— Une jolie petite maison, hein ? Elle est à toi ?

— Non, mais il se pourrait bien que je l'achète. Le prix est raisonnable. Le propriétaire croit encore que des hordes de uhlans vont jaillir des bois d'un moment à l'autre.

— Tu es en fonds ?

— Rappel d'honoraires et primes à pleins seaux. Mon oncle Paul a été si bouleversé par l'annonce de ma blessure qu'il a câblé à son agence d'importation à Paris de verser quarante mille francs à mon compte. C'est payant de se faire toucher par un mortier de tranchées !...

— Comment te sens-tu ?

— Fort comme un bœuf, j'attends de pouvoir marcher. Et le fait d'avoir Mme Lucile pour infirmière ne peut qu'accélérer ma convalescence — pour ne plus l'avoir sur le râble.

— Oui, j'ai rencontré la personne. Souriante comme une porte de prison.

Martin se laissa aller contre les coussins et examina Jacob de la tête aux pieds.

— Comment se fait-il que tu ne sois pas en uniforme ?

— Oh ! j'ai coupé les ponts avant de venir en France. Je suis ici depuis six semaines, tu sais. J'ai loué une piaule à Montmartre, mais il y a beaucoup trop de distractions. Je n'ai pas perdu mon penchant pour les petites danseuses de mauvaise réputation, je l'avoue. Mais elles me prennent beaucoup trop d'argent, sans parler de la façon dont elles pompent toute mon énergie.

— Une minute, Jacob. Reviens un peu en arrière dans ton récit. Qu'est-ce que tu entends au juste par *couper les ponts ?*

— Rien de plus, mon vieux. J'ai démissionné de mon poste au Service des transmissions.

— On peut faire ça au milieu d'une guerre ?

— Ils commencent à fermer les échappatoires, maintenant que la conscription est devenue pratiquement une réalité. Mais, mon dieu, oui, on sert encore le roi et le pays à titre strictement volontaire. La troupe s'engage pour la durée de la guerre, mais les officiers, par principe gentilshommes, n'ont pas cette obligation. Un homme bien né ne démissionne pas, n'est-ce pas ? Moi je l'ai fait. Ensuite, j'ai rempli les exigences de la nouvelle loi et je me suis présenté au bureau de conscription. Je leur ai déclaré que j'étais objecteur de conscience, et j'ai filé ici avant qu'ils puissent me circonvenir pour m'envoyer aux travaux forcés (d'ailleurs bien utiles) dans une ferme betteravière du Suffolk.

— Tu me parais horriblement désinvolte en ces circonstances. J'ignorais que tu avais des sentiments religieux aussi forts.

— Je n'en ai pas. Mais j'ai de très fortes objections de conscience contre cette guerre. Je la tiens pour une farce truquée que l'on joue à l'humanité. Une monstrueuse gabegie. Là où j'étais, je lisais tous les rapports des combats envoyés en code à Haig. Cela m'a amusé de voir les journaux changer la prise d'une misérable tranchée en une victoire sensationnelle. Cela ne m'a pas amusé du tout de lire le nombre de vies gaspillées pour la possession d'un fossé bourbeux. J'ai décidé d'essayer de faire quelque chose à ce sujet : je vais publier un journal qui imprimera la vérité, sans fard et sans fioritures.

Martin siffla doucement entre ses dents et fouilla dans la poche de sa robe de chambre, à la recherche d'un cigare.

— Tu ne t'en sortiras pas. On boucle des journaux pacifistes tous les jours, ici et en Angleterre.

— Je le sais, mais mon journal ne sera pas une horrible feuille de chou mal imprimée sur une presse à main et distribuée dans les rues par de jeunes anarchistes. Il sera aussi froid que la *London Gazette* et aussi bien écrit que le *Times*. Toute personne qui le lira ne pourra ni le rejeter ni l'ignorer. Il contiendra des articles si authentiques et si bien documentés que les lecteurs exigeront des enquêtes du parlement ou de la Chambre des députés. Et quant à le « boucler », comme tu dis, une fois qu'un journal a atteint un public aussi vaste, l'empêcher de paraître provoque plus de remous qu'autoriser son existence.

Il fronça les sourcils et se frotta une oreille.

— Bien sûr, atteindre un « public assez vaste » sera sûrement diffi-cile. La distribution au départ fait partie des problèmes que je vais avoir à affronter.

— Ce que tu vas avoir à affronter, ce sont de gros ennuis, voilà tout. Pour sédition en France et pour violation de la loi sur la défense du royaume en Angleterre. Ce qui risque de t'envoyer au trou pour le reste de la guerre — cinquante ans au train où vont les choses. A ta place, Jacob, j'y réfléchirais à deux fois.

— J'y ai déjà réfléchi mille fois. Ma décision est prise. Je suis calme, froid et conscient des dangers. Mais conscient aussi de l'enjeu. Si je parviens à ce qu'une seule personne cesse de chanter *Rule Britannia* ou *La Marseillaise* à chaque communiqué du front, si je parviens à ce qu'une seule personne commence un peu à réfléchir sur cette guerre et à mesurer le prix réel de cette folie, aller au bagne sera pour moi un plaisir.

— Et tu voudrais avoir quelques articles de moi. C'est pour ça que tu es venu, Jacob ?

— Oui et non. Oui, je voudrais quelques articles de toi, non signés, bien sûr ; et non, je ne suis pas venu pour piller ton cerveau. J'ai besoin d'un endroit tranquille où me poser pendant un certain temps, et j'apprécie ta compagnie.

— J'apprécie la tienne, Jacob, et ton amitié. Mais je ne serais pas ton ami si je t'encourageais dans ton idée. Tu sais, le coût de l'offen-sive de la Somme a été très élevé et il a fallu le justifier. L'Angleterre a perdu quatre cent mille hommes sur la Somme en quatre mois et demi. Près d'un demi-million de morts, de blessés ou de disparus, contre moins de dix kilomètres de terrain ! Pour ce prix-là, Jacob, les gens veulent quelque chose en échange. C'est pour cette raison qu'ils croient les rapports officiels prétendant que le jeu en valait la chan-delle, que ce qui s'est passé a été sublime, que le sacrifice avait un sens. Ils rejettent la vérité uniquement parce qu'elle serait bougre-ment trop douloureuse à avaler. Personne ne peut arrêter cette guerre, et sûrement pas l'opinion publique. Elle est comme une locomotive emballée, Jacob, elle a sa vie propre. Seul l'effondrement d'un des deux adversaires pourra l'arrêter. Seule la Victoire avec un grand V pourra y mettre un terme. Avec ton journal clandestin, tu ne fais que crier dans la tempête.

Jacob se leva avec un soupir, puis étira les bras au-dessus de sa tête.

— Je me rends à ta logique, Martin. Je sais que tu as raison, mais je suis heureux de crier dans la tempête et d'espérer, contre tout espoir, que quelqu'un m'entendra enfin. Non, je vais sortir ce journal, et il sera très bon.

— Ainsi donc, Jacob l'iconoclaste a enfin trouvé une cause en laquelle croire ?

Jacob croisa les mains derrière son dos et s'avança vers les fenêtres. Dans le jardin, les haies bien taillées étaient couvertes de gelée blanche.

— Seulement en partie, Martin. Il y a un côté de moi-même qui prend simplement plaisir à courir à contresens dans la foule. Tandis que l'autre côté aspire passionnément à faire dans la vie quelque chose ayant une valeur durable. Peut-être suis-je né pour être à la tête d'une armée de pacifistes. Peut-être pas. Je ne tarderai pas à le découvrir. Et maintenant, passons à des choses plus urgentes : où se trouve ton placard, et comment est ton champagne ?

Mme Lucile de la Croix-Rouge avait, elle aussi, beaucoup d'objections de conscience, et elle n'avait pas peur de les clamer bien haut : elle faisait objection aux visites et à plus forte raison aux amis venus s'installer, elle faisait objection à la consommation de boissons alcoolisées, de cigares et de cigarettes, et à l'ouverture des fenêtres pour faire entrer de l'air frais. Elle faisait également objection aux objections présentées par Martin au sujet de la nourriture servie. Martin avait engagé une cuisinière-femme de ménage que le maire de Saint-Germain lui avait recommandée pour ses talents en matière de gastronomie ; or, jusque-là, ses menus s'étaient composés exclusivement de gruau — une sorte de soupe aqueuse aux flocons d'avoine — et de poule bouillie. Quand il exigea que l'on fasse rôtir deux canards avec des pommes de terre pour célébrer l'arrivée de son invité, Mme Lucile monta sur ses grands chevaux et déclara qu'elle ne se tenait plus pour responsable de la santé de son patient.

— Parfait, lui répondit Martin. Vous m'en voyez ravi. Bonsoir.

Et ce fut tout.

— Et comment feras-tu pour tes soins médicaux ? lui demanda Jacob en découpant les canards.

— Bon dieu, mais je n'ai pas vraiment besoin d'infirmière. Je vais et je viens très bien. Ma blessure à la hanche est peut-être aussi laide que l'enfer, mais elle est guérie. Ce qu'il me faut, c'est reprendre des forces : du canard rôti, de l'agneau grillé, des côtelettes de mouton, des tranches de porc, des œufs au jambon, un litre ou deux de

377

bourgogne et dix cigares par jour. De toute façon, j'ai une infirmière qui viendra me voir la semaine prochaine, si elle obtient sa permission. Une infirmière de l'armée. Tu ne te souviens pas d'elle ? Ivy Thaxton. Tu l'as rencontrée plusieurs fois à l'appartement de Londres.

— Mince, brune, avec des yeux couleur de violette ?

— C'est ça.

— Pas du tout mon genre. Trop fraîche et virginale.

— C'est parce qu'elle est vraiment virginale, pas comme les roulures après lesquelles tu cours.

Jacob haussa les sourcils et détacha les filets du canard.

— Des roulures ? Quel vocabulaire !

— Je me tiens au courant de l'évolution de la langue. Cela fait partie de mon métier.

— Elle va passer sa permission ici ?

— Je ferai de mon mieux pour la convaincre.

— Ah !...

— Et que signifie ce « Ah » ?

— « Ah » signifie « Ah ». Dans ce cas précis, il signifie que j'irai m'installer à l'auberge en bas de la route le jour de son arrivée. Le proverbe anglais veut que « trois personnes constituent une foule » — bien que ce ne soit pas toujours vrai pour les Français.

Elle arriva quatre jours avant Noël par le train Rouen-Paris du matin, et elle fit à pied, son sac de cuir sur l'épaule, les trois kilomètres séparant la gare de la maison. Martin, qui surveillait la route par les fenêtres du salon, sortit à sa rencontre dans l'allée, très raide avec ses deux cannes, dissimulant ses souffrances sous une grimace qui se voulait sourire. Jacob le suivait de très près, prêt à intervenir si son ami trébuchait.

— Pourquoi n'as-tu pas pris un taxi ? lui cria Martin. Tu n'aurais pas dû venir à pied.

— J'adore marcher ! répondit Ivy en descendant la longue allée de gravier qui s'ouvrait sur la route bordée d'arbres. Et il n'y a pas plus de quatre kilomètres.

Elle s'arrêta devant lui, souriante, et releva une boucle de cheveux bruns qui tombait sur son front.

— Oh ! mon dieu, dit-elle, quelle allure ! Le guerrier blessé...

— Un obus a voulu me dire deux mots.

Il la regarda de la tête aux pieds, oubliant à sa vue la douleur de sa hanche.

— Dieu, je me sens revivre ! Tu te souviens de Jacob ?

— Oh oui ! répondit-elle en tendant la main. Comment allez-vous, monsieur Golden ?

— Jacob, corrigea le journaliste aussitôt. Seuls mes ennemis m'appellent M. Golden. Donnez-moi votre sac pendant que vous aidez ce Boswell de la Somme à réintégrer son sofa.

Ivy se promena à travers la maison tandis que la cuisinière préparait le déjeuner. Elle observa tout sans dire un mot, émerveillée, puis s'assit près du divan où Martin s'était allongé, les jambes relevées par des coussins.

— C'est une belle maison, Martin.

— Je n'ai jamais vu l'étage. Trop pénible de monter là-haut.

— Tu ne dors tout de même pas sur ce divan ?

— Il y a une petite pièce avec un lit de l'autre côté du couloir, et on a mis au-dessus du lit une sorte de barre de trapèze pour que je puisse me lever sans peine.

— Tu n'as pas quitté l'hôpital trop tôt au moins ?

— Non. Et de toute façon ils avaient besoin du lit. Des malades plus graves que moi attendaient dans les couloirs sur des civières.

Elle se leva et lui tendit les mains.

— Viens, lève-toi. Je veux te voir sur un lit et le pantalon baissé.

— Quoi ?

— Tu m'as bien comprise. Je veux jeter un coup d'œil à ta blessure.

— Elle va très bien, protesta-t-il. Elle se cicatrise comme il faut. L'opération a été faite par un chirurgien de Harvard, un volontaire américain. Un type très bien.

— Peut-être, mais il n'est pas ici pour examiner ta hanche. Fais ce qu'on te dit, je t'en prie.

Il la précéda dans la chambre, s'allongea sur le lit et fixa les yeux sur le plafond tandis qu'Ivy lui ôtait son pantalon. La traînée rouge traversait la hanche droite et s'enfonçait dans le haut de la cuisse, il n'était pas question d'essayer de cacher quoi que ce soit. Il ferma les yeux et serra les dents tandis que les doigts d'Ivy suivaient la cicatrice.

— Pas d'inflammation, dit-elle. Tu as de la chance, Martin. Tu as été à deux doigts de l'émasculation.

— Je sais, dit-il d'une voix enrouée.

— Tu as un onguent ? La peau est assez plissée, cela doit te démanger énormément.

— Oh ! cela me démange de partout.

— Vraiment ?

Elle fit glisser sa main, avec une sûreté toute professionnelle, sur le ventre de Martin.

— C'est bizarre, dit-elle. Ta peau n'a pas l'air sèche.

— Ce n'est pas la peau, Ivy. C'est plutôt une démangeaison interne. Une brûlure viscérale. Cela s'appelle la « maladie du désir d'Ivy Thaxton », et ce n'est pas incurable.

— Où est l'onguent ? demanda-t-elle d'un ton sec.

Il le lui expliqua, et elle étala la pommade jaune sur les bords de la cicatrice.

— Tu peux remonter ton pantalon, à présent.

Il ne se le fit pas dire deux fois : il s'exécuta avec un profond soupir de soulagement.

— Je sais que le moment est mal choisi pour une demande en mariage, Ivy, mais je voudrais que tu reconsidères les choses. Que tu les regardes de mon point de vue. Je ne m'attends pas à ce que tu abandonnes le corps des infirmières, pas plus que tu ne t'attends à ce que je cesse d'être correspondant de guerre ; mais, sincèrement, tu as quinze jours de permission, et par les temps qui courent, deux semaines de bonheur, c'est une bonne affaire, non ? De toute façon, je ne te demande que d'y réfléchir, de peser le pour et le contre, de voir la chose sous tous ses angles.

— J'ai pris ma décision quand je t'ai écrit la semaine dernière. Une décision difficile, tu sais.

— Oh ! dit-il d'une voix sans timbre, je m'en doute.

— Mais si tu as vraiment envie de te mettre une femme sur le dos...

La barre de trapèze claqua quand ses mains s'accrochèrent.

— Si j'en ai envie !

Il se redressa et appela Jacob à tue-tête.

— Pourquoi ce vacarme ? demanda Jacob en passant la tête dans l'embrasure de la porte. Cette jeune personne se montrerait-elle agressive à ton égard ?

— Appelle un taxi ! Et avertis le maire qu'il va avoir un mariage à célébrer.

— Félicitations. Et maintenant tu comprends peut-être ce que « Ah » signifie ? Je descends à l'auberge voir s'il y a une voiture. Le téléphone est en carafe.

— Nous partons tous ensemble, répondit Martin en lançant ses jambes hors du lit. Il y a un fauteuil roulant dans le placard du couloir, et la route descend tout le temps. Dépêche-toi, Jacob, bon dieu ! Ne reste pas planté comme ça !

— Quel impétueux garnement !

— Ce sera légal ? demanda Ivy, inquiète.

— Et comment ! Pour qui me prends-tu donc ? M. le maire peut marier n'importe qui, comme un capitaine de bateau. Nous pourrons toujours faire une cérémonie à l'église plus tard, Ivy, si ça te fait plaisir.

Elle se pencha vers lui et l'embrassa sur la joue.

— Ça m'est égal, Martin, du moment que je peux écrire à maman et papa la conscience tranquille.

Il n'y avait pas de voiture à l'auberge, mais on ne manqua pas de bras pour pousser « le brave Américain » jusqu'à la mairie de Saint-Germain — surtout pour une démarche aussi réjouissante. La fiancée et le témoin marchèrent près du fauteuil tandis que deux palefreniers poussaient Martin à vive allure, en plein milieu de la route, jusqu'au centre de la ville. Après une brève cérémonie dans la salle des mariages, le maire les ramena chez eux dans sa Renault.

— Je suis heureux, murmura Martin. Ivre de joie.

— Et de champagne.

— « Emplissez tous les verres, car le vin nous inspire et nous enflamme de courage, d'amour et de joie... ». *L'Opéra de quat'sous.* Il y a encore autre chose... sur les femmes qui sont ce qu'il y a de plus désirable sur la terre. Mais seulement *une* femme, Ivy.

Elle était près de lui sur le lit, dans sa chemise de nuit de l'armée, en train de tresser ses cheveux. Il repoussa ses mains d'un geste et se mit à défaire ses nattes.

— J'aime que tes cheveux tombent librement sur tes épaules. Vous êtes très belle, madame Rilke.

— Et bien mal fagotée. Jamais je n'aurais cru passer ma nuit de noces dans une chemise de flanelle avec les initiales du Service de Santé de la reine Alexandra brodées sur le col.

— Je t'achèterai demain une douzaine de déshabillés de soie. Il paraît qu'il y a de très bonnes boutiques à Saint-Germain. Ou bien nous irons à Paris, faire des emplettes et passer la nuit dans la meilleure suite du Crillon.

— Tais-toi donc ! Nous sommes chez nous, dans notre maison. Que peut-il y avoir de mieux ?

Elle se leva et éteignit les lampes.

— Désolé pour l'électricité, dit-il, mais il n'y en a pas après huit heures du soir. Restrictions de courant.

— Chez moi, les restrictions de courant étaient permanentes. J'aime les lampes à pétrole.

Elle fit le tour du lit dans le noir et, l'instant d'après se glissa près de lui. La chemise de flanelle avait disparu et son corps était doux et parfumé. Il tenta de se tourner vers elle, mais retomba sur le dos avec un juron.

— Foutus Boches !

— Chut ! murmura-t-elle. Pas de mauvaises pensées. Si cet obus ne t'avait pas touché, tu serais peut-être en Chine à l'heure qu'il est, ou en Mésopotamie, ou je ne sais où, au lieu d'être allongé près de moi.

Elle déboutonna son pyjama et posa sa tête contre la poitrine de Martin.

— Ton cœur bat un soupçon trop vite.

— Un soupçon ? Il essaie de percer mes côtes à coups de marteau !

— Et ta respiration est faible.

— C'est déjà un miracle que je puisse respirer. Si tu savais par quoi je passe en ce moment. J'étais idiot de vouloir t'épouser avant d'être capable de tenir debout, de sauter des haies et de... de faire des tas d'autres choses.

Elle se blottit plus près de lui.

— Tu peux me serrer dans tes bras, Martin. Serre-moi très fort.

— Bien sûr, dit-il d'une voix de gorge. Bien sûr...

Il l'entoura de ses bras et ses doigts glissèrent sur sa peau.

— Du velours, du pur velours. Le corps le plus merveilleux de la terre.

— Toutes les filles de Norwich ont des jolis corps.

— Bon dieu ! Quel endroit ce doit être si toutes les filles sont à moitié aussi belles que toi !

— Oh ! répondit-elle. Je ne leur arrive pas à la cheville : c'est pour ça qu'on m'a chassée. Jamais je ne t'emmènerai à Norwich voir les femmes qu'on garde là-bas !

— Dieu, comme je t'aime, Ivy !

Elle s'assit dans le lit. A la lueur de la lune son corps mince avait une pâleur d'ivoire.

— Seras-tu très fâché si je fais abstraction de ma modestie virginale ? Mais pourquoi devrions-nous nous priver, si nous ne sommes pas obligés ? Je veux dire, je suis infirmière, alors si tu voulais déplacer un peu ta bonne jambe — la gauche — le plus loin que tu peux sur le côté...

— Je vais avoir mal ?

— C'est moi qui suis censée poser cette question, Martin, pas toi. Non, cela ne te fera pas mal du tout, si tu gardes ta jambe droite très, très immobile, et... et...

— Oh ! Ivy ! Dieu ! Tu es merveilleuse. Tu es...

— Non ! Je t'en prie, Martin, ne dis rien. Ne dis plus un mot.

Jacob coupa un petit sapin et le traîna sous la neige — la première neige de l'hiver : de petits flocons humides papillonnant dans le ciel gris. Ivy l'aida à le rentrer dans la maison et installa le tronc plein de neige dans une bassine de bois garnie de terre sablonneuse. Ils décorèrent les branches avec ce qui leur tomba sous la main, chiffons rouges et jaunes, petites cuillères en argent suspendues par des fils, baies de houx cueillies dans une haie du jardin, papier d'étain enveloppant les cigarettes.

— Un arbre de Noël tout à fait présentable, commenta Jacob.

— Je le trouve très beau. Si nous avions quelques petites bougies à fixer sur les branches...

— ... nous mettrions le feu à la maison.

— Oui, soupira-t-elle. Vous avez certainement raison.

Elle regarda l'horloge de la cheminée.

— Je réveille Martin. Vous allez voir sa surprise !

— Laissez-le dormir encore un peu. Il a de la chance de vous avoir pour le réveiller.

— Merci, Jacob. C'est très gentil...

— Je le pense sincèrement. Dites-moi, Ivy, vous êtes au courant, à mon sujet ?

— Que vous êtes pacifiste, c'est ça ? Oui, Martin me l'a dit.
— J'espère que vous ne me méprisez pas pour autant.
— Vous mépriser ?
Elle esquissa un sourire plein d'amertume.
— Voici deux longues années que je vois de mes yeux ce que la guerre fait aux hommes. Il n'y a pas de matamores dans les Services de Santé, Jacob, et nous n'avons pas d'ennemis. Nous soignons les souffrances des Allemands de la même façon que celles des Anglais. Pas un seul soir je n'ai cessé de prier pour que la guerre soit finie le lendemain matin à mon réveil. Je ne m'y entends guère en politique, en équilibre des forces et dans tout ce genre de choses, mais je connais la terreur que ressent un homme lorsque, en se réveillant de l'anesthésie, il se rend compte que ses jambes ne sont plus là. Dieu du ciel, Jacob, comment pourrais-je vous mépriser ?
— Merci.
Il se pencha pour l'embrasser sur le front.
— Joyeux Noël, Ivy.

Observations et réflexions. A la Maison, 2 janvier 1917. La Maison, *notre* Maison. Mon cadeau à Ivy. Gérard Dupont est venu à Paris dans sa conduite intérieure et nous avons signé les papiers dans le salon. M. Dupont ne cessait de lancer des regards apeurés vers les fenêtres, s'attendant à voir l'infanterie allemande surgir des bois avant qu'il ait mon chèque entre les mains. Le prix de la maison et des trois mille mètres carrés de terre est ridiculement bas, mais Dupont est plus qu'enchanté de l'affaire. Il considère que le front allié d'Arras à Reims n'est qu'une cloison de verre que brisera le premier coup de poing allemand. La neige s'entasse dans le jardin, mais M. Dupont se souvient que les hordes allemandes ont attaqué Verdun au milieu de l'hiver. « Je dois partir à Genève dans un jour ou deux, dit-il. Pour raisons de santé. » Je suis certain que M. Dupont survivra à la guerre — qu'elle soit gagnée ou perdue — avec tous ses avoirs intacts.

6 janvier. J'ai pu aujourd'hui monter l'escalier sans problème — hormis des douleurs intenses que j'ai stoïquement ignorées. Deux belles chambres à l'étage, l'une vide, l'autre meublée seulement en partie. Je me suis assis sur le lit pour reposer ma jambe et Ivy est venue près de moi. Nous avons fait l'amour, malgré ses protestations : faire l'amour au milieu de la journée serait très mal ! Un soleil pâle à travers les grandes fenêtres. Y a-t-il une chose plus adorable que son corps baigné de lumière ? Si c'est le cas, je prends une option, comme dirait oncle Paul. Plus tard, épuisés, silence et réflexion... Comme nous sommes fragiles dans notre nudité ! Le tonnerre s'est mis à gronder au loin, d'un bout à l'autre de l'horizon, et nous avons songé tous deux aux tirs de barrage de la Somme. Si nous avions été ici entre

juillet et novembre, peut-être aurions-nous entendu les canons, mais les batailles de la Somme s'enlisent dans la boue, la neige et la pluie glacée. Les armées sont plus épuisées que des amants repus ne sauraient jamais espérer l'être. Et pourtant le grondement de l'orage nous a ramenés à la réalité. Ivy rentre à Rouen demain pour une nouvelle affectation, très probablement l'hôpital All Souls de Londres — c'est bien ma veine ! Mais je pourrai faire un saut en Angleterre tous les mois, et nous irons à l'appartement de Jacob. Je sais maintenant ce que Sherman voulait dire en comparant la guerre à l'enfer.

Le major Charles Amberley étudia les listes que l'adjudant venait de déposer sur son bureau. Les noms des vivants et les noms des morts. Peu de noms lui étaient familiers. Le bataillon avait reçu beaucoup trop de remplaçants. Des noms sans visages : Jenkins, A.P. ; Johns, D.R. ; Johns, K. ; Johnson, R.

2ᵉ Royal Windsor Fusiliers.
Effectif au 18 juillet 1916.
Officiers : 36. Sous-officiers et hommes de troupe : 1 005.
Effectif au 3 janvier 1917.
Officiers : 8. Sous-officiers et hommes de troupe : 325.

Il signa au bas de la feuille dactylographiée : *Maj. Lord Amberley (faisant fonction de colonel).*
— C'est exact, je pense ?
— Sans la moindre erreur, répondit l'adjudant en reprenant les listes.
— Et maintenant, quoi ?
— J'envoie ça à la brigade, qui l'enverra au corps d'armée, qui le fera parvenir à la IVᵉ Armée, qui transmettra au War Office. A un moment ou un autre entre maintenant et le printemps, nous n'existerons plus. C'est comme un bon de commande de tant et tant de saucisses dans une charcuterie.
L'image paraissait juste. De la chair pour alimenter un hachoir à viande futuriste. Charles se leva et regarda par la fenêtre. Le village de Guyencourt-sur-Noye s'étendait de l'autre côté de la vitre auréolée de givre ; ses rues pavées, très étroites, serpentaient jusqu'à la rivière glacée qu'enjambait un petit pont de bois. Ce qui restait du deuxième bataillon était logé dans les maisons et les granges. Une unité épuisée qui léchait ses blessures et attendait des renforts, avant de remonter en première ligne. Les granges où la plupart des hommes devaient loger n'étaient pas chauffées, mais c'était tout de même infiniment plus confortable que la boue glacée des tranchées de la Somme. La nourriture était bonne et abondante, et il y avait dans le village un bistrot où l'on servait du vin et de la bière à des prix raisonnables. Pour les

officiers, Amiens, avec ses bars, ses restaurants et ses bordels, n'était qu'à quinze kilomètres par la route. Oui, la vie était belle à Guyencourt-sur-Noye — mais pour Charles, peu importait. Il avait déjà sa permission en poche. La signature de l'effectif était son dernier acte officiel. Le nouveau chef de bataillon, un lieutenant-colonel, arriverait de Saint-Omer dans un ou deux jours.

L'adjudant lui tendit la main.

— Au revoir, Charles, vous avez fait du beau boulot.

Et ce fut tout. Camion jusqu'à Amiens, train pour Rouen, bateau de permissionnaires jusqu'à Southampton, train de Londres. Vingt-quatre heures après avoir serré la main de l'adjudant, il traversait la gare Waterloo avec mille autres hommes rentrant au pays en permission, son sac sur l'épaule, perdu au milieu de la foule kaki.

— Charles ! Charles !

Sa voix semblait frêle au milieu du grondement des brodequins cloutés. Il avait presque oublié qu'il lui avait écrit, et il ne s'attendait absolument pas à la trouver à la gare. Mais elle était là, belle dans sa fourrure noire, lui faisant de grands gestes depuis le bout du quai.

— Lydia !

— Charles !

Elle se pencha vers lui et l'embrassa sur la joue. Il posa son sac, la serra dans ses bras et l'embrassa sur la bouche — un long baiser chargé d'absence.

— Ça, c'est la manière, vieux ! s'écria un sergent en passant.

— Oui, murmura Lydia lorsqu'ils se séparèrent, oui... Comme c'est bon de te voir de retour, Charles.

Elle effleura son visage de ses doigts gantés.

— Et c'est bon d'être ici.

— Je n'ai rien dit à Hanna et à ton père. J'ai pensé que tu aurais envie de leur faire la surprise, sinon tu les aurais prévenus.

— Je n'ai pu écrire qu'une lettre. Mais, oui, ce sera gentil d'arriver à l'improviste.

Elle lui lança un regard étrange.

— Tu vas bien ?

— Très bien. Pas une égratignure.

Il ne pouvait lui dire ce qu'il ressentait, parce qu'il ne comprenait pas lui-même... Désincarné, comme s'il était en fait deux personnes marchant côte à côte — la chair et l'ombre. Et comment savoir lequel des deux était vraiment *lui* ?

— Tu veux aller tout de suite les voir à Park Lane ?

— Non, répondit-il. Je suis tout crasseux. Ce que je veux, c'est rentrer à la maison, prendre un bain chaud et me coucher.

Elle lui serra la main très fort.

— Tout ce que tu voudras, Charles.

Bizarre. La maison lui parut étrangère. Oui, la maison d'un inconnu. Il avait peur de toucher aux objets. Tout était trop propre, trop fragile. Les tables cirées brillaient trop. L'argenterie scintillait dans le soleil du soir. Il ne se souvenait pas d'avoir déjà vu la servante qui fit couler son bain, et pourtant elle semblait le reconnaître, manifestement ravie de le revoir.

— Cela fait plaisir de vous savoir de retour, milord.

De retour où ?

Le bain était chaud et les sels qui le parfumaient très agréables. Il s'assit dans la baignoire fumante et laissa errer ses mains à la surface de l'eau. Oui, il était désincarné. Il demeura sans bouger jusqu'à ce que l'eau refroidisse, puis il entendit Lydia frapper à la porte de la salle de bains et l'appeler.

— Charles ? Tu vas bien ? Charles ?...

— Très bien, dit-il d'une voix sans timbre, épuisée.

Un filet de lumière filtrait à travers les lourds rideaux de soie jusque sur les murs couleur crème de la chambre. Il n'était pas là. Il flottait au loin, très loin dans l'espace et le temps. Des obus explosaient en silence, envahissant un désert d'arbres sans têtes. Un homme se tordait contre des sacs de sable éventrés, en articulant des hurlements muets. La femme nue sur le lit se tordait elle aussi et son visage se convulsait sur l'oreiller. Il était loin au-dessus de tout ça. Serein. Un observateur impassible. Il ne ressentait rien, ni plaisir, ni douleur. Il était au-delà de toute sensation. Pas de place pour les sentiments. Il faut rester calme à tout prix. La femme griffa son dos au moment où les ombres de la deuxième section s'enfoncèrent à travers les rideaux de pluie. Il les perdit de vue, puis elles réapparurent de l'autre côté des barbelés. Une demi-douzaine de silhouettes courbées.

Nom de dieu ! Où sont les autres ?

Il se demanda à qui était donc cette voix. Mais peu importait. Ils étaient morts, bien sûr. Ce type posait vraiment une question idiote...

— Magnifique, murmura Lydia contre sa joue. Ce n'est plus le même Charles...

— Non, dit-il d'un ton froid, plus tout à fait le même.

En face de son père, il songea à la parabole du fils prodigue : un filet de bœuf rôti remplaçait fort à propos le veau gras. Le comte découpa la viande de façon parfaite et Coatsworth servit. Ce n'était pas son travail, au bon vieux temps, mais la crise du personnel était plus aiguë que jamais — c'était d'ailleurs le centre de toutes les conversations.

— Je ne sais vraiment pas ce que nous allons faire, Charles, lui dit Hanna. Nous sommes l'une des dernières maisons de la rue qui reste encore une résidence privée. Les Prescott ont donné leur hôtel particulier à un service du ministère de la Guerre, et Lord Doncannon a cédé sa demeure à la Croix-Rouge. La nôtre est devenue impossible à tenir, et je crois qu'il va falloir nous installer dans un appartement.

386

— Une folie ! murmura Lord Stanmore.

— Je suis du même avis, dit Lydia. C'est une folie, Hanna. Je suis sûre que je peux vous trouver près de Regent's Park une petite maison parfaite où vous vous plairez beaucoup.

— Alex n'est pas à la maison ? demanda Charles, pour changer de sujet.

Son père s'arrêta de découper pour faire passer le couteau sur l'affiloir.

— Non. Elle a décidé de passer sa permission à Paris. Je ne peux pas comprendre pourquoi.

— Et William ? Toujours à Eton ?

Hanna ne put retenir un rire nerveux.

— Grands dieux, non !

— Il a dix-huit ans, dit le comte. A l'entraînement avec le bataillon des lycées. Il passera sous-lieutenant la semaine prochaine.

— J'ai du mal à le croire, dit Charles tandis que Coatsworth se penchait pour le servir.

Les tranches de bœuf libéraient des ruisselets de jus rouge sur l'assiette blanche.

Sa mère lui avait adressé des signes discrets, et lorsqu'elle s'excusa à la fin du dîner, se plaignant d'une migraine soudaine, il l'accompagna jusqu'à sa chambre.

— La migraine va mieux ? demanda-t-il en refermant la porte derrière lui.

— Beaucoup mieux.

Elle se tourna vers lui. Son visage très pâle était décomposé.

— Puis-je parler sans ménagement, Charles ?

— Je vous en prie.

— William m'inquiète énormément.

— Le fait qu'il soit dans l'armée, n'est-ce pas ?

— Je comprends très bien son impatience de s'engager. Il est grand, fort, d'un patriotisme forcené. Il faisait partie de la brigade des jeunes d'Eton le trimestre dernier. Et le trimestre précédent, je crois. Tous ses amis se sont engagés avec le même enthousiasme excessif. Pour servir le pays. Je ne saurais l'éviter, n'est-ce pas ?

— Non.

Il songea au jeune Baker en train d'agiter son pistolet. Le sous-lieutenant Owen Ralston Baker. A l'hôpital en ce moment. Les deux yeux arrachés par le même obus qui avait brisé la hanche du pauvre Martin.

— Cette guerre est devenue une guerre d'enfants, mère, dit-il.

Elle porta brusquement sa main à sa gorge et ses doigts torturèrent son collier de perles de jais.

— William est un très bon cavalier, tu le sais. Nous aurions aimé, votre père et moi, qu'il prenne une commission d'officier dans les Queen's Bays, au 2e Dragons de la Garde. On la lui a offerte.

— Oh !

— C'est tout ce que vous trouvez à dire ? « Oh » ? s'écria-t-elle d'un ton vif.

— « Oh » n'est qu'une interjection, mère. Pour me donner le temps de réfléchir. Naturellement, il a refusé cette offre.

— Pourquoi *naturellement ?* C'est l'un des régiments les plus prestigieux de l'armée.

— Au temps de la guerre des Boers, il se serait précipité. Mais en France, la cavalerie n'est qu'une plaisanterie : de beaux costumes, mais nulle part où aller combattre. Son refus des Queen's Bays est compréhensible. C'est un vrai Stanmore.

— Si... S'il était affecté d'*office* à ce régiment...

— Comme j'ai été affecté d'*office* au N.S.5. ?

Il sourit et secoua la tête.

— Ça ne marchera pas, mère. Vous devriez le savoir, Lydia et vous.

— Qu'est-ce que Lydia a à voir dans tout ça ? demanda-t-elle prudemment.

— Vous savez très bien quel rôle joue Lydia dans l'affaire. Lydia a « ses entrées ». Et plus que jamais maintenant que Lloyd George est au 10, Downing Street ; Archie, ministre de la Production de la guerre ; et David Langham... Quoi, au juste ? Eminence grise ? Je suis sûr que Lydia peut faire affecter Willie dans les dragons — d'office, si vous le désirez —, mais il n'y restera pas pour autant.

— Mais comment pourrait-il s'opposer à une affectation d'office ?

— En démissionnant de son grade et en s'engageant comme simple soldat dans un régiment d'infanterie. Il serait nommé officier dans ce régiment le jour même. L'infanterie est à court de jeunes officiers subalternes depuis la bataille de la Somme. Ceux qui ont l'esprit du combat quittent tous les jours la cavalerie par ce biais.

Le rire d'Hanna était comme une plainte.

— L'esprit du combat ! Je crois que William est trop jeune pour avoir l'*esprit du combat.* Il se figure que la guerre est une sorte de jeu, comme un match de rugby.

— De football, dit Charles d'une voix neutre. Un certain nombre de soldats sont partis vers les lignes allemandes avec un ballon de football aux pieds. Ils ont été tués, bien sûr. Les Allemands ne sont pas très sport.

— Comme tu parles bien ! dit-elle, les dents serrées.

— Je suis désolé, mère. Mais chacun doit courir sa chance. Il n'y a pas de place pour la lâcheté dans l'armée britannique.

La ferveur de sa voix le surprit.

La *cocktail-party* était devenue une tradition sociale londonienne solidement enracinée, qui s'était substituée aux thés de l'après-midi. Certains prétendaient que la *cocktail-party* avait été inventée par Lydia

Amberley. Faux, avait fait observer une vedette de comédies légères. Lydia s'était bornée à élever cette coutume plutôt barbare au niveau d'un grand art. Du coucher de soleil au début de la soirée, la maison de Bristol Mews bourdonnait : de bavardages brillants et futiles, ou bien de conversations hâtives et sérieuses entre hommes graves et pressés — le ton dépendait du cercle d'amis de Lydia sur lequel on tombait. Charles trouvait toutes ces parlotes assommantes. Debout à l'écart de la foule, il se bornait à tremper les lèvres dans son cocktail tout en laissant le flot du verbiage déferler sur lui comme des vagues sur un rocher.

Une femme dont la robe à la dernière mode ne dissimulait qu'à demi la poitrine généreuse s'avança vers lui :

— Ivor Novello m'a dit que vous avez assisté à de nombreux combats en Picardie...

— Vous savez, répondit-il de sa voix la plus naturelle, la première chose qui vous frappe, en première ligne, c'est l'odeur extrêmement puissante des excréments humains. Cela vient des obus, vous comprenez. Les hommes ont tendance à être constipés — pour diverses raisons — et lorsqu'ils sont touchés par un obus, toute cette *accumulation* jaillit et se répand partout. C'est plus prononcé en été, mais c'est bien logique, n'est-ce pas....

— Qu'avez-vous dit à Lady Beaumont, lui demanda Lydia contrariée.

— A qui ? Je n'ai parlé à personne de toute la soirée.

— Elle se sent insultée.

— Vraiment ? Comme c'est curieux.

Ensuite, il y eut David Langham, en conversation avec deux amiraux et le premier lord de l'Amirauté.

— Haig est certainement conscient de ce problème des sous-marins. Il voudrait faire une percée sur le saillant d'Ypres et foncer sur les ports de la Manche, au-delà de Langemark et de Passchendaele jusqu'à Bruges, pour couper Ostende et Zeebrugge. Il sent une victoire dans cette direction pour l'été prochain.

— Uniquement quand le vent souffle du bon côté, dit Charles.

Lorsqu'il descendit Regent Street, la sensation fut de nouveau très forte. C'était le matin, les marchands ouvraient leurs volets, la journée s'annonçait belle et claire. Un vent vif, très froid. Des taches de neige dans la rue, des tas gris, poussiéreux, dans les caniveaux. Il marcha lentement jusqu'à l'angle de Conduit Street, où il osa enfin s'arrêter pour regarder en arrière. Personne derrière lui, et pourtant il aurait juré qu'il n'était pas seul depuis qu'il avait quitté Hanover Square pour s'engager dans Regent Street. Quelqu'un l'avait suivi pas à pas, presque à la hauteur de son coude. Mais n'était-ce pas impossible ? Etrange. Ombre et substance. Qui était quoi ? Il alluma une cigarette et souffla une bouffée de fumée face au vent. Il demeura à l'angle de Conduit Street jusqu'à la fin de sa cigarette, puis écrasa le mégot sous son talon. Il continua d'avancer, plus vite qu'auparavant — et cette fois-ci, il resta seul : Charles Amberley en uniforme, seul, son imperméable Burberry bien boutonné pour se protéger du vent. Il tourna brusquement — comme à l'exercice, en pivotant sur le talon du pied droit — dans Burlington Street, puis dans Saville Row. Dans la vitrine d'une boutique il aperçut une petite pancarte imprimée avec soin qui disait : ON VEND ÉGALEMENT DES ACCESSOIRES DE TRANCHÉE POUR OFFICIERS. Il entra. Quand il ouvrit la porte, une cloche de cuivre sonna. C'était surtout un magasin d'uniformes, et plusieurs jeunes gens attendaient, à divers stades de leur équipement. L'un deux était à califourchon sur un fût surélevé peint en rouge, auquel on avait fixé une selle.

— Veillez bien à ce que la veste ne fasse pas de plis.

— N'ayez crainte, monsieur, répondit le tailleur. Je vous le garantis.

Il choisit ce qu'il désirait dans une petite vitrine, et l'employé l'approuva d'un signe de tête.

— Un choix judicieux, si je puis me permettre, monsieur. Seriez-vous également intéressé par une boussole de tranchée de tout premier ordre ?

— Je ne crois pas, répondit Charles.

— Ou une boîte d'allumettes garantie étanche à l'eau et à l'humidité de l'air ?

— Non, ceci me suffit. Merci de votre gentillesse.

— Il n'y a pas de quoi, monsieur. Nous sommes ici pour vous servir.

— Bien sûr. Comme tout le monde en ce moment.

Il sauta dans un autobus qui quittait Piccadilly Circus en direction de Southwark, Battersea, Clapham Junction et Wimbledon. Il descendit en tête de ligne et poursuivit son chemin à pied vers les casernes de Wimbledon — des rangées bien nettes de baraquements de bois et de papier goudronné, avec des toits de toile. Une barrière de bois se dressait au milieu de l'allée et une sentinelle du bataillon des lycées montait la garde, baïonnette au canon. L'homme présenta les armes et Charles contourna la barrière, toute symbolique, pour pénétrer dans le camp.

— C'est diablement gentil d'avoir fait un saut jusqu'ici, major, lui dit le commandant en second en se penchant contre son bureau. Je crois que nous nous sommes rencontrés à Albert en août dernier.

— Peut-être. Il y avait un bataillon des lycées au Bois-Haut.

— Oui, mais maintenant nous sommes avant tout une unité d'entraînement. Nos gars sont affectés dans n'importe quel régiment.

Charles regarda par la fenêtre du baraquement. Il aperçut le terrain d'exercices, les sections défilant en rang ; au loin, sur l'ancien terrain de cricket, des hommes attaquaient à la baïonnette des mannequins de paille.

— L'entraînement a l'air très efficace.

— Nous formons des officiers subalternes de premier ordre, un atout pour les régiments où ils vont.

— Où mon frère sera-t-il envoyé ?

Le commandant en second, major comme Charles, se frotta l'oreille du bout du pouce.

— Une situation embarrassante, vous savez. Il a été affecté d'office aux dragons, mais il refuse d'y aller. Il veut s'engager au 5ᵉ Bedford, dans les tranchées près d'Arras.

Il grimaça un sourire avant d'ajouter :

— Et c'est ce qu'il fera. Le jeune William sait ce qu'il veut.

— Oui. Je lui ai acheté quelque chose d'utile pour les tranchées.

— C'est diablement gentil de votre part. Il y sera dans peu de temps. A propos, peut-être aimeriez-vous bavarder un peu avec nos petits gars après le déjeuner. Ils ont tous entendu cent fois mes aventures sur la Somme. Une autre opinion sur le spectacle leur fera sûrement du bien.

Il y eut un coup bref à la porte, puis William entra, les bottes et les guêtres couvertes de boue. Il salua son major d'un geste élégant, puis sourit à Charles.

— Bonjour, Willie, dit Charles. Il y a une chose que je voudrais que tu aies.

Les plantons de service et les hommes de garde entendirent le claquement bref des coups de feu et s'élancèrent dans la pièce. De la fumée bleue à l'odeur âcre, suspendue dans les airs, descendait lentement vers la silhouette qui se tordait sur le sol, les mains crispées sur un genou déchiqueté par une balle. Ils se jetèrent sur l'homme en imperméable qui tenait un pistolet de poche et ils l'allongèrent sur le dessus d'un bureau. Il n'offrit aucune résistance. L'arme lui tomba des mains.

— Qu'avez-vous fait, nom de dieu ? hurla le commandant en second lorsqu'il retrouva enfin la parole.

— Je lui ai offert la Bonne Blessure, répondit Charles d'une voix calme. Il n'a pas tiré sur lui-même... Ce n'est pas lui qui a tiré...

6

La pluie avait cessé mais des nuages de mauvais augure jetaient des ombres sur les sommets des montagnes galloises avant de glisser au creux des vallées comme de la fumée noire. La façade crénelée de l'hôpital militaire Llandinam était ensevelie dans le brouillard.

— Quel endroit horrible ! murmura Fenton lorsque le chauffeur de la voiture s'arrêta devant les grilles de fer pour héler un gardien.

Martin, assis à l'arrière près de Fenton, se pencha pour jeter un coup d'œil à travers le pare-brise.

— Un vieux château ?

— Même pas. L'image de la demeure idéale, vue par un baron du charbon au temps de la reine Victoria. Le Pays de Galles est truffé de ces horreurs... Et elles pourraient toutes faire d'excellents asiles de fous, ajouta-t-il.

La maison informe devint moins rebutante lorsque la voiture pénétra dans la cour : l'appareil de brique sombre était tempéré par les reflets du lierre qui recouvrait une bonne partie des murs ; les embrasures des fenêtres avaient été récemment peintes en blanc ; les pelouses étaient soigneusement entretenues, bien tondues, et l'allée de gravier avait été ratissée depuis peu. On eût dit le bâtiment principal d'un club de golf vénérable — n'étaient les ambulances et les voitures de l'armée aux couleurs sales stationnées près de l'entrée.

— Je vous attends, hein ? demanda le chauffeur d'une voix chantante.

— Oui, répondit Fenton, nous désirons prendre le train de Londres à la gare de Llangollen à six heures trente.

— Parfait, monsieur. C'est possible, je crois. Si vous faites attention à l'heure.

— Nous y veillerons. Je suis sûr que si vous trouvez les cuisines on vous offrira une tasse de thé.

— Oh oui ! monsieur. Je connais le chemin, monsieur. Ce n'est pas la première fois que je viens ici, monsieur, vous pouvez me croire.

— Un brave petit bonhomme, dit Martin en avançant aux côtés de Fenton vers la porte d'entrée (lentement, en s'appuyant sur sa canne — une seule canne maintenant, étape décisive de sa convalescence).

— Tous les Gallois sont gentils, mais indépendants en diable. J'espère qu'il n'oubliera pas de nous attendre.

Le hall d'entrée, autrefois immense, avait été divisé en cellules pour les employés et les infirmiers. Un caporal du Service de Santé releva leurs noms, leur demanda à qui ils venaient rendre visite, puis les fit sortir de la pièce, ouvrit une épaisse porte de sécurité fermée à clé et leur dit de suivre le couloir jusqu'au bureau du docteur de permanence. Dès qu'ils furent dans le corridor, la porte de chêne et d'acier se referma derrière eux avec un bruit sourd.

— Je n'aime pas du tout ça, murmura Fenton.

Martin pensa de même, mais se retint de répondre.

Le docteur était un homme jovial, un peu empâté, frisant la cinquantaine. Il se présenta :

— Major Wainbearing. Formation de médecine générale, spécialisation dans les maladies du cerveau, puis dans la science psychanalytique — un domaine de la médecine qui fait encore ses premiers pas. Cette guerre nous enseigne bien des choses, vous savez, c'est une vraie mine d'or pour les troubles neurasthéniques...

— Ce doit être passionnant, coupa Martin.

— Absolument.

Le major Wainbearing se pencha en arrière dans le fauteuil confortable de son grand bureau douillet et sourit aimablement aux deux hommes assis en face de lui.

— Si je comprends bien, dit-il, vous êtes M. Rilke, le cousin de Lord Amberley.

— C'est exact.

— Et vous le colonel Wood-Lacy.

Aucune réplique ne semblait nécessaire. Fenton montra du doigt les galons sur ses épaulettes et essaya, mais en vain, d'adresser au psychiatre un sourire aimable. Celui-ci croisa ses mains sur son estomac et plissa les lèvres ; une ombre passa soudain sur son visage de chérubin vieilli.

— Lord Amberley a été interné ici sur un diagnostic précis de neurasthénie. Il était passif, aucune contrainte ne fut nécessaire, mais il avait des hallucinations. Des conversations suivies avec un certain sous-lieutenant Baker, un monologue incohérent sur les blessures volontaires et les pelotons d'exécution. L'un de vous connaît-il un lieutenant Baker ?

Ils secouèrent la tête.

— Peu importe. Il est très vite sorti de cet état de choc, au bout d'une semaine il était tout à fait normal. Et il n'a pas changé. Lundi dernier nous sommes allés ensemble au terrain de Glyn-Ceirisg faire une partie de golf.

— C'est très aimable à vous, murmura Fenton.

— Il a fort bien joué, compte tenu de l'état épouvantable des pelouses. Au retour, nous nous sommes arrêtés pour prendre le thé. Je lui ai dit combien j'étais satisfait de ses progrès, et je lui ai annoncé mon intention de le renvoyer de l'hôpital et de conseiller aux autorités une réforme définitive pour raisons de santé. Il est guéri, vous comprenez, mais manifestement dans un état... d'équilibre trop *précaire* pour qu'on prenne le risque de lui confier de nouvelles responsabilités militaires. Je lui ai conseillé de se rendre en un endroit tranquille et d'éviter les tensions de toute sorte.

— Un conseil judicieux, dit Fenton avec une ironie à peine voilée.

— Il m'a répondu, sur son ton aimable habituel, que si je faisais une chose pareille, il serait forcé (d'une manière qu'il n'a pas précisée) de se donner la mort.

Une pendule murale carillonna doucement sur trois tons.

— Vous pensez qu'il parlait sérieusement ? demanda Martin.

— Oh ! cela ne fait aucun doute dans mon esprit. De nombreux patients parlent de suicide, mais il s'agit la plupart du temps de menaces lancées sous le coup de la passion, au bord de l'hystérie. Ce qui nous a préoccupé dans le cas de Lord Amberley, c'est le calme lucide avec lequel il a déclaré son intention.

— Peut-être que si nous lui parlions... dit Fenton.

— Oui, absolument. Il attend avec impatience votre visite. Vous êtes les deux seules personnes qu'il désire voir. Vous savez, sa mère et sa femme sont venues ici le mois dernier, mais il est resté dans sa chambre et il a refusé de descendre leur parler.

Il tendit le bras et appuya sur une sonnette posée sur son bureau.

— Un infirmier va vous conduire près de lui. Il sera probablement en salle de récréation. Et restez pour le thé : notre chef est un vrai magicien de la pâtisserie.

Des hommes en pyjama et robe de chambre de couleur grise étaient debout devant les fenêtres, ou marchaient sans but dans les corridors. Quelques malades étaient en uniforme, mais leurs galons et les insignes de leurs régiments avaient été décousus.

— Uniquement des officiers, je pense ? dit Martin.

— C'est exact, monsieur, répondit l'infirmier. La troupe a ses propres hôpitaux pour traiter l'obusite.

Martin remarqua un homme de grande taille, aux cheveux gris, peut-être un ancien colonel ou un général de brigade. Il était tapi dans un coin, les mains crispées au-dessus de sa tête. Un homme plus jeune était allongé près de lui en position fœtale. Les grades ne signifiaient plus rien pour ces deux-là, songea Martin, mais la séparation des classes devait être maintenue, quelles que soient les circonstances.

La salle de récréation était vaste, aérée, avec des rangées de fenêtres sur trois côtés. Elle avait dû servir autrefois de salle de bal ou de musique, mais ce n'était maintenant qu'une jungle de divans, de fauteuils, de tables de jeu et de bancs. Une douzaine d'hommes s'y trouvaient, en uniforme pour la plupart, en train de lire ou de jouer aux cartes. Les mains de l'un des joueurs tremblaient si fort qu'il avait du mal à tenir ses cartes.

— Lord Amberley est là-bas, dit l'infirmier, à la table du coin.

Il était en uniforme, penché avec application sur un écritoire. Il ne leva les yeux que lorsqu'ils arrivèrent tout près de la table.

— Bonjour, mes amis, dit-il à mi-voix. Ravi que vous soyez venus tous les deux.

— C'était la moindre des choses, vieux, répondit Fenton avec une amabilité forcée.

— Tu parais en pleine forme, Charles, dit Martin.

— Je me sens très bien, répondit-il d'un ton grave. Ils disent que je suis guéri.

— Oui, le docteur nous l'a confirmé.

— Bien sûr, ils ne disent pas *de quoi*, au juste, j'ai été guéri, mais je suppose qu'ils savent de quoi ils parlent. Ils font des choses tout à fait remarquables sans avoir l'air d'y toucher. Uniquement par l'art innocent de la conversation. On parle, c'est tout. Cela clarifie l'esprit, paraît-il.

Fenton rapprocha deux chaises de la table.

— Et maintenant, si tu me permets d'aller droit au fait, c'est à nous que tu vas parler...

Charles revissa le capuchon de son stylo et le posa près de son bloc de papier.

— Je suis sûr que tu te sens mal à l'aise ici, Fenton.

— Pas du tout, répondit-il un peu trop vite. Si je peux t'aider en quelque manière...

— Vous pouvez m'aider tous les deux. Si vous acceptez de le faire.

Il tira plusieurs feuilles couvertes d'une écriture très nette, en plia deux et les plaça dans des enveloppes.

— J'ai écrit une longue lettre à mon père, et une autre à William, à l'hôpital de Charing Cross. Elles m'ont été renvoyées toutes les deux sans avoir été ouvertes. Inutile d'écrire de nouveau à William. Je crois qu'il ne comprendra pas, ou ne pardonnera pas, ce que j'ai fait. Un jour, peut-être, mais pas maintenant. J'ai écrit à père une explication plus courte, plus concise, et j'aimerais beaucoup que tu la lui remettes en mains propres, Martin. Il se sentira peut-être obligé de l'ouvrir s'il la reçoit de toi. L'autre lettre est pour Lydia, tu pourras la mettre à la poste. Ce sont des excuses, en quelque sorte, pour tout ce qui s'est passé. Mais je ne t'ennuierai pas avec ça. Quant à toi, Fenton, je veux te demander une faveur.

— Tout ce que tu voudras, vieux.

Charles prit le stylo et se mit à le faire rouler sur la table de sa main gauche vers sa main droite.

— J'ai été démobilisé sans audience. L'officier de santé du bataillon de Willie a jugé que j'avais perdu l'esprit, et l'on m'a expédié ici. Et à présent, six semaines plus tard, on veut me libérer, guéri, et me réformer pour raison de santé des forces armées de Sa Majesté. On veut que je me mette au vert sans faire de bruit. Je suis sûr que cela plairait beaucoup au War Office. Ils n'ont pas plus envie que mon père de savoir pourquoi j'ai tiré sur Willie. L'acte d'un fou temporaire. Ainsi soit-il...

Fenton se pencha en avant et croisa les bras sur la table.

— L'acte d'un fou ? Je ne le crois pas, et personne ne le croit — en tout cas personne ayant connu les tranchées. Tu as craqué, Charles. Trop de semaines où tu as été contraint de garder ton calme au milieu de l'enfer. Il a fallu en payer le prix. Tu ne savais plus ce que tu faisais et, sincèrement, le mieux pour toi en ce moment serait d'accepter d'être réformé jusqu'à ce que ton esprit ait récupéré toutes ses forces.

— Mais il les a déjà retrouvées, Fenton. Ce qui manque à mon esprit ce n'est pas la force, c'est la *paix*. J'ai peut-être cessé d'être entièrement lucide après avoir tiré sur Willie, mais j'ai toujours su *pourquoi* je l'ai fait. C'était un acte délibéré, prémédité, et je veux que les raisons de cet acte soient consignées dans un rapport — de façon officielle sinon publique.

— De quel genre de rapport veux-tu parler ?

— J'y ai beaucoup réfléchi, Fenton. J'ai tout repassé dans ma tête des centaines de fois. J'ai refait toutes mes démarches d'esprit, mais en sens inverse : la balle dans le genou de Willie, l'achat du pistolet, le sentiment que quelqu'un marchait derrière moi, les semaines dans les tranchées, les sorties avec le bataillon et les retours, les hommes qui se blessaient volontairement, ou qui se tuaient, ou qui priaient pour recevoir enfin la balle qui les délivrerait de ce piège.

Il s'arrêta et secoua la tête, comme s'il était étourdi par un coup de poing.

— Tant de choses, tant de pensées tourbillonnent dans ma tête que j'ai du mal à les mettre bien en ordre, mais il le faut.

— Peut-être devrais-tu te reposer un peu, suggéra Fenton. T'allonger pendant quelques minutes.

— Non, pas encore. je dois régler ça avant tout. Je suis sûr que Martin comprend le besoin que j'ai de coucher ce que j'ai vécu sur le papier, pour que d'autres puissent le lire et le partager. C'est le credo du journaliste, n'est-ce pas, Martin ? Veiller à ce que les faits ne meurent pas.

Avant de répondre, Martin échangea avec Fenton un regard perplexe.

— Tu me demandes d'écrire un article sur tout ça ?

— Non, pas exactement. Ça ne suffirait pas, n'est-ce pas ? Je veux dire : je ne crois pas que les journaux accepteraient de le publier. Trop défaitiste. Et même si c'était imprimé dans je ne sais quelle feuille de chou antimilitariste, que se passerait-il après qu'on l'aurait lu ? Les nouvelles de la veille, un vieux torchon de papier traînant dans les caniveaux. Ce que je veux, c'est un rapport, des minutes officielles, le genre de document que tu peux m'offrir, Fenton.

— Oh... Et de quel document s'agit-il ?

— Mais, des minutes de mon passage en cour martiale, bien sûr. Pour avoir mutilé, au sens littéral, un frère d'armes.

Fenton n'eut pas la force de croiser son regard. La main de Martin se crispa sur sa canne et la fit claquer contre le parquet. Un homme de grande taille, au visage rougeaud, portant une moustache à la Kitchener, faisait les cent pas d'un bout de la pièce à l'autre. Il s'avança soudain vers leur table, les poings serrés dans les poches de sa robe de chambre.

— Et maintenant, écoutez-moi bien, Randall, cria-t-il en fixant Charles d'un regard furieux. Téléphonez tout de suite à l'artillerie de la brigade. Dites à ces salopards qu'ils sont trop courts de cinquante mètres et qu'ils massacrent la compagnie D. Ils bousillent l'attaque ! Ils bousillent l'attaque !

— Je m'en occupe tout de suite, colonel, répondit Charles d'une voix lasse.

— Au poteau ! cria l'homme. Ces maudits tire-au-flanc !

— Nous en avons pas mal comme ça, ici, dit Charles quand l'homme se fut éloigné, apparemment satisfait et calme. Il y a dans ma chambre un jeune garçon, un sous-lieutenant à en juger par son âge, qui passe le plus clair de son temps assis sur le lit, la tête sous les couvertures : il est encore dans sa cagna du bois de Delville et il n'en sortira qu'à la fin du tir de barrage. Pas plus âgé que William. La seule différence, Fenton, c'est que Willie n'aurait jamais craqué. Trop fort, trop brave. Le meilleur être humain que l'Angleterre soit capable d'engendrer. Willie se serait élancé hors de sa tranchée comme une flèche, le sifflet à la bouche, et le revolver à la main. Il aurait franchi nos barbelés, aurait avancé de dix mètres, peut-être de quinze, puis il serait mort, pour rien, pour absolument rien. Exactement comme Roger.

Fenton passa la langue sur ses lèvres sèches, tendit la main et saisit le poignet de Charles

— Raconte tout à Martin. Dis-lui tout ce qui t'est passé par la tête avant de presser la détente. Dis-lui tout ce qui est arrivé sur la Somme, toutes les horreurs inutiles qui t'ont poussé à tirer sur ton propre frère. Il l'enverra en Amérique et un journal le publiera. C'est le seul document dont tu aies besoin. Ne demande pas de passer en cour martiale, parce que tu ne l'obtiendras jamais.

Charles secoua la tête, obstiné.

— J'obtiendrai au moins une audience, n'est-ce pas ? Une audience pour déterminer si mon passage en cour martiale est justifié ou non. Et on conservera les minutes : document du War Office numéro Tant, enquête sur la blessure faite au sous-lieutenant William

Greville par le major Lord Amberley. Un jour, après la guerre, Willie pourra l'obtenir aux archives et le lire.

Fenton retira sa main et se raidit sur sa chaise.

— Je crois que tu as perdu la tête, Charles. Personne ne peut demander de passer en cour martiale.

— Non, bien sûr, répondit Charles. Mais tu pourrais l'exiger, toi. Je t'ai dit que j'avais songé à tout. Cela risque de soulever un petit problème juridique, mais sur le plan technique, tu étais à l'époque mon officier supérieur. J'étais en permission et je n'avais pas encore reçu ma nouvelle affectation. Les Windsor étaient rattachés à ta brigade.

La cloche sonna pour le thé et dans la salle quelqu'un se mit à crier de terreur :

— Les gaz ! les gaz !

Une voix répondit, apaisante :

— Ça va, Smithy. Tout va bien, mon vieux.

— C'est la même chose chaque fois que cette maudite cloche se met à sonner, soupira Charles. Pourquoi n'installent-ils pas quelque chose de moins strident ?

— Ecoute, Charles, dit Fenton d'un ton ferme. Les gros bonnets de l'armée ne sont pas complètement idiots. Ils se douteront qu'il y a anguille sous roche si je dépose une requête de ce genre.

— Pas une requête, Fenton, un *commandement*. Tu en as le droit, et le bureau du procureur militaire sera forcé de tenir une audience. Je sais que j'ai l'air d'un avocat de chambrée, mais c'est un fait. Le règlement du roi.

Il avait l'air content de lui, et Fenton se rembrunit un peu plus.

— Tu veux avoir un public. C'est ça, Charles, n'est-ce pas ? Tu veux te lever devant des juges et un greffier, et clamer le scandale de ce qui s'est passé là-bas.

— Et de ce qui continue de se passer là-bas, dit Charles d'une voix si basse qu'ils eurent du mal à l'entendre. Et qui continuera de se passer, encore et sans fin. Oui. C'est exactement ce que je désire.

Il ferma les poings, ses doigts étaient aussi blancs que la feuille de papier sur laquelle ils étaient posés.

— Bon dieu ! dit Fenton en repoussant sa chaise pour se lever. Tu me demandes beaucoup.

— Oui.

— En tant que soldat, je devrais refuser carrément, mais je suis davantage, n'est-ce pas ? Je suis ton ami. Tout ceci ne changera absolument rien. Ce n'est qu'un geste gratuit. Et personne ne l'appréciera, personne. Mais si cela doit t'apporter ne serait-ce qu'un peu de paix, je le ferai.

— Merci, répondit Charles, les yeux fixés sur ses mains. J'étais sûr que tu ne me laisserais pas tomber.

Fenton rumina ses pensées en silence pendant tout le trajet jusqu'à la gare de Llangollen. La pluie s'était remise à tomber et, dans la demi-obscurité, les collines et les roches des Galles du Nord étaient de plus en plus sinistres. Ils eurent tout juste le temps de sauter dans le train de Londres, qui arrivait d'Holyhead. Les wagons étaient pleins de soldats d'Irlande du Nord, et la plupart arboraient des morceaux de tissu orange sur leur casquette, pour montrer qu'ils étaient furieux de « porter les couleurs vertes » de l'Irlande catholique. Ils étaient tous d'humeur tapageuse : enfin sortis du camp d'entraînement, et en route vers la guerre, « pour déloger le Kai-zer Guillaume ! ».

— Bande d'idiots ! murmura Fenton en se laissant tomber sur le siège d'un compartiment de première classe à peu près vide.

Un colonel irlandais et son adjoint étaient les deux seuls autres voyageurs, et le colonel leva les yeux de son journal, surpris.

— Vous m'avez adressé la parole ?

— Non. Pas du tout. Je parlais du mauvais temps avec mon ami.

— Oui. Quand il se met à pleuvoir au Pays de Galles, un homme peut se noyer. Et les idiots qui prétendent que Belfast est humide !

— Je suppose que tu n'avais pas le choix, dit Martin à mi-voix quand le colonel eut repris son journal. Il fait manifestement une fixation sur cette idée de cour martiale, et si tu avais refusé...

— Il se serait probablement tué. Ma décision en a été quelque peu influencée, oui !

— Que va-t-il se passer maintenant ?

Fenton pianota du bout des doigts sur le rebord de la fenêtre et fixa son reflet sur la vitre striée par la pluie.

— J'enverrai ma requête par la voie hiérarchique et une date d'audience sera fixée. D'ici là, je recevrai un certain nombre de coups de téléphone courtois de la part de divers généraux de l'état-major de Whitehall, me demandant de renoncer à mes poursuites. Je refuserai de le faire en prétendant que je trouve condamnable un officier qui tire sur un autre officier. L'audience aura lieu et Charles sera autorisé à parler aussi longtemps qu'il le voudra pour expliquer, justifier ou défendre son acte. La cour délibérera pendant une ou deux secondes et statuera qu'étant donné l'état mental de l'accusé, son passage en cour martiale est injustifié. Charles sera renvoyé à l'hôpital et réformé sans autre forme de procès. Une perte de temps pour tout le monde, n'est-ce pas ?

Le colonel irlandais leva les yeux.

— Vous savez ce que je lis dans le *Standard* sur ce général français, Nivelle, le héros de Verdun, comme ils disent ? Il prétend avoir un plan pour écraser les Fritz en vingt-quatre heures ! Vingt-quatre ans, plutôt, oui ! Pauvre cloche...

Il tourna les pages et se plongea dans la rubrique sportive.

— Et la guerre continue, dit Fenton d'une voix lasse. Je suis content de voir que Charles est en dehors de tout ça.

— Mais est-il vraiment en dehors ? La guerre continue de tourbillonner dans sa tête. Tu avais raison de dire qu'il recherche une sorte de paix. Et si cette audience la lui donne, ce ne sera une perte de temps pour personne.

— Oui, tu as sûrement raison.

— Me permettra-t-on d'y assister ? Pas au titre de membre de la presse, mais en tant que cousin de Charles.

— Non. Ils ne permettraient pas à Dieu lui-même d'entendre ce qui se dira. Il y aura une cour de deux ou trois officiers, un greffier sténographe, Charles et moi-même. Charles peut exiger un conseil, ce que l'on appelle l'ami du prisonnier, mais c'est obligatoirement un officier du même corps, et il n'en a nul besoin.

— Tiens-moi au courant. Ecris-moi aux soins de l'Associated Press, rue de Chambord. Tu veux bien ?

— Evidemment. Quand rentres-tu à Paris ?

— Demain dans la journée. Comme tu dis : la guerre continue.

Le voyage au Pays de Galles lui avait rongé le moral. Ainsi que la rédaction de sa requête en cour martiale. Mais c'était déjà du passé lorsque Fenton arriva dans la maison de sa mère, où Winifred demeurait. Allongé dans le lit avec elle, ses mains caressant doucement son ventre gonflé, il trouvait enfin un soulagement réel.

— Nous allons avoir un bébé de quarante livres. J'en jurerais.

— Des jumeaux, dit-elle. En tout cas, je crois bien. Je suis sûre de sentir des coups de pied de deux espèces différentes.

— Quelle bonne idée ! murmura-t-il en embrassant sa peau tendue.

Il pouvait sentir la vie battre sous la surface.

— Heureux ?

— Oui.

— Tu as vraiment très envie d'avoir des garçons ?

— J'ai vraiment très envie d'avoir des enfants, garçons ou filles. Je te laisse le choix. Fais-moi la surprise.

— Dans quelques semaines...

— Ce doit être l'enfer pour toi, non ?

— Pas vraiment. Mais rester assise m'ennuie et essayer de marcher n'est pas agréable. Ta mère et Jinny me servent sur le bout du doigt. Je me sens horriblement handicapée, comme une vulgaire reine des abeilles en état de fécondité. Tu crois que mon corps reviendra comme avant, ou bien qu'il ne sera plus que ventre et mamelles ?

— J'aime les ventres et les mamelles, dit-il en les embrassant tour à tour. Et je t'adore.

Ils se blottirent l'un contre l'autre. Les vents de mai gémissaient sur la rivière et faisaient battre les volets du sous-sol.

— Tu n'as pas dit un mot à propos de Charles, murmura-t-elle.

— Il n'y a pas grand-chose à dire. Un homme triste dans un endroit triste. Une victime de plus des batailles de la Somme. Charles, et quatre cent mille autres...

Il ne lui parla ni de la requête en cour martiale ni du fait que Charles avait envisagé de se suicider. Winifred avait bien assez de soucis avec sa maternité prochaine — sans parler de ses frères, John et Bramwell, qui avaient survécu aux attaques de Thiepval et se trouvaient maintenant dans les tranchées près d'Arras.

— Lydia va le voir souvent ?

— J'ai appris qu'il ne voulait pas la voir. Ni sa mère. En fait, il ne veut parler de rien, hormis la guerre.

La guerre ! Il aurait préféré, lui, ne pas en parler. Mais comment l'éviter. Le surlendemain de son retour, le téléphone sonna : un certain général de brigade Tydman l'appelait de Londres.

— Au sujet de cette requête en cour martiale que vous avez présentée contre Lord Amberley. Une affaire plutôt épineuse, vous ne croyez pas ? Ne pourriez-vous pas reconsidérer la chose ?

— C'est impossible, général.

— Impossible, hein ? Plutôt délicat, pour vous dire la vérité. Le fils d'un pair d'Angleterre, etc. Le type a perdu les pédales et a blessé son frère. Le toubib en chef du bataillon des lycées a fait tout ce qu'il convenait de faire : il l'a certifié mentalement irresponsable et l'a expédié tout droit à l'hôpital de Llandinam. Toute cette triste affaire semblait close, vous comprenez ? A quoi bon donner des coups de pied au chien qui sommeille, si je peux me permettre une image.

— Je suis désolé, mais j'insiste pour obtenir une audience.

— Je vois. Soit. Je ne songe pas à faire obstacle à vos droits en tant qu'officier supérieur de ce jeune homme, mais je désapprouve fort votre insistance. Votre dureté plutôt. Mais c'est très bien. Donc, audience fixée jeudi prochain à Llandinam, en Galles du Nord. Cela vaudra mieux que de ramener le malheureux à Londres.

— Assurez-vous de la présence d'un sténographe.

— Nous sommes parfaitement capables d'organiser une audience dans les règles, répondit le général avec raideur. Bonjour, monsieur.

Paris, 12 mars 1917. Observations et réflexions... J'ai du mal à tenir ces carnets à jour. Trop de travail à écrire des articles biographiques sur Nivelle, Pétain et toutes les nouvelles étoiles de l'armée française, pour me préoccuper de mon journal. Papa Joffre et son gros ventre sont sur la touche. Nivelle tient les choses bien en main, avec sa belle allure, son bon anglais, ses bonnes manières et son optimisme illimité. Tous les petits cireurs de Paris savent ce que Nivelle a en tête, ainsi d'ailleurs (à n'en pas douter) que tous les petits cireurs de Berlin. Garder les secrets n'est pas, pour les Alliés, une vertu militaire. Un million de poilus, postés le long de l'Aisne, se préparant à flâner du côté du Chemin des Dames avec l'intention de passer au milieu des défenses d'Hindenburg comme de l'eau à travers une digue de sable. Les Anglais aideront l'offensive en frappant du côté d'Arras. Dieu les prenne tous en pitié.

Difficile, même avec dix jours de recul, de parler de Charles sans éprouver un pincement au creux de l'estomac. L'*obusite,* comme ils disent ! Mais les médecins sont loin d'être d'accord sur la cause de ces traumatismes psychologiques. Un officier français que j'ai rencontré l'autre soir chez Maxim's m'a dit que l'obusite « provient du vide partiel créé par le passage des obus et affectant les cellules cérébrales ». Je crois, moi, que c'est le *coup de bambou,* le choc devant trop de cadavres, trop de souffrances, trop d'attaques sans espoir. Trop de jours et de nuits passés dans une frayeur sans fin. Choc après choc, jusqu'à ce que l'esprit ne puisse plus supporter la moindre contrainte et se retourne contre lui-même. Charles est un cas d'*obusite*. Trop de sang-froid pour son propre bien. Je sais maintenant à quoi il pensait, debout sur le parapet au Bois-Haut, en regardant ses hommes se faire massacrer dans les barbelés, au milieu d'arbres sortis d'un cauchemar. Sa tête bourdonnait des pensées d'un damné, et il les gardait soigneusement comprimées au fond de lui-même. Mais un jour ou l'autre, dans cette noble tête, quelque chose ne pouvait manquer de céder...

Le comte de Stanmore. Toujours le sang-froid à l'état pur. Je suis allé directement chez lui en descendant du train, encore trempé de pluie galloise.

— Alors, vous avez vu Charles ? m'a-t-il dit quand je lui ai tendu la lettre.

Il a ouvert l'enveloppe et lu le contenu sans ciller.

— Merci, a-t-il ajouté en rangeant la lettre dans sa poche comme s'il s'agissait de la note de son tailleur.

Il m'a invité à prendre un verre, mais j'ai senti que c'était une simple formule de politesse et j'ai refusé. Tante Hanna est dans le Derbyshire, où ils ont une petite propriété. Elle s'occupe de William, en convalescence là-bas.

— Et comment va William ? lui ai-je demandé.

— Jamais plus il ne montera correctement à cheval.

Etrange réponse, alors que l'équilibre mental de Charles est si précaire qu'il risque de finir par ne plus distinguer un cheval d'un rouleau compresseur. L'attitude des Stanmore est-elle liée à leur sang ? Froid et bleu ? Difficile à dire. Peut-être rien de plus que de la pose. Mauvaise solution pour révéler ses émotions les plus profondes. Le comte se campe tout droit dans son magnifique bureau donnant sur Park Lane, exactement comme Charles sur le parapet de sa tranchée...

Passé quinze minutes à peine avec Ivy dans la grande salle de réception d'All Souls. Est-il possible qu'elle soit ma femme ? Difficile à croire. Nos mains se sont étreintes dans une pièce de la taille de la gare Victoria, pleine de parents des blessés. Des gens très simples. Des

Londoniens pour la plupart. Les « basses classes », comme dirait le comte. L'offensive de la Somme s'est achevée depuis quatre mois, mais ses séquelles emplissent encore les salles d'hôpital. Pour les infirmières, la journée de travail est de dix-huit heures. Pour les médecins, elle est parfois plus longue encore. A Whitehall, lumières à toutes les fenêtres : de nouvelles offensives se préparent. « Maman » et « Papa », dans la grande salle voûtée, attendent patiemment, avec leurs petits cadeaux enveloppés dans du papier journal, le moment où ils pourront enfin revoir leur fils.

— Toujours assidu à tes carnets, Martin ?

Martin leva les yeux vers le chef de bureau.

— J'aime bien griffonner. Ça me calme les nerfs.

— Un verre au café Bombe ?

— Non. Ma hanche me fait souffrir l'enfer. Ce doit être le temps. Je serai capable de prédire la pluie jusqu'à la fin de mes jours.

— Prends une semaine de congé. Va dans ta maison de « Sainte-Germaine » et oublie tes ennuis. Je viens de recevoir un câble d'Atkinson. Ce truc que tu as fait sur Pétain, le Moine guerrier : accueil de premier ordre. L'*Atlantic Monthly* a acheté les droits de publication en revue. Félicitations. Ton téléphone fonctionne, là-bas ?

— De temps en temps.

— Ecoute, si quelque chose se passe, j'envoie le gosse te chercher.

Un peu de répit, songea Martin en prenant le métro au parc Monceau. Il en avait jusque-là d'interviewer des généraux et d'écouter toutes leurs théories sur la façon dont la guerre pourrait être gagnée *rapidement*. A Louveciennes, des trains de soldats traversaient la Seine vers le Nord, des *poilus* hirsutes fumaient la pipe, debout dans l'embrasure des portières. Des hommes impassibles. Les vieux de la vieille... Les soldats ne faisaient plus de grands signes et ne chantaient plus dans les trains, comme pendant la première année de la guerre. Mais qui songeait encore à chanter maintenant ?

Revoir sa maison lui fit du bien. C'était un endroit à lui. L'acte était signé et enregistré. Le « Rilke Manor ». Sept pièces et une cuisine. Les arbres du jardin semblaient nus comme des squelettes mais ils reverdiraient avec le printemps. Les volets des fenêtres étaient complètement fermés, et pourtant des volutes de fumée pâle s'élevaient de l'une des cheminées.

— Qu'est-ce que...

Il s'arrêta au milieu de l'allée, pétrifié, et se demanda s'il ne ferait pas mieux de redescendre à l'auberge chercher de l'aide. C'était stupide : jamais un cambrioleur n'aurait fait du feu. « Jacob », se dit-il. Et lorsqu'il ouvrit la porte, il le trouva debout au milieu du vestibule, l'air honteux et confus.

— Comment es-tu entré ?

— Avec un canif. J'ai glissé la lame sous un volet.

— C'est bon à savoir, dit Martin d'un ton furieux. Pourquoi n'es-tu pas passé au bureau ? Je t'aurais donné une clé.

— Pas eu le temps, vieux. Deux gros flics étaient sur mes talons.

— Des inspecteurs ?

Jacob acquiesça. Il avait le visage défait et des cernes noirs sous les yeux.

— La Sûreté nationale. J'ai fait la culbute, Martin. Deux numéros du journal et tous les gendarmes de Paris se sont déversés dans l'imprimerie en tapant sur les têtes à coups de matraque. J'ai plongé à travers une fenêtre, sans un sou en poche, et j'ai pris mes jambes à mon cou.

— Cela devait arriver tôt ou tard.

— Un des auteurs nous a trahis.

Il fit glisser sa main dans ses cheveux. Son sourire était amer.

— Dieu tout-puissant, ne te mêle jamais à des antimilitaristes forcenés. Tout ce qui peut plaire à l'un déplaît aux trois quarts des autres. Mon Judas était un vieil anarchiste furieux contre moi parce que le premier numéro n'était pas consacré à un exposé sur la manière d'assassiner les hommes politiques et les généraux. Non que je sois particulièrement opposé à ce genre de choses, tu comprends, mais je trouvais ça un peu gros pour le numéro un. De toute façon, en deux mots comme en cent, je suis en cavale sous l'inculpation de sédition, et ta maison m'a semblé un bon endroit où me cacher.

— Reste aussi longtemps que tu voudras.

— J'avais l'intention de t'emprunter un peu d'argent pour tenter de passer en Espagne, ou même de rentrer au pays. Là-bas au moins, on ne vous fusille pas quand vous n'êtes pas du même avis que les autres.

Jacob se terra dans la maison pendant deux jours, se demandant s'il irait à Madrid mettre sur pied un nouveau journal qu'il introduirait clandestinement en France, ou bien s'il rentrerait en Angleterre, tenter sa chance comme objecteur de conscience. Son découragement était palpable, comme un nuage noir le poursuivant de pièce en pièce. Le matin du troisième jour, Danny, le petit New-Yorkais de l'A.P. qui servait à la fois de copiste et de garçon de course, arriva de Paris sur sa vieille moto. Il apportait quelques lettres et des épreuves à corriger, ainsi qu'un gros paquet dans une sacoche de toile.

— Un officier rosbif a déposé ça au bureau, monsieur Rilke. Il a dit que c'était de la part du colonel Wood-Lacy et que je devais vous le remettre en mains propres.

— Merci, Danny. Rien de particulier sur les téléscripteurs ?

— Les sous-marins allemands ont coulé un autre bateau américain. Le Congrès paraît mûr pour voter la guerre dans quelques semaines. Et Mc Graw prévoit que les Giants prendront le titre cette année.

— Bravo pour Mc Graw ! Il reste tout de même quelqu'un de sensé sur cette terre.

Une lettre était agrafée au paquet brun :

Cher Martin,
Ci-joint une copie des minutes, que j'ai réussi à obtenir. Après lecture, je crois que tu comprendras pourquoi je te les envoie. Les réflexions torturées de Charles sur la guerre méritent autre chose qu'une armoire de classement dans les archives de Whitehall. Ce que tu peux en faire exactement dans les moments que nous vivons, je l'ignore, mais je veux cependant que tu gardes ce ms.
La procédure s'est déroulée exactement comme je te l'avais annoncé. Charles a parlé pendant deux heures et même plus, devant trois « guerriers de Whitehall » impassibles. Leurs conclusions étaient prévues d'avance : cour martiale injustifiée, Charles reste à l'hôpital jusqu'à ce que les docteurs le jugent bon pour la réforme. Je t'ai envoyé ce paquet par l'intermédiaire d'un ami pour éviter que les censeurs et autres curieux mettent les pattes sur ce qu'il contient.

Amitiés,
FENTON.

— Qu'est-ce que c'est ? demanda Jacob en regardant par-dessus l'épaule de Martin qui lisait le document dactylographié. La copie d'un jugement ?
— Un acte d'accusation, et davantage encore, Jacob. Mais tu n'en as pas entendu parler, bien sûr. Charles Amberley a blessé son frère à la jambe en janvier dernier, au cours d'une permission.
— Bon dieu ! Et pourquoi ?
Martin posa la main sur les pages qu'il venait de lire.
— Tu peux en découvrir la raison toi-même.
Jacob avança une chaise près du bureau de Martin. Il parcourut rapidement les deux premières pages : la déclaration guindée du juge expliquant le but de l'audience, mais le premier paragraphe de la déclaration de Charles retint son attention plus que tout autre texte qu'il ait jamais lu.
« Je me suis engagé dans cette guerre avec l'idéal le plus élevé et la foi la plus sincère en la justesse et la validité de mon patriotisme... »

Ils lurent l'ensemble du document plusieurs fois, Martin allongé sur le divan, Jacob arpentant lentement la pièce.
— Ce vieux Fenton, tout de même ! Il fallait avoir des tripes au ventre pour exiger cette audience, dit Jacob. Je comprends pourquoi le War Office était ravi de fermer les yeux. Cette déclaration fait très mal.
— Uniquement si quelqu'un la lit, dit Martin à mi-voix.

— Si j'ai bien compris, c'est ce que Fenton souhaiterait.

— Je ne pourrais pas publier ça, tu le sais. C'est trop critique pour la façon dont le haut commandement a dirigé les attaques de la Somme. La bataille n'a été qu'un massacre sanglant, et rien ne peut justifier les pertes énormes, sauf l'énormité des pertes allemandes elles-mêmes. C'est scandaleux, un Verdun anglais. Les censeurs le refuseront sans l'ombre d'une hésitation. Et même si j'emmenais ce texte aux Etats-Unis dans ma poche, je suis sûr qu'aucun journal ne voudrait y toucher, même avec des pincettes. On est en pleine fièvre de guerre là-bas, en ce moment. Aucun directeur de journal n'imprimera une douche froide.

Jacob se mit à marcher nerveusement, tirant sans arrêt sur sa cigarette et laissant tomber la cendre sur le tapis.

— Bon dieu, ce n'est pas de la propagande. Ce n'est même pas vraiment critique à propos de la guerre. Charles ne fait que condamner la façon dont elle est conduite, tout ce qu'il y a d'insensé dans l'entêtement du haut commandement à lancer sans cesse des hommes contre des mitrailleuses et des barbelés. Tout ce texte n'est que le long cri de désespoir des hommes pris dans un piège. Chaque Tommy sait ce qu'a été la Somme, mais les civils font la sourde oreille à leurs récits. Merde, ce qui leur plaît, c'est d'ouvrir leur journal et de lire les « succès importants » imprimés en manchette. Ils étudient les cartes de la guerre, soigneusement grossies pour que les avances paraissent impressionnantes, si l'on oublie que l'échelle est en mètres et non en kilomètres.

— Tout ça est bel et bon, Jacob, mais la difficulté demeure...

— Les services officiels et les journaux n'en voudront pas. Parfait. Au diable ces salopards ! Imprimons le texte nous-mêmes — mille exemplaires ou plus, bien composés, bien reliés — et envoyons un texte à tous les membres du Parlement, à tous les ecclésiastiques et à tous les hommes intelligents dont les noms nous viennent à l'esprit.

— Tu as touché au cognac ?

— Non. Je suis ivre soudain, mais c'est parce que j'ai maintenant un but. C'est comme si je lançais des faisceaux de lumière dans des coins sombres. Je voudrais voir quelques membres du Parlement ayant des tripes se lever à la Chambre avec ce texte à la main et crier : « Que se passe-t-il, nom de dieu ? Pourquoi tous ces généraux ne sont-ils pas morts la corde au cou ? »

Il se laissa tomber dans un fauteuil. Le mégot éteint de sa cigarette resta collé à sa lèvre inférieure.

— Très bien. Très bien, je ne suis plus ivre. C'était seulement Jacob Golden emporté par sa propre rhétorique, comme d'habitude. Tu as tout à fait raison, Martin, personne n'a envie de lire quelque chose remettant en question la foi que l'on a dans les responsables de la guerre et dans la pureté sacrée de notre cause. Mourir pour la patrie est le sort le plus beau, n'est-ce pas ? Le mieux que tu puisses faire avec le cri désespéré de Charles, c'est de le ranger tranquillement dans un tiroir.

Martin mâchonnait son cigare sans l'allumer, les yeux fixés au plafond.

— Mais pourrions-nous vraiment l'imprimer ?

— Tu plaisantes ?

— Non.

Jacob se pencha en avant et jeta son mégot dans la cheminée.

— Pas ici, sauf si tu as envie de voir de l'intérieur les installations des prisons françaises. Ce serait possible en Suisse, mais le passage de la frontière avec les exemplaires poserait des problèmes. Les Français sont horriblement soupçonneux pour tout ce qui est noir sur blanc. On pourrait bien sûr le faire très facilement à Londres.

— Pourquoi *bien sûr* ?

— Le frère de ma mère, mon oncle Ben, imprime des livres étrangers — en russe, en ukrainien, en yiddish. Une bonne petite affaire d'imprimerie à Whitechapel. J'y allais souvent quand j'étais gosse, avant d'être exilé au lycée et à Eton. Je me souviens encore de l'odeur de l'encre qu'il utilisait.

Martin lança un regard de travers à son cigare et sectionna le bout mâchonné d'un coup de dents.

— Pas très efficace d'imprimer ça en ukrainien.

— Mais Ben a les caractères de la moitié des langues du monde. Y compris l'anglais ! Il collectionne les bas de casse comme d'autres les vins de grands crus. L'imprimerie et le socialisme sont les deux passions jumelles de Ben.

— Retourner en Angleterre serait très risqué pour toi, non ?

— Rester ici en ce moment ne l'est pas moins. Que peut-il donc m'arriver en Angleterre ? On me donnera le choix : réintégrer l'armée ou partir dans un camp d'objecteurs de conscience labourer la terre jusqu'à la fin de la guerre. Il y a bien pis, non ? C'est un risque que je suis prêt à prendre. Celui que tu vas courir est beaucoup plus grand. Ces minutes sont une critique précise de la guerre, une épine dans le pied du War Office et de l'état-major général. Ils vont te qualifier de journaliste « hostile » et te retirer ta carte de presse. Le ministère de la Guerre français travaille la main dans la main avec le nôtre : tu seras condamné deux fois. Et si tu es interdit à moins de deux cents kilomètres de la zone de guerre, je ne vois pas de quelle utilité tu pourrais être pour l'Associated Press.

— Je ne serais pas le premier correspondant de l'A.P. chassé de la zone des combats pour avoir caressé les généraux à rebrousse-poil.

— Et le colonel Wood-Lacy ? Je me demande ce qui risque de lui tomber sur la tête. S'il n'avait pas insisté pour obtenir cette audience...

Martin lança ses jambes en dehors du divan et se pencha vers la table où se trouvaient les minutes. Il remit les pages en ordre d'un geste décidé.

— Jamais il ne m'aurait envoyé ce texte s'il avait eu peur des retombées. C'est lui qui a lancé les dés. Allez, Jacob, en se pressant un peu nous pouvons prendre le train de nuit pour Le Havre.

Londres, 25 mars 1917. Observations et réflexions. Composer un texte donne bien des satisfactions. Pour moi, c'est un retour à l'imprimerie — Garamond corps 6 —, au temps où je préparais pour la presse à platine le bulletin annuel du lycée Lincoln. Un exemplaire du mince opuscule broché sur lequel nous avons tant travaillé se trouve là, devant moi. Beaucoup mieux imprimé que le vieux truc du lycée Lincoln, bien que la méthode de production ait été à peu près la même. L'oncle Ben de Jacob a fait la mise en page et choisi les caractères. Il nous a aidés, Jacob et moi, à composer le texte et à acheter le papier. Un travail de maître imprimeur. Sur la première page :

APRES LA SOMME
*Enquête sur le bien-fondé du passage
en cour martiale du major vicomte Amberley,
du 2ᵉ Royal Windsor Fusiliers, audience
tenue à l'hôpital militaire de Llandinam.*

*avec une introduction par
Martin Rilke, Associated Press.*

Si Dieu le veut, j'aurai des petits-enfants un jour et ils voudront peut-être savoir pourquoi leur aïeul a tendu son cou au bourreau en mettant son nom sur le document. Le fait est que je n'avais pas songé à le faire, mais l'oncle Ben, qui ressemble davantage à l'un des prophètes qu'à l'oncle de qui que ce soit, m'a convaincu que l'ouvrage avait besoin d'une certaine marque d'authenticité : l'Angleterre est le pays des mystifications littéraires, et Charles ne pourra évidemment pas accorder d'interviews. Je me suis donc installé dans un coin de l'atelier de l'oncle Ben et j'ai écrit une introduction expliquant qui j'étais, ce que j'avais vu de cette guerre jusqu'ici, et quelles étaient mes relations avec Charles. « Ce texte est l'histoire de mon cousin, mais aussi, peut-être, celle de votre fils, de votre frère ou de votre père... » « Soyez froid mais passionné » m'avait conseillé oncle Ben. C'est un homme qui parle par paradoxes. Au-dessus de son bureau se trouvent deux photos encadrées et dédicacées : l'une de l'anarchiste Kropotkine et l'autre du roi Edouard VII. Les deux hommes semblent se faire un clin d'œil tout en souriant à l'oncle Ben. « La confusion n'est pas toujours le désordre, mumure oncle Ben de temps en temps. Le mauvais outil se plaint souvent de l'ouvrier. »

28 mars. Hyde Park. Réussi à passer une nuit avec Ivy. Jacob nous a

discrètement laissé l'appartement et a pris une chambre d'hôtel. Elle m'a posé des questions sur mon séjour à Londres et je lui ai dit la vérité. Elle a lu le petit livre, assise dans le lit, ma robe de chambre sur les épaules, sans dire un mot jusqu'à la dernière page. Rien de nouveau pour elle : les blessures volontaires, le soulagement intense que ressentent les hommes les mieux trempés lorsqu'on les transporte loin des lignes avec une jambe ou une main en moins ou un bras mutilé. Les Bonnes Blessures, celles qui vous permettent de rentrer au pays. « Mieux vaut être infirme que cadavre, mon pote... » Elle sait que je risque d'avoir des ennuis lorsque ces textes seront distribués. Je perdrai peut-être mon visa anglais et mon *permis de séjour* * en France. Tout le monde a la peau très sensible en ce moment. Les pertes anglaises au cours des combats dépassent le chiffre de sept cent mille, et du côté français, n'en parlons pas. Une grande bataille se prépare, tandis que Nivelle met au point son plan définitif pour terminer la guerre avant l'été. Le bruit court parmi les correspondants de presse de Londres que si Nivelle cherche à prendre le Chemin des Dames en attaquant de front, il risque d'avoir une surprise terrible. L'Amérique tremble de tous ses membres, sur le point de sauter dans la guerre à pieds joints et les yeux fermés. Le moment est vraiment mal choisi pour mettre en accusation le haut commandement du front de l'Ouest et l'inutilité du massacre. Mais mon Ivy n'essaie pas de me dissuader. Elle parle très net sur ce point : « J'ai mon travail, tu as le tien. Fais ce que tu estimes juste. » La mentalité robuste du Norfolk. Elle va retourner bientôt aux trains-hôpitaux — de Calais à Poperinghe — et je lui ai donné la clé de « Rilke Manor » au cas où l'A.P. m'enverrait à Tombouctou jusqu'à ce que les choses se tassent. Elle ira chez nous pour ses permissions et elle donnera au décor la touche féminine qui lui manque. Parlé finances avec elle, comme un vieux couple calculant son budget. Elle est stupéfaite du solde que nous avons à la banque de Rothmann. « Tu devrais faire travailler cet argent, Martin... ». J'ai cru entendre l'oncle Paul.

— J'espère que je n'interromps pas le cours de tes pensées...

Martin referma son carnet de notes. Jacob, avec un soupir de lassitude, s'assit sur le banc près de lui.

— Non. Je me mettais un peu à jour.

— Il faudra que je lise ton volumineux journal un jour, Martin. Cela occupera mes vieux jours.

— Tout est envoyé ?

— Suffisamment en tout cas pour faire démarrer les choses. Ben a tiré un nombre effrayant d'exemplaires. Il s'est vraiment laissé emporter.

Ils demeurèrent silencieux. Les canards glissaient sur les eaux troubles de la Serpentine. On apercevait non loin des canons antiaériens et des projecteurs de poursuite. Les tubes minces des canons se dressaient vers le ciel, attendant la venue des gothas ou des zeppelins au cours des nuits de lune. Combien de canons dans le parc ? Combien dans toute l'Europe — de Hyde Park à la frontière suisse. Une trame épaisse et sombre faite de canons, de barbelés et d'hommes.

— C'est un très *petit* livre, n'est-ce pas, Jacob ? dit Martin doucement.

Arthur Felchurch, membre du Parlement, député de Twickenhurst, commença le livre au petit déjeuner et le termina aux Communes avant le début du débat sur la loi de développement des chemins de fer. Il le trouva très curieux.

— Bizarre, fit-il observer à l'un de ses collègues, conservateur comme lui. On a l'impression que ce type avait absolument raison de faire sauter le genou de son frère.

— Mais pourquoi donc, Arthur ?

— Du diable si je le sais.

Harold Davidson, député libéral de Coventry, ouvrit son exemplaire pendant le trajet en voiture de son appartement de Russel Square à la Chambre. Etant très occupé, il ne fit que parcourir le texte en diagonale, mais il en lut suffisamment pour alimenter son manque de confiance latent à l'égard du général Sir Douglas Haig. Il savait que la Chambre n'aimait pas voir ses membres discuter publiquement de la politique de guerre, mais lorsque le premier débat sur la loi des chemins de fer se termina sans satisfaire personne, il demanda la parole, l'obtint, et se lança dans une diatribe sur la manière scandaleuse dont Haig avait conduit l'offensive de la Somme.

— J'ai entre les mains un livre... cria-t-il après trente-cinq minutes de discours, mais presque personne n'était resté dans la salle pour l'écouter, pas même les membres de son propre parti.

David Langham sortit de sa réunion quotidienne avec le Premier ministre, 10, Downing Street, et demanda à son chauffeur de l'emmener à Bristol Mews. Il n'y avait que deux invités, la jeune comtesse d'Ashford — sans son mari comme à l'accoutumée — et un capitaine australien grand et bien découplé qui avait été joueur de rugby professionnel avant la guerre. Le capitaine et la comtesse étaient côte à côte sur l'un des divans et leurs mains s'effleuraient comme par hasard. Lydia offrit à Langham un cocktail au gin et au vermouth français, puis le suivit dans le bureau attenant et referma la porte.

— Je suppose que tu es venu m'apporter un exemplaire du livre de ce pauvre Charles.

— Oui, dit-il. J'en ai un dans ma serviette. Tu as envie de le lire ?

— Non, si je peux l'éviter, mais les gens m'ont téléphoné toute la journée pour m'en parler. L'avocat de la famille Stanmore m'a également appelé ce matin. Charles demande le divorce. Bien sûr, je suis ravie de le lui accorder. Je me sens tellement... mauvaise conscience, mais après tout, c'est bien Charles qui s'est attiré tous ces ennuis, non ?

— Je crois que tu peux voir les choses sous cet angle.

Il tendit la main et effleura son visage.

— Tu as l'air épuisée — très belle mais les traits tirés. Je pars à Paris lundi régler quelques problèmes avec Ribot et Painlevé, et je dois avoir également un entretien privé avec Georges Clemenceau. Pourquoi ne pas nous retrouver au Crillon, disons, jeudi prochain ?

— Ce serait parfait, dit-elle. Londres est devenue d'un ennui...

Le général de division Sir Julian Wood-Lacy arpentait à grands pas son bureau minuscule de Whitehall tout en faisant claquer sa badine de cuir contre ses bottes. Par la fenêtre étroite il pouvait voir Big Ben se détacher sur le ciel gris.

— Je ne peux pas vous dire à quel point tout ceci est pénible, Fenton.

— Je le comprends, monsieur.

— Par ma vie, je ne parviens pas à saisir la raison de votre obstination à réclamer la cour martiale.

Il se détourna de la fenêtre et fit claquer de plus belle la badine contre sa botte.

— La *cour martiale* ! c'est la chose la plus infernale que j'aie jamais entendue ! Enfin, ce qui est fait est fait, comme dit l'autre. Sir Wully était bon à lier. Il a les nerfs à fleur de peau dès qu'il s'agit de Haig, et il a trouvé ce petit pamphlet — ou je ne sais quoi — absolument diffamatoire. Comment cette espèce de journaliste américain a-t-il obtenu les minutes de l'audience ?

— Je les lui ai remises.

Le vieux général hocha la tête, soudain très triste.

— J'ai toujours dit que je vous étrillerais si jamais vous mentiez à votre oncle. Mais, nom de dieu, la vérité fait mal !

— Que va-t-il se passer, maintenant ? Une enquête officielle, je pense ?

— Grands dieux, non ! Moins on en fera et mieux ce sera. Mais cela va porter un coup très grave à votre carrière, Fenton. Vous n'êtes que général de brigade par intérim. Impossible de vous conserver à ce poste. Ils peuvent vous rabaisser jusqu'au rang de major, et vous aurez de la chance si vous ne vous retrouvez pas officier d'intendance dans une caserne d'entraînement de Liverpool.

— Vous m'avez toujours dit que, dans l'armée, il faut prendre les choses comme elles se présentent.

Le général lui tourna le dos et s'éclaircit bruyamment la gorge.

— Certainement, mon garçon, certainement.

411

Martin s'attendait à ce coup de fil. Il avait déjà parlé pendant une demi-heure avec le chef de bureau de l'Associated Press à Londres. Sa valise était faite et il se tenait à côté du téléphone. Il décrocha à la première sonnerie.

— Martin Rilke ?

— C'est moi, oui.

— Davengarth à l'appareil, du ministère de l'Information. Vous avez provoqué un peu de chambard, ici. Vous auriez dû vous donner la peine de faire passer le document au bureau de la censure. L'enthousiasme impétueux du « quatrième pouvoir », n'est-ce pas ? Bon, écoutez, Rilke, inutile de venir nous voir désormais. Votre M. Bradshaw nous a appelés pour nous annoncer que vous étiez muté ailleurs. Vous rentrez en Amérique, si j'ai bien compris ?

— C'est exact. A New York.

— Eh bien, bon voyage, et nous espérons bien vous revoir ici un jour. Peut-être après la guerre.

— Oui, répondit Martin en raccrochant. Après la guerre.

Lord Trewe retourna le livre entre ses mains puis passa lentement le pouce entre les pages, pour sentir le grain du papier et la trace nette des caractères sur les feuilles. Il huma l'encre. Le travail de Benjamin De Haan, se dit-il, ou je n'y entends plus rien. Il le posa avec soin, presque avec respect, sur la table. Ranscome, son rédacteur en chef, restait à l'affût de ses réactions.

— Un petit livre rudement bon, dit le rédacteur. Dommage de ne pas lui faire un peu de publicité. Il n'y a aucune chance, bien sûr...

— C'est exact, répondit Lord Trewe. Le vent est mauvais pour ce genre de navigation.

Il croisa ses grosses mains sur son ventre et se pencha en arrière dans son fauteuil.

— Le texte de Logan est arrivé ?

— A l'instant sur les télescripteurs. On le compose. Il dit que le moral des troupes à Arras est de premier ordre, « d'un optimisme tapageur », selon son expression.

— Très bien. C'est ce que les gens ont envie de lire, Ranscome : l'optimisme tapageur de nos petits gars du front...

Jacob Golden transporta la boîte de carton dans les rues de Whitechapel jusqu'à ce qu'il repère un autobus partant en direction de Charing Cross. Il s'assit sur l'impériale découverte pour profiter du soleil et du vent, et il déposa la lourde boîte sur le siège à côté de lui. La circulation était très animée sur le Strand ; l'énorme manifestation en faveur des économies de guerre se regroupait vers Trafalgar Square par toutes les rues adjacentes. Il descendit de l'autobus et se fraya lentement un chemin à travers la foule, vers les tambours et les fifres de l'orchestre de la London Rifle Brigade. Un homme lui agrippa le bras.

— Tu vends des glaces, mon pote ? dit-il en montrant le carton.

Jacob posa la boîte en équilibre sur sa hanche et ouvrit les deux rabats. Il en sortit un livre et le glissa entre les mains de l'homme qui le regarda, surpris.

— Qu'est-ce que tu trafiques ? Tu es à la Mission biblique ?

— Quelque chose comme ça, répondit Jacob en s'éloignant dans la foule.

La musique de la Rifle Brigade défilait lentement autour de l'énorme plate-forme de pierre qui sert de base à la colonne Nelson, sans discontinuer, d'un pas ferme, et le soleil scintillait sur les fifres et sur le bâton du tambour-major. Les accents de *British Grenadiers* arrachaient des vivats à la foule. Des milliers de mains agitaient de petits drapeaux anglais, en cadence avec la musique. Rangées roue contre roue, en carré au-dessous de la plate-forme, se trouvaient des pièces d'artillerie flambant neuves, polies comme des pierres précieuses par des artilleurs très fiers de les présenter ainsi au public : des mortiers de six pouces et de huit pouces, une batterie de canons de campagne et deux monstres de quinze pouces qui faisaient paraître minuscules les lions accroupis au pied de la silhouette de l'amiral, perdue dans le ciel. Et à chaque canon pendait une étiquette indiquant au contribuable son prix en livres, shillings et pennies.

— INVESTISSEZ DANS LES ÉCONOMIES DE GUERRE ! criait une voix dans les haut-parleurs, sur fond de musique martiale. AIDEZ NOS PETITS GARS À FAIRE LE BOULOT ! VOTRE ROI ET VOTRE PAYS ONT BESOIN DE... VOUS !

Jacob se plaça près d'une des énormes roues de fer, de couleur vert olive. Le canon se dressait au-dessus de lui, pointé vers l'étage supérieur du bâtiment de l'Amirauté, de l'autre côté de Cockspur Street. Soulevant le carton au-dessus de sa tête, il le posa sur un repose-pied de métal au-dessus de la roue, puis grimpa rapidement sur les rayons et se mit à califourchon sur la culasse.

— Vous, là-bas, descendez tout de suite ! cria un sergent artilleur.

Jacob se pencha pour prendre le carton et le posa devant lui. L'artilleur essaya de l'attraper, mais il se lança en avant, les cuisses serrées autour du canon chauffé par le soleil, et il monta au-dessus de la foule. Des rires fusèrent, au milieu des cris d'encouragement.

— Fais-nous un discours, vieux !

Il sourit à l'océan de visages blancs, aux petits rectangles rouge, blanc et bleu que leurs mains agitaient.

— LE KAISER GUILLAUME DIT : GARDEZ VOS SOUS DANS VOS POCHES... L'ANGLETERRE DIT : ACHETEZ CES CANONS.

Il était tout en haut du canon maintenant, la boîte posée devant lui. Il plongea la main, saisit les livres et les lança dans la foule. Ils

413

volèrent et tourbillonnèrent. Des mains avides les saisirent. Une demi-douzaine d'agents se précipitèrent en jouant des coudes, le visage dur, implacable. Lorsque le dernier livre fut envolé, Jacob s'allongea, heureux, sur le grand canon d'acier, et attendit que les flics grimpent jusqu'à lui.

Martin demanda au chauffeur de taxi de l'attendre, et se précipita dans All Souls. Jamais l'hôpital ne lui avait paru aussi immense, aussi bondé de monde. Pendant un instant, pris de panique, il crut qu'il ne pourrait jamais la trouver, mais les employés de la réception n'eurent aucun mal à découvrir son service, et quelques instants plus tard il suivait à grands pas le long corridor conduisant à la salle des amputés multiples où elle était de garde. Ivy était sa femme, et il la désirait à ses côtés, mais il savait que c'était impossible. Leurs mains s'étreignirent très fort dans l'allée séparant les rangées de lit. Les mutilés les regardaient de leurs yeux drogués. Il n'eut même pas la force de lui demander de le suivre. Il garda les mains de la jeune femme longtemps entre les siennes, puis il l'embrassa sur la joue. A l'autre bout de la salle, l'infirmière en chef appela Ivy d'une voix impatiente.

Lorsqu'il s'enfonça à l'arrière du taxi, il pouvait encore sentir sur ses lèvres la douceur de sa peau. Le chauffeur fonça sur Gower Street, puis dans le dédale des rues menant à la gare de Charing Cross. La foule qui se déversait sur Trafalgar Square bloqua soudain leur passage, comme un mur vivant.

— Désolé, patron, dit le chauffeur, mais vous ne raterez pas votre train.

En fait, peu lui importait de le rater ou non. « Le retour au bercail » lui avait dit l'homme de l'A.P.... Une plaisanterie sinistre. C'était ici qu'il se sentait chez lui, à présent, et le pays vers lequel il se dirigeait lui semblait étranger, inconnu. Il s'assit très raide sur le siège, sans voir ni la foule ni le cortège des énormes canons que l'on traînait lentement de Trafalgar Square vers Whitehall. Les grosses roues de fer écrasaient du papier et le vent soulevait les pages et les faisait voler, comme des feuilles mortes, sur les trottoirs et dans la rue.

LIVRE QUATRE

Reviendront-ils quand sonneront les cloches,
·   Par trains entiers ?
Certains, trop peu pour qu'on batte tambour,
Ramperont sans bruit aux sources des villages
Par des chemins presque oubliés.

Wilfred Owen, 1893-1918

1

2 novembre 1920

Hôtel Gaillard, Hazebrouck. Observations et réflexions. Dieu sait qu'on a suffisamment analysé tout cela, mais maintenant que tout est terminé, l'entreprise doit recevoir le verdict de l'histoire. Benteen, du *Journal-American,* estime que cela ferait plus de mal que de bien, que cela rouvrirait des plaies dont la guérison est encore très précaire, mais je ne suis pas d'accord, comme Fletcher, Wilde et les autres correspondants de l'Associated Press, ainsi que Warrington de l'United Press. Pourtant, il me paraît naturel d'avoir attendu le deuxième anniversaire. L'an dernier aurait été trop tôt : les armées étaient à peine démobilisées, le choc de la guerre restait trop présent pour qu'une réflexion sereine soit possible. Maintenant, nous avons franchi un tournant, nous sommes entrés non seulement dans une nouvelle décennie, mais dans ce qui apparaîtra certainement comme une ère nouvelle. La promesse du « retour à la normale » a fait choisir Warren Gamaliel Harding comme président élu la semaine dernière. Peut-être est-il donc « normal », maintenant, d'exprimer ses griefs en une dernière proclamation publique, avant de laisser les morts reposer en paix à jamais — oubliés sauf en nos mémoires. De toute façon, l'acte a été accompli. Il y a deux jours, sur la route d'Hazebrouck en Flandres, les cercueils de bois contenant les restes de six Tommies non identifiés, pris au hasard dans la forêt de tombes portant la mention « Inconnu » (forêt qui s'étend d'Ypres à la Marne), ont été déposés dans un baraquement. Un officier anglais y est entré avec les yeux bandés. Le premier cercueil qu'il a touché au hasard a été emporté à Boulogne. On l'a placé dans un énorme catafalque de chêne, on a scellé le couvercle avec des bandes d'acier, et à l'endroit où ces bandes se croisent, on a fixé un grand sceau portant :

Un soldat anglais
Tombé pendant la Grande Guerre
1914-1918
Pour le Roi et le Pays.

Un soldat inconnu, un homme dont Dieu seul est l'ami. Aujourd'hui, ces misérables restes défileront en grande pompe à

417

travers les rues de Londres... L'enterrement aura lieu à l'abbaye de Westminster le jour de l'armistice. Le cercueil, posé sur un affût de canon, sera traîné par les amiraux, les maréchaux et le roi de l'homme mort.

Fletcher a suggéré que j'aille à Londres, mais la moitié des journalistes du monde couvriront l'événement et j'ai préféré rester de ce côté-ci de la Manche, avec Ivy, pour rassembler des notes pour ma propre élégie — je suis parti de Paris et j'ai conduit la Citroën jusqu'à Hazebrouck et Ypres...

Impressions brèves. Sur la route d'Albert, convois de chariots pleins de briques, de sacs de sables et de chaux. Plus de camions bourrés de soldats montant au casse-pipe. La monstruosité qui servait d'église à Albert, bombardée sauvagement en 1916, puis au cours de la percée allemande de 1918, a été reconstruite — avec une nouvelle Vierge dorée en haut du clocher. Après Albert, plus rien : un désert de terre morte, un paysage lunaire de cratères et de tranchées éboulées. Des équipes de sauvetage travaillent encore à couper et à rouler les kilomètres de barbelés, et les hommes du génie cherchent les obus pour les désamorcer ou les faire exploser. A Mametz, à Trones, à Delville, au Bois-Haut, les troncs déchiquetés ont été enlevés et l'on a planté de nouveaux arbres. Le temps passant, il y aura des fourrés et des sentiers ombreux sur ces collines balafrées. Le temps passant, il y aura des fermes sur les carrés de poussière de brique qui marquent aujourd'hui l'emplacement des villages. La vue que l'on a du Bois-Haut et de Flers depuis Bazentin est à vous briser le cœur. Comme les distances semblent courtes, maintenant. Comme elles étaient énormes alors — les chemins de l'éternité. Comment un aussi petit bout de terre a-t-il pu modifier tant de vies ?

Le colonel Sir Terence L. De Gough et son officier en second, le major Fenton Wood-Lacy, étaient assis à l'arrière d'une Vauxhall que le chauffeur maintenait aussi près que possible de la voiture blindée avançant devant eux sur la route qui serpentait entre Ballingarry et Limerick, en Irlande.

— Crénom, Fenton, dit le colonel, l'idée de faire une cérémonie ici est du plus haut ridicule. Il va y avoir des manifestations, c'est forcé. La garnison observera deux fichues minutes de silence et ces maudits Sinn Feiners vont en profiter. Souvenez-vous de ce que je vous dis.

— Nous ne serons pas tous au garde-à-vous, répondit Fenton. Les voitures seront sur le qui-vive et il y a la gendarmerie.

— Ils se débrouilleront tout de même pour faire sauter quelque chose. Quand un Irlandais a une idée dans le crâne, il trouve toujours le moyen de l'exécuter. Quelle chance vous avez de partir ! C'est pour quand ?

— Ce soir.

— Je prie Dieu pour que Hackway puisse faire le travail. Vous me manquerez, Fenton.

— Hackway est tout à fait compétent, colonel.

— Peut-être, mais ce n'est pas vous.

Le vieux colonel se mit à jouer machinalement avec le revolver posé entre eux sur le siège. Il avait les yeux fixés sur la voiture blindée dont la tourelle tournait pour menacer de ses mitrailleuses Vickers les fourrés qui bordaient la route des deux côtés.

— Ils veulent vous briser, Fenton. Je pense que vous savez pourquoi.

— Oui, je le sais.

— Vous envoyer en Mésopotamie !...

— En Irak, maintenant.

— Qu'est-ce que ça change ? Si les Arabes ou les Kurdes ne vous tuent pas, ce sera le climat.

— Il n'y a pas que des inconvénients.

— Parce qu'ils vous ont rétabli lieutenant-colonel et qu'ils vous ont redonné un bataillon ? Ne soyez pas stupide, mon garçon. Votre nom est marqué. A chaque affectation, vous aurez été un sacré morceau d'os à ronger. Si vous avez été promu, c'est uniquement pour que votre estimé beau-père cesse d'écrire des lettres enragées au War Office. Ils préféreraient de beaucoup accepter votre démission et vous rayer des cadres avec votre honneur et votre grade de colonel intacts. Vous devriez sauter sur l'occasion, Fenton.

C'était le plus sage, oui, selon toute logique. Dieu sait que Winnie en serait ravie. Il deviendrait gentleman-farmer et gérerait l'un des domaines du marquis. Ou bien il apprendrait un métier. Un peu tard pour le droit. Les affaires peut-être. L'import-export... Douze ans soldat ! c'était le seul métier qu'il connût. Le régiment était en rang sur la place d'armes de Limerick, l'orchestre entonnait *The Bonnie English Rose* — fifres et tambours. Le caporal Harris, meilleur trompette de l'orchestre, se tenait au garde-à-vous près de la hampe du drapeau, en face de l'aumônier. Onze heures moins le quart, le matin du onzième jour du onzième mois. Une journée tempérée. De gros nuages floconneux flottaient depuis la Shannon. Il leva les yeux, le drapeau claquait dans le vent, ses couleurs vives se détachaient sur le ciel. Oh, mon dieu ! songea-t-il. A tort ou à raison, il était soldat, et il était trop tard pour abandonner l'armée à présent...

Accrochez-vous aux ailes du matin
Et parcourez la terre jusqu'à votre mort,
Jamais vous n'oublierez la chanson que l'on joue
Pour le vieux chiffon de couleur au-dessus de vos têtes.

419

— Vous ne faites tout de même pas vos bagages ? lui demanda Lady Margaret en entrant dans la pièce.

Les deux jumelles, suspendues à ses mains, traînaient les pieds par terre en criant de joie à l'idée d'arracher les bras de leur grand-mère.

— Il ne vous a pas encore écrit. Il a la possibilité de donner sa démission, vous savez.

— C'est votre fils, répondit Winifred en prenant une pile de robes de fillettes... Vous devriez le connaître mieux que ça.

— Bagdad ! murmura Lady Margaret. Cette idée m'est insupportable.

— Ce ne sera pas Bagdad, mère. Il ne nous laisserait pas vivre là-bas. Non, nous irons en Egypte et nous louerons une belle maison très fraîche à Gezireh. Jennifer et Victoria l'adorent, et vous en serez enchantée.

— *Moi ?* Jamais vous ne me ferez quitter le Suffolk, mon enfant.

Winifred sourit, regardant les jumelles pousser et traîner leur grand-mère.

— Vous êtes déjà en route ! De toute façon ce ne sera que pour une année ou deux, au pire. Et Fenton aura de longues permissions. Nous pourrons louer un bateau à cabines et remonter le Nil. Ce sera très agréable.

Lady Margaret repoussa les deux fillettes qui se mirent à courir comme des petits chiens et s'assirent sur le bord du lit.

— Oh ! mon enfant ! Vous n'êtes pas faite pour devenir une femme de soldat. Pourquoi ne le lui dites-vous pas, au nom du ciel ?

Winifred soupira et posa la main doucement sur l'épaule de sa belle-mère.

— Parce que si je le lui disais il démissionnerait, et ce serait moi qui l'aurais décidé et non lui. Je suis la femme de Fenton, et rien d'autre ne compte pour moi. Il est dans l'armée, c'est une chose avec laquelle j'ai appris à vivre — avec laquelle je continuerai de vivre longtemps, je crois.

— Enfin, on dit que l'Egypte est splendide en hiver. Et nous pourrons acheter deux petits ânes pour les enfants.

Winifred se pencha et l'embrassa sur la joue.

— *Nous,* n'est-ce pas ? Très bien, mais les jumelles sont encore un peu jeunes pour monter sur des ânes.

— Oh ! vraiment ? dit-elle d'une voix chagrine. Un couple d'amazones ! J'ai toujours cru que les filles étaient douces comme des agneaux, mais celles-ci sont presque aussi sauvages que Fenton à leur âge. Il faut dire tout de même que Roger...

Elle s'arrêta brusquement et regarda ses mains croisées sur ses genoux.

— Une fois de plus, *ce jour-là.* Deux minutes pour se souvenir en silence ! Comme si j'avais besoin d'un jour par an pour penser à lui !

Winifred se retourna vers sa pile de vêtements et continua son tri.

— Je ressens la même chose pour Andrew et Timothy. Et si la balle qui a touché Bramwell était passée cinq millimètres plus à gauche, j'aurais un frère de plus à garder en mémoire.

— Le jour de l'armistice est pour le genre de personnes qui ne vont à l'église qu'un dimanche tous les trente-six.

— Je crois, oui, répondit Winifred à mi-voix. Et pourtant quand les cloches se mettent à sonner...

Elles se regardèrent, puis leurs mains s'étreignirent très fort, et elles attendirent le premier coup du glas.

Le retour de Biarritz avec le prince Michaël avait été un vrai plaisir.

Le prince avait échappé aux balles qui avaient terrassé de nombreux membres de sa famille, y compris son cousin le tsar, grâce à son affectation à Paris comme attaché militaire adjoint, de 1915 jusqu'à ce que les événements survenus dans la Sainte Russie aient rendu ce poste plus que superflu. Il avait également eu la chance, ou la prévoyance, de transférer un million de roubles-or de sa banque de Saint-Pétersbourg à la Banque de France. Cet argent permettait au jeune prince de trente-cinq ans de se livrer à sa passion favorite — la vitesse — tout en lui accordant une chose dont peu de ses compatriotes émigrés pouvaient se féliciter : l'indépendance. Il n'avait pas été réduit, comme tant de ducs, de grands-ducs et de princes de l'entourage des Romanov à vendre son nom à l'une des filles des nouvelles « fortunes de guerre » qui commençaient à influencer à Paris depuis Birmingham, Bradford, Liverpool et même Gary, Indiana (USA), en quête de titres au rabais. Non, le prince Michaël n'était pas à vendre. L'Isotta-Fraschini qu'il conduisait, le biplan Bréguet qu'il pilotait, avaient été payés de ses propres deniers. C'était pour cette raison — sinon pour d'autres — que Lydia était assise à ses côtés. Elle n'aimait pas les hommes portant leur prix étiqueté à leur arbre généalogique.

Oui. Un vrai plaisir. Les arbres défilaient à toute allure, la poussière s'élevait des pneus en longs nuages jaune pâle. Le vent glissait sur son visage après avoir tourbillonné par-dessus le pare-brise. Paris apparut dans l'aube, ses clochers et ses tours scintillaient au-dessus de la brume. Montparnasse. Le Faubourg. L'odeur de caoutchouc lorsque le prince freina devant les Deux-Magots. Les cuisiniers encore endormis ouvrirent les portes pour leur servir du café et des brioches. Quand il se rangea enfin en face de chez elle, à l'orée du Bois, elle se sentit pleinement satisfaite. Il était onze heures moins le quart.

— Dois-je entrer ? demanda-t-il.

Elle éclata de rire.

— *Dois-je* entrer, ou *puis-je* entrer ? répondit-elle.

Il haussa les épaules.

— Comment deviner votre humeur du moment, Lydia ?

— Mon humeur pour l'instant est à la réflexion. Et au demeurant, nous sommes restés suffisamment ensemble au cours de la semaine passée pour nous séparer quelque temps. Allez à l'aérodrome et envolez-vous avec votre petite machine vers je ne sais quel endroit exotique.

Il lui prit les mains et les embrassa.

— Au revoir. Je vais aller à Tanger. Ne vous liez pas trop étroitement avec quiconque avant mon retour, sinon je plonge sur votre toit avec ma « petite machine ».

Galant ! songea-t-elle. Mais il était prince : les phrases et les gestes justes lui venaient naturellement. Si elle l'épousait, elle deviendrait princesse, avec un nom vieux de cinq siècles. Cette idée ne suscita en elle aucun enthousiasme. Ils étaient égaux maintenant. « L'argent est la seule aristocratie importante », lui avait dit un jour David Langham, ajoutant aussitôt avec un clin d'œil : « Mais le pouvoir s'obtient par les votes des pauvres. »

Elle songea à Langham en montant lentement l'escalier tandis qu'une servante se hâtait devant elle pour ouvrir la porte de sa chambre. Elle songea à lui, parce qu'il était en tous points l'antithèse du prince, grand et athlétique. C'était Langham qui l'avait poussée à acheter cette maison pour qu'il puisse disposer d'une retraite paisible au cours des interminables mois de conférences à Versailles. Il avait résolu le problème complexe de la division de la Hongrie après un week-end digne d'un satyre passé dans cette même pièce, sur le lit même où elle s'allongeait tandis que la servante s'empressait de faire couler son bain. Ses relations avec Langham n'étaient pas passées inaperçues. Elles lui avaient offert dans la nouvelle « société » des *entrées* que l'argent seul n'aurait jamais pu obtenir. L'argent était désirable dans ce monde de l'après-guerre, mais l'influence était tout.

Les cloches de Saint-Jean-Baptiste de Neuilly se mirent à sonner. On n'était pas dimanche pourtant ? Non, jeudi matin, jeudi 11 novembre. Les cloches avaient le même son doux, mélodieux, que celles de l'église d'Abington, et les souvenirs affluèrent soudain, une bouffée d'images qui la stupéfièrent par leur netteté. Elle eut le sentiment qu'en tendant la main elle pourrait saisir Fenton et qu'ils monteraient ensemble, de plus en plus haut sur l'échafaudage, jusqu'aux hautes cheminées de brique, tandis que Charles, en bas, crierait : « Lydia ! Lydia, ne tombe pas... Ne tombe pas ! »

Le révérend Toomey, vicaire de Llandinam, accueillit avec chaleur le comte et la comtesse de Stanmore et leur fils, l'honorable William Greville, à leur descente de voiture. Le comte resta quelques instants au volant de sa Daimler pour vérifier que le levier de vitesses était en marche arrière, le frein à main bien tiré et les roues braquées à angle aigu. C'était un conducteur méticuleux. Le révérend Toomey les fit entrer au presbytère, et leur offrit une tasse de thé fort pour chasser la fraîcheur du matin. Le thé fut servi, comme il se devait, dans le service d'argent de style géorgien offert par les Stanmore. Au cours des trois années précédentes leur générosité avait été extrême, et le jeune ecclésiastique et son épouse les avaient toujours reçus avec reconnaissance.

— Eh bien, William, dit le vicaire, comment Cambridge vous a traité, ce trimestre ?

— Un peu mieux que je n'ai traité Cambridge, répondit William en riant. Je ne suis pas vraiment doué pour les humanités.

— Il songe à quitter King's College et à faire son droit, dit Hanna.

— Ce ne serait pas un mal, fit observer le comte en dégustant son thé. Un avocat serait bien utile dans la famille. Avec toutes ces nouvelles lois et les impôts dont le gouvernement, dans son arrogance, se croit permis de nous accabler...

William rit de plus belle.

— Je vous en prie, père, pas de politique le jour de l'armistice.

— Absolument, murmura le comte.

Il termina son thé et tendit sa tasse pour s'en faire servir un autre.

— Eh bien, John, quel genre de service ce matin ?

— Simple, comme d'habitude, répondit le vicaire tandis que sa femme versait le thé. Quand j'étais aumônier des South Wales Borderers, les hommes se cabraient quand mon sermon avait de trop hautes envolées. Simplicité d'expression et pensée sans détour, tel est mon credo. Et choisir les hymnes les plus populaires, ceux que nos gars peuvent chanter sans regarder leurs missels.

— J'ai toujours adoré *C'est ma couronne, je te la donne*, dit Hanna.

— Certes, dit le vicaire. Il est très charmant, c'est vrai. Mais celui que nos gars aiment le mieux, c'est : *En avant, soldats du Christ*. Ils chantent toujours celui-là à pleins poumons.

William se dirigea vers l'une des fenêtres et leva les yeux vers la colline derrière la maison.

— Il est là-haut ?

— Oh oui ! Chaque matin, qu'il pleuve ou qu'il vente.

— Je vais le chercher.

— Voulez-vous que je vous accompagne ? demanda son père.

— Je préférerais y aller seul ce matin, si vous n'y voyez pas d'objection.

Hanna le regarda sortir puis, par la fenêtre, remonter le long du sentier. Il marchait tellement mieux, songea-t-elle, depuis l'intervention chirurgicale de New York au mois d'août précédent. Une certaine raideur, mais il ne boitait plus, même en gravissant la colline. A cause de cette raideur, il avait beaucoup de mal à conduire, mais c'était un handicap somme toute mineur. Comme il était grand et fort ! Des épaules et des bras puissants. Un beau jeune homme — tellement plein de vie.

423

William remonta lentement la pente raide et suivit le sentier sablonneux jusqu'en haut de la colline. Il y avait plusieurs bancs de bois parmi les chênes et les châtaigners, et Charles était assis sur l'un d'eux, penché en avant, les mains posées sur ses genoux, les yeux fixés sur le versant de Moel Sych, hérissé de rochers, de l'autre côté de la vallée. William s'assit près de son frère et sortit son porte-cigarettes en argent de la poche intérieure de sa veste.

— Tu veux fumer ?

— Je ne crois pas.

Charles se pencha en arrière et croisa les bras.

— Etrange, la façon dont les ombres entrent et sortent des ravins et des gorges.

— Les ombres des nuages. Un spectacle très apaisant.

— A vous endormir, oui. Il m'arrive souvent de m'assoupir en les regardant.

— C'est tellement paisible...

— Oh oui ! je monte là-bas parfois, mais on ne peut apprécier l'effet de clair-obscur que de loin.

— Sans doute.

— Les ombres courent sur vous à une vitesse terrible, et elles filent, vous comprenez. On n'a pas le temps de remarquer la limite précise de l'ombre et de la lumière.

— Je comprends.

— Mais assis ici, ou même un peu plus loin, près du vieux mur, c'est une tout autre affaire. Vous venez ici souvent ?

William alluma sa cigarette avec un briquet insensible au vent qu'il avait acheté à New York.

— Aussi souvent que je peux, dit-il.

— J'ai l'impression que nous avons déjà bavardé ensemble. Peut-être pas ici... mais... quelque part.

— Oh ! nous avons parlé très souvent ensemble. La dernière fois que je suis venu, nous avons parlé du Derbyshire.

— Vraiment ?

— De Buxton dans le Peak District. C'est un endroit charmant. Des quantités de collines et de rochers. Nous possédons une maison là-bas depuis des années. Un endroit un peu petit mais confortable. Il y a une colline derrière la maison, et de la terrasse on peut observer les jeux de lumière. Les nuages passent en grand nombre et les taches d'ombre changent constamment de place toute la journée. Un spectacle très intéressant.

— Oh oui ! J'en suis sûr.

— Aimerais-tu le voir un jour ? Peut-être même vivre là-bas.

Charles fronça les sourcils et se retourna vers la colline, vers les ombres des nuages poussés par le vent, qui s'enfonçaient dans les creux puis remontaient sur les bosses et couraient sur les pentes.

— Je ne suis pas certain de pouvoir. Je ne sais pas vraiment. Il faut que je surveille cette colline, vous comprenez, que je la surveille. Au cas où les hommes reviendraient.

Observations et réflexions. Il y avait des autocars de tourisme rangés sur le bas-côté de la route près du hameau de Beaumont. Les occupants avaient presque tous un appareil photographique en bandoulière. Un guide les emmenait visiter les vieilles tranchées. Une nouvelle industrie ! D'autres autocars de touristes au nord de la Somme, à Arras. Des gens entre deux âges pour la plupart, marchant allégrement sur des caillebotis neufs installés par les agences de voyage pour que leurs clients ne se salissent pas trop les pieds. Près de Cambrai, quelques tanks rouillés restent partiellement ensevelis dans la boue. Le long de la crête de Vimy, les barbelés sont orangés : la rouille. A Messines, d'énormes vols de corbeaux tournoient à l'horizon au-dessus des troncs d'arbres déchiquetés par les obus.

Etrange, mais tout est paisible. Pas d'article à sensation à glaner ici. Les tempêtes sont ailleurs : les tribus du Rif taillent en pièces les légionnaires français et espagnols au Maroc ; les Turcs et les Grecs se battent à mort pour Edirne ; les Anglais déversent des troupes en Irak, en Irlande, au nord de l'Inde. Et la Russie est en guerre avec les Polonais, en guerre avec elle-même. Russes blancs, Russes rouges, Denikine, Semenov, Trotski, la légion tchèque. Le travail ne me manquera guère au milieu de toutes ces tourmentes. Jacob est ballotté, lui aussi, par ces mêmes vents, quelque part entre ici et la Sibérie. Observateur accrédité par une des agences de la Société des Nations. Il garde un œil sur les mutations politiques des nouvelles nations taillées au sein des vieux empires. Il « regarde les nouvelles haines grandir », selon son expression, pleine comme toujours d'ironie amère — c'était lors de notre dernière rencontre, à l'Hôtel Adlon de Berlin l'an passé. Oui, de nouvelles haines grandissent à la place des anciennes en ce second anniversaire de la fin de la « Der'des Der' ». Je me demande si Wilson apprécie l'humour de tout ça, à demi paralysé à la Maison Blanche, tandis que le peuple applaudit Harding et son « retour à la normale ».

Nous sommes tous dispersés. Est-ce le début d'une ère sans racines ? Ou bien s'agit-il seulement d'une nouvelle inquiétude, du fait que les vieux horizons ne sont plus aussi sûrs, aussi rassurants qu'autrefois ? Nous allons et venons comme des oiseaux migrateurs : Pétrograd, Berlin, Paris, Londres, New York. En tout sens. Des trains pour Milan, Belgrade, Varsovie. En tout sens, sur les océans, sans même réfléchir à la signification de notre voyage.

Etrange de songer qu'Alexandra vit au Canada et travaille dans une clinique pour blessés de guerre, avec un docteur qui est peut-être son mari — mais rien n'est moins sûr. Elle semblait tellement faire partie intégrante d'Abington Pryory et de Park Lane ! La coqueluche de tous les bals. Une jeune beauté de la « société » anglaise, jusqu'au bout des ongles. Tout a changé. Elle a écrit à Hanna que même Toronto n'est pas assez loin. Avec son docteur, elle a l'intention d'avancer plus à l'ouest dès que la réserve des mutilés s'épuisera — pour aller le plus loin possible de l'endroit où je me trouve actuellement : Hazebrouck, au bord du grand saillant.

La nouvelle route d'Hazebrouck à Kemmel et Ypres, par la crête de Messines, paraît excellente, mais la terre est acide des deux côtés. Les gaz de moutarde et la lyddite ont imprégné le sol. Pourtant, de l'herbe commence à pousser. Elle rampe sur les lèvres des trous d'obus, elle monte en touffes sur les anciens parapets et au milieu des redoutes de sacs de sable. Oui, l'herbe recouvre tout...

Pas de Golgotha pour l'armée britannique, mais Ypres fera l'affaire, et c'est le champ de bataille le plus proche de la côte. C'est ici, près de ce désert de pierres qui a été autrefois la capitale de la dentelle, que six Tommies inconnus ont été allongés côte à côte dans une baraque en attendant que l'un d'eux soit choisi pour l'immortalité, pour symboliser l'apothéose de un million de morts. Ceux qui reposent ici ne sont pas oubliés. La Commission des tombes de guerre du Commonwealth n'a pas regardé à la dépense lorsqu'elle a installé les cimetières. Ils sont entourés de murs bas et les lignes des pierres tombales sont adoucies par des bosquets d'arbres et d'arbustes. A Poperinghe, les cimetières sont comme des jardins anglais et les fossoyeurs m'ont paru très dévoués et efficaces. Il ne leur faut que deux ou trois minutes pour désigner aux visiteurs n'importe quelle tombe au milieu des rangées bien droites de croix blanches, portant chacune un nom. Sur l'une d'elles, Ivy Thaxton Rilke. Sous le nom, les initiales de son service d'infirmières et une date : 9 octobre 1917.

Il y a au moins cent mille autres tombes datées de Paschendaele — non que ce soit pour moi un réconfort... Elle est ensevelie dans un coin spécial, avec vingt de ses malades, morts en même temps qu'elle quand l'obus a explosé. Alexandra l'a vu de ses yeux. La fille d'un comte qui vivait sa vie...

Une tombe dans les Flandres. Loin de tous les endroits qu'elle espérait voir. Chicago, Illinois, sur le lac Michigan ; chemins de fer et abattoirs.

Non. Je ne pouvais pas supporter l'idée d'aller à Londres assister au spectacle de Westminster Abbey. Pas avec elle de ce côté-ci de la Manche. Un endroit tranquille. Un peu de vent, c'est tout, un merle qui se balance en haut d'un cyprès, puis à onze heures, au loin, une cloche.

Table

Achevé d'imprimer
sur les presses de l'Imprimerie Delmas
à Artigues-près-Bordeaux.

N° d'impression : 31608.
Dépôt légal : 1er trimestre 1980.
N° d'éditeur : 267.